唐诗三百首译注

国学基础读本

陶今雁/编著

百花洲文艺出版社

说明

◎陶今雁

  《唐诗三百首》为清代孙洙所编,几百年来广为流传,是一部很有影响的唐诗选集。尽管其中对隐逸之类的诗选得较多,但全书选诗范围广阔,入选的诗大都具有代表性,是唐诗中富于艺术特色的优秀之作。书中原来只有孙洙的旁批,后为陈婉俊所补注。补注内容丰富,在历史上起过积极作用。但因"补注"是用古文写的,又一般只注字、词和典故的出处,至于它们在本诗或本句中的意义如何,则很少诠释,使没有古文基础的人读后不甚了了。几十年前喻守真著的《唐诗三百首详析》是用白话写的,对陈注是一大进步,但其重点是放在诗的"作法"上,有关字、词的注释寥寥无几,也不便于初学。为节省篇幅,其他流行注本就不一一列举了。为了减少初学的困难,我们在各家注释的基础上重新评注了这部唐诗选集。

  本书正文后面一般分作者简介、说明、注释三部分,而重点在注释部分。注释中对每篇诗难懂的字、词、句都有较详细的解释,不少诗句还有译文或大意概括。结构比较特殊的诗句并特别作了分析。在许多诗的注释中也往往夹有评点,作为说明部分的补充。本书编目全按四藤吟社主人刊本。一诗原作数题者,择善而从,部分诗题作了变动,如白居易的《草》则按《白香山集》作《赋得古原草送别》。又极少数诗篇的作者也作了变

动,如《金缕衣》的作者原署杜秋娘,现依《全唐诗》改为"无名氏"。有些诗的字、词是参考各种唐诗选集而加以抉择的,与四藤吟社主人刊本也略有出入。

由于评注者限于水平,谬误在所难免,敬请读者批评指正。

1979 年 11 月

【目录】

五 言 古 诗

感遇二首

张九龄

其 一

兰叶春葳蕤①，　桂华秋皎洁②。
欣欣此生意，　自尔为佳节③。
谁知林栖者④，　闻风坐相悦⑤。
草木有本心，　何求美人折⑥?

【作者简介】　张九龄(673—740)，字子寿，一名博物。韶州(今广东韶关市)人。唐中宗景龙初进士。后历任校书郎、左拾遗、中书舍人、集贤院士、中书侍郎。玄宗开元二十二年(734)迁中书令。因李林甫排挤，开元二十五年(737)被贬为荆州长史。

张九龄的诗早年词采清丽，情致深婉，为诗坛前辈张说所激赏。被贬后风格转趋朴素遒劲，所作《感遇》等诗采用比兴，寄慨遥深，与陈子昂的《感遇》诗相类似。沈德潜指出："唐初五言古渐趋于律，风格未进。陈正字起衰，而诗品始正；张曲江继续，而诗品乃醇。"对扭转初唐形式主义诗风有一定贡献。有《曲江集》。

【说明】　开元后期，玄宗昏庸，沉溺声色，任用奸邪，朝中贤士毁弃，谗人高张，政治日趋黑暗。因此守正不阿的宰相张九龄被贬为荆州长史。他的婉转附物、寄慨遥深的《感遇十二首》、《杂诗五首》即作于此时。此篇是以春兰秋桂的芳洁本质比喻自己的志洁行芳，坚持理想政治，誓不同流合污，对昏君表示了极大的愤慨。

【注释】　①兰叶：这里的兰指属于菊科的兰草或泽兰，不是指属于兰科的兰花，即幽兰。兰的香气在叶，故云"兰叶"。一作"兰蕊"，则指的是幽兰。葳蕤(wēi ruí)：草木繁盛披拂的样子。　②桂华：桂花。华，古花字。　③欣欣：即欣欣向荣，草木茂盛的意思。生意：犹生机，富有生命力的气象。自尔：自然而然地。尔，语助词。佳节：美好的季节。指春和秋。这两句大意是，由于兰叶和桂花欣欣向荣生机旺盛，所以使春与秋自然成为"佳节"。　④谁知：谁料。林栖者：住在山林中的人。这里指隐逸之士。　⑤闻风：听到兰、桂的风韵。坐：深，极。悦：乐。　⑥草木：草指"兰叶"，木指"桂华"。本心：本来的性格，本来的心愿。刘桢《赠从弟三首》："岂不罹凝寒，松柏有本性。"美人:指上文的"林栖者"。折:采折,含有欣赏的意思。这两句说春兰秋桂具有芳洁的品质,绝不会因无人采折欣赏而减损其光辉。韩愈《猗兰操》:"不采而佩,于兰何伤?"即用此意。

其 七

江南有丹橘①,　　经冬犹绿林②。
岂伊地气暖③,　　自有岁寒心④。
可以荐嘉客,　　奈何阻重深⑤?
运命唯所遇,　　循环不可寻⑥。
徒言树桃李,　　此木岂无阴⑦?

【说明】　诗人在前篇中以兰桂自比,这篇却以丹橘自况,都是托物言志、体合风骚的佳作。但前篇毫无再起之意,这篇却似有回朝之心。"可以荐嘉客,奈何阻重深?""徒言树桃李,此木岂无阴?"委婉蕴藉,弦外留音。然而玄宗已执迷不悟,他任用贤才的时期已经结束,诗人"一篇之中三致意焉"只不过是他的幻想而已。诗人在这里表现的"独立不迁",正与屈原的《橘颂》相同。

【注释】　①江南:这里泛指南方地区。丹橘:红橘子。橘子成熟时由青色变为红色。　②经冬:经过冬季。犹:还是。　③岂:难道。伊:彼,那里。指"江南"。　④自有:本来就有。岁寒心:耐寒的本性。《论语·子罕》:"岁寒,然后知松柏之后凋也。"李元操《园中杂咏橘树诗》:"自有凌冬质,能守岁寒心。"为此句用语所本。　⑤荐:贡献,陈献。嘉客:尊贵的客人。嘉,善也,美也。刘桢《赠从弟三首》:"采之荐宗庙,可以羞嘉客。"奈何:怎么。阻重深:被阻隔在僻远的地方。重,指山。深,指水。作者的《杂诗》"路远无能达,忧情空复多"亦即此意。这两句的含意是,自己本有治国谋略和报国忠诚,如果留在朝廷,是很有用的,无奈皇帝听信谗言,把我放逐到与长安远隔千山万水的荆州。　⑥运命:运气,命运。唯:只能。寻:推究。这两句说,自己以前受信任,现在被毁谤,我反复地思考都找不出它的原因,大概都是运气碰上的吧。　⑦徒言:只说。树桃李:种植桃树李树。《韩诗外传》:"赵简子曰:'春树桃李,夏得阴其下,秋得食其实。'"桃李,这里暗喻李林甫、牛仙客之流。此木:指"丹橘"。阴:树荫。这两句说,人们只谈栽种桃李,难道种植丹橘就没有树荫供人们乘凉吗?这里暗示自己如能得到起用,还是可以为国家作出贡献的。

下终南山过斛斯山人宿置酒

李　白

暮从碧山下,　　山月随人归①。

却顾所来径②，　苍苍横翠微③。

相携及田家④，　童稚开荆扉⑤。

绿竹入幽径，　青萝拂行衣⑥。

欢言得所憩⑦，　美酒聊共挥⑧。

长歌吟松风，　曲尽河星稀⑨。

我醉君复乐，　陶然共忘机⑩。

【作者简介】　李白(701—762)，字太白。祖籍陇西成纪(今甘肃天水附近)，隋末迁居中亚的碎叶城(唐属安西都护府，今在哈萨克境内)。武则天长安元年(701)，李白出生于此。五岁时，随父亲李客由碎叶迁居蜀郡绵州彰明县之青莲乡(今四川江油县)。李白从小受到儒、道、纵横等各家思想的影响。青年时代，他怀着"申管晏之谈，谋帝王之术，奋其智能，愿为辅弼，使寰区大定，海县清一"(《代寿山答孟少府移文书》)的雄心壮志，漫游蜀中及长江流域等地。天宝元年(742)，玄宗征召他赴京供奉翰林，为李唐王朝歌功颂德。当时正是嫉贤妒能、口蜜腹剑的宰相李林甫专权，贵妃杨玉环和宦官高力士得宠的时候，朝政极其败坏。李白对这些权贵既憎恶又蔑视，因此遭到他们的谗毁，不到三年，便被排挤永离长安。但这对李白认识黑暗政治，丰富诗歌内容大有好处。李白离京后，继续漫游，足迹遍布江、河南北。天宝十四年(755)安史之乱爆发，李白维护统一，反对分裂，渴望在统一祖国的战斗中竭忠尽智。为此，便参加了永王李璘的幕府。但不久由于李璘与其兄肃宗李亨之间发生矛盾，李璘被杀，李白也因此获罪而流放夜郎(今贵州桐梓县一带)，中途遇赦放回。这时虽已五十九岁，但他平定叛乱的壮志并未衰减，第二年又毅然去参加李光弼的东征，不料"半道病还"。六十二岁时，病死于安徽当涂。

　　李白一生，绝大部分时间是在玄宗统治的盛唐即开元、天宝年间度过的。这正是李唐王朝版图辽阔，国势极盛，经济文化高度繁荣的时期，同时也是社会矛盾加深、危机四伏的时期，安史之乱宣告了盛唐的终结。因而李白的诗歌主要是反映安史之乱前的社会现实和时代面貌。但他的作品对安史乱后的时代面貌也有所反映。总之，在李白流传下来的九百多篇诗中，大部分鲜明地表现了他对封建权贵的轻蔑，对腐朽政治的揭露，对人民疾苦的同情，对卫国战争的歌颂，对安史叛乱的强烈愤慨，对祖国壮丽山川的热情赞美，等等。然而也无可讳言，由于阶级地位和生活环境的影响，致使李白始终浮在社会上层，他对安史之乱前后尖锐的阶级矛盾和处于水深火热中的下层人民缺乏深刻的了解，所以他具体地反映穷苦人民生活的诗篇极少。同时也由于封建统治思想的严重影响，李白的不少作品往往流露道家人生如梦、及时行乐和儒家"穷则独善其身"的消极情绪。

　　李白是我国唐代与杜甫并称的伟大诗人。他的诗歌的创作方法，虽有现实主义的成分，但就其主导方面而言则是浪漫主义。他是屈原以后我国浪漫主义诗人的杰出代表，他出色地继承并发展了屈原的艺术传统。他的诗歌大量运用夸张，想象极其丰富，用笔如大江奔涌，汪洋恣肆，不可阻遏。他也是我国古典诗歌史上善于学习汉魏六朝乐府民歌而成就最大的杰出代表。他的诗歌语言,正如他自己的诗中所说"清水出芙蓉,天然去雕饰"(《赠江夏韦太守良宰》)。李白的诗歌各体俱佳,而其中又以七言歌行与七言绝句最为擅长。七言歌行奇情壮采,纵横变幻;七言绝句清新自然,言近旨远,多是千古绝唱。李白在我国诗歌史上的地位是崇高的。有《李太白全集》。

【说明】 终南山即秦岭,又名中南山或南山,在陕西长安县南五十里,东至蓝田县,西至郿县,绵延八百余里。主峰在长安南面,唐代士人为了仕进多借隐居在此待价而沽。

此诗作于天宝三年(744)春。它写诗人在月夜从终南山下来到田家访问一个姓斛(hú 胡)斯的隐士,和他一同饮酒高歌直至深夜的欢乐情景。中间生动地描绘了月下如画的山村景色,诗人在这里亲切地把山月看做随从自己的伴侣,用了拟人化的手法。诗从侧面反映了诗人被权贵排挤而将离开长安的生活和思想。

【注释】 ①随:跟着。 ②却顾:回头看。径:小路。 ③苍苍:深青色。这里指暮色。翠微:这里指半山腰。 ④相携:手拉着手。这里是一同的意思。章燮云:"正行之间,忽遇斛斯山人,相与携手同归,行及田家。" ⑤童稚:儿童。荆扉(fēi 非):柴扉,以荆柴做的门,旧指穷人住的房屋。扉,门。 ⑥青萝:即女萝,又名松萝、兔丝。地衣类,产深山中,常自树梢悬垂,全体丝状,呈淡黄绿色或灰白色。拂:轻轻掠过。 ⑦憩(qì 气):休息。 ⑧美酒:好酒。聊:且。挥:原义为倒去余酒,这里是饮酒的意思。 ⑨这两句说,长歌而吟松风之曲,到曲尽时已是深夜了。吟:歌咏。松风:即《风入松》之曲。河星稀:犹言夜已深。河,银河。稀,少。 ⑩陶然:欢乐的样子。忘机:心地淡泊,与世无争之意。

月下独酌

李 白

花间一壶酒,　独酌无相亲①。
举杯邀明月,　对影成三人②。
月既不解饮③,　影徒随我身④。
暂伴月将影⑤,　行乐须及春⑥。
我歌月徘徊⑦,　我舞影零乱。
醒时同交欢,　醉后各分散。
永结无情游⑧,　相期邈云汉⑨。

【说明】 李白怀才不遇,佯狂醉酒,面对黑暗政治,向往光明世界,他的诗中歌咏明月的篇什之多,并不是偶然的。此诗以月夜独饮没有知音,竟然举杯邀明月共饮,把皎洁的明月引为知己,并要与它永结忘情之游。陶潜《杂诗》:"欲言无予和,挥杯劝孤影。日月掷人去,有志不获骋。"李白脱化陶诗而面目全新。他正是"有志不获骋"而有感于"日月掷人去"的岁月蹉跎,于是托月发慨。当然,诗中抒发了诗人狂放不羁的情怀,也流露了他及时行乐的消极情绪。

　　【注释】　①独酌:一个人喝酒。无相亲:没有亲近的人。　②这两句说我举起酒杯招明月共饮,明月和我以及我的影子恰恰合成三人。邀:邀请。　③既:既然。不解饮:不会喝酒。解,会。　④这句说影子也徒然是跟着我的身子动。指影子也"不解饮"。　⑤伴:陪伴着。将:和。　⑥须:应该。及春:趁着春光明媚之时。"行乐须及春"是李白诗文中常常流露的一种消极思想。　⑦这句说我唱歌时,月亮在空中听得出神不肯向前移动。徘徊:来回地走。　⑧无情游:忘情的交游,这句意谓我忘其为月,我忘其为我,我们永远结成忘情的好友。　⑨相期:相约。邈(miǎo 秒):远。云汉:银河。这句说我与明月相约将来在遥远的天空再见。

春　思

李　白

燕草如碧丝,　　秦桑低绿枝①。
当君怀归日②,　　是妾断肠时③。
春风不相识,　　何事入罗帏④?

　　【说明】　此诗写秦中女子春日怀念远戍燕地的丈夫,她想象丈夫也正在怀念自己。诗以春景托情,春景成了联系他们相思的纽带。末尾反诘春风,愈见思苦情深,婉曲动人。薛维翰《春女怨》:"儿家门户重重闭,春色因何入得来?"与此同意。

　　【注释】　①燕(yān 烟):今河北一带。秦:今陕西一带。这两句说燕地寒冷,秦地偏暖,当秦桑绿枝低垂的时候,燕草才开始像碧丝般生长,说明夫妻分离在遥远的两地。　②君:这里是女子对丈夫的尊称。怀归:想家,也就是说他在怀念自己。　③妾:这里是女子对自己的谦称。断肠:这里形容女子相思的激烈。　④何事:为什么事。罗帏(wéi 韦):丝织的帐幕。这里指代女子的闺房。

望　岳

杜　甫

岱宗夫如何①?　　齐鲁青未了②。
造化钟神秀③,　　阴阳割昏晓④。
荡胸生层云⑤,　　决眦入归鸟⑥。
会当凌绝顶⑦,　　一览众山小。

【作者简介】 杜甫(712—770)字子美,唐代巩县(今河南巩县)人,出身"奉儒守官"的地主家庭。他的思想和创作,随着他的生活条件和社会地位的变化,经历了不同的发展时期,呈现出比较复杂的情况。青年时期,他曾到吴、越、齐、赵漫游。三十五岁到京城长安求官,困居将近十年,才得到一个管兵器的小官。在这十年中,他的生活逐渐困顿,往往受到饥寒的威胁,甚至他的小儿子也饿死了。为了一官半职,他到处求人,经常遭受白眼。但他因此接触到社会的黑暗现实并对他的创作产生了深刻的影响,写出了《自京赴奉先县咏怀五百字》(以下简称《奉先咏怀》)这样著名的诗篇。《奉先咏怀》对唐玄宗的昏庸腐化进行了大胆的暴露,对劳动人民的悲惨处境表示了真切的同情。这是一篇揭示封建社会阶级对立的不朽史诗,也是他在长安十年痛苦生活的总结,在杜甫的创作道路上具有划时代的意义。

唐玄宗天宝十四年(755)十一月,安史之乱爆发。半年后安史叛军逼近长安时,玄宗向四川逃跑。杜甫在长安失陷前夕,带着家眷从奉先县逃往鄜(fū)州,天宝十五年八月,他听说肃宗在灵武即位,即只身前往,中途被叛军俘到长安。在这里,他亲眼看到叛军对人民的残暴屠杀,十分愤慨。他于肃宗至德二年(757)四月冒险逃出长安,直奔凤翔。这一段逃难经历和俘房生活,进一步扩大了他的视野,对他的诗歌创作有着重大作用。这一时期他先后写了《悲陈陶》、《悲青坂》、《塞芦子》、《春望》、《述怀》、《北征》、《羌村》等十分关注时局,控诉叛军罪行和同情人民疾苦的许多不朽的政治诗篇。杜甫到凤翔后,虽做了个左拾遗,但未受到肃宗重视,还因疏救房琯而被贬官华州。肃宗乾元二年(759)三月,官军在邺城溃败,为了急速补充兵员,却不分男女老少到处乱抓,对人民的凶暴程度并不减于叛军。对此,杜甫忧心如捣,从洛阳赶回华州的途中,根据自己的见闻和感想写成《新安吏》、《潼关吏》、《石壕吏》、《新婚别》、《垂老别》、《无家别》这一震烁千古的组诗,史称"三吏"、"三别"。这个时期,杜甫的诗歌创作,发展到了一个新的高度。

乾元二年下半年杜甫离陕赴川。到成都后,得到朋友的帮助,在浣花溪畔修筑一所草堂,史称"成都草堂",生活暂时安定下来。但不久又几经兵乱,他再度流亡近两年才回到成都草堂。后移居夔州等地。唐代宗大历三年(768)又离川东下,转徙鄂、湘之间,生活又陷于困境。到达潭州,又因臧玠之乱而逃难。大历五年(770)病死于湘江舟中。杜甫在漂泊西南时期,写了大量关心时局,同情人民的诗篇,其中有不少杰作,如《秦州杂诗》、《留花门》、《即事》、《对雨》、《岁暮》、《三绝句》、《负薪行》、《又呈吴郎》、《岁晏行》等。而《岁晏行》是他死前一年在洞庭湖畔呕心沥血写成的,从多方面反映了劳动人民的痛苦,揭露了统治阶级的罪行。

杜甫是我国古代的伟大诗人之一。杜甫的成就是与时代给他的熏陶分不开的。杜甫生活的时代是唐代封建社会大动荡大变化的时代。安史之乱前,杜甫政治上很不得意;安史之乱爆发,给民族和人民带来了空前沉重的灾难,也给他带来了长期流离转徙的痛苦。这就迫使他有机会接触到广泛的社会现实,接触到广大的贫苦人民,使他能更深切体会到民族的危机和人民的苦难。当时,安史叛军的残酷屠杀,吐蕃回纥的野蛮骚扰,北方藩镇的擅权割据,南方州郡的兴兵作乱,统治集团的腐朽荒淫,劳动人民的呻吟挣扎,总之,有关政治、军事、经济和社会生活的巨大变化,都在杜甫的诗中得到了深刻的反映。在杜甫的后半生，无论在怎样困难的处境中，他都能严肃地正视现实，从不忘怀政治，始终热情地关注民族命运和民生疾苦。"穷年忧黎元，叹息肠内热"（《奉先咏怀》）、"留滞才难尽，艰危气益增"（《泊岳阳城下》）的精神贯穿着他后期的诗歌创作，他在湘江舟中的绝笔中还念念不忘："战血流依旧，军声动至今。"（《风疾舟中伏枕书怀》）他自称"他乡阅迟暮，不敢废诗篇"（《归》），可见他的创作热情至死不衰。

杜甫是一个创作天地很广阔的诗人。现存诗一千四百多首。他善于表现重大的主题，也善于描写细小的事物，题材是多方面的。无论五言、七言，古体、近体，都特别出色，又能融合前人艺术的各种长处，形成自己的独特风格。杜甫在我国诗歌发展史上所作出的贡献是巨大的，他对后世的影响是深远的。有《杜少陵集》。

【说明】 我国有五岳，即：东岳泰山，在山东；西岳华山，在陕西；南岳衡山，在湖南；北岳恒山，在河北、山西；中岳嵩山，在河南。杜甫现存诗中以《望岳》为标题的诗有三首，在青年、中年、老年三个不同的时期分咏东岳、西岳、南岳。这首诗咏的是东岳，玄宗开元二十八年(740)，杜甫在纵游齐赵中赴兖州(今山东兖州县)省亲(他父亲杜闲当时任兖州司马)时所作，同时之作有《登兖州城楼》。

全诗大气磅礴，笔力雄健，抒发了诗人青年时代的豪情壮志，预示着他的创作才能有一个大发展的前途。

【注释】 ①岱(dài 代)宗：泰山。在今山东泰安县。岱，是泰山的别称。因为泰山是五岳之首，所以又称"岱宗"。宗，根本的意思。夫(fú 扶)：语助词。如何：怎么样。 ②齐鲁：春秋时期的两个国名，齐国在泰山北，鲁国在泰山南。青：指山色。未了：没完。这句是对上句自问的回答，说走完齐鲁两国的国境，还可望见泰山的青色。这是极力形容泰山的高大。 ③造化：天地。钟：聚集。神秀：指山色的神奇秀丽。 ④阴阳：阳是山南向日处，阴是山北背日处。割：分开。昏晓：昏，阴暗；晓，明亮。山的阴处为昏，阳处为晓。 ⑤这句说，因望见山上云层迭起而心胸动荡。这句是形容心胸的浩荡。 ⑥决眦(zì 自)：极力张大眼眶。入归鸟：归鸟收入眼中。鸟飞回山中，张大眼睛能看得分明。这句是形容眼界的空阔。 ⑦会当：定要，应当。会，含有将然的语气。凌：登上。绝顶：指泰山的最高峰。联系杜甫《又上后园山脚》中的"昔我游山东，忆戏东岳阳。穷秋立日观，矫首望八荒"，知道他后来已登上泰山，可惜没有留下纪游的诗。

赠卫八处士

杜 甫

人生不相见，	动如参与商①。
今夕复何夕②？	共此灯烛光。
少壮能几时，	鬓发各已苍③。
访旧半为鬼④，	惊呼热中肠⑤。

焉知二十载⑥，　　重上君子堂⑦?

昔别君未婚⑧，　　儿女忽成行⑨。

怡然敬父执⑩，　　问我来何方。

问答未及已⑪，　　驱儿罗酒浆⑫。

夜雨剪春韭⑬，　　新炊间黄粱⑭。

主称会面难⑮，　　一举累十觞⑯。

十觞亦不醉，　　感子故意长⑰。

明日隔山岳⑱，　　世事两茫茫⑲。

【说明】　卫八名不详，八是他在兄弟中的排行。唐人最重排行，往往对别人只称排行不称名字；但也有排行后再出现名字的，如李白的《鲁郡东门送杜二甫》、王维的《赠祖三咏》。处士是对隐居不仕者的称呼。肃宗李亨乾元元年(758)六月，杜甫因疏救房琯被贬为华州(今陕西华县)司功参军。乾元二年初春回故乡洛阳探望，返华州时途经蒲州与少年知交卫八久别重逢。当晚留宿卫家，两人饮酒话旧，倍觉情亲，别前吟赠此诗。

【注释】　①动：往往，每每。参(shēn 申)商：二星名，不同时出现，一出一没，永不相见。这里比喻杜卫两人久别不得见面。　　②这句用惊呼的口吻表示今夕朋友聚首的难得。语本《诗经·唐风·绸缪》："今夕何夕？见此良人。"今夕：今夜。　　③苍：斑白，花白。陶潜《饮酒》："岁月相催逼，鬓边早已白。"为这句用语所本。　　④访旧：打听故旧亲友的消息。访，问。半为鬼：大半已经死去。人死为鬼是旧时的迷信说法。　　⑤惊呼：惊讶地叫。热中肠：心中火辣辣的。形容情绪极为激动。　　⑥焉(yān 烟)知：哪料。载(zǎi 宰)：年。　　⑦君子：指卫八。　　⑧昔别：从前和你分别。君：指卫八。　　⑨成行(háng 杭)：形容众多。　　⑩怡然：和悦的样子。敬：敬重。父执：父亲的好友。　　⑪未及已：来不及结束。已，停止，结束。　　⑫驱儿：打发儿女。罗：陈设，摆出。酒浆：酒。浆，凡物质的汁液都叫浆，这里就是酒的意思。　　⑬这句说晚上冒雨去园中割韭菜。　　⑭间(jiàn 涧)：夹杂。这是倒装句，谓间黄粱新炊。　　⑮主称：主人称道。主，指卫八。　　⑯累：接连。觞(shāng 商)：酒杯。　　⑰感：感激。子：您，指卫八。故意长：老友念旧的情意深长。故，旧。　　⑱山岳：指华山。　　⑲茫茫：渺茫难知。

佳　人

杜　甫

绝代有佳人①，　　幽居在空谷②。

自云良家子③，　　零落依草木④。

关中昔丧乱⑤，　兄弟遭杀戮⑥。
官高何足论⑦，　不得收骨肉⑧。
世情恶衰歇，　万事随转烛⑨。
夫婿轻薄儿⑩，　新人美如玉⑪。
合昏尚知时，　鸳鸯不独宿⑫。
但见新人笑⑬，　那闻旧人哭⑭。
在山泉水清，　出山泉水浊⑮。
侍婢卖珠回，　牵萝补茅屋⑯。
摘花不插发，　采柏动盈掬⑰。
天寒翠袖薄，　日暮倚修竹⑱。

【说明】 乾元二年(759)初夏杜甫由洛阳回到华州,关中大旱,饥馑遍地,便弃官移家秦州(今甘肃天水)。但弃官的根本原因是政治上一再遭到排斥,他见朝政混乱,社会动荡,深有不知托足何处之感。此诗即作于秦州。

　　安史之乱中,惨遭家破人亡的人不计其数,诗中的空谷佳人并非托咏,但诗人也从中暗寓着自己的身世之感。五十多年后白居易在浔阳江头写的《琵琶行》与此同一作意,只不过是白在诗中有"同是天涯沦落人,相逢何必曾相识"的明白表露罢了。诗中除首尾各二句外,"自云"以下均为佳人自白。

【注释】 ①绝代:绝世。这里指其美色举世无双。佳人:美女。李延年《北方有佳人歌》:"北方有佳人,绝世而独立。"唐人避李世民讳,改"世"为"代"。 ②幽居:静处,恬淡自守。空谷:空旷的山谷。 ③自云:自己称道。良家子:指高贵人家的子弟。 ④零落:飘零流落。依草木:指住在山林中,与前文"幽居在空谷"照应。 ⑤关中:指潼关以西,今陕西西南部地方,即唐都城长安所在地。昔:从前。丧(sàng 桑去)乱:指玄宗天宝十四年(755)发生的安史之乱,天宝十五年六月安禄山破潼关,进长安。 ⑥戮(lù 路):杀。 ⑦官高:指遇害的兄弟都曾任大官,与前文"良家子"照应。何足论:哪里值得说它,即大官在丧乱中也无作用的意思。 ⑧这句说兄弟被杀,自己被丈夫遗弃(见下文),娘家无人收留自己。骨肉:指骨肉之亲,即至亲的人。 ⑨这两句慨叹人情冷暖,世态炎凉,娘家衰败,丈夫也就厌恶自己,而自己终于被他遗弃了。世情:世态,就是世俗之情态。恶(wù 悟):讨厌。衰歇:衰弱。转烛:烛光随风转动,比喻世态反复无常。 ⑩夫婿:丈夫。 ⑪新人:指丈夫新娶的妻子。 ⑫合昏:即合欢树,复叶朝开夜合,故云"知时"。鸳鸯:水鸟,雌雄成对,日夜影形不离,故云"不独宿"。江总《闺怨篇》:"池上鸳鸯不独自,帐中苏合还空然。"这两句是以花鸟尚能守信多情,反衬丈夫的轻薄无赖,连花鸟都不如。 ⑬但见:只见。 ⑭那闻:哪里听见。旧人:佳人自称。 ⑮泉水:是佳人自喻。妇女如在夫家,为他所爱,就是在山的泉水,人们便说是清的;如被丈夫所遗弃,离开了夫家,就是出山的泉水,人们便说是浊的。这两句的含意众说纷纭,这里是采用徐而庵的解释。　⑯侍婢:女佣。萝:见前李白《下终南山过斛斯山人宿置酒》注⑥。这两句说自己生活之艰苦。　⑰动:往往,动不动。盈:满。掬(jū 居):两手承取,即一捧。掬,此处叶韵,仍读入声。上句以不插花说明自己无心修饰,下句以采柏(味苦)暗喻自己甘于清苦。　⑱翠袖:指绿色的衣服。这里是以部分代替全部,即以袖子代替衣服。倚:靠着。修竹:长竹子。竹是岁寒三友之一,经冬不凋。末两句写出佳人寂寞无聊而又坚贞自持的形象。

梦李白二首

杜　甫

其　一

死别已吞声，　生别常恻恻①。
江南瘴疠地②，　逐客无消息③。
故人入我梦，　明我长相忆④。
恐非平生魂，　路远不可测⑤。
魂来枫林青，　魂返关塞黑⑥。
君今在罗网，　何以有羽翼⑦?
落月满屋梁，　犹疑照颜色⑧。
水深波浪阔，　无使蛟龙得⑨。

其　二

浮云终日行，　游子久不至⑩。
三夜频梦君⑪，　情亲见君意⑫。
告归常局促⑬，　苦道来不易⑭。
江湖多风波，　舟楫恐失坠⑮。
出门搔白首，　若负平生志⑯。
冠盖满京华，　斯人独憔悴⑰。
孰云网恢恢?　将老身反累⑱。
千秋万岁名，　寂寞身后事⑲。

【说明】 这两首诗是乾元二年(759)秋天杜甫在秦州怀念李白之作。

杜甫和李白是唐代的两位伟大诗人,他们情同手足的友谊成为中国文学史上的佳话。天宝三年两人在洛阳偶然相逢,一见如故,从此一同游历、论文,朝夕与共。但可惜第二年便在兖州(今山东兖州县)石门永远分手了。临别时李白给杜甫赠诗,其中有"何时石门路,重有金樽开"(《鲁郡东石门送杜二甫》)之句。以后杜甫多次写诗怀念李白。至德元年(756)李白参加永王李璘幕府,明年李璘兵败,李白受到牵连,被捕下狱浔阳(今江西九江市),不久又流放夜郎(今贵州桐梓县一带),乾元二年(759)春因天旱大赦,中途放还。但杜甫到秦州时还不知道李白已经遇赦,他只听到李白下狱、流放,甚至传李白在流放途中坠水而死等消息。对此,杜甫十分不安,便一连三夜梦到李白,有名的《梦李白二首》即为此而作。前一首是对李白的存亡表示极度关心,后一首是对李白的际遇表示愤慨不平,充分表现杜甫对李白生死不渝的深挚情谊。这两首可与诗人的《天末怀李白》合读。

【注释】 ①已:停止。与下句的"常"对举成文。吞声:哭不成声。恻恻(cè 测):悲伤。这两句说生离比死别更痛苦,死别的痛苦有限,痛哭一场,不会再存重见之望,而生离却会因经常盼望重见而悲伤。 ②江南:指长江以南地带。李白下狱之地在浔阳,流放之地在夜郎,均属江南范围。瘴疠(zhàng lì 仗利):指我国南方山林间湿热蒸郁之气而造成的疾疫。瘴,瘴气;疠,疾疫。这句用孙万寿《远戍江南寄京邑亲友》中的成句:"江南瘴疠地,从来多逐臣。" ③逐客:被贬谪流放远地的人,指李白。

④故人:老朋友,指李白。明:表明。长相忆:常常怀念。与前文"常恻恻"照应。这两句说,李白在我梦中出现,这表明我日夜对他的热切怀念。 ⑤恐非:恐怕不是。平生:平时。这里指生前。魂:魂魄。旧时迷信说每人都有可以离开肉体而活动的魂魄(精神)。不可测:不可预料。这里指死亡。这两句是杜甫怀疑李白在狱中或在流放途中已经死亡。当时有李白在流放途中坠水而死的谣传。 ⑥这两句接上句"路远不可测"写李白魂来魂返之艰难。枫林青:指李白的流放地区,江南多枫林。这是设想李白魂来时的情景。关塞黑:指杜甫所在地秦州,秦陇多关塞。这是设想李白魂返时的情景。《楚辞·招魂》:"湛湛江水兮上有枫,目极千里兮伤春心,魂兮归来哀江南。"为上句用语所本。 ⑦君:指李白。罗网:指法网,与前文"逐客"照应。何以:怎么。羽翼:翅膀。这两句顶着上两句,意谓李白已在法网,完全失去自由,又怎么有羽翼飞度关山,往返自如呢?这是担心李白不能恢复自由,也就是申明"恐非平生魂"的想法。 ⑧这两句写梦醒时迷离恍惚的情状。李白的容颜在梦中看得十分清楚,所以梦醒后看见落月反射屋梁的光辉,还仿佛是照着李白的面孔似的。⑨这两句是祝福李白的魂魄一路平安回到江南,是承前"魂返"句而说的。这里实际是以"波浪阔"、"蛟龙得"暗喻政治环境的险恶,提醒李白要百倍提防,否则便遭不测。杜甫在《不见》中也已指出:"世人皆欲杀,吾意独怜才","匡山读书处,头白好归来"。按后一句的"蛟龙得"语本吴均《续齐谐记》:"见一人自称三闾大夫曰:'吾尝见祭甚盛,然为蛟龙所苦。'"这里也是影射自己曾听到李白坠水而死的谣传会成为事实,同时希望李白更不至于像屈原的流放以至自沉汨罗江的结局。 ⑩这两句化用李白诗《送友人》的"浮云游子意"之意。因见浮云便想到游子,终日只见着浮云飘来飘去,却总是见不到游子的归来。杜甫与李白自天宝四年(745)秋天分别至今已十四年了,怎么不叫他"生别常恻恻"呢?游子:古代称远游作客的人。此指李白。
⑪频:屡次。 ⑫情亲:感情亲热。 ⑬告归:辞别回去。局促:仓促不安的样子。 ⑭苦道:愁苦地说。 ⑮这两句与第一首末两句用意相同。楫(jí 及):划

船的用具，长的叫棹，短的叫楫。　⑯这两句写李白告别时的凄凉神态。负：辜负，违背。平生志：平生的抱负。　⑰这两句和末四句为李白的遭遇鸣不平。冠盖：用作重要官位的代称。冠，帽子；盖，车盖。京华：京城。斯人：此人，指李白。憔悴：穷愁潦倒，困顿不得志。白居易《醉赠刘二十八使君》中的"举眼风光长寂寞，满朝官职独蹉跎"脱胎于此。　⑱孰云：谁说。网恢恢：李耳《道德经》："天网恢恢，疏而不漏。"天网，谓天理。恢恢，广大的样子。将老：李白这时已五十九岁。反累：反而无辜受连累。这两句是杜甫的愤激之词，反驳天道不公平。　⑲这两句意谓，李白一定能留名千古，但那是死以后的事情，却无补于他生前的悲惨遭遇，所以说"寂寞"。这与杜甫在《醉时歌》中指出的"德尊一代常坎坷，名垂万古知何用"意同。身后：死后。阮籍《咏怀》："千秋万岁后，荣名安所之？"陶潜《自挽辞》："千秋万岁后，谁知荣与辱？"

送綦毋潜落第还乡

王维

圣代无隐者，英灵尽来归①。

遂令东山客，不得顾采薇②。

既至金门远，孰云吾道非③？

江淮度寒食，京洛缝春衣④。

置酒长安道，同心与我违⑤。

行当浮桂棹，未几拂荆扉⑥。

远树带行客，孤城当落晖⑦。

吾谋适不用，勿谓知音稀⑧。

【作者简介】 王维(701—761)，字摩诘，祖籍太原(今山西祁县)，父亲时迁居蒲州(今山西永济县)。开元九年(721)进士。任太乐丞，因伶人舞黄狮子事贬济州司功参军。张九龄执政，提拔为右拾遗，转监察御史。后任凉州河西节度使判官。不久又复京官。安史乱起，为叛军所俘，解送洛阳，曾任伪官。乱平，以其弟王缙极力营救而免罪，但降职为太子中允，后转尚书右丞，故世称"王右丞"。

王维一生大致可以以开元二十六年(738)张九龄罢相分为前后两期。前期，王维在政治上有一番进取之心，极力支持张九龄。后期，开头过着半官半隐生活，到后来完全走向消极："晚年惟好静，万事不关心。"(《酬张少府》)王维前期的诗大都反映了现实，有着较进步的政治倾向。后期则多是描绘田园山水，鲜明地反映了他逃避现实的消极情绪。王维是唐代具有多方面艺术才能的杰出诗人，他工诗善画，又精通音乐，并能以画、乐之理融会于诗中。苏轼曾赞叹说："味摩诘之诗，诗中有画；观摩诘之画，画中有诗。"(《题蓝田烟雨图》)王维在诗歌上的成就也是多方面的，无论是边塞诗还是山水诗，无论是古体还是近体，都有其独特的造诣。有《王右丞集》。

【说明】 此诗《河岳英灵集》作《送綦毋潜落第还乡》，赵殿成《王右丞集笺注》作《送别》。綦毋潜见后《春泛若耶溪》作者简介。落第是科举时代考试不合格不列入等第的意思，亦称"不第"或"下第"。这里指綦毋潜未考取进士。这首诗是对綦毋潜落第的劝慰。沈德潜谓"远树"二句如画，又云："反复曲折，使落第者绝无怨尤。"

【注释】 ①圣代：圣明时代。这是封建时代臣下对王朝的敬称。隐者：隐居不仕的人。英灵：英俊灵秀的人才。这两句说，如今是圣明时代，隐居山林的贤才都已出来为朝廷献力了，也就是说朝廷不会埋没人才。 ②遂：于是。令：使得。东山客：这里义同"隐者"。晋代谢安曾隐居东山，故称。谢安隐居的东山，在今浙江上虞县西南（古代还有指浙江临安县的临安山或江苏宁县东山镇北境等记载）。采薇：指隐居。《史记·伯夷列传》："武王已平殷乱，天下宗周，而伯夷、叔齐耻之，义不食周粟，隐于首阳山下，采薇而食之。"后世即以"采薇"代称隐居。薇，一年生或二年生草本植物，又名"野豌豆"，种子可食。这两句是申明上两句的意思，原先隐居的人都不愿隐居了。 ③金门：汉宫有金马门，也称金门。《史记·东方朔传》："避世金马门。"又："金马门者，宦署门也；门傍有铜马，故谓之金马门。"这里金门指代朝廷。"金门远"就是说应试落第。孰云：谁说。吾道：我们的主张。非：不是，不对。这两句意谓，你这次虽然已经落第，但并不能说明我们的主张不对，只不过是碰的时机不好罢了。 ④江淮：长江、淮水，是綦毋潜还乡必经的水路。度：经过，度过。寒食：节名。在清明前一天，古人每逢寒食节，连续三日禁火，只吃冷食，故名。《荆楚岁时记》："去冬至一百五日，即有疾风甚雨，谓之寒食，禁火三日。"京洛：东京洛阳。这两句是设想綦毋潜还乡途中的辛苦。 ⑤置酒：设酒席。长安道：一作"临长道"。同心：这里指志趣相同的朋友。违：分离。这两句写设酒送别。 ⑥行当：将要。桂棹（zhào 照）：用桂树做的棹。棹是划船的用具，长的叫棹，短的叫楫。屈原《离骚》有"桂棹兮兰桨"之句。这里借指船只。綦毋潜家在江南，途中需要乘船，故云。未几：不久。拂：轻轻掠过。荆扉：参阅前李白《下终南山过斛斯山人宿置酒》注⑤。这两句意谓，你马上便要乘船还乡了。 ⑦带：映带。行客：指綦毋潜。落晖：落山的太阳。这两句设想綦毋潜归途的景色。 ⑧吾谋：我的谋划。适：偶然的意思。《左传·文公十三年》：士会（晋大夫）归晋，"绕朝（秦大夫）赠之以策（马鞭），曰：'子无谓秦无人，吾谋适不用也。'"勿谓：不要认为。知音：通晓音律的人。《列子·汤问》："伯牙鼓瑟，志在高山，钟子期曰：'峨峨然若泰山。'志在流水，曰：'洋洋乎若江河。'子期死，伯牙绝弦，以无知音者。"后世因此称能识别人才的人或知心朋友为"知音"。稀：少。《古诗》："不惜歌者苦，但伤知音稀。"这两句说，你这次是偶然没有考取，不要以为今后没有赏识你的才学的人。

送　别

王　维

下马饮君酒，　　问君何所之①？
君言不得意，　　归卧南山陲②。

但去莫复问③， 白云无尽时④。

【说明】 根据诗中"君言不得意,归卧南山陲"的话,这首诗可能是王维在长安送别孟浩然而作的。孟浩然既有在长安写的《岁暮归南山》,还有在长安写的《留别王维》(均见后"五言律诗")。诗的前四句是通过问答,说明别者因政治上不得意而要去终南山隐居。问答的目的是为了结出末两句的旨意来:"你只管去归隐吧,山中白云无尽,你的乐趣也是无尽的,不要说不得意吧!"他"归卧南山陲",或者归卧鹿门山,从未感到得意过,但这倒反映了王维自己萧然物外的真实思想。

【注释】 ①饮君酒:请君饮酒。君,指别者。何所之:往何处去。之,往。 ②归卧:这里是隐居的意思。南山:见李白《下终南山过斛斯山人宿置酒》说明。陲(chuí垂):靠近边界的地方,边上。 ③但:只。 ④这句意谓归隐山林有无限的乐趣。

青 溪

王 维

言入黄花川①， 每逐青溪水②。
随山将万转， 趣途无百里③。
声喧乱石中④， 色静深松里。
漾漾泛菱荇⑤， 澄澄映葭苇⑥。
我心素以闲， 清川澹如此⑦。
请留盘石上， 垂钓将已矣⑧。

【说明】 诗题《文苑英华》作《过清溪水作》。青溪在今陕西沔县东。《水经注》指出青溪的特点是"其深不测,泉甚灵洁"。本诗即以青溪之水的洁白恬淡为作者好静欲隐的心境写照。重点在末四句。中四句绘声绘色,以动衬静,形象如画。

【注释】 ①言:语助词,《诗经》中这种例子很多。黄花川:水名,在今陕西凤县东北。 ②逐:追随。 ③这句说从黄花川到青溪,不到一百里,途中曲折回转的地方特别多。趣途:前往的路程。趣,同"趋",奔走。无百里:不足一百里。 ④这句说水声在乱石中喧哗。 ⑤漾漾:水波动荡。泛:浮。菱:一年水生草本植物,果实叫菱角,可食。荇(xìng幸):即荇菜,多年水生草本植物,茎细长,叶正圆,浮水上,嫩绿可食。 ⑥澄澄:清澈。映:倒映。葭苇(jiā wěi家伟):即芦苇,多年生草本植物,生浅水中。 ⑦素:洁白无瑕的意思。以:同"而"。闲:恬静无欲的意思。清川:指青溪。澹(dàn淡):恬静无为的意思。这两句说我的心正像青溪之水一样洁白恬静。 ⑧盘石:大石。垂钓:垂下钓竿钓鱼。这里指隐居,暗用东汉严光隐居不仕,在富春江钓鱼的故事。将已矣:从此算了,即以隐居结束余生的意思。

渭川田家

王维

斜阳照墟落①， 穷巷牛羊归②。
野老念牧童③， 倚杖候荆扉④。
雉雊麦苗秀， 蚕眠桑叶稀⑤。
田夫荷锄至⑥， 相见语依依⑦。
即此羡闲逸⑧， 怅然吟《式微》⑨。

【说明】 渭川即渭水，又称渭河，源出甘肃渭源县鸟鼠山，东流入陕西境，会泾水入黄河。田家即农家。《文苑英华》题作《渭水田家》。

本诗生动地描绘了农村初夏傍晚的情景。但由于作者享受高官厚禄，使他只能看到农村和平安静的表面现象，而看不到农民受剥削的痛苦实质。后来尽管他归隐辋川，但他的诗中也只是把农村的风物和劳动作为他隐逸生活的点缀罢了。但这些诗的高度艺术成就是不能抹杀的。

【注释】 ①斜阳：一作"斜光"，即夕阳，下山的太阳。墟落：村落。 ②穷巷：深僻之巷。穷，一作"深"。 ③野老：农村老人。牧童：放牛的小孩。 ④倚杖：靠着杖棍。候：等候。荆扉：柴门。 ⑤雉雊(zhì gòu 至够)：野鸡叫。雉，野鸡；雊，野鸡叫。麦苗秀：麦苗开花。秀，禾吐华曰秀。蚕眠：蚕蜕皮的时候不动不食，像睡眠一样，所以叫"蚕眠"。这两句说麦苗开花的时候，到处能听到野鸡的叫声；蚕作茧的时候，桑树上的叶子不多了。这是描绘农村的初夏景色。 ⑥田夫：旧时指农民。荷(hè 贺)：扛着。至：一作"立"。 ⑦语依依：亲切而说不停的样子。 ⑧即此：就此。此，指上述情景。 ⑨怅然：惆怅失意的样子。吟：歌咏。一作"歌"。《式微》：《诗经·邶风》中的篇名，其中有"式微，式微，胡不归？"式，发语词。微，衰落。胡，为什么。这里作者只取用"胡不归"之意，希望早点辞官归隐。

西施咏

王维

艳色天下重①， 西施宁久微②？
朝为越溪女③， 暮作吴宫妃④。
贱日岂殊众⑤， 贵来方悟稀⑥。
邀人傅脂粉⑦， 不自著罗衣⑧。
君宠益娇态⑨， 君怜无是非⑩。
当时浣纱伴⑪， 莫得同车归⑫。

持谢邻家子⑬， 效颦安可希⑭？

【说明】 西施又作"先施"，春秋时越国的美女，她是苎萝山(在今浙江诸暨县南)卖柴人的女儿。越王勾践被吴王战败，退守会稽。他知道吴王夫差好色，想献美女以乱其政，后寻得西施与郑旦，经过三年的训练，便派遣范蠡把她们献给吴王夫差，夫差高兴极了，果然迷惑忘政。吴国后来终于被越国灭亡。见《吴越春秋》。诗题《河岳英灵集》、《唐诗纪事》均作《西施篇》。

此诗借咏西施由微贱而显贵隐喻杰出的人才不会永远埋没。

【注释】 ①艳色：美丽的容貌。重：重视，看重。 ②宁：哪会。微：卑贱，地位低。 ③朝为：早上是。越溪：指浙江苎萝山下的浣江，江中有浣纱石，相传为西施浣纱的地方。 ④吴宫妃(fēi 非)：吴王夫差宫中的妃子。妃，旧时帝王的配偶，地位比"后"低。 ⑤贱日：微贱的时候。岂：哪里，难道。殊：不同。 ⑥富来：显贵的时候，与上句"贱日"对举成文。方：才。悟：发觉。稀：少有。 ⑦邀人：招人。招，做手势叫人来。傅：通"敷"。搽抹。脂粉：胭脂、香粉，都是化妆用品。 ⑧不自：不是自己。著：同"着"，穿。罗衣：丝绸一类的衣服。 ⑨君：君王，指吴王夫差。宠(chǒng)：过分地爱。益：更加。娇态：做出媚人的样子。 ⑩怜：爱。 ⑪浣纱伴：指和西施一同在浣江洗纱的女子。浣，洗涤。伴，同伴。 ⑫莫得：不得。⑬持谢：把上述情况告诉。一作"寄言"或"寄谢"。子：《河岳英灵集》、《唐诗正音》均作"女"。邻家子：即效颦西施的女子。详见下句注。 ⑭效颦(pín 频)：仿照西施皱眉头。《庄子·天运》："西施病心(心痛)而颦其里，其里之丑人(容貌丑陋的女子)见而美之，归亦捧心而颦其里，其里之富人见之，坚闭门而不出，贫人见之，挈妻子而去(离开)。彼知颦美，而不知颦之所以美。"后世称不善学步的人为"效颦"。安可希：怎能希望。

秋登万山寄张五

孟浩然

北山白云里， 隐者自怡悦①。
相望试登高②， 心随雁飞灭③。
愁因薄暮起， 兴是清秋发④。
时见归村人， 沙行渡头歇⑤。
天边树若荠， 江畔洲如月⑥。
何当载酒来， 共醉重阳节⑦！

【作者简介】 孟浩然(689—740)，襄阳(今湖北襄阳县)人。早岁隐居家乡的鹿门山，闭门读书，以诗自娱。后往吴越等地漫游。无论是漫游或隐居，都不外是为求官获取声誉。四十岁时入长安，得到张九龄和王维的赏识，但应试不第，仕宦无成，只好重返鹿门山隐居。张九龄镇荆州，署为从事，与张唱和。不久病卒。

孟浩然的诗多写山林静趣和怀才不遇的苦闷。由于生活面窄，诗中所反映的社会现实不多。但其艺术造诣较高，写景诗有不少刻画入微的名句。长于五言，尤工五律。意境清远，风致恬淡自然，在盛唐诗坛别具一格，深得杜甫与王维的好评。有《孟浩然集》。

【说明】 诗题又有作《秋登万山寄张文偶》、《九月九日岘山寄张子容》、《秋登兰山寄张五》的。万山即汉皋山，在今湖北襄阳县西北十里。张五名不详。五是兄弟间的排行。

这是孟浩然九月九日登上万山望他的好友张五来共度重阳节而不可得的一首抒情诗。诗中着重写"望"字，从望中表现其深切怀念张五之情。"时见"四句写景如画。

【注释】 ①北山：指万山。隐者：诗人自称。怡悦：欢乐。陶宏景《诏问山中何所有赋诗以答》（答齐高帝诏）："山中何所有？岭上多白云，只可自怡悦，不堪持寄君。"这两句化用其意。 ②这句说因望你而登高。登高：《续齐谐记》："汝南桓景随费长房游学，长房谓之曰：'九月九日汝南当有大灾厄，急令家人缝囊盛茱萸系臂上，登山饮菊花酒，此祸可消。'景如言，举家登山，夕还，见猪、犬、羊一时暴死，长房闻之曰：'此可代也。'今世人九日登高饮酒，妇女带茱萸囊，盖始于此。"参看注⑦。 ③这句说，心神随着雁飞翔，直到它的影子在远空消失而停止。这是说登山远望不见张五，只见飞雁，因托飞雁而寄相思。 ④这两句说，愁闷是因傍晚景色而引起的，兴致是因清秋风光而触发的。清秋：明净的秋天，指阴历九月。 ⑤时见：时时见到。沙行：在沙滩上行走。渡头：河流两岸过渡的码头。歇：休息，指等候渡船泊岸。这两句写诗人薄暮所见的情景。 ⑥若：像。荠（jì季）：即荠菜。这两句说远望天边的树像荠菜一样细，江边的岛屿像月亮（指一弯新月）一样小。洲：一作"舟"。薛道衡《敬酬杨仆射山斋独坐》："遥原树若荠，远水舟如叶。" ⑦这两句说，你何妨带酒来我这里，让我们开怀欢饮共度重阳佳节？何当：犹云何妨。载（zài再）酒：携酒，装酒。醉：动词，酗饮。重阳节：阴历九月九日为重阳日，即重阳节。因九为阳数，九月九日，日月并阳，两九相重，故名重阳，又称重九。《续晋阳秋》："陶潜尝九日无酒，坐宅边东篱下菊丛中，摘菊盈把，未几，望见白衣人至，乃刺史王宏送酒也。即便就酌，醉而后归。"

夏夕南亭怀辛大

孟浩然

山光忽西落①，　池月渐东上②。
散发乘夕凉③，　开轩卧闲敞④。
荷风送香气，　竹露滴清响⑤。

> 欲取鸣琴弹，　恨无知音赏⑥。
> 感此怀故人⑦，　终宵劳梦想⑧。

【说明】　诗题一作《南亭怀辛子》。"夏夕"一作"夏日"。辛是姓，大是兄弟中排行第一，即老大。名不详。《孟浩然集》中另有《送辛大之鄂渚不及》、《都下送辛大之鄂》、《张七及辛大见寻南亭醉作》等诗。

　　诗写因夏夜乘凉所见所感而引起对故人的深切怀念，反映了诗人生活的闲适。"荷风送香气，竹露滴清响"写景入微，前人推为难得的佳句。全诗景切情深，耐人寻味。

【注释】　①山光：这里指山上的阳光。西落：向西边落下。这句说太阳忽然下山了。　②池月：池边的月亮，因作者在池边乘凉，故称。这句与上句对举，上句说"日落"，这句说"月上"，从而引出下文夏夜的情景。　③散发：古人平时束发戴帽，散发是一种放浪不羁的行为。李白《宣州谢朓楼饯别校书叔云》有"人生在世不称意，明朝散发弄扁舟"之句。乘夕凉：晚上在凉快的地方休息。　④轩：长廊。闲敞：舒适而宽敞的地方。　⑤清响：极微细的声响。　⑥知音：通晓音律的人，这里指辛大。参看前王维《送綦毋潜落第还乡》注⑧。　⑦感此：对此有感。此，指上述夏夜景色。故人：老友，指辛大。　⑧终宵：整夜。一作"中宵"。

宿业师山房待丁大不至

孟浩然

> 夕阳度西岭①，　群壑倏已暝②。
> 松月生夜凉③，　风泉满清听④。
> 樵人归欲尽⑤，　烟鸟栖初定⑥。
> 之子期宿来，　孤琴候萝径⑦。

【说明】　业师是名叫业的和尚。师是对和尚的尊称。历史上最早以"大师"称佛，后世凡道行崇高的和尚均称"大师"，简称"师"。古代称山中的房屋为"山房"，不论民房、书室或寺宇均可称山房，这里指和尚的寺宇。丁大，姓丁，名凤，大是他的排行，《孟浩然集》中另有《送丁大凤进士赴举》诗。"业师"一作"来公"，"待"一作"期"，"丁大"一作"丁公"。诗的中心思想题已标示，即"待丁大不至"。但诗不明说他未来，而是把他未来的内容寓于十分含蓄而形象的结构中，给读者留有想象的余地。全诗充满了画意，所描摹的黄昏的山中景物都是为陪衬诗人"待丁大不至"这一情怀的。

【注释】　①夕阳：下山的太阳。　②壑(hè 贺)：山谷。倏(shū 书)：忽然。暝(míng)：天黑了。　③松月：松林中的明月。　④风泉：指风声和泉声共鸣。听(tìng)：这里因押韵须读去声，而意义不变。　⑤樵人：砍柴的人。　⑥这句说，傍晚归巢的鸟儿刚刚安定下来。烟：指傍晚的雾霭。　⑦之子：此子，这个人，指丁大。期宿来:约了来这里住宿。期,约会。候:等待。萝径:长满青萝的小路。这两句说丁大约了今晚来业师山房住宿,我带了一把琴伫立在萝径中盼望他的到来。

同从弟南斋玩月忆山阴崔少府

王昌龄

高卧南斋时①, 开帷月初吐②。
清辉淡水木③, 演漾在窗户④。
苒苒几盈虚⑤, 澄澄变今古⑥。
美人清江畔⑦, 是夜越吟苦⑧。
千里共如何⑨, 微风吹兰杜⑩。

【作者简介】 王昌龄(689—约757)字少伯,京兆(今陕西西安市)人。开元十五年(727)进士,授汜水(今河南荥阳县境)尉。开元二十五年(737)又中博学鸿词科,迁校书郎。先后被贬岭南、龙标、江宁等地,政治上很不得意。安史之乱后回乡,被刺史闾晓丘杀害,身后十分凄凉。

王昌龄与当时诗人常建、王之涣、辛渐、高适、王维、李白、岑参等均有交往,而与王之涣、辛渐的情谊最深。他的诗以多种题材对玄宗后期的黑暗政治和动乱社会作过一些揭露和反映。前人称其诗"绪密而思清"。他最擅长七绝,能以极短的篇幅概括极丰富的社会内容,不少成为当时乐府歌词中的绝唱,享有"诗家夫子王江宁"的盛誉。在同时的诗人中,只有李白的七绝可以和他比美。王昌龄是盛唐第一流的诗人。《全唐诗》录存其诗四卷。

【说明】 从弟即堂弟。玩月,观赏明月。山阴,即今浙江绍兴县。崔少府,姓崔的少府,即崔国辅,当时任山阴县尉。《唐才子传》作山阴人,《全唐诗》作吴郡人。孟浩然有《江上寄山阴崔少府国辅》、《宿永嘉江寄山阴崔少府》等诗可证。诗题《全唐诗》、《唐诗别裁》均作《同从弟销南斋玩月忆山阴崔少府》。

前六句"玩月",后四句"忆崔少府"。前因玩月而对月的"盈虚""变今古"倍加赞叹,也可以说感叹,说明月的"清辉"在时间上是无穷的。后则从月照天下,联想到千里之外的故人也当在此清辉下的曹娥江畔玩月吟诗。明月使彼此千里与共,说明月的清辉在空间上又是无限的。末二句振起全诗,耐人玩味。

【注释】 ①高卧:高枕而卧,谓安闲无事。南斋:书斋。 ②帷:帐幕。月初吐:月刚升起的意思。他的《东溪玩月》也有"月从断山口,遥吐柴门端"之句。 ③清辉:指月亮的皎洁光辉。淡:水波摇动。这句说月亮的光辉在水上和树间流动。 ④演漾:荡漾的意思。 ⑤苒苒(rǎn 冉):渐渐。一作"荏苒"。盈虚:指月圆月缺。盈,满;虚,缺。 ⑥澄澄:清亮透明,指月色。今古:即古今,因押韵而倒置。 ⑦美人:喻贤人君子。这里指崔少府。清江:指曹娥江,在今浙江绍兴县东。上游为剡溪,剡溪东南流至绍兴县东曹娥庙前,名曹娥江。畔:旁边。　　⑧是夜:此夜,今夜。越吟:以越地的声调吟诗。这里似与"庄舄显而越吟"(王粲《登楼赋》)的故事无关,只不过是借用"越吟"一词以与越地山阴关联罢了。　　⑨千里共:指作者在南斋,与崔少府在山阴虽相隔遥远,但明月却千里相共。阮籍《咏怀》之十四:"微风吹罗袂,千里耀清辉。"谢庄《月赋》:"美人迈兮音尘绝,隔千里兮共明月。"为这句用语所本。白居易《八月十五夜禁中独直对月忆元九》:"三五夜中新月色,二千里外故人心"和《自河南经乱关内阻饥》:"共看明月应垂泪,一夜乡心五处同"均化用阮诗、谢赋和王昌龄诗意。　　⑩兰杜:兰草、杜若,均香草名。江孝嗣《离夜》:"石泉行可照,兰杜向含风。"这句大意是,虽与崔少府相隔千里,但崔的芳名正如兰杜的香气一样经微风吹送到处可闻。上句的"千里共"既上贯"明月",又下贯"兰杜"。

寻西山隐者不遇

丘 为

绝顶一茅茨,　直上三十里①。
扣关无童仆,　窥室惟案几②。
若非巾柴车③,　应是钓秋水④。
差池不相见⑤,　黾勉空仰止⑥。
草色新雨中,　松声晚窗里。
及兹契幽绝⑦,　自足荡心耳⑧。
虽无宾主意⑨,　颇得清净理⑩。
兴尽方下山,　何必待之子⑪。

【作者简介】 丘为,嘉兴(今浙江嘉兴附近)人。几次应试不第,归山苦读。天宝元年(724)进士。官至太子右庶子。他大约出生于武后长安年间,死于德宗贞元年间,共活了九十六岁。他在诗坛的活动,主要是玄宗开元、天宝年间。王维很赞许他的诗,并与他有唱和。《全唐诗》录存其诗十三首。

【说明】 西山在何处,不详。诗写作者上山访隐者不遇的见闻和感想。作者乘兴而上,兴尽而下,表现得极为自由洒脱,不仅以西山的清幽之境衬托出隐者的寂寞生活,同时也反映了作者自己对这种生活的羡慕。诗富哲理,语言明白如话。

【注释】 ①绝顶:指西山的最高处。茅茨(cí 词):用茅草盖的房子,即茅屋。这两句说直上西山三十里的高处有一所茅房,隐者便住在这里。　　②扣关:敲门。童(tóng)仆:未成年的仆人。窥(kuī 亏)室:指从门窗缝里张看。惟:只有。这两句是说隐者不在屋里。　　③若非:假如不是。巾柴车:即用巾覆盖柴车。巾,用作动词。柴车,破旧车子。《孔丛子》:"孔子歌曰:'巾车命驾,将适唐都。'"《周礼》春官序"巾车"注:"巾,犹衣也。"陶潜《归去来辞》:"或命巾车,或棹孤舟。"江淹《杂诗·陶征君潜田居》:

"日暮巾柴车,路暗光已夕。"按"巾车"是有被盖之车。后世即引申为"驾车"。《韩诗外传》:"疏食恶肉,可得而食;驽马柴车,可得而乘。"　④钓秋水:即到水边钓鱼。秋,是点明寻隐者的季节。　⑤差(cī疵)池:不齐的样子。这句意谓,我来了,隐者又离开了,没有见到。　⑥黾(mín民)勉:努力。仰止:仰望。止,语助词。参看后李白《赠孟浩然》注⑦。　⑦及兹:来此。契:合,接触。幽绝:清幽至极之境,指上两句所写景物。　⑧荡心耳:洗心涤耳。　⑨宾主:宾客与主人。宾,指作者;主,指隐者。　⑩颇:很。清静:没有烦扰。　⑪这两句说,兴致尽了便下山,为什么一定要等待和他相见!方:才。下山:指从"绝顶一茅茨"下来,照应"直上三十里"。之子:此人,指隐者。这两句暗用王子猷访戴安道的故事。《世说新语》:"王子猷居山阴(今浙江绍兴县),夜大雪,眠觉,开室,命酌酒,四望皎然,因起彷徨,咏左思《招隐诗》。忽忆戴安道。时戴在剡溪(浙江的曹娥江上游),即便夜乘轻船就之,经宿方至,既造门,不前而返。人问其故,子猷曰:'吾本乘兴而行,兴尽而返,何必见戴!'"

春泛若耶溪

綦毋潜

幽意无断绝①，　此去随所偶②。

晚风吹行舟　　花路入溪口。

际夜转西壑③，　隔山望南斗④。

潭烟飞溶溶⑤，　林月低向后⑥。

生事且弥漫⑦，　愿为持竿叟⑧。

【作者简介】　綦毋潜,字孝通,一说"季通",虔州(今江西南康)人。开元十四年(726)进士。授宜寿尉,迁右拾遗,入集贤院待制,复授校书,终著作郎。后因兵乱,弃官归隐江东别业,不少文士给他赠诗送别。他和王维的交谊深厚。王维有《送綦毋校书弃官还江东》、《送綦毋潜落第还乡》(见前)、《别綦毋潜》等诗。他的诗多写方外之情,虽不乏佳句,但没有反映什么社会现实。《全唐诗》录存其诗一卷,共二十六首。

【说明】　若耶溪在今浙江绍兴县南若耶山下,北流入镜湖,相传为西施浣纱处,故又称浣纱溪。李白《子夜吴歌》:"镜湖三百里,菡萏发荷花。五月西施采,人看隘若耶。"

　　这首诗写作者春夜泛游若耶溪,晚风吹舟,香花夹岸,潭烟低飞,林月西沉,处处美景如画,幽兴无穷,因生辞官退隐之念。他的《若耶溪逢孔九》有"借问淹留日,春风满若耶"之句,与本诗可能是同时之作。

【注释】　①幽意:指风景清胜所引起的兴致。　②偶:遇。　③际夜:傍晚。壑(hè贺):山谷。　④南斗:星名。据《越绝书》:"因越分野应南斗。"　⑤潭烟:指晚上潭面的雾气。《水经注》:"若耶溪水,上承嶕岘麻溪,溪之下孤潭周数亩。麻潭下注若耶溪,水至清,照众山倒映,窥之如画。"溶溶:广大的样子。　　⑥这句说夜深了,月渐渐向西落下,而船则反方向浮动,故有此感。　　⑦生事:生计。且:正。弥(mí 迷)漫:大水的样子。这里是渺茫的意思。　　⑧为:做。持竿:指手把钓竿钓鱼。叟(sǒu):老人。这句说希望做一个钓鱼翁,也就是希望退隐的意思。

宿王昌龄隐居

常　建

清溪深不测①，　　隐处惟孤云②。
松际露微月③，　　清光犹为君④。
茅亭宿花影⑤，　　药院滋苔纹⑥。
余亦谢时去，　　西山鸾鹤群⑦。

【作者简介】　常建,籍贯不详。开元十五年(727)与王昌龄同榜进士。大历中,才授盱眙(今江苏盱眙县)尉。政治上很不如意,于是放浪琴酒,往来太白、紫阁诸峰(均在今陕西西安市附近),长期过着漫游生活,后寓居鄂渚(参看注⑦),招王昌龄、张偾共同隐居(见《唐才子传》)。他的(鄂渚招王昌龄张偾隐居)即为此而作。常建是一位沦落不遇的诗人,他的诗没有富贵气,属思精妙,造语警拔,境界清远,有独特的艺术风格。但因生活面窄,诗中没有反映重大社会问题。《全唐诗》录存其诗一卷。

【说明】　隐居即隐逸的住所。诗的前六句以清溪、孤云、微月、茅亭花影、药院苔纹等刻画王昌龄隐居的清幽,从而表示作者对王昌龄隐逸生活的钦羡,所以末两句就直接地说是要"谢时去",来西山与鸾鹤为群。

【注释】　①深不测:深度无法测量。　　②隐处:隐居的地方。惟:只有。孤云:孤特的云彩。陶潜《咏贫士》:"万族各有托,孤云独无依。"李善注:"孤云,喻贫士也。"按此处"孤云"是双关,既指隐居地方孤特的云彩,又暗喻聚集在王昌龄隐居的人都是当时的贤才。　　③松际:松间,松林的缝隙中。露微月:露出明月的一部分。　　④清光:指明月的光辉。犹:还是。君:指王昌龄。这句说明月的一片清光似乎是特别为你而发的。　　⑤茅亭:用茅草盖的亭子。宿花影:停住着花影。宿,止。　　⑥药院:种药的院落。滋:生长着。苔纹:青苔分布地上皱起如纹,故称。　　⑦余:我。谢时:谢绝时人,即逃避现实。西山:指今湖北武昌的樊山。《清一统志》:"湖北武昌府:樊山在武昌县西五里,一名袁山,一名来山,一名西山,一名寿昌山,一名樊冈,上有九曲岭。"按常建诗中另有《西山》、《鄂渚招王昌龄张偾》等诗。鄂渚,即武昌县地。鸾鹤:仙人所骑的鸟,这两句意为,我愿和你一同在西山隐居。

与高适薛据登慈恩寺浮图

岑 参

塔势如涌出， 孤高耸天宫①。
登临出世界②， 磴道盘虚空③。
突兀压神州④， 峥嵘如鬼工⑤。
四角碍白日⑥， 七层摩苍穹⑦。
下窥指高鸟⑧， 俯听闻惊风⑨。
连山若波涛， 奔走似朝东⑩。
青槐夹驰道⑪， 宫观何玲珑⑫。
秋色从西来， 苍然满关中⑬。
五陵北原上⑭， 万古青蒙蒙⑮。
净理了可悟⑯， 胜因夙所宗⑰。
誓将挂冠去⑱， 觉道资无穷⑲。

【作者简介】 岑参(715—770)，江陵(今湖北江陵县)人。祖籍南阳(今河南南阳)，所以《唐才子传》称他为南阳人。早岁孤贫，能自砥砺，博览史籍。天宝三年(744)进士。天宝八年(749)在安西节度使高仙芝幕府掌书记。天宝十年回长安，十三年(754)封常清任安西、北庭节度使，岑参摄监察御史，充安西、北庭节度判官。至德二年(757)入朝任右补阙。后出为虢州长史、关西节度判官、嘉州刺史。大历五年(770)卒于成都。

岑参几次随军出塞，对西北边地风光及战士生活深有体验，所以他的诗以写边塞最为擅长。他的边塞诗热情地歌颂了将士为保卫祖国统一而英勇豪迈，艰苦卓绝，不怕牺牲的爱国主义精神，字里行间充满着乐观情绪和民族自豪感。岑参的诗早年风华绮丽，入戎幕后转趋雄奇，想象丰富，变幻无端，光怪陆离，大气磅礴，读来令人惊心动魄。他是唐代有卓越成就的大诗人之一。有《岑嘉州集》。

【说明】 此诗是天宝十一年(752)秋在长安作。当时，与岑参同题咏慈恩寺浮图的，还有高适、薛据和杜甫。高适，见后《燕歌行》作者简介。薛据，荆南人，一说河中宝鼎人，开元十九年(731)进士，官至水部郎中。慈恩寺，是唐高宗李治为太子时给他的母亲文德皇后修建的，故称"慈恩"。浮图即宝塔。慈恩寺浮图是高宗永徽三年(652)玄奘法师修建的，共七层，高三百尺，现仍保存于西安市内，又名大雁塔。

诗写登塔的见闻和感想。"塔势"二句写未登塔前在下面望塔的形势；"登临"八句写塔的高峻瑰奇，是在塔上的仰观和俯视；"连山"八句写塔东南西北四方的景色，是在塔上的远眺和近观；"净理"四句写因登塔而悟禅理。全诗气势雄伟，波澜壮阔。但以决意辞官学佛作结与通篇气氛太不相称，尽管这种思想并未成为他日后的行动,终究是本诗的白玉之瑕,这与杜甫《同诸公登慈恩寺塔》比较就了然了。

【注释】 ①孤高:独特的高。耸:高起,高立。天宫:天上的宫殿,与"天堂"义同。这里是夸张形容塔的高度。 ②登临:登高临下。 ③磴(dèng 邓)道:石级。盘:盘旋。虚空:即空中。 ④突兀(wù 务):突出的样子。神州:旧指中国。 ⑤峥嵘(zhēng róng 争荣):比喻不平常。这里指塔建造的规模。一说指塔高耸的样子。鬼工:是说塔的雄伟精巧,非人力所能建造。 ⑥碍:限制阻挡的意思。 ⑦摩:迫近。苍穹(qióng 穷):苍天。 ⑧下窥(kuī 亏):向下小视。 ⑨惊风:猛烈的风。 ⑩这两句说从塔上向远处望,山势相连像波涛起伏,好像向东方奔来朝帝京似的。长安是当时的京城,故称。 ⑪驰道:旧指天子所行的道路。 ⑫宫观(guàn 贯):宫阙、宫殿。玲珑:指宫殿的精巧美观。 ⑬苍然:灰白色的样子。关中:今陕西,东有函谷关,北有萧关,西有散关,南有武关,地处四关之中,故称关中。一说指陕西南部之地。参看前杜甫《佳人》注⑤。 ⑭五陵:指汉代五个皇帝的陵墓:一、长陵(高帝刘邦);二、安陵(惠帝刘盈);三、阳陵(景帝刘启);四、茂陵(武帝刘彻);五、平陵(昭帝刘弗陵)。五陵都在长安城北,故云"北原上"。 ⑮蒙蒙:原义是下微雨的样子,这里是不分明的意思。 ⑯净理:清净的佛理。了:全。悟:理解。 ⑰胜因:佛家语,是说胜妙的善因。《佛说无常经》:"胜因生道,恶业堕泥犁。"凤:早,久。宗:是信仰的意思。 ⑱挂冠:挂起官帽,即辞官不干。 ⑲觉道:佛家使人觉悟的道理。资:取。这句说佛家的禅理可以使我取用无穷。

贼退示官吏 并序

元 结

癸卯岁①,西原贼入道州②,焚烧杀掠③,几尽而去④。明年,贼又攻永破邵⑤,不犯此州边鄙而退⑥。岂力能制敌欤⑦?盖蒙其伤怜而已⑧。诸使何为忍苦征敛⑨? 故作诗一篇以示官吏⑩。

昔年逢太平⑪,	山林二十年⑫。
泉源在庭户⑬,	洞壑当门前⑭。
井税有常期⑮,	日晏犹得眠⑯。
忽然遭世变⑰,	数岁亲戎旃⑱。
今来典斯郡⑲,	山夷又纷然⑳。
城小贼不屠㉑,	人贫伤可怜㉒。
是以陷邻境㉓,	此州独得全㉔。
使臣将王命,	岂不如贼焉㉕?
今彼征敛者,	迫之如火煎㉖。

谁能绝人命，　　以作时世贤㉗！
思欲委符节，　　引竿自刺船㉘。
将家就鱼麦，　　归老江湖边㉙。

【作者简介】　元结(719—772)，字次山，河南鲁山(今河南鲁山县)人。天宝十二年(753)进士。安史之乱中，任山南东道节度参谋时，曾在唐、邓、汝、蔡等州组织义军，抗击史思明南侵，战功卓著。代宗时，任道州刺史。官终容管经略使。

元结早年居住农村，关心民瘼，任地方官时，采取过一些减轻人民税、役的措施。他有一部分诗讽喻时政，对人民疾苦深表同情，如他的《舂陵行》和《贼退示官吏》两诗曾获得同代诗人杜甫的高度评价，并欣然写了《同元使君〈舂陵行〉》之作。元结在写"讽喻诗"的同时，还注意学习民歌。这些对后来的新乐府运动都有所启示。但由于他过分否定声律词采，致使一部分诗不免有干枯板直之嫌。有《次山集》。

【说明】　代宗广德元年(763)元结授道州刺史，次年五月始到任。元年十二月"西原蛮"攻陷道州，次年七月又攻陷永州，破邵州，但不犯道州而退。此诗与其《舂陵行》合读，便更能理解诗人同情人民疾苦，愤恨官不如"贼"的创作苦心。《舂陵行》诗序云："癸卯岁，漫叟(元结自号漫叟)授道州刺史。道州旧四万余户，经贼已(以)来，不满四千，大半不胜赋税。到官未五十日，承诸使征求符牒二百余封，皆曰：'失期限者，罪至贬削。'於戏(同"呜呼")，若悉(都)应其命，则州县破乱，刺史欲焉(怎么)逃罪？若不应命，又即获罪戾，必不免也。吾将守官，静以安人，待罪而已。此州是舂陵故地，故作《舂陵行》以达下情。"可见，此诗与《舂陵行》同一作意。作彼"以达下情"，作此"以示官吏"，其旨一也。

历时八年之久的安史之乱，到广德元年才告结束，道州地处江南，虽不像中原地带那样直接遭受战火的摧残，"园庐但蒿藜"，但李唐王朝对江南人民的横征暴敛，使其处境并不比中原人民为优。广德二年，"西原蛮"被迫起义便是证明。元结在《谢上表》中指出道州的现状是："城池井邑，但生荒草；登高极望，不见人烟。"故诗人在此诗中沉痛地揭露："城小贼不屠，人贫伤可怜。是以陷邻境，此州独得全。使臣将王命，岂不如贼焉？今彼征敛者，迫之如火煎。"诗人宁可丢官归隐，决不忍心害民，以示他对当时黑暗政治的愤懑。诗人为民请命的抗争精神是十分难能可贵的，杜甫曾在《同元使君〈舂陵行〉》诗中大加赞叹"道州忧黎庶，词气浩纵横。两章对秋月，一字偕华星。"所谓"两章"即《舂陵行》与《贼退示官吏》)。

【注释】　①癸卯岁：指唐代宗广德元年(763)。　②西原：当时被称为西原蛮的少数民族，在今广西扶南县。这年冬天占领道州一个多月。贼：这里是封建士大夫对少数民族的贬称。道州：唐州名。治所在今湖南道县。　③掠：抢劫。　④几尽：几乎掠夺光了。去：离开。　⑤永：指永州。治所在今湖南零陵县。邵：指邵州。治所在今湖南邵阳市。　⑥不犯此州：不再侵犯道州。边鄙：边境。　⑦这句说，难道是道州有力量制伏敌人吗？　⑧这句说，这不过蒙受他们的怜惜罢了。　⑨诸使：指租庸使，当时收赋税的官。征敛：搜括。这句说催缴赋税的官吏为

五言古诗

025

什么这样忍心苦苦地搜括呢？　　⑩故：所以。以示官吏：用来给搜刮人民的官吏看看。　　⑪昔年：早年。昔，从前。太平：指开元、天宝年间。　　⑫这句说，我在山林中住了二十年。这里指他曾多年在樊山上隐居，没有做官。　　⑬庭户：门户。⑭洞壑（hè贺）：山洞山沟。　　⑮井税：借指唐代所实行的按户口征取定额赋税的租、庸、调，不是指古代的井田制。有常期：有正常规定的纳税时间，没有租、庸、调定额以外的负担。　　⑯晏：晚。　　⑰遭：遇到。世变：社会动荡，指安史之乱以来的战乱。　　⑱数岁：几年。亲戎旃（zhān沾）：亲自经历军戎生活。戎旃，指军帐。旃，通"毡"。　　⑲典：掌管。斯郡：此郡，指道州。　　⑳山夷：指序文中的"西原贼"。纷然：指骚扰。　　㉑城：指道州城。不屠：不再来杀掠的意思。屠，宰杀。　　㉒人贫：百姓穷苦。人，指百姓。　　㉓是以：因此。陷：攻陷。邻境：指永州、邵州。㉔此州：即上文的"斯郡"，指道州。独：唯独。得全：得到保全，指没有进犯道州。一作"见全"。　　㉕使臣：指皇帝派下来催税的租庸使。将王命：奉行皇帝的命令。这两句说使臣奉皇帝之命而来，难道还不如盗贼吗？元结在道州刺史任内，曾奏请朝廷不宜增税，现在"使臣将王命"来此搜刮，实在比盗贼还要残酷，看了下两句便明白了。

㉖彼：那些。征敛者：指"使臣"。迫之：逼迫人民缴纳赋税。煎：熬也，见《说文》。段注："煎，火干也。凡有汁而干谓之煎。"这两句说，现在那些苛征暴敛的官吏，逼迫百姓缴税简直像火熬一样厉害。　　㉗绝：断绝。人命：百姓的生命、生路。时世贤：指当时统治者所称许的所谓贤能官吏。这两句说凡是一个有正义感的官吏，谁能忍心断绝百姓的生路而去取得世人称许的所谓"贤能"呢？　　㉘委：放弃。符节：古代的符节本是使者所持的凭证，这里借指朝廷给官吏的任命。引竿：拿起撑船的篙。刺船：撑船。这句说我准备辞官撑船而去。"自刺船"说明去意的坚决。　　㉙将家：携带家眷。就鱼麦：到那鱼麦之乡去。就，靠。这两句说我将带着家人到有鱼、麦的江湖之滨终其一生。

郡斋雨中与诸文士燕集

韦应物

兵卫森画戟①，　燕寝凝清香②。

海上风雨至③，　逍遥池阁凉④。

烦疴近消散⑤，　嘉宾复满堂⑥。

自惭居处崇，　未睹斯民康⑦。

理会是非遣⑧，　性达形迹忘⑨。

鲜肥属时禁⑩，　蔬果幸见尝⑪。

俯饮一杯酒，　仰聆金玉章⑫。

神欢体自轻，　意欲凌风翔⑬。

吴中盛文史⑭，　群彦今汪洋⑮。

方知大藩地⑯，岂曰财赋强⑰！

【作者简介】 韦应物(737—792)，京兆(今陕西西安市)人。早年豪侠使气，放浪不羁，以"三卫郎"侍卫玄宗。玄宗死后，才折节读书。后举进士。德宗时历任滁州(今安徽滁县)、江州(今江西九江市)、苏州(今江苏苏州市)等地刺史，他晚年写的《逢杨开府》对理解他的身世很有帮助。官终苏州刺史，故世称韦苏州。韦应物与顾况、刘长卿相友善，并有唱和。他长期任县丞、县令、刺史等地方官职，亲身感受到社会黑暗和民间疾苦，在一部分诗中表示了他对人民的深厚同情和对自己俸高无能的自责。诗人忧国忧时，敢于揭露暴政，抨击豪门。尽管他的大部分诗是写宦游感受和自然风光，缺乏深刻的社会内容，但大都形象优美，有独到的艺术特色，风格高雅闲淡，清丽自然。他的诗极力效法陶潜，也受到谢灵运和王维的影响。他不愧是唐代自成一家的优秀诗人。白居易在《与元九书》等诗文中对他的诗有很高的评价。有《韦苏州集》。

【说明】 郡斋即州郡衙门的休息室，也就是诗中的"燕寝"。燕集就是举行宴会。燕同"讌"、"宴"。

此诗是韦应物于德宗贞元年间(785—805)初任苏州刺史时所作。诗写他与文士宴集吟咏的欢快情景，从中反映了诗人对人民疾苦的关注，对吴中人文的赞扬，表现了封建时代官僚中难能可贵的品格。顾况曾和此诗。白居易对此诗十分推崇，他任苏州刺史时在他的《吴郡诗石记》中指出："韦在此州，歌诗甚多，有郡宴诗云：'兵卫森画戟，燕寝凝清香'，最为警策。今刻此篇于石，传贻将来，因以予《旬宴》(按指《郡斋旬假命宴呈座客示郡寮》)一章亦附于后，虽雅俗不类，各咏一时之志，偶书石背，且偿其初心焉。""虽雅俗不类"固然是白居易的过分谦虚，但就这两诗的思想和艺术来说，白诗都略逊一筹。

【注释】 ①兵卫：守卫的士卒。森：众盛的样子。画戟(jǐ己)：戟是古代的一种兵器，长竿头上装有月牙状的利刃。戟上再加画彩的叫画戟。　②燕寝：小寝。此指刺史公余休息之室。即题中的"郡斋"。凝清香：指房内焚香所凝聚的香气。　③这句说海上的风雨来了。因苏州近东海，故称。　④逍遥：自由自在的样子。池：水塘，多指人工造的。阁：类似亭子的楼房。　⑤烦疴(kē苛)：烦闷与疾病。近：接近。　⑥嘉宾：贵客。这里指"诸文士"。　⑦崇：高贵的意思，指自己地位高，生活好。睹(dǔ赌)：看见。斯民：老百姓。康：安乐。这两句说自己很惭愧，生活高贵，可是未能使老百姓安居乐业。　⑧会：通。遣：排除。这句大意是道理弄通了，就能藐视世俗的是非毁誉。　⑨性达：性情旷达。形迹：谓仪容、行动表现在外面的。这句说性情旷达的人就能忘掉一切形迹，不受礼节的拘束。　⑩鲜肥：鲜鱼肥肉。属时禁：古代遇到灾荒，往往断屠，禁酒肉。　⑪蔬果：蔬菜水果。幸：幸好。见尝：被尝。　⑫聆：听。金玉章：声韵铿锵像敲金戛玉那样悦耳的诗章。这句是作者对诸文士吟咏的赞美。　⑬神欢：心神愉快。体自轻：身体自然感到轻松。凌风翔：乘风高飞。这两句是写作者在"燕集"中感到极度的快慰。　⑭吴中：指苏州。古代吴国都城在苏州，当时又是州治所在地。盛文史：即文化特别发达的意思。　⑮群彦(yàn艳)：许多有才学的文士，指"诸文士"。汪洋：喻诸文士的气度恢弘。　⑯方知:才知。大藩地:指苏州。苏州唐代属江南东道,为上州。古代称捍卫国家的重地为藩,诸侯国称藩国,后世重要州郡也称藩地。大藩,犹谓大郡大州。 ⑰赋:赋税。强:盛多的意思。这句意谓苏州不仅财赋多,而且文风盛。

初发扬子寄元大校书

韦应物

凄凄去亲爱①, 泛泛入烟雾②。
归棹洛阳人③, 残钟广陵树④。
今朝此为别⑤, 何处还相遇⑥?
世事波上舟, 沿洄安得住⑦?

【说明】 初发扬子,刚从扬子出发。扬子,津名,在今江苏江都县南,古时有扬子桥,为江滨要津。元大,名不详。校书,官名,即校书郎,掌校理典籍,刊正文字。此诗写离别好友时的凄恻情怀,抒情细腻委婉,表达了诗人对元大的真挚情谊,但也反映了诗人飘浮无定后会难期的伤感情绪。前半写"初发扬子",后半写"寄元大校书",层次井然。"归棹洛阳人,残钟广陵树"摹写早发的情景,逼真如画。沈德潜云:"写离情不可过于凄婉,含蓄不尽,愈见情深。"

【注释】 ①凄凄:悲伤。去:离开。亲爱:相亲相爱的朋友,指元大。 ②泛泛:上浮。这里指船浮水上,即行船。 ③归棹:指自己从长江乘船回洛阳去。棹是划船的工具,这里以棹代船。洛阳:今河南洛阳市。 ④残钟:残余的钟声。广陵:今江苏扬州市。这句的大意说船行渐远,钟响渐微,只有余音,但广陵的树色还可望见。 ⑤此为别:在此地作别。 ⑥还:再。相遇:相逢。 ⑦沿:顺流而下。洄:逆流而上。安得:怎么能够。住:停止。这两句说世事捉摸不定,就像水上的船漂泊不定一样。

寄全椒山中道士

韦应物

今朝郡斋冷①, 忽念山中客②。
涧底束荆薪③, 归来煮白石④。
欲持一瓢酒, 远慰风雨夕⑤。
落叶满空山, 何处寻行迹⑥?

【说明】 全椒,县名,唐属滁州,即今安徽全椒县。王象之《舆地纪胜》云:"淮南东路滁州神山,在全椒县西三十里,有洞极深。唐韦应物有《寄全椒山中道士》诗,此即道士所居也。"道士姓名不详。唐德宗兴元元年(784)韦应物由比部员外郎出任滁州刺史。此诗即作于滁州任上。

前以郡斋寂寞而忆山中道士起,后以欲访又恐不遇而寄诗结。诗形象鲜明,富于画意;语言通俗,文情却委婉曲折。

【注释】 ①郡斋:州郡衙门的休息之室。冷:意义双关,既指深秋雨夜天气寒凉,又指郡斋秋夜冷清使诗人感到寂寞。 ②山中客:即题中的"山中道士"。客,对人的泛称。 ③涧(jiàn见):两山之间的水沟。束:绑。荆薪:荆柴。这句说到山沟去采柴。 ④煮白石:《神仙传》云:"白石先生者,中黄丈人弟子也。尝煮白石为粮,因就白石山居,时人故号曰白石先生。"这里化用其意,写道士的清幽生活。 ⑤这两句说,我本想拿一瓢酒在这个风凉雨冷的秋夜到神山来慰问你。一瓢:把干瓠挖空,直剖为两半,一半的容量叫一瓢。风雨夕:风雨之夜。 ⑥末两句说,满山都是落叶,我又不知到什么地方能找到你的行踪。寻:寻找。行迹:行踪。

长安遇冯著

韦应物

客从东方来①, 衣上灞陵雨②。
问客何为来③, 采山因买斧④。
冥冥花正开⑤, 飏飏燕新乳⑥。
昨别今已春⑦, 鬓丝生几缕⑧?

【说明】 长安(今陕西西安市),唐京城。冯著,与韦应物同时的诗人,先后在长安、洛阳、广州等地做官。《韦苏州集》中送冯著的诗不少,可见两个人的交情。

诗中"采山因买斧"当是指冯著仕途不得意将欲隐居的比喻。"衣上灞陵雨",既指冯来长安时的天气,又以灞陵隐指长安,灞陵在长安城东。作者《送冯著受李广州署录事》中亦有"送君灞陵岸"之句。诗前半叙冯来意;后半写春景依旧,白发平添,时不我与之叹见于言外。"冥冥花正开,飏飏燕新乳"实为"鬓丝生几缕"之反衬。

【注释】 ①客:指冯著。 ②灞陵:即灞上,因汉文帝葬在这里,改名灞陵,在长安东。 ③何为来:为什么而来。 ④采山:采伐山上的树木。这句说因采山而来买斧。 ⑤冥冥:形容花默默地开放。 ⑥飏飏(yáng羊):飞翔的样子。燕新乳:初生的小燕。乳,鸟初生。这句说新生的小燕也开始飞翔。 ⑦昨:指去年。已:又。这句说去年一别不觉又到春天了。 ⑧鬓丝:鬓上的白发如丝。缕:一根丝或线叫缕。这句说你的鬓上又生几根白发了。

夕次盱眙县

韦应物

落帆逗淮镇①，　停舫临孤驿②。

浩浩风起波③，　冥冥日沉夕④。

人归山郭暗，　雁下芦洲白⑤。

独夜忆秦关⑥，　听钟未眠客⑦。

【说明】　次,止宿。此指泊船。盱眙(xū yí 虚移)县,即今江苏盱眙县。

此诗写因旅途晚泊盱眙县的景色所引起的思乡愁绪。全诗抒写乡愁,却无一字言愁。诗人深刻的思乡愁绪,全于其夕次盱眙后闻见之景色中而委婉出之。从日夕风起到深夜忆秦,到听钟未眠,见出时间推移之脉络,诗人对仕途跋涉之厌倦情绪亦可见一斑。

【注释】　①落帆:把风帆降下。逗:停留。淮镇:淮水旁的市镇,指盱眙。盱眙濒淮水南岸。　②停舫(fǎng 访):停船。临:靠,就。驿:驿站。　③浩浩:大。风起波:风吹起波浪。　④冥冥:昏暗。　⑤芦洲白:指洲上芦苇开花。芦花色白。　⑥忆:怀念。秦关:即关中,见前岑参《与高适薛据登慈恩寺浮图》注⑬。诗人家在关中长安。　⑦客:诗人自称。

东　郊

韦应物

吏舍跼终年①，　出郊旷清曙②。

杨柳散和风③，　青山淡吾虑④。

依丛适自憩⑤，　缘涧还复去⑥。

微雨霭芳原⑦，　春鸠鸣何处⑧?

乐幽心屡止，　遵事迹犹遽⑨。

终罢斯结庐，　慕陶直可庶⑩。

【说明】　这首诗写春日郊游之乐,表现了诗人对官宦生活的厌恶,对退隐生活的羡慕。诗人平生慕陶,诗亦近之。

【注释】　①吏舍:指衙门。舍,房屋。跼(jú局):同"局",屈曲,限制,拘束。终年:整年。这句说整年地束缚在衙门里。　②旷:空阔。此处用作动词。清曙:清早。曙,天明。这句大意说今天天一亮我来到郊外开开眼界,散散胸襟。这是紧接上句说明诗人对官宦生活的厌恶。　③杨柳在和风中荡漾。这句写近景。　④这句说青山使我的杂念消除。淡:水摇动,这里是洗涤的意思。吾:我。这句写远景兼抒情。
⑤丛:指树丛。憩(qì气):休息。 ⑥缘涧:沿着山沟。复去:这里是再向前走的意思。 ⑦霭(ǎi矮):云的样子。这里用作动词,指细雨密密地下着。芳原:芳香的草地。 ⑧鸠:斑鸠,善鸣。这句是说到处听到斑鸠的叫声。 ⑨这两句大意是,心里很喜欢这个幽静的地方,几次想在这里结庐住下,无奈事与愿违,又几次中止,这就是因为官位所限,行动起来总是不能那么方便。遵:遵行。事:指衙门事务。迹:行踪,行动。犹:还是。遽(jù据):恐慌。 ⑩这两句的大意是,我终究要辞官来这里隐居,我平生仰慕陶潜的为人,到那时我的愿望差不多可以实现了。结庐:修盖房屋,这里指隐居。语本陶潜《饮酒》:"结庐在人境,而无车马喧。"慕陶:由于韦应物对陶潜的崇敬,不仅羡慕他的为人,而且喜爱他的诗风,韦集中有不少诗篇是仿效陶诗的,有的诗并题为《与友生野饮效陶体》、《效陶彭泽》。直:径直,直接。庶:"庶几"的压缩(因押韵),接近。这里是实现的意思。

送杨氏女

韦应物

永日方慼慼①,　出门复悠悠②。
女子今有行③,　大江溯轻舟④。
尔辈苦无恃⑤,　抚念益慈柔⑥。
幼为长所育⑦,　两别泣不休⑧。
对此结中肠⑨,　义往难复留⑩。
自小阙内训⑪,　事姑贻我忧⑫。
赖兹托令门⑬,　仁恤庶无尤⑭。
贫俭诚所尚⑮,　资从岂待周⑯?
孝恭遵妇道⑰,　容止顺其猷⑱。
别离在今晨⑲,　见尔当何秋⑳?
居闲始自遣㉑,　临感忽难收㉒。
归来视幼女,　零泪缘缨流㉓。

【说明】 此诗任滁州刺史期间作。韦应物早年丧妻,遗下两个女儿,而小的是靠大的"抚育"成长的。现在大女儿要出嫁到姓杨的人家去,两姐妹即将分离,因而哭个不停。诗人见此情景,十分伤心,所以便写了这一情真语挚感人肺腑的诗篇。

【注释】 ①永日:整天。慼慼(qīqī戚戚):悲伤。 ②出门:指出嫁。悠悠:忧思的样子。 ③女子:指嫁给杨家的大女儿。即题所说"杨氏女"。有行:出嫁。《诗经·邶风·泉水》:"女子有行,远父母兄弟。" ④大江:指长江。溯(sù诉):逆流而行。　　⑤尔辈：你们，指两个女儿。无恃：没有母亲。《诗经·小雅·蓼莪》："无父何怙，无母何恃。"幼年无母叫"无恃"。韦应物早年丧妻。　　⑥抚：抚养。益：更加。慈柔：慈祥柔和。　　⑦这句说，幼女是长女所养大的。在这句下面韦应物原注云："幼女为杨氏所抚育。"　　⑧两别：两姐妹分别。泣不休：哭个不停。　　⑨此：指"两别泣不休"。结中肠：形容内心极度悲伤。　　⑩义往：应当出嫁。《礼记》："女子二十而嫁，义当往也。"　　⑪阙内训：缺乏母亲的教训。《后汉书·班昭传》："作女诫七篇，有助内训。"阙，通"缺"。　　⑫事姑：侍奉婆婆。姑，丈夫的母亲。贻我忧：给我带来忧虑，怕她不懂得"事姑"之道。　　⑬赖：幸好。兹：此。托：寄托。令门：好人家。⑭仁：爱。恤：怜。庶：希望的意思。无尤：没有过失。这句说希望她到夫家去能够得到婆婆的怜惜。　　⑮俭：节约。诚：确是。尚：崇尚。　　⑯资从：指随从出嫁的妆奁。岂待周：哪里得完备呢？　　⑰孝恭：孝顺恭敬。妇道：旧时礼教规定妇女应尽之道。　　⑱容：仪容。止：举动。顺：遵循的意思。猷（yóu 由）：法度。　　⑲今晨：今天早上，实指今日。　　⑳尔：你，指大女儿。当何秋：当在何年。　　㉑居闲：平时闲居。自遣：自我排遣。　　㉒临感：临到有感触的时候。忽难收：忽然难以控制，指悲伤忧愁。　　㉓归来：指送大女儿回来。视：看到。零泪：落泪。缘：沿着。缨：帽带子。这两句与前文"两小泣不休"照应。

晨诣超师院读禅经

柳宗元

汲井漱寒齿，　清心拂尘服①。
闲持贝叶书，　步出东斋读②。
真源了无取，　妄迹世所逐③。
遗言冀可冥，　缮性何由熟④？
道人庭宇静⑤，　苔色连深竹⑥。
日出雾露余，　青松如膏沐⑦。
淡然离言说，　悟悦心自足⑧。

【作者简介】　柳宗元（773—819），字子厚，河东（今山西永济县）人。贞元九年（793）进士。贞元十五年（799）又举博学鸿词科。授校书郎，调蓝田尉，迁监察御史里行。顺宗时，王叔文执政，锐意革新，任柳宗元为礼部员外郎。革新失败，被贬为永州（今湖南零陵县）司马，十年后又贬为柳州刺史。在柳州多善政，深受人民爱戴。元和十四年（819）死于柳州，年四十七。柳州人民为追慕其功绩，特修祠祭祀，代代不绝。世称"柳柳州"。

　　柳宗元是唐代著名的哲学家、散文家和诗人。他以朴素唯物论和进步历史观，批判君权神授，肯定郡县制的历史意义；反对藩镇割据，主张任用贤才。他反对骈文，提倡散文,和韩愈共同倡导了中唐的古文运动。他写了大量讽喻时弊,揭露社会矛盾,同情人民疾苦,描摹山水的优美散文,在文学发展史上有着深远的影响。他的诗虽不多,但也热情歌颂了维护国家统一的正义战争,揭露了统治集团对人民的横征暴敛,讽刺庸人把持朝政,压抑贤才。他的山水风景诗渗透着诗人的个性和遭遇,更富于特色,有的像高峡流泉澄莹如镜,有的像深谷兰杜时吐幽香。当然,他有一部分诗也流露了佛家的消极思想。有《柳河东集》。

【说明】 这首诗是柳宗元贬居永州期间所作。诣,到。超师,名字叫超的和尚。

诗中写诗人到超师寺院读佛经的感受,他认为佛经既有"妄迹",也有"真源"。可是世人只知追求"妄迹",而对"真源"毫无所取。这明显地反映了诗人的思想也受到了佛家思想的侵蚀。至于诗人在读经时感到超师庭宇环境十分幽静可喜,也从侧面反映了他对黑暗政治的愤懑。

【注释】 ①汲(jī及)井:从井里打水。漱寒齿:漱牙齿。寒,指井水清凉。清心:使心清静下来。拂尘服:拂去衣上的灰尘。这两句说使内心清净,身上干净,诚心诚意准备读经。   ②持:拿着。贝叶书:佛经。《汉书·西域传》:"西域有贝多树,国人以其叶写经,故曰贝叶书。"东斋:指超师院东边的房间。这两句说端着佛经走出房间去读。   ③真源:真正的道理。了:全。取:取得。妄迹:荒诞的事迹。逐:追求。这两句说,世人对佛经中的真源毫无所得,而被他们所热心追求的都是其中荒诞无稽的事迹。   ④遗言:指佛经记载"妄迹"的话。冀:希望。冥:犹默契、暗合的意思。缮(shàn善)性:修心治性的意思。缮,治也。何由:何从,从何处。这两句意为:如果读了佛经可以希求福佑,那么我的修身养性就无法达到目的了。   ⑤道人:指超师。《释氏要览》:"《智度论》云:'得道者名为道人,余出家者未得道者亦名道人。'"庭宇:犹言庭院。庭,堂阶;宇,屋边。   ⑥苔色:青苔的颜色。深竹:指竹林深处。这句说苔的青色和竹的绿色相映带,用来说明庭宇环境的清幽。   ⑦雾露余:经过雾气和露水湿润之后。膏沐:古时妇女用来润发的油膏。这里名词动用。这两句说,青松经过雾露滋润后,在曙光反射下好像搽了润发油似的。这是日出雾散,青松如沐,比喻去掉"妄迹"而取得"真源"。   ⑧淡然:恬静的意思。悟悦:悟到道人庭宇幽静之乐。这两句的大意是这时我感到恬静得无话可以形容,今天能尝到这种乐趣,我的心自然很满足了。

溪　居

柳宗元

久为簪组束①,　幸此南夷谪②。
闲依农圃邻③,　偶似山林客④。
晓耕翻露草⑤,　夜榜响溪石⑥。
来往不逢人⑦,　长歌楚天碧⑧。

【说明】 此诗写作者居住溪边的自由和乐趣。但这只不过是他暂时的自我排遣而已,综合作者其他诗文来读,他从未忘怀谪居南夷之痛。按:此溪即冉溪,一称"染溪",一称"愚溪"(参看作者《愚溪诗序》),在今湖南零陵县西南,源出鸦山,水底全是石头。作者在《冉溪》诗中说:"缧绁(做囚犯,指谪贬而言)终老无余事,愿卜(选择)湘西冉溪地。"元和五年(810)他给冉溪改名愚溪,又同年在《与杨晦之书》中说:"方筑愚溪东南为室,耕田圃堂下以咏至理(他曾作《八愚诗》,已佚),吾有足乐也。"由此可证他卜居冉溪是在元和五年。本诗也当作于这一年。

【注释】 ①簪(zān)组:古代官吏的服饰。簪,用来绾住头发或插住纱帽;组,丝带,用来系住官印。束:束缚。一作"累"。这句说我长久以来被官职所束缚。 ②南夷:古代对南方少数民族的称呼。这里指永州。谪(zhé哲):封建时代官吏被降职或调到边远地区叫谪,这里指作者被贬谪为永州司马。这句说我很幸运被贬谪到南夷这个地方来。诗人谪贬永州,愤慨难平,"幸"是反语。 ③农:指种庄稼。圃(pǔ普):指种瓜菜。这句说在这里我有闲空与种田种菜的劳动人民结为邻居。 ④偶似:偶然好像,因作者还有官职,故称。山林客:在山野生活的人,指隐者。 ⑤晓:天亮。这句说一早就到田里耕土翻草,指参加农业劳动。 ⑥榜:进船。一作"傍"。响溪石:因进船时碰上溪石而发响声。这句说晚上便开船在溪中捕鱼或游荡。
⑦人:这里不是指所有的人,而是指庸俗的官吏,至于种田种菜的人是时时要碰上的,因为作者到冉溪来住就是乐于与他们为邻的。 ⑧楚天:春秋战国时,湖南一带都属楚国范围,故称。楚天是与前文"南夷"照应。

乐 府

塞上曲

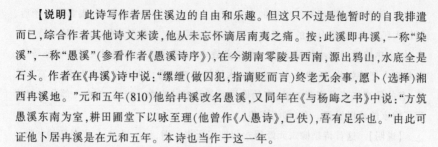

王昌龄

蝉鸣空桑林①, 八月萧关道②。
出塞复入塞③, 处处黄芦草④。
从来幽并客⑤, 皆共黄沙老⑥。
莫学游侠儿⑦, 矜夸紫骝好⑧。

【说明】 《塞上曲》、《塞下曲》都出于汉乐府《出塞》、《入塞》,属《横吹曲辞》,多写边塞战争。郭茂倩《乐府诗集》说:"横吹曲,其始亦谓之鼓吹,马上奏之,盖军中之乐也。"这种曲辞,到了唐代大为流行,成为新乐府辞。

本诗《全唐诗》列为《塞下曲》四首中的第一首,下诗列为第二首;《唐诗别裁》列为《塞下曲》二首中的第一首,下诗列为第二首。在《国秀集》中,本诗题作《塞下曲》,下诗题作《望临洮》。本诗和下诗似乎都是天宝年间诗人警告玄宗黩武穷兵之作。但一隐一显,手法不同而已。

【注释】 ①空桑林:一作"桑林间"。 ②萧关:关名,在今宁夏回族自治区固原县东南,为"关中"四关之一。道:路。 ③复入塞:一作"入塞寒"。 ④黄芦草:即芦苇。 ⑤幽并(píng平):即古代的幽州、并州,历代疆域广、狭常有变迁。唐代幽州辖境相当于今北京市及所辖通县、房山、大兴及河北武清、永清、安次等县,并州辖境相当于今山西阳曲以南文水以北的汾水中游地区。 ⑥这句一作"共向沙场老"。皆:都。 ⑦游侠儿:谓好交游,讲义气,常为知己打抱不平而不惜牺牲性命的人。 ⑧矜(jīn今)夸:自夸。矜,自夸。紫骝:紫红色的骏马。

塞下曲

王昌龄

饮马渡秋水①, 水寒风似刀②。
平沙日未没③, 黯黯见临洮④。
昔日长城战⑤, 咸言意气高⑥。
黄尘足今古⑦, 白骨乱蓬蒿⑧。

【注释】 ①饮马:给马饮水。这里是作战的意思。 ②风似刀:指风特别冷,吹在皮肤上有如刀割。 ③平沙:形容沙漠上一无所有,一片荒凉。日未没:太阳没有落下。 ④黯黯(àn暗):模糊不清的样子。临洮(táo逃):秦置县名,在今甘肃岷县,因地临洮水而得名。 ⑤昔日:从前。一作"当日"。长城战:玄宗开元二年(714)吐蕃以十万人侵犯临洮,朔方行军道总管王晙与吐蕃兵战于武阶,斩首七千,获马、羊二十万。又战于长子,吐蕃大败。死者枕藉,洮水为之不流。这句可能是指此事。秦蒙恬筑长城,西起临洮,故称"长城战"。 ⑥咸言:都说。意气:言作战的意志与赴敌的勇气。这句语带讽刺。 ⑦足:充满。一作"满"。 ⑧乱蓬蒿:散乱在蓬蒿之中。

关山月

李 白

明月出天山①, 苍茫云海间②。
长风几万里③, 吹度玉门关④。
汉下白登道⑤, 胡窥青海湾⑥。

由来征战地⑦，　不见有人还。
戍客望边邑⑧，　思归多苦颜⑨。
高楼当此夜⑩，　叹息未应闲⑪。

【说明】　关山月，古乐府《鼓角横吹曲》之一。歌辞多写离别的哀伤。

这首诗写远戍玉门关外的征夫月夜对妻子的热切怀念，反映了唐玄宗无休止的征战给人民带来的深重苦难。开头四句以大笔勾画似的概括了一个苍茫辽阔的空间，把读者带到万里之外的玉门关和天山，气势豪迈，境界深远。假如不读到后面的征战苦，还以为诗人是在赞颂什么。其次四句出现了上下千年的征战地。从"汉下白登道"到"胡窥青海湾"，其间不知断送了多少人的性命，最后四句才扣住现实，点明征夫思归的主题。由此可见，开头的壮阔画面，正是为后面的"戍客望边邑，思归多苦颜"作衬托的。诗人对戍客、思妇不得团聚的高度同情，即是对黩武穷兵的天子的憎恨。他在《战城南》中说："士卒涂草莽，将军空尔为，乃知兵者是凶器，圣人不得已而用之。"可与此诗相印证。诗的感染力之强，诗人笔法之妙，令人赞叹。

【注释】　①天山：在今新疆维吾尔自治区境内。明月从东方升起，戍客在天山西面回头东望，故云"明月出天山"。天山，一指甘肃境内的祁连山。　②云海：云气苍茫如海。　③几万里：指东从戍客家乡到西北边塞的距离。这是夸张形容。　④玉门关：关名，在今甘肃敦煌县西，是汉代通往西域的要道。　⑤这句说汉出兵白登道。据《汉书·匈奴传》载：汉高帝刘邦与匈奴在白登城作战，被匈奴围困七天之久。下：指出兵。白登：山名，在今山西大同县东。　⑥胡：此处指吐蕃。窥(kuī亏)：探视，这里是侵扰的意思。青海：湖名，在今青海省东北部。唐朝曾多次在这一带和吐蕃交战。　⑦由来：从来。征战地：指上两句中的"白登道"和"青海湾"。　⑧戍(shù束)客：指守卫边塞的兵士。边邑(yì亦)：边地。一作"边色"。⑨苦颜：愁眉苦脸的容颜。　⑩高楼：指住在高楼中的戍客的妻子。当此夜：当到这个明月之夜。　⑪末句说，叹息的声音不曾停止吧。应：曾经。这是设想之词。闲：空闲，停歇的意思。

子夜吴歌

李　白

长安一片月①，　万户捣衣声②。
秋风吹不尽，　总是玉关情③。
何日平胡虏④，　良人罢远征⑤？

【说明】　《子夜吴歌》，据《唐书·乐志》："子夜歌声，晋曲也。晋有女子名子夜造此声，声过哀苦。"又《乐府古题要解》："后人更为四时行乐之词，谓之《子夜四时歌》。"因它产于吴地,属于《乐府》中的吴声曲词,故又名《子夜吴歌》。歌词多写女子思念情人的哀怨之情。唐以前的《子夜歌》都是五言四句,李白增为六句。李白的《子夜吴歌》共四首,分写春夏秋冬四时,这篇是第三首,属于秋歌。

此诗与《关山月》主题相同,都是揭露唐玄宗的开边战争破坏了广大人民的和平安居生活,上诗着重在征夫思妻,此诗则是妻子思念征夫,强烈地盼望早日结束战争,以使夫妻团聚。诗借明月、秋风,捣衣声传送"玉关情"。以明月起兴,想象力丰富,从长安城内到玉门关外,都在明月之下,秋风之中。本来仅有明月、秋风,已使思妇触景伤情,又何况"万户捣衣声"之不断撞击心头呢?诗仅言胡虏之未平,而责玄宗之黩武则于言外见之。

【注释】 ①长安:今陕西西安市,唐时为京城。 ②捣衣:指妇女把织好的布帛放在砧上,用杵捶打,使它软熟,以备裁缝衣服。但做成衣服之后,有时也用此法,使它整洁。秋季捣衣是为换季御寒作准备,一是给在家的人穿着,一是给远方的征人寄寒衣,所以家家户户一片捣衣声。同时捣衣声又最能引起思妇对出征丈夫的离情和旅客对故乡的怀念,这里属于前者。 ③玉关情:指思念远在玉门关外戍守的丈夫的离别之情。玉关,即玉门关,见上诗注④。 ④平:平定。胡虏:指侵犯边塞的敌人。 ⑤良人:丈夫。罢远征:指结束战争,凯旋。罢,停止。

长干行

李白

妾发初覆额①,　折花门前剧②。
郎骑竹马来③,　绕床弄青梅④。
同居长干里⑤,　两小无嫌猜⑥。
十四为君妇⑦,　羞颜未尝开⑧。
低头向暗壁,　千唤不一回⑨。
十五始展眉⑩,　愿同尘与灰⑪。
常存抱柱信⑫,　岂上望夫台⑬。
十六君远行,　瞿塘滟滪堆⑭。
五月不可触⑮,　猿声天上哀⑯。
门前旧行迹,　一一生绿苔⑰。
苔深不能扫,　落叶秋风早。
八月蝴蝶黄⑱,　双飞西园草。
感此伤妾心⑲,　坐愁红颜老⑳。
早晚下三巴,　预将书报家㉑。
相迎不道远,　直至长风沙㉒。

【说明】 长干，古金陵里巷名，故址在今江苏南京市南，江东称山陇之间为"干"，其地有山冈，因有此名。《舆地纪胜》："建康(今南京市)南五里有山冈，其间平地，民庶杂居，有大长干、小长干。"《长干行》，晋代乐府古辞有《长干曲》，属《杂曲歌词》。按唐以前的《长干曲》仅无名氏一篇，如："逆浪故相邀，菱歌不怕摇。妾家广陵住，便弄广陵潮。"从内容看是当地的民间歌曲，它以长江下游的商业经济发展为背景，抒写健康的男女之情。到了唐代，文人仿作的不少，甚至还有《小长干曲》之作。李白以前的均为五言四句，到李白手中却增为三十句，这在体制上对《长干曲》是个大发展。

　　李白的《长干行》共二首，写一个年轻商妇对久别丈夫的想念，两诗从头至尾均为商妇独白。这首诗是其中第一首，由回忆两人相识、结婚、别离以及盼望他早日回家四部分组成。诗中通过亲切的叙事，生动的写景，深刻地揭示了她的内心活动，热烈地表示了她对幸福爱情的追求。

　　【注释】 ①妾：古时妇女的自我谦称。初覆额：刚盖着前额(脑门)。 ②剧(jì技)：游戏。 ③郎：指女子的丈夫。骑竹马：跨着竹竿当马骑，是古代小孩的一种游戏。 ④绕床：围绕着床互相追逐。弄青梅：舞弄着青梅。 ⑤同居：同住。 ⑥无嫌猜：天真烂漫没有嫌疑猜忌之心。 ⑦为君妇：做您的妻子。 ⑧羞颜：怕羞的容颜。未尝：不曾。开：开颜笑。 ⑨这两句承上句，指初结婚时的含羞情态。唤：叫。回：回头。 ⑩始：才。展眉：即"开颜"之意。 ⑪我愿和他生死与共，即使化为灰尘也不分离。 ⑫常存：常常存有。抱柱信：《庄子·盗跖篇》载，尾生与一女子约好在桥下相会，女子未来，忽然涨水。尾生为了守信，不肯离开，结果抱着桥柱被水淹死。后人便以"抱柱"为信守不渝之词。 ⑬这句说哪里想到会上望夫台呢？就是说当初根本没想到后来会分离。望夫台：古代不少地方流传有丈夫久出不归，妻子登上高地眺望的故事，有所谓"望夫台"、"望夫山"、"望夫石"等名称。前人以忠州(今四川忠县)的"望夫台"注此，似与诗意不符。 ⑭瞿塘：峡名，在今四川奉节县东，是长江三峡之一。滟滪(yàn yù 艳预)堆：瞿塘峡口江心的礁石，冬季露出水上二十余丈，夏季江水上涨，礁没水中，行船容易发生触礁危险。晋代民谣："滟滪大如马，瞿塘不可下；滟滪大如袱(头巾)，瞿塘不可触。" ⑮不可触：详见上注。 ⑯这句说瞿塘两岸，山高入云，船经峡中，旅客闻山上猿声如在天上，令人发愁，故云"猿声天上哀"。晋代民谣："巴东三峡猿鸣悲，夜鸣三声泪沾衣。" ⑰这两句说丈夫在门前遗留下来的脚印都长满了绿苔，所以使她触景伤情。下六句都是写这种情怀。旧，一作"迟"。 ⑱这句说秋天的蝴蝶黄色的最多。 ⑲此：指蝴蝶双飞。 ⑳这句说因为天天极度悲愁，红润的容颜日见消褪。坐：深，极。 ㉑早晚：何时。下三巴：指丈夫从三巴东下回家。三巴，古巴郡、巴东、巴西总称"三巴"，在今四川东北部。巴江流经其间而入长江。书：信札。 ㉒不道远：不管路远。不道，不管、不顾。直至：直到。长风沙：地名，在今安徽怀宁县东长江边。陆游《入蜀记》："自金陵至长风沙七百里。"这四句说女子盼望丈夫早日回家，只等他的预报回家的信一到，她便不辞路远赶到长风沙去迎接他。

烈女操

孟　郊

梧桐相待老①，　鸳鸯会双死②。
贞妇贵殉夫③，　舍生亦如此④。
波澜誓不起，　妾心古井水⑤。

【作者简介】 孟郊(751—814)，字东野，湖州武康(今浙江武康县)人，一说洛阳(今河南洛阳市)人。早年隐居河南嵩山，称处士。性情耿介寡合。韩愈与之一见如故，为忘形交，和他诗酒唱和。曾屡试不第，四十六岁才举进士，五十岁时才任溧阳(今江苏溧阳县)尉。后因事而辞官家居。元和初，郑余庆为河南尹，奏为水陆转运判官。元和九年(814)，郑出镇兴元(今陕西南郑县)又奏为参谋。他携家赴任，因暴病死于途中。

孟郊一生"拙于生事，一贫彻骨，裘褐悬结，未尝俯眉为可怜之色"(《唐才子传》)。其诗多写寒士的生活与遭际，时有不平之鸣，也有一些揭露社会不平、同情人民疾苦之作。孟郊虽属"苦吟"诗人，但诗风大都质朴自然，表情达意深刻生动，在当时诗坛是别树一帜的。他长于五言古诗，韩愈、李翱、李观对他的诗都备加赞许。有《孟东野集》。

【说明】 《烈女操》，古《乐府》属《琴曲》歌词。烈女谓重义轻生的女子。这里指贞节有操守的妇女。这首诗是歌颂贞妇的节操。旧时代的女子不少成为封建礼教和伦理的牺牲品，有的夫死而不独生，有的夫死而终身不嫁，都表示对丈夫的忠贞。作者歌颂贞妇，正说明他的封建伦理道德观念的浓厚，反映了他的阶级局限性。但我们结合作者坎坷的身世，不圆通的性格，这里的"烈女"似乎也是作者誓不与豪门贵宦同流合污的自我写照。

【注释】 ①梧桐：落叶乔木，又叫"青桐"。树干很直，木材可制器具，又可入药。这里是根据古代传说：梧是雄树，桐是雌树，与下句的"鸳鸯"对举。相待老：即是说梧和桐同长同老，同生同死。　②鸳鸯：见前杜甫《佳人》注⑫。会双死：鸳鸯雌雄不离，一只死了，另一只决不独生，也就是同生同死的意思。　③贞妇：即"烈女"。贵殉(xùn 迅)夫：以为丈夫殉身为贵。殉，为了一定的目的献出生命。　④舍生：牺牲生命。亦如此：也应该像梧桐鸳鸯那样。　⑤这两句说，我的心正像古井里的水一样，永远不会起波澜。这就是说她的心坚贞已极，誓不为外物所引而动摇起来。

游子吟

孟　郊

慈母手中线①，　游子身上衣②。

临行密密缝， 意恐迟迟归③。

谁言寸草心， 报得三春晖④！

【说明】 《游子吟》是孟郊自制的乐府题。他在题下自注："迎母溧上作。"按作者于贞元十二年(796)任溧阳尉,时已五十岁。

【注释】 ①慈母：慈爱的母亲。 ②游子：古代称远游作客的人为游子。 ③临行：临到走的时候。意恐：担心。这两句说慈母对儿女的爱无微不至。 ④寸草心：小草的嫩心。语意双关,比喻游子的心。报：报答。三春晖：春天三个月的阳光。语意双关,比喻慈母的爱。这两句说,寸草的心是向着阳光的,好像儿女的心向着慈母一样;儿女的心像寸草一样小,慈母的爱像春晖一样大,做儿女的竭尽毕生心力,也难以报答慈母的爱于万一。

唐诗三百首详注

七言古诗

登幽州台歌

陈子昂

前不见古人，　后不见来者①。
念天地之悠悠②，独怆然而涕下③！

【作者简介】 陈子昂（661—702），字伯玉。梓州射洪（今四川射洪县）人。唐高宗开耀二年（682）进士。武则天光宅元年（684）赴京上书，武后奇其才，授麟台正字，后迁右拾遗。万岁通天元年（696）随武攸宜征讨契丹。圣历初解官归乡，为县令段简所诬陷，下狱死。

陈子昂是初唐后期有抱负有才能的诗人。他多次上书言事，陈述政治利弊，常遭权贵的排斥和陷害，壮志难伸。他的散文取法古代，反对骈文；诗歌主张风雅比兴，崇尚汉魏，鄙弃齐梁体。《感遇诗》三十八篇便是实践其诗歌主张的代表作。他是李杜的先驱，对唐代诗歌发展有较大影响，杜甫、白居易、韩愈都先后给予崇高的评价。有《陈拾遗集》。

【说明】 幽州台，即蓟北楼，又称蓟丘、燕台，故址在今北京市大兴县。唐幽州治蓟，是古代燕国的都城。歌，是诗体的一种。

万岁通天元年（696），武则天命建安王武攸宜征契丹，陈子昂以右拾遗参谋军事。攸宜出身亲贵，不懂军事，子昂曾献奇计，请分兵万人为前驱，未被采纳。卢藏用《陈氏别传》云：子昂"自以官在近侍，又参预军谋，不可见危而惜身苟容。他日又进谏，言甚切至。建安谢绝之，但兼掌书记而已。因登蓟北楼，感昔乐生、燕昭之事，赋诗数首，乃泫然流涕而歌：'前不见古人……'时人莫之知也。"这便是陈子昂《登幽州台歌》的创作背景。

【注释】 ①这两句意谓，像燕昭王一类任用贤才的明主，我赶不上见到；这样的明主今后也一定会有的，但我也不可能见到，因人的寿命是有限的。这便是生不逢时，屈原"哀朕时之不当"（《离骚》）之意。作者在同时同地还写了《燕昭王》等诗。

②悠悠：长久。　③怆（chuàng 创）然：悲伤的样子。涕（tì 剃）：眼泪。屈原《远游》："惟天地之无穷兮，哀人生之长勤。往者余不及兮，来者吾不闻。"为本诗所本。

古　意

李　颀

男儿事长征①，　　　少小幽燕客②。

赌胜马蹄下，　　　由来轻七尺③。

杀人莫敢前，　　　须如蝟毛磔④。

黄云白雪陇底飞⑤，　未得报恩不得归⑥。

辽东小妇年十五⑦，　惯弹琵琶解歌舞⑧。

今为羌笛出塞声⑨，　使我三军泪如雨⑩。

【作者简介】　李颀(690—751)，颍阳(今河南登封县西)人，开元二十三年(735)进士。任新乡县尉。因久未升迁，便辞官归隐颍阳之东川。和王维、綦毋潜、高适、王昌龄有唱和。擅长七言歌行和七律。他描写边塞和音乐的诗都很感人。从白居易的《琵琶行》和李贺的《李凭弹箜篌》中明显看到李颀诗的影响。《全唐诗》录存其诗三卷。

【说明】　"古意"和"拟古"、"效古"的含义相似。魏晋以后，诗人以"古意"命题的诗篇渐多，内容也很广泛，虽然标为"古意"，但多是托古喻今之作。本篇写战士英勇无敌誓死报国的壮志和思念家乡的情怀。全诗主要表现了豪侠浪漫精神，但结尾略带苍凉。

【注释】　①男儿：男子。事长征：从事于远行。这里指从军。征，行也。　②这句说，从小就在幽燕等地作客。幽燕(yān 烟)：在今河北、辽宁一带。幽，古州名；燕，古国名。这一带是古代豪侠会聚之地，也是东北的边塞要地。　③赌：较优劣、定胜负的意思。马蹄下：这里指战场上。由来：从来。轻七尺：轻视生命，不怕死。七尺，指身躯。古时的尺比现代的短。古人常称男子身高七尺。这两句说常常在战场上奋勇夺取胜利，从来不怕牺牲。　④蝟(wèi 胃)：刺老鼠，全身生满硬刺。磔(zhé 哲)：张开的样子。　⑤这句写边塞作战环境极其艰苦。陇：这里是山陵的意思。这句一作"黄云陇底白雪飞"。　⑥报恩：报君恩，报国恩，即为国消灭敌人的意思。　⑦辽东：泛指今辽宁东部之地。小妇：即少妇。　⑧解歌舞：即善于唱歌跳舞的意思。解，通晓。　⑨羌(qiāng 枪)笛：乐器。陈旸《乐书》："羌笛五孔，马融赋笛谓出于羌中，旧制四孔而已，京房加一孔，以备五音。"《说文》说羌笛三孔。羌，我国少数民族之一，居住在今甘肃、四川境内。现在一般所吹之笛，是羌族所创制，故名。出塞声：指出塞作战的乐声。　⑩三军：古时三军合三万七千五百人。这里是"军队"的通称。

送陈章甫

李　颀

四月南风小麦黄，　　枣花未落桐叶长①。

青山朝别暮还见，　嘶马出门思旧乡②。
陈侯立身何坦荡③，　虬须虎眉仍大颡④。
腹中贮书一万卷，　不肯低头在草莽⑤。
东门酤酒饮我曹，　心轻万事如鸿毛。
醉卧不知白日暮，　有时空望孤云高⑥。
长河浪头连天黑，　津口停舟渡不得⑦。
郑国游人未及家，　洛阳行子空叹息⑧。
闻道故林相识多，　罢官昨日今如何⑨？

【说明】　陈章甫是李颀的朋友，江陵人，能诗。生平不详。因陈罢官回家，李颀特以诗送行。全诗语气虽豪放旷达，未著伤离恨别之辞，但对其怀才不遇的惋惜之情却隐约言外。

【注释】　①这两句写送别陈章甫的季节和景色。"桐叶"一作"桐阴"。　②嘶(sī 司)：马叫。旧乡：故乡。这两句大意是陈章甫从朝暮所见的异乡青山，引起对久别故乡的怀念。　③陈侯：指陈章甫。侯，尊称。坦荡：即"坦荡荡"，宽广的样子。《论语·述而》："君子坦荡荡。"　④虬(qiú 求)须：像龙的胡须。虎眉：像虎的眉毛。仍：又的意思。大颡(sǎng 嗓)：宽阔的脑门。这句形容陈章甫的仪表威武。　⑤贮(zhù注)：储藏，积存。"贮"一作"著"。草莽(mǎng 蟒)：草野。这两句说陈章甫是有才学有抱负的人，不会长期埋没草野。　⑥东门：指洛阳(今河南洛阳市)城的东门。酤(gū 姑)酒：买酒。酤有买、卖二义，普通均作"沽"。饮我曹：请我们饮酒。我曹，我辈，我们。这四句写陈章甫旷达不羁的性格，与前文"立身何坦荡"、"不肯低头"照应。

⑦长河：指黄河。津口：渡口，一作"津吏"。这两句写陈章甫离开洛阳时风波险恶，行船困难。　⑧郑国游人：指陈章甫。他从郑国来游洛阳，故称。春秋郑国都新郑，即今河南新郑县，他的家可能在那里。未及家：未到家，与前文的"思旧乡"照应。洛阳行子：作者自称。"行子"一作"游子"。这两句写作者因想起陈章甫在回家途中的困难而发愁。　⑨闻道：听说。故林：故园，故乡。相识多：相识的人很多。这两句写作者为陈章甫罢官回乡后的冷落处境担忧。

琴　歌

李　颀

主人有酒欢今夕，　请奏鸣琴广陵客①。
月照城头乌半飞，　霜凄万木风入衣②。
铜炉华烛烛增辉③，　初弹渌水后楚妃④。
一声已动物皆静，　四座无言星欲稀⑤。

清淮奉使千余里，　敢告云山从此始⑥。

【说明】　琴歌即歌咏琴声的诗。诗的重点在"一声已动物皆静,四座无言星欲稀"二句,赞叹琴声感染力之强。

【注释】　①主人:指谁不详。今夕:今夜。广陵客:琴曲最著名的有《广陵散》,晋代嵇康善弹此曲。后世称善弹琴的人为"广陵客"。　②凄:冷,这里用作动词。这两句写未弹前的秋夜景色。　③华烛:花烛。　④渌(lù 录)水、楚妃:均曲名。白居易《琵琶行》的"初为霓裳后六幺"句意仿此。　⑤这两句写琴声感染力之强。　⑥最后两句大意为,我已奉命出使到一千里外的淮河去,今晚听完了这美妙的琴声,明早便要开始赶路了,大概是说琴声有助他的行色。从此始:指从听完了琴声开始。

听董大弹胡笳兼寄语弄房给事

李　颀

汉女昔造胡笳声，　一弹一十有八拍①。
胡人落泪沾边草，　汉使断肠对归客②。
古戍苍苍烽火寒，　大荒阴沉飞雪白③。
先拂商弦后角羽④，　四郊秋叶惊慽慽⑤。
董夫子,通神明，　深山窃听来妖精⑥。
言迟更速皆应手，　将往复旋如有情⑦。
空山百鸟散还合，　万里浮云阴且晴。
嘶酸雏雁失群夜⑧，　断绝胡儿恋母声⑨。
川为静其波⑩，　鸟亦罢其鸣⑪。
乌珠部落家乡远⑫，　逻娑沙尘哀怨生⑬。
幽音变调忽飘洒，　长风吹林雨堕瓦。
迸泉飒飒飞木末，　野鹿呦呦走堂下⑭。
长安城连东掖垣，　凤凰池对青琐门⑮。
高才脱略名与利，　日夕望君抱琴至⑯。

【说明】　董大,指董庭兰,善鼓琴,曾为房琯门客。房给事,即房琯,详见后杜甫《别房太尉墓》说明。房琯天宝五年(746),任给事中,唐属门下省,即诗末所谓"东掖垣"。诗题《河岳英灵集》作《听董大胡笳声兼语弄寄房给事》。

这首诗是赞扬董大能以琴弹奏胡笳弄,对其弹技作了十分精彩出色的描绘。诗中把风云山川树木鸟兽的形状和声音,以及人和妖精的活动都动员来形容董大琴声的种种变化,想象十分丰富,使人对于美妙而又不易捕捉的琴声,能够得到具体而深刻的感受。李贺的《李凭弹箜篌》明显地是从李颀这首诗得到启发的。

【注释】 ①汉女:指蔡琰,字文姬,陈留圉(今河南杞县)人。东汉文学家蔡邕之女。初嫁卫仲道,卫早亡。后为豪强董卓部属俘虏,辗转入南匈奴。与胡人结婚,生了两个孩子。建安十二年(207)曹操把她赎回,再嫁董祀。她在匈奴时,曾"春月登胡殿,感笳之音,作《胡笳十八拍》,为琴曲以见志"(《蔡琰别传》)。昔:从前。一十有八拍:即一十拍加八拍。有,通"又"。 ②胡人:此指匈奴人。沾:沾湿。边草:边塞上的草。汉使:指汉末派往匈奴接蔡琰回汉的使者。归客:指蔡琰。这两句是推想蔡琰回汉时弹奏《胡笳》琴曲使胡人掉泪,汉使惊心。 ③古戍:指古代遗下的边地戍守的哨所。苍苍:深黑色。烽火:古时边防报警的烟火。大荒:指边地广漠的原野。阴沉:一作"沉沉",义同"苍苍"。这两句写蔡琰回汉时的塞外风光和她弹奏《胡笳》琴曲的气氛。 ④古琴有七弦,依次配宫、商、角、徵、羽、少宫、少商七音。拂:拨。后角羽:后拂角羽,后拨角弦和羽弦,"拂"承前省去。从这句以下到"野鹿呦呦走堂下"都是记董大以琴弹奏的《胡笳弄》的声音。 ⑤四郊:指长安郊区。慽慽(sè色):落叶声。 ⑥董夫子:指董大。夫子,一般的敬称。神明:鬼神的意思。深山:一作"深松"。窃听:偷听。妖精:即鬼神之类。这三句赞董大琴技高超,连鬼神也受到感动。 ⑦迟:慢。与"速"对称。皆:都。旋:回,与"往"对称。这两句形容董大弹琴手法极尽左右逢源、得心应手之妙。下面十二句却转到写琴声给听者所引起的种种联想。 ⑧这句说琴声像雏雁晚上失伴发出凄惨的叫声。嘶酸:同"酸嘶",苦楚的意思。雏雁:小雁。 ⑨断绝胡儿:蔡琰《胡笳十八拍》:"不谓(不料)残生兮却得旋归,抚抱胡儿兮泣下沾衣。焉得羽翼兮将汝归?一步一远兮足难移。"又她的《悲愤诗》:"己得自解免,当复弃儿子。……儿前抱我颈,问母欲何之?人言母当去,岂复有还时?阿母常仁恻,今何更不慈?我尚未成人,奈何不顾思?" ⑩川:河流。静其波:使它的波涛平静下来。 ⑪罢:停止。鸣:叫声。 ⑫乌珠:胡人的部落名。《全唐诗》、《唐诗别裁》虽均作"乌孙",但《河岳英灵集》作"乌珠"。 ⑬逻娑(luó suō 罗梭):唐时吐蕃之都城,即今西藏自治区拉萨市。 ⑭这四句写琴调由哀怨忽然转变为洒脱的几种声响。幽音:幽咽之音。飘洒:轻松自然。长风:大风。雨堕瓦:雨掉落在瓦上。进(bèng 蹦)泉:散射出来的泉水。飒飒(sà 萨):雨声。这里用以形容泉水的进射声。木末:树木的杪上。呦呦(yōu 优):鹿的叫声。 ⑮东掖(yè 业)垣:指门下省。唐代门下、中书两省,是中央最高政治机关,在皇宫东西两边,唐皇宫在长安城北,坐北朝南,门下省在皇宫东边,故称"东掖垣"。掖,通"腋"。垣,墙。凤凰池:《晋书·荀勖传》:"勖自中书监除尚书令,人贺之。勖曰:'夺我凤凰池,诸君何贺耶?'"按《通典·职官典》:"中书省地在枢近,多承宠任,是以人固其位,谓之凤凰池也。"简称"凤池"。青琐门:皇宫门。汉宫的青琐门,上面刻连环文,涂上青色,故名。这两句点明房给事的住处。 ⑯高才:指房琯。脱略:言纵任不受拘束。日夕:日夜。君:指董大。这两句写房琯放达不拘和他对董大的赏识。

听安万善吹觱篥歌

李 颀

南山截竹为觱篥①，　　此乐本自龟兹出②。
流传汉地曲转奇③，　　凉州胡人为我吹④。
旁邻闻者多叹息，　　远客思乡皆泪垂⑤。
世人解听不解赏，　　长飙风中自来往⑥。
枯桑老柏寒飕飗，　　九雏鸣凤乱啾啾⑦。
龙吟虎啸一时发，　　万籁百泉相与秋⑧。
忽然更作渔阳掺，　　黄云萧条白日暗⑨。
变调如闻杨柳春，　　上林繁花照眼新⑩。
岁夜高堂列明烛，　　美酒一杯声一曲⑪。

【说明】 安万善，凉州人。觱篥(bì lì 必力)，古代的一种管乐器，一写作"筚篥"。这首诗是作者听安万善吹觱篥后的一首赞歌，反映了我国唐代各族文化交流的史实。

【注释】 ①南山：见前李白《下终南山过斛斯山人宿置酒》说明。　②乐(yuè月)：乐曲。龟兹(qiū cí 秋辞)：汉代少数民族部落名，即今新疆维吾尔自治区库车、沙雅二县。唐太宗时设置龟兹都督府，隶属于安西都护府。　③汉地：指汉民族所居之地。奇：奇妙。　④凉州：唐州名，治所在今甘肃武威县。唐时凉州音乐特别发达，天宝年间的乐曲和诗均有以"凉州"命名的。胡人：指安万善。胡，这里指凉州的少数民族。　⑤这两句写安万善吹的觱篥声感染力特别强，致使许多人听了而叹息，至于远离家乡的人听了更是触动乡愁而纷纷掉泪。　⑥世人：社会上的人。解：会。赏：欣赏。长飙(biāo 标)：暴风。这两句大意是，一般的人只会听却不会欣赏它的妙处，它的声响如同暴风旋转，使听众的情绪自然地随着它的变化而变化。　⑦飕飗(sōu liú 搜留)：风声。九雏鸣凤：许多小凤凰在鸣叫。九，极言其多，非确数。啾啾(jiū 纠)：象声词，这里指雏凤细小的叫声。这句化用《古乐府》"凤凰鸣啾啾，一母将(带着)九雏"之意。这两句说，觱篥声一会儿像寒风吹刮着枯桑和老柏，又像雏凤在鸣叫。上一句是形容大声，下一句是形容细声。　⑧龙吟：龙鸣。虎啸(xiào 笑)：虎吼。一时：同时。万籁(lài 赖)，指一切声响。籁，凡是能够发出声响的孔窍都叫籁。相与：原义是彼此相交接，这里是一切都成为的意思。这两句说，龙吟、虎啸、泉流和一切声响造成的气氛都像到了秋天似的。　⑨渔阳掺(càn 灿)：鼓调名。《后汉书·祢衡传》："曹操闻衡善击鼓，乃以为鼓吏，因大会宾客，阅试音节。衡为渔阳掺挝(击鼓之法)，蹀躞(小步)而前，声节悲壮。"这两句说，忽然发出渔阳掺那样的悲壮音调，空中的黄云也显得萧条，白日也变得暗淡了。　⑩杨柳：这里意义双关,一指古曲,因上有"闻"字;一指杨柳树。春:与上文"秋"字对照。上林:古苑名。上林苑有两个,一在今陕西长安县西,一在河南洛阳县东。这里当指前者。这两句说,听到觱篥变换音调之后,又好像把人带进了春光明媚、鲜花耀眼的上林苑似的。⑪岁夜:阴历除夕。高堂:高大的堂屋。列:陈设。明烛:明亮的烛光。末两句点明听安万善吹觱篥的时间和场合。按"美酒一杯声一曲"句意,演奏当在除夕筵席之上。

夜归鹿门歌

孟浩然

山寺钟鸣昼已昏①,　　鱼梁渡头争渡喧②。
人随沙岸向江村③,　　余亦乘舟归鹿门④。
鹿门月照开烟树⑤,　　忽到庞公栖隐处⑥。
岩扉松径长寂寥⑦,　　唯有幽人自来去⑧。

【说明】 鹿门,山名,在今湖北襄樊市。孟浩然曾长期在此隐居。此诗当作于隐居期间。

【注释】 ①昼已昏:天已昏暗。昼,白天;昏,黄昏。　②鱼梁:沙洲名,在鹿门山的沔水中。《水经注·沔水》:"沔水中有鱼梁洲,庞德公所居。"在襄阳县东,距诗人隐居之处很近。渡头:即渡口。争渡喧:人们争着过渡的喧哗声。　③随沙岸:沿着沙岸。向江村:向着江村走去。　④余:我。乘舟:指在"鱼梁渡头"登上渡船归鹿门山去。　⑤开烟树:鹿门山上的树木原来被暮霭笼罩着看不分明,在月光照耀下却豁然开朗又重新显现出来。　⑥庞(páng 旁)公:即庞德公,汉末的隐士。据《后汉书·逸民传》载:庞德公是襄阳人,居岘山之南,未尝入城府,躬耕田里。与司马徽、诸葛亮为友。荆州刺史刘表几次去请他,都不肯出来。后来便带着妻子登鹿门山采药不返。栖隐处:隐居之处。栖,居住。　⑦岩扉松径:岩壁当门,松林夹路。寂寥:寂静空洞之意。　⑧唯有:独有,只有。幽人:泛指隐者,此处是诗人自称。自来去:自来自去,无拘无束。自,独也。

庐山谣寄卢侍御虚舟

李 白

我本楚狂人,　　凤歌笑孔丘①。
手持绿玉杖②,　　朝别黄鹤楼③。
五岳寻仙不辞远④,　　一生好入名山游⑤。
庐山秀出南斗旁⑥,　　屏风九叠云锦张⑦。

影落明湖青黛光⑧。

金阙前开二峰长⑨，　　银河倒挂三石梁⑩。

香炉瀑布遥相望⑪，　　回崖沓嶂凌苍苍⑫。

翠影红霞映朝日⑬，　　鸟飞不到吴天长⑭。

登高壮观天地间⑮，　　大江茫茫去不还⑯。

黄云万里动风色⑰，　　白波九道流雪山⑱。

好为庐山谣，　　兴因庐山发⑲。

闲窥石镜清我心⑳，　　谢公宿处青苔没㉑。

早服还丹无世情㉒，　　琴心三叠道初成㉓。

遥见仙人彩云里，　　手把芙蓉朝玉京㉔。

先期汗漫九垓上，　　愿接卢敖游太清㉕。

【说明】　庐山,在今江西九江市南。相传周武王时有匡氏兄弟七人结庐此山,故名庐山。亦名匡山,又称庐阜,总名庐庐。山高三千余丈,周围二百五十里,千岩万壑,风景绝美,名胜颇多,是江南游览、避暑胜地。谣,即不合乐的歌,是诗体的一种。卢虚舟,字幼真,范阳(今北京市大兴县)人。肃宗时任殿中侍御史,故称卢侍御。曾与李白同游庐山。李白另有《和卢侍御通塘曲》一诗。

此诗为李白流放途中遇赦东返浔阳重游庐山所作,时年六十。诗一开头便声称他是"五岳寻仙不辞远,一生好入名山游"的,结尾又云"遥见仙人彩云里,手把芙蓉朝玉京"。从这些现象看,他的确飘飘欲仙了。但结合诗人的生平,细玩全诗昂扬情调,其创作意图,和《梦游天姥吟留别》憎恨黑暗现实、追求自由世界、反抗权贵的精神实质是一脉相承的。诗人于安史之乱中无辜下狱,又遭流放,一腔幽恨,无处发泄,再游名山,其空气之新鲜、景色之奇丽,与现实之黑暗、宦海之污浊,恰成鲜明对照,因而从对庐山绝妙风光之高度赞叹,转而对超越现实、自由自在的神仙世界的热情向往,是颇为自然的。前人评此诗反映了李白准备遁世的思想,这与诗中洋溢着强烈的浪漫主义激情是不符的,更与他第二年毅然决然去参加李光弼东征的爱国热诚大相径庭。此诗是歌颂庐山的名篇,对其雄伟、清幽、秀丽的动人风貌作了十分形象的描绘;其中对奔流到海不复回的长江雄姿,也作了热情的咏叹。在这些歌颂、咏叹中深刻地体现了李白豪迈不羁,至死不向丑恶现实低头的反抗性格。

【注释】　①楚狂人:指春秋时的隐士楚狂陆接舆。《高士传》:"陆通,字接舆。楚昭王时见楚政无常,乃佯狂不仕,时人谓之楚狂。楚王遣使者往聘,通变名易姓,游诸名山,俗传以为仙去。"凤歌:《论语·微子》:"楚狂接舆歌而过孔子,曰:'凤(比孔丘)兮,凤兮,何德之衰?往者不可谏,来者犹可追!已而,已而,今之从政者殆而!'"孔丘:见后李隆基《经鲁祭孔子而叹之》说明。这两句说,我本来就像是凤歌笑孔丘的楚狂接舆。　②持:拿着。绿玉杖:神仙所用的杖棍。上面镶有绿玉,故名。　③黄鹤楼:故址在今武汉市武昌的黄鹄矶上。　④五岳:见前杜甫《望岳》说明。　⑤好人:喜欢去。　⑥秀出:特出。秀,特,异。南斗旁:南斗,星名,即二十八宿中的斗宿,共六星。庐山当南斗的分野,在其西北,故云"南斗旁"。　⑦屏风九叠:庐山五老峰东北有九叠云屏,亦称屏风叠。云锦张:上面的彩云像锦绣般的展开。李白曾在这里隐居过。　⑧影落明湖:庐山的影子倒映在明澄的湖中。明湖,指鄱阳湖。青黛(dài 代):青黑色。　⑨金阙:指石门。《庐山记》:"西南有石门似双阙,壁立千余仞,而瀑布流焉。"二峰:指香炉峰、双剑峰。　⑩银河:指瀑布。三石梁:《水经注·庐江水》引《浔阳记》:"庐山上有三石梁,长数十丈,广不盈尺,杳然无底。"又王琦注:"……众说纷纭,莫知所指。今三叠泉在九叠屏之左,水势三折而下,如银河之倒挂石梁,与太白诗句正相吻合,非此外别有三梁也。后人必欲求其地以实之,失之凿矣。"　⑪香炉瀑布:《庐山记》:"东南有香炉峰,游气笼其上,氤氲若香烟。又南北有瀑布十余处,香炉峰与双剑峰在瀑布之旁,水源在山顶,人未有穷其源者。西为康王谷之水帘,东为开元禅院之瀑布。"望:古代平仄两读而意义不变,此处押平韵读"王"。这句说香炉峰的瀑布与三叠泉(见上句注)遥遥相望。　⑫回崖:曲折的山崖。沓(tà 踏)嶂:重叠的山壁。凌:高出。苍苍:青天。　⑬翠影:指香炉峰景。⑭吴天:庐山一带三国时属吴国,故云。　⑮壮观:纵目远望。　⑯大江:指长江。茫茫:广阔得看不清边际。去不还:指江水浩荡一去不回。　⑰黄云:黄色的云霭。动风色:使风势、气象在变动。　⑱白波九道:指长江流至浔阳(九江)分为九派。雪山:指江中掀起的白波有如雪山。　⑲这两句的大意是,我特别喜欢写歌咏庐山的诗,我的游兴便是因庐山而发的。这和前文"五岳寻仙不辞远,一生好入名山游"相照应。　⑳闲窥:静看。石镜:峰名,上面有圆石悬挂,平净如镜,照见人形,故名。　㉑谢公:指南朝诗人谢灵运。他曾游庐山,有《登庐山绝顶望诸峤》等诗,在《入彭蠡湖口》中有"攀崖照石镜"之句。这句说当年谢灵运走过的地方都被青苔遮蔽了。　㉒还丹:道家烧丹成水银,又使水银还原成丹,故曰还丹。世情:指世俗之情。道家迷信服丹可以成仙,李白也曾深受其害,往往想入非非。　㉓琴心三叠:道教修炼身心的一种术语。《黄庭内经·上清章》:"琴心三叠舞胎仙。"梁丘子注:"琴,和也。叠,积也。"道家认为丹田有三,即眉间、心下、脐下。修道者练气功,心和气静,使三丹田和积如一,叫"琴心三叠"。　㉔玉京:道教称元始天王所居之处为"玉京"。　㉕先期:预先约好。汗漫:传说中的神仙名。九垓(gāi 该):九天之上。卢敖:燕国人。秦始皇召为博士,后派他去求神仙,逃亡不返。太清:指天的极高处。这两句说,自己事先和汗漫约好了在九天之上相会,并愿接待卢敖同游太清。这里以卢敖喻卢虚舟。《淮南子·道应训》载:卢敖游于北海,见一人正在迎风起舞。卢敖想和他交谈,那人笑道:"吾与汗漫期于九垓之外,吾不可以久驻。"于是举臂耸身跳入云中。末两句用语本此。

梦游天姥吟留别

李 白

海客谈瀛洲，　　　烟涛微茫信难求①。
越人语天姥，　　　云霓明灭或可睹②。
天姥连天向天横，　　势拔五岳掩赤城③。
天台四万八千丈，　　对此欲倒东南倾④。
我欲因之梦吴越，　　一夜飞渡镜湖月⑤。
湖月照我影，　　　送我至剡溪⑥。
谢公宿处今尚在，　　渌水荡漾清猿啼⑦。
脚著谢公屐，　　　身登青云梯⑧。
半壁见海日，　　　空中闻天鸡⑨。
千岩万转路不定，　　迷花倚石忽已暝⑩。
熊咆龙吟殷岩泉，　　栗深林兮惊层巅⑪。
云青青兮欲雨，　　水淡淡兮生烟⑫。
列缺霹雳，　　　　丘峦崩摧⑬。
洞天石扉，　　　　訇然中开⑭。
青冥浩荡不见底，　　日月照耀金银台⑮。
霓为衣兮风为马，　　云之君兮纷纷而来下⑯。
虎鼓瑟兮鸾回车，　　仙之人兮列如麻⑰。
忽魂悸以魄动，　　恍惊起而长嗟⑱。
惟觉时之枕席，　　失向来之烟霞⑲。
世间行乐亦如此，　　古来万事东流水⑳。
别君去兮何时还？　　且放白鹿青崖间，
须行即骑访名山㉑。
安能摧眉折腰事权贵，使我不得开心颜㉒！

【说明】　天宝元年(742)，李白得到玄宗征召入京的消息，满以为这是他施展政治抱负的大好时机，一时踌躇满志，高兴万分。但李白在长安期间，不仅政治上一筹莫展，而且遭到高力士之流的陷害，终于在天宝三年被唐玄宗打发还山了。天宝四年，李白将由东鲁(今山东南部)南游吴越，《梦游天姥吟留别》便是他行前为向朋友们表白自己对权贵的愤慨心情而作的。诗题一作《别东鲁诸公》，《河岳英灵集》作《梦游天姥山别东鲁诸公》。天姥(mǔ 母)，山名，在今浙江新昌县东。《吴录》："剡县有天姥山,传云登者闻天姥歌谣之响。"《明一统志》:"天姥峰,在台州天台县(今浙江天台县)西北,与天台相对。其峰孤峭,下临剡县,仰望如在天表。"又《清统志》:"天姥山……高三千五百丈,周六十里。"吟,是歌行体中的一种,如《梁父吟》、《白头吟》之类。留别,即自己离开留诗赠别的意思。

全诗三段。第一段"海客"八句,因越人介绍天姥山的高大雄奇而对它热烈向往。第二段"我欲"三十句,因热烈向往而"梦游天姥"。这一段把梦境写得离奇变幻,五光十色,令人惊心动魄。第三段"世间"七句,写梦醒后的感慨,是诗的重点,诗人的创作意图便从这里正面点出:"安能摧眉折腰事权贵,使我不得开心颜!"

诗人在政治上失意后,感到平生抱负无法施展,内心苦闷无法排遣,为了表示对权贵集团的鄙视,他往往借对非现实的美好的神仙世界的热烈追求,来和丑恶的黑暗的现实社会作强烈的对照,本诗便是反映诗人这种思想的代表作。他在这里对梦中天姥形象的美化,正反映了他对权贵集团的反抗和对自由天地的向往。当然,他也知道这种神仙世界在人间是不可能存在的,所以他又不得不用"忽魂悸以魄动,恍惊起而长嗟"来结束梦境而回到人间。今后怎么办呢?他认定:虽然神仙世界在现实社会是找不到的("海客谈瀛洲,烟涛微茫信难求"),但风光秀丽的名山却是可以访求的("越人语天姥,云霓明灭或可睹"),所以他毅然决然要以"且放白鹿青岩间,须行即骑访名山"来表现他对权贵永不妥协的反抗精神。

李白所处的时代是封建秩序十分森严的时代,它强迫劳动人民服从它,同时也要求封建阶级中地位低的人向地位高的人低首下心,卑躬屈膝。谁触犯了它,谁就得倒霉。李白当时那种敢于藐视封建秩序、反抗封建权贵的精神,是难能可贵的。但由于他既出身封建阶级,又受道家思想的影响十分严重,这就很自然要影响他的创作思想,致使他的诗中反抗权贵的精神,往往同道家的虚无思想和剥削阶级人生如梦、及时行乐的思想交错在一起。本诗末段的"世间行乐亦如此,古来万事东流水",便是这种思想的反映。

本诗是李白的代表作之一。它最主要的艺术特色是高度的夸张和惊人的想象。诗人为了达到夸张的目的,一开头便以瀛洲为天姥山作陪衬,即以虚无缥缈的仙山陪衬现实中的名山。接着,诗人却以高度夸张之笔刻画天姥山的高大:"天姥连天向天横,势拔五岳掩赤城。天台四万八千丈,对此欲倒东南倾"。在诗人笔下,五岳、赤城、天台等名山与天姥山相比都显得矮小不足道。本来,天姥山只不过是我国的一座小山,它远比不上天台和五岳。据古籍记载:天台山的高度是一万八千丈,而诗人为了抬高天姥山,却说"天台四万八千丈,对此欲倒东南倾"。通过诗人这样的夸张,天姥山在诗中既高且大的形象就鲜明地矗立在人们的眼帘了。诗人突出天姥山的高大形象,是为写梦游天姥烘托气氛。诗人写梦游极力驰骋想象,一路光怪陆离,奇情异景,变化莫测,写山景,写仙境,极尽梦境之奇幻。其次,诗境虽奇,而层次井然,脉络细密。如从现实进入梦境,从梦境回到现实;即从"云霓"到"烟霞",从"烟霞"到"名山"。篇末点明"留别",更觉警策动人,耐人寻味。再次,诗的句式,风、骚、骈、赋、散各体俱备,运用十分自如,表现了艺术上的独创性。本诗虽属古风,但音韵铿锵,随着诗人思想感情的变化,全部十二次换韵,平仄错落有致,也生动而完满地体现了诗人的创作意图。

【注释】 ①海客:航海的人。瀛(yíng 迎)洲:传说渤海中的神山名。烟涛:烟雾波涛。微茫:依稀仿佛,看不清的样子。信:诚,的确。难求:难以找到。 ②越:浙江一带,浙江是春秋时越国的地方,故名。语(yù 玉):谈,说。云霞明灭:云彩变幻。"霞"一作"霞"。明灭:时明时暗。或可睹:或许(有时)可以看得到。 ③连天:形容天姥山的高。向天横:形容天姥山的大。势拔:形状高出。五岳:古时常说的我国五座大山。见前杜甫《望岳》说明。掩:掩盖。赤城:山名,在今浙江天台县北。因山土色赤,状似云霞,故名。 ④这两句意谓,天台山虽有"四万八千丈"的高度,但与天姥山相比却显得非常矮小,好像要倾倒在天姥山的东南方似的。天台:山名,在今浙江天台县北,天姥山东南。陶弘景《真诰》:"天台山高一万八千丈,周八百里,山有八重,四面如一,当斗牛之分,上应台宿,故曰天台。"诗人称"天台四万八千丈"是极度夸张。其目的是为了陪衬天姥山。此:指天姥山。欲:要。 ⑤因之:凭借它。之,指越人关于天姥山情况的介绍。吴越:偏义复词,指越,因春秋时吴越两国相邻,连类而及。镜湖:一称"鉴湖",在今浙江绍兴市南。因水平如镜,故名。 ⑥剡(shàn 善)溪:水名,在今浙江嵊县南,为曹娥江的上游。 ⑦谢公:指南朝诗人谢灵运。宿处:住过的地方。谢灵运性爱山水,常在浙东会稽一带寻幽探胜。天姥山是他游览的处所之一。他的《登临海峤》诗有"暝投剡中宿,明登天姥岑"之句。渌水:清水。荡漾:水波流动的样子。清猿啼:猿的叫声凄清。 ⑧著:同"着",穿。谢公屐(jī 基):《宋书·谢灵运传》载:谢灵运"寻山陟岭,必造幽峻,岩嶂千重,莫不备尽。登蹑常著木屐,上山则去其前齿,下山则去其后齿。"青云梯:指高入云霞的山路。谢灵运《登石门最高顶》诗有"惜无同怀客,共登青云梯"之句。 ⑨半壁:这里指半山腰,因山陡峭如壁,故云。海日:从海上升起的太阳。天鸡:我国古代传说,东南有桃都山,山中有大树叫桃都,枝与枝相隔三千里,上有天鸡。每当阳光照到树上,天鸡便叫,天下的鸡也跟着叫起来。 ⑩这两句意谓,我在重重叠叠的山岩中千回万转,有时辨不清路向;遇到奇花异朵,一路欣赏流连,疲倦时便靠着石头休息,不觉天已昏暗了。千岩万转:互文见义,即千岩万岩,千转万转。倚:靠着。暝(míng 命):天黑了。暝,因与"定"押韵,仍以读去声为宜。 ⑪这两句意谓,熊的咆哮,龙的鸣叫,像雷声一样在岩泉间隆隆作响,使深林为之战栗,层峰为之震惊。吟:鸣。殷(yǐn 引):原指雷声,这里用作动词,震动。栗(lì 力):发抖。深林:茂密的森林。兮(xī 西):语气词,相当于现代的"啊"。屈原诗中常用它。层巅(diān 颠):重叠高峻的山峰。 ⑫青青:黑沉沉的样子。这里形容将要下雨时的墨黑云层。淡淡:水波摇动的样子。烟:指水上的雾气。 ⑬列缺:叠韵连绵词(霹雳同),电光。霹雳:急雷声。"列缺霹雳",这里是闪电鸣雷的意思。丘峦:山峰。崩摧:倒塌。 ⑭洞天:道家谓神仙所居之地,大都在名山洞府之中,而各以"天"名,如十大洞天、三十六小洞天等都是。天姥山列为第十六洞天。扉(fēi 非):门扇。訇(hōng 轰):大声。 ⑮青冥:青色的天空。浩荡:广大的样子。底:边际。金银台:神仙住的房子。郭璞《游仙诗》有"神仙排云出,但见金银台"之句。 ⑯这两句说以霞为衣以风为马的云神纷纷从天上降下。屈原《九歌·东君》有"青云衣兮白霓裳"之句。云之君:即云神。楚人称云神为"云中君"。屈原《九歌》有《云中君》篇。王逸注：云神，名丰隆。这里泛指天上的神仙。纷纷：形容多。　　⑰这两句说老虎为仙人弹瑟，凤凰为仙人拉车。鼓：弹奏。瑟：弦乐器之一。鸾(luán 峦)：古时传说凤凰一类的鸟。回车：拉车的意思。回，转动。仙之人：仙人。列如麻：排列得像麻一样多。　　⑱魂悸(jì 季)、魄动：惊心动魄。恍(huǎng 恍)：失意的样子。长嗟(jiē 阶)：长叹。嗟在这里因押韵关系应读古韵"jiā"。　　⑲这两句说只剩下醒来时的枕席，再看不见刚才梦游中的情景。惟：只有。觉：醒来。向来：刚才，指梦游时。烟霞：借指梦游中的奇丽情景。　　⑳世间：世上。亦如此：也像这样。此，指梦游天姥山。　　㉑君：这里指诗人在东鲁的朋友们，即"东鲁诸公"。且：将要。白鹿：传说中神仙所骑的神兽。青岩：青山。须：要。访：寻求。　　㉒安：岂，哪。摧眉折腰：低眉弯腰，是卑躬屈膝伺候别人的形象。东晋诗人陶潜曾说："吾不能为五斗米折腰。"(《晋书·隐逸传》)。权贵：指有权势的大官僚。开心颜：心胸愉快，脸露笑容。

金陵酒肆留别

李　白

风吹柳花满店香①，　　吴姬压酒劝客尝②。
金陵子弟来相送③，　　欲行不行各尽觞④。
请君试问东流水⑤，　　别意与之谁短长⑥。

【说明】　金陵，即今江苏南京市。酒肆，酒店。留别，见上诗说明。

这是李白在漫游中的一个春天离开金陵赠给年轻友人之作。诗中充满了诗人和友人的深情厚谊。末两句故设问语："请君试问东流水，别意与之谁短长？"这不仅生动地表达了诗人与金陵子弟之间的深刻的离别情意，同时又反映了诗人豪放不羁的性格和浩荡如江的胸怀，富于浪漫主义情调。这两句就地取譬，即景生情，构思巧妙，比喻生动，大大增强了诗的抒情气氛和艺术感染力，成为向来耐人寻味的名句。李煜的"问君能有几多愁？恰似一江春水向东流"(《虞美人》)正是脱胎于此。全诗语言清新，节奏明快，颇有民歌风味。

【注释】　①满店香：语意双关，既指柳花香，又指美酒香。　②吴姬(jī 机)：吴地的女子，此指酒店侍女。金陵古属吴国，故称。压酒：酿酒已熟压糟取出酒汁。劝：一作"唤"。　③金陵子弟：指金陵的年轻人。　④欲行不行：欲行，要离开金陵的人，指李白自己；不行，来相送李白的人，指金陵子弟。尽觞(shāng 商)：干杯。这句说行人和送行的人大家一同干杯。　⑤君：指金陵子弟。试问：一作"问取"。东流水：此指金陵北面的长江流向东海的水。　⑥之：指"东流水"。

宣州谢朓楼饯别校书叔云

李白

弃我去者昨日之日不可留，
乱我心者今日之日多烦忧。
长风万里送秋雁，　　对此可以酣高楼①。
蓬莱文章建安骨②，　　中间小谢又清发③。
俱怀逸兴壮思飞④，　　欲上青天览明月⑤。
抽刀断水水更流，　　举杯消愁愁更愁。
人生在世不称意，　　明朝散发弄扁舟⑥。

【说明】 宣州,今安徽宣城县。谢朓楼,南齐诗人谢朓在宣州任太守时所建,亦称谢公楼或北楼,唐懿宗咸通(860—873)中刺史独孤霖改名叠嶂楼。校书,官名,校书郎的简称。叔云,李白的族叔李云。李云任秘书省校书郎,故称"校书叔云"。题一作《陪侍御叔华登楼歌》。

　　此诗通过饯别赠言,抒发了诗人傲岸不羁、豪爽磊落的胸怀,表现出他对黑暗政治的憎恨,对光明世界的追求,对文学事业的重视,对豪门权贵的鄙弃。全诗气势奔放,构思新颖,比喻奇妙,起得突然,结得洒脱,有着很大的艺术魅力。其中"俱怀逸兴壮思飞,欲上青天览明月。抽刀断水水更流,举杯消愁愁更愁"是千古传诵的名句。

【注释】 ①此:指"长风万里送秋雁"。酣高楼:畅饮于高楼之上。　　②蓬莱:海上仙山名。相传仙府的幽经秘录均藏于此。东汉中央校书处东观藏书极多,当时的学者称东观为道家的蓬莱山。这里是以蓬莱指李云,因他在秘书省做校书工作。建安骨:建安是东汉献帝刘协的年号(196—219)。建安年间,曹操父子和建安七子等人的诗文风格刚健清新,后世称之为建安风骨。这句是称赞李云的文章有建安风骨。　　③中间:指从建安到唐之间。小谢:指谢朓。后人把他和谢灵运并称,称谢灵运为大谢,称谢朓为小谢。《南齐书·谢朓传》云:"朓字玄晖,少好学,有美名,文章清丽。"清发:清新秀发,指谢朓的诗风。这句是李白自比谢朓。李白一生敬仰谢朓,歌咏或提及谢朓的诗特别多。"解道'澄江净如练',令人长忆谢玄晖"(《金陵城西楼月下吟》)便是其例之一。　　④俱怀逸兴:指李云和他自己一同怀有超逸的兴致。壮思:壮志。　　⑤览:同"揽",摘取的意思。李白《挂席江上待月有怀》:"素华虽可揽,清景不同游。"　　⑥不称(chèn 衬)意:不适意,不如意。称,适合。鲍照《拟行路难十八首》其八:"人生不得恒称意,惆怅徙倚至夜半。"为此句所本。散发:披发狂放之意。《后汉书·袁闳传》:"延熹(东汉桓帝刘志年号,158—167)末党事将作,闳遂散发绝世。"弄扁舟:泛游江湖之意。扁舟,小船。《史记·货殖列传》:范蠡"乘扁舟浮于江湖"。这两句说,人生在世既不顺心,不如效袁闳散发,范蠡浮舟,马上去过隐居放浪的生活。

走马川行奉送封大夫出师西征

岑 参

君不见走马川①，雪海边②，平沙莽莽黄入天③。

轮台九月风怒吼④，一川碎石大如斗⑤，随风满地石乱走。

匈奴草黄马正肥⑥，金山西见烟尘飞⑦，汉家大将西出师⑧。

将军金甲夜不脱⑨，半夜军行戈相拨⑩，风头如刀面如割⑪。

马毛带雪汗气蒸，五花连钱旋作冰⑫，幕中草檄砚水凝⑬。

虏骑闻之应胆慑⑭，料知短兵不敢接⑮，车师西门伫献捷⑯。

【说明】 封大夫，指封常清。天宝十一年(752)为安西副大都护。天宝十三年入朝，摄御史大夫。不久，又受命为北庭都护、伊西节度使和瀚海军使，奏调岑参为安西、北庭节度判官。当时因播仙(部族名，属唐安西都护府管辖)反叛，封常清带兵西征。本篇和下篇都是岑参为封送行之作。平定播仙之乱后，岑参又有《献封大夫破播仙凯歌六首》和《灭胡曲》等诗，可以参看。

《走马川行》生动地描绘了极度寒冷的西北边地风光，用来衬托唐军将士为了维护国家统一，不怕任何艰难险阻，勇猛赴敌的战斗精神和必将消灭敌人的坚强信念。诗中句句用韵，三句一转，节奏明快，音韵铿锵，很好地描写了西征途中的情景，热情地歌颂了封常清威武果断的爱国行动。本诗在艺术上富有独创性。

【注释】 ①君：这里是泛指，乐府诗中常有之。走马川：不详。此句下原有"行"字，当是衍文，因题目而误入。 ②雪海：泛指西北苦寒之地。 ③平沙：即沙漠。莽莽：广阔无边。 ④轮台：即今新疆维吾尔自治区的米泉县，在乌鲁木齐市东北约八十里，属昌吉回族自治州管辖。轮台在唐代属北庭都护府管辖。封常清的军府驻在这里。怒吼：即怒号的意思。 ⑤川：指早已干涸的旧河床。斗：酒器，即酒樽之类。 ⑥匈奴：这里借指当时叛乱的播仙部族。古代游牧民族作战以骑兵为主，每到秋高马肥之时，便进行骚扰掠夺。 ⑦金山：即阿尔泰山。烟尘飞：指播仙的骑兵在出动。 ⑧汉家：即"唐家"。为避免直指，唐代诗人多有以汉代唐的，如高适《燕歌行》的"汉家烟尘在东北，汉将辞家破残贼"，杜甫《兵车行》的"君不闻汉家山东二百州，千村万落生荆杞"，白居易《长恨歌》的"汉王重色思倾国，御宇多年求不得"等都属此例。大将：指封常清。西出师：向西进兵。 ⑨将军：指封常清。金甲：铠甲，即古代作战时穿的金属防护衣。 ⑩这句说，因半夜行军，兵器互相碰撞。戈：古代的一种兵器。 ⑪这句形容风的极度猛烈和寒冷。 ⑫这两句说，马毛上带的雪开头被汗气所融化，但马毛上的汗气立刻便结冰了。蒸：蒸发。五花、连钱：均指马身上的花纹。旋：不久，立刻。作冰：结冰。 ⑬幕中：指营幕中。草檄(xí习)：起草军用文书，这里当指声讨播仙的檄文。砚水凝：砚池的墨水冻结了。 ⑭虏骑(jì季)：指播仙军。古时泛称北方的民族为虏。胆慑(shè舍)：胆战心惊。慑，恐惧。　⑮短兵：短的武器，指刀、剑之类。短是对长射程的弓箭而言。接：接战。这句说料想叛军不敢和我军短兵相接。　⑯车师：地名。这里指唐安西都护府所在地，今新疆吐鲁番附近。伫(zhù 注)：等候。献捷：献俘报捷。古代作战胜利归来，要举行献捷的典礼。

轮台歌奉送封大夫出师西征

岑　参

轮台城头夜吹角①，　轮台城北旄头落②。
羽书昨夜过渠黎③，　单于已在金山西④。
戍楼西望烟尘黑⑤，　汉军屯在轮台北⑥。
上将拥旄西出征⑦，　平明吹笛大军行⑧。
四边伐鼓雪海涌⑨，　三军大呼阴山动⑩。
虏塞兵气连云屯⑪，　战场白骨缠草根⑫。
剑河风急云片阔⑬，　沙口石冻马蹄脱⑭。
亚相勤王甘苦辛⑮，　誓将报主静边尘⑯。
古来青史谁不见⑰，　今见功名胜古人⑱。

【说明】　此诗与上诗同一背景，可以合读。上诗每三句一换韵，此诗除末四句为一韵外，前面都是每二句一换韵。上诗用"汉家大将"点封大夫，此诗用"上将"、"亚相"点封大夫。上诗写夜半行军，此诗写白昼出师。

【注释】　①角：军中吹奏以报时的乐器，即画角。　②旄头：即昴星。《史记·天官书》："昴星旄头，胡星也。"古人认为昴星象征胡人，昴星落下，即象征胡兵必败。　③羽书：即"羽檄"，军用紧急文书，上插羽毛以示特急。渠黎：地名，不详。　④单于(chán yú 蝉余)：匈奴君主称号，此指播仙首领。金山：阿尔泰山。⑤戍(shù 树)楼：即守卫的哨楼。烟尘黑：这里指叛军在向我进犯，来势汹汹，尘土弥天飞扬。　⑥汉军：借指唐军。屯：驻扎。　⑦上将：指封常清。拥：抱，持。旄(máo 毛)：节。节的形状像一截竹竿，两端各有节，类似竹节，用金属或竹子制成。旄是用牦牛尾(后世也用毛羽)装饰在节的首端。古代使臣出使、大将出征，天子都赐以旄节以为凭信。按唐制，节度使也赐以旄节，得以专制军事。　⑧平明：天刚亮时。　⑨伐鼓：击鼓。这句说战鼓四起，像雪海中涌起的波涛。　⑩三军：这里泛指军队。阴山：在今内蒙古自治区境内，但以地势言，距离轮台、渠黎很远，这里当是极言三军声势浩大，齐声大呼连很远很远的阴山也为之震动。　⑪虏塞：指叛军的要地。兵气：战争气氛。屯：聚集。　⑫这句指消灭叛军之多。　⑬剑河：水名。《新唐书·回鹘传》："青山之东有水曰剑河。"但它究竟在今新疆维吾尔自治区境内何处，不详。　⑭沙口：不详。　⑮亚相：指封常清。封常清为御史大夫，汉代御史位列上卿,掌副丞相,故称"亚相"。亚,副。勤王:为王事而勤劳,即为国出力之意。甘:心甘情愿。 ⑯静边尘:消灭入侵之敌,使边境安定下来。 ⑰青史:历史。古代在未发明纸之前,记事多用竹简,竹色青,故称。 ⑱这句是说封常清的战功将要超过古人。

白雪歌送武判官归京

岑 参

北风卷地白草折①,　　胡天八月即飞雪②。
忽如一夜春风来,　　千树万树梨花开③。
散入珠帘湿罗幕④,　　狐裘不暖锦衾薄⑤。
将军角弓不得控⑥,　　都护铁衣冷难著⑦。
瀚海阑干百丈冰⑧,　　愁云惨淡万里凝⑨。
中军置酒饮归客⑩,　　胡琴琵琶与羌笛⑪。
纷纷暮雪下辕门⑫,　　风掣红旗冻不翻⑬。
轮台东门送君去⑭,　　去时雪满天山路⑮。
山回路转不见君⑯,　　雪上空留马行处⑰。

【说明】 武判官名不详。判官,官名,唐置,是节度使或观察使的僚属。武判官和岑参同在封常清幕中。

这首诗以壮丽多姿的西北雪景为背景,描绘出无比壮阔的送别场面,行者和送行者毫无伤别的儿女情态,但有尚武的英雄本色。诗人对西北雪景的精心刻画,也就是对祖国壮丽山河的热情歌颂。雪是贯串全诗的线索,它由外到内,由近及远,末尾点题含意不尽,别饶韵致,是诗歌史上前所未有的咏雪名篇。本诗与诗人的《天山雪歌送萧治归京》可以互相参看。

【注释】 ①卷地:言卷地而来,极言风势之猛。白草:《汉书·西域传》载:"鄯善国(今新疆维吾尔自治区境内)多白草。"颜师古注:"白草,草之白者,似莠而细,无芒,其熟时正白色",故名。 ②胡天:这里指西北地区。胡,古代汉族对北方、西北兄弟民族的通称。 ③梨花:形容雪花,因梨花春开,色白似雪。萧子显《燕歌行》:"洛阳梨花落如雪。"是以雪形容梨花。 ④珠帘:以珠子装饰之帘。罗幕:以罗所制之帐幕。珠帘、罗幕均表华贵。 ⑤狐裘不暖:狐皮衣服,特别保暖,说"狐裘不暖"是形容天气奇寒。锦衾(qīn 亲):丝绵缝的被子。 ⑥角弓:以兽角装饰的弓。不得控:拉不开,因为手冻僵了。 ⑦都护:唐代镇守边远地区的长官。这里的都护和上句的将军均泛指。铁衣:即"金甲",甲是古时作战穿的防护衣,用金属或皮革制成。著(zhuó 着):穿,同"着"。此处押韵仍读入声。 ⑧瀚海:大沙漠。阑干:纵横的样子。这里形容冻冰的皱纹。百丈冰:一作"千尺冰",夸张形容冰的厚度。

⑨愁云:阴云。惨淡:暗淡无光。凝:聚集不动。这里指冻结。　⑩中军:主帅亲自率领的军队。这里借指营帐。置酒:摆设酒席。饮:宴请的意思。归客:指武判官。　⑪胡琴、琵琶、羌笛:都是当时酒席前所奏的乐器。古人有奏乐劝酒的俗套。　⑫纷纷:形容繁多。辕门:军营门。古时野外行军临时用两车辕木相向为门,因而后来称高级军部的大门为辕门。　⑬掣(chè):牵动。冻不翻:因红旗冻硬,虽有风掣而不飘动。虞茂世《出塞诗》有"霜旗冻不翻"之句,此用其语。　⑭轮台:见前岑参《走马川行奉送封大夫出师西征》注④。轮台是当时封常清驻军之地,岑参随军在此。君:称武判官。　⑮天山:在今新疆维吾尔自治区中部。　⑯山回路转:指山路曲折难行。回,转也,即弯曲的意思。　⑰空留:只留下。马行处:指武判官骑马归京,马在雪上踏下的蹄痕。

韦讽录事宅观曹将军画马图

杜　甫

国初已来画鞍马①，　神妙独数江都王②。
将军得名三十载③，　人间又见真乘黄④。
曾貌先帝照夜白，　龙池十日飞霹雳⑤。
内府殷红玛瑙盘，　婕妤传诏才人索⑥。
盘赐将军拜舞归，　轻纨细绮相追飞。
贵戚权门得笔迹，　始觉屏障生光辉⑦。
昔日太宗拳毛騧⑧，　近时郭家狮子花⑨。
今之新图有二马⑩，　复令识者久叹嗟⑪。
此皆战骑一敌万⑫，　缟素漠漠开风沙⑬。
其余七匹亦殊绝⑭，　迥若寒空动烟雪⑮。
霜蹄蹴踏长楸间⑯，　马官厮养森成列⑰。
可怜九马争神骏⑱，　顾视清高气深稳⑲。
借问苦心爱者谁？　后有韦讽前支遁⑳。
忆昔巡幸新丰宫㉑，　翠华拂天来向东㉒。
腾骧磊落三万匹，　皆与此图筋骨同㉓。
自从献宝朝河宗，　无复射蛟江水中㉔。
君不见,金粟堆前松柏里，　龙媒去尽鸟呼风㉕！

【说明】　此诗大概是广德二年(764)杜甫自阆州回到成都时所作。韦讽,成都(今四川成都市)人,当时做阆州(今四川阆中县)录事,他的住宅在成都。曹将军,即曹霸，曹操的后人。他是当时的名画家，开元、天宝年间以画人物和马著称。天宝末，玄宗几次命他画御马和功臣。官至左卫将军。

　　本诗正面是咏曹霸的九马图，却偏从九马之外他画的"先帝照夜白"说起，为篇末的悼念玄宗作伏笔。诗转到介绍九马时，又先突出太宗、代宗的"骑战一敌万"的拳毛𬴊和狮子花这两匹，其次才说另外的七匹，然后又将九匹合叙结束九马图。但这时诗人忽然又将玄宗的"腾骧磊落三万匹"与九马联系起来。总之，从画马说到真马，又从真马回想起玄宗当年的巡游盛况，真是波澜起伏，变幻莫测。最后，又以"君不见，金粟堆前松柏里，龙媒去尽鸟呼风"戛然而止，于是国家的昔盛今衰，诗人的无限感慨，尽在不言中。全诗四段。"国初"四句叙曹霸因画马得名，以江都王为陪衬。"曾貌"八句追叙曹霸应诏画照夜白所获得的声誉和荣幸。"昔日"十四句转入正题，叙曹霸画九马图。"忆昔"八句叙诗人因观九马图而产生的感慨。

【注释】①国初：指唐朝开国之初。已来：以来。②神妙：非常高明、巧妙。独数(shǔ 暑)：只能算。江都王：即李绪，唐太宗的侄儿，多才艺，善书法，画鞍马最为擅长。③将军：指曹霸，详见下诗说明。得名：出名。载：年。④乘黄：神马名。这句赞美曹霸画笔之妙，至于夺真，所谓"真乘黄"，意即妙到无以复加的地步。⑤貌：名词动用，描绘。先帝：指唐玄宗李隆基。照夜白：玄宗的马名。《明皇杂录》："上所乘马，有玉花骢、照夜白。"龙池：在唐宫南内兴庆宫，南薰殿北。相传池中常有云气，有人看见那里出现过黄龙，故称。飞霹雳：指池龙随雷飞起。这两句说，玄宗曾经命令曹霸给照夜白画像，由于他的画逼真龙马，所以能感动龙池中的龙随着风雷而飞起。⑥内府：天子内库。殷(yān 烟)：赤黑色。玛瑙盘：用美石制成，广二尺，文彩灿烂，是宫中的重宝之一。婕妤(jié yú 节余)：宫中女官。传诏：传达皇帝的命令。才人：宫中女官。索：索取。这两句大意是，玄宗见照夜白的像画得出神，命令把内府藏的玛瑙盘赏赐给曹霸，于是婕妤传达玄宗的命令要才人去内府取出。《百官志》："内官有婕妤九人，正三品；才人七人，正四品。"所以说"婕妤传诏才人索"。⑦纨(wán 丸)：细绢，一种很细的丝织品。绮(qǐ 起)：文缯，见《说文》。段注："谓缯之有文者也。"《六书故》："织彩为文曰锦，织素为文曰绮。"贵戚：言君主的内外亲族。权门：权贵之家。笔迹：指曹霸绘的画。始觉：才觉得。屏障：用来遮蔽之用的东西，如屏风、帷幔之类。这四句大意是，自从曹霸得到玄宗赏赐玛瑙盘拜舞而归之后，许多贵族权门都争着给曹霸送礼物，请他画画，只有得到了他的笔迹，才感到荣幸。⑧昔日：从前。太宗：李世民。拳毛𬴊(guā 瓜)：太宗骏马名。《长安志》："太宗六骏，刻石于昭陵北阙之下，五曰拳毛𬴊。"⑨近时：近日。郭家：指郭子仪。狮子花：代宗李豫骏马名，即"九花虬"。吐蕃溃败，副元帅郭子仪收复京都长安，代宗还宫，因命御马九花虬并紫玉鞭辔赐郭子仪。⑩新图：一作"画图"。二马：即上文的"拳毛𬴊"和"狮子花"。⑪识者：指有鉴别画马的能力的人。久叹嗟：久久为之赞叹，原因在下二句。⑫这句说，这两匹都是战马，曾经分别参与太宗开国和代宗平定安史之乱的战斗，真是一匹抵一万匹的好马。皆：都。战骑(jì 季)：战马。敌：抵挡。⑬缟(gǎo 搞)素：指白色的画绢。漠漠：布列的样子。开风沙：言画中的马势可驰骋万里疆场。⑭殊绝：指画得绝妙非凡。⑮迥(jiǒng 炯)若：远望很像。动烟雪：言画幅上青马如烟，白马似雪。一作"杂霞雪"。　⑯霜蹄：因马蹄可以践霜雪，故称。蹴(cù 促)踏：踩踏。长楸(qiū 秋)间：指大道上。古时往往在大道两旁种植楸树。楸是直干高耸的落叶乔木。曹植《名都篇》："走马长楸间。"此用其语。⑰马官：管马的官。厮(sī 司)养：这里指养马的人。森成列：森然排成行列。森，众多的样子。　⑱可怜：可爱，这里有赞叹之意。神骏：神奇雄骏。　⑲顾视清高：言昂首之神情清朗高健。气深稳：气势深沉稳重，言德良，这句写九马才德并见。⑳这两句说，苦心爱马的人是谁？是古代的支遁和今天的韦讽。上句是问，下句是答。书讽爱马画，支遁爱真马，这就说明曹霸的画马竟与真马的神骏相同。苦心：极心，竭尽一切心意。爱者：指爱马画的韦讽和爱真马的支遁。支遁：东晋名僧，字道林。曾隐修于支硎山，别称支硎，世称支公，又称林公。谢安、王羲之等都和他结成方外之交。《世说新语·言语篇》："支道林常养数匹马，或言道人畜马不韵(不风雅)。支曰：'贫道重其神骏耳。'"　㉑忆昔：回忆以前，昔，指开元年间。巡幸：天子出外游玩。此指玄宗。新丰宫：即华清宫。《新唐书·地理志》京兆府昭应县注云："本新丰，有宫在骊山下。贞观十八年(644)置，咸亨二年(671)始名温泉宫……天宝六载(747)更温泉宫曰华清宫。"　㉒翠华：天子的旌旗，上面以翠羽做装饰，故名。拂天：指旗在空中飘拂。来向东：新丰宫在唐京城长安之东，故称。　㉓腾骧(xiāng 香)：奔驰，跳跃。磊落：这里形容马的形态超逸俊伟。此图：指韦讽家藏的曹霸画马图。这两句说当年玄宗巡游新丰宫时，许多名马正与画马图中的一样筋骨不凡。　㉔献宝朝河宗：穆天子西行，到阳行之山朝拜水神河伯，向他献宝。穆天子朝河宗回来即升天。这里借指玄宗升遐(死去)。无复：不再。射蛟江水中：《汉书·武帝纪》："武帝元封五年(公元前106)冬行南巡狩，自浔阳浮江，亲射蛟江中，获之。"这两句的含意是，自从唐玄宗死后，唐朝就一蹶不振了。　㉕金粟堆：指金粟山上玄宗的陵墓，在今陕西蒲城县东北二十五里。龙媒：骏马。《汉书·礼乐志》："天马徕兮龙之媒。"杜甫《画马赞》："瞻彼骏骨，实惟龙媒。"这两句慨叹玄宗一死龙媒也看不到了。

丹青引赠曹将军霸

杜甫

　　将军魏武之子孙①，　于今为庶为清门②。
　　英雄割据虽已矣③，　文采风流今尚存④。
　　学书初学卫夫人⑤，　但恨无过王右军⑥。
　　丹青不知老将至，　富贵于我如浮云⑦。
　　开元之中常引见⑧，　承恩数上南薰殿⑨。
　　凌烟功臣少颜色，　将军下笔开生面⑩。
　　良相头上进贤冠，　猛将腰间大羽箭⑪。
　　褒公鄂公毛发动⑫，　英姿飒爽来酣战⑬。

先帝御马玉花骢^⑭，画工如山貌不同^⑮。
是日牵来赤墀下^⑯，迥立阊阖生长风^⑰。
诏谓将军拂绢素^⑱，意匠惨淡经营中^⑲。
斯须九重真龙出^⑳，一洗万古凡马空^㉑。
玉花却在御榻上^㉒，榻上庭前屹相向^㉓。
至尊含笑催赐金^㉔，圉人太仆皆惆怅^㉕。
弟子韩干早入室^㉖，亦能画马穷殊相^㉗。
干惟画肉不画骨，忍使骅骝气凋丧^㉘。
将军画善盖有神^㉙，必逢佳士亦写真^㉚。
即今飘泊干戈际^㉛，屡貌寻常行路人^㉜。
途穷反遭俗眼白^㉝，世上未有如公贫^㉞。
但看古来盛名下^㉟，终日坎壈缠其身^㊱。

【说明】 这首诗也是广德二年(764)在成都所作。丹青，绘画用的颜料，后来成为绘画的代称。引，曲调的一种。曹霸，开元、天宝年间常入宫绘画，盛极一时。安史之乱后，流落江湖，在成都与杜甫相遇，杜甫给他赠诗。诗中热情赞扬他的画艺的高妙，对他晚年的漂泊十分同情，结语感慨无限，这既是为曹霸的际遇，也隐然是为诗人自己的一生坎坷鸣不平。全诗五段，每段八句。"将军"八句叙曹霸的家世和他对画艺的酷爱与专精。"开元"八句叙曹霸善于写真，曾奉诏画功臣。"先帝"八句叙曹霸画艺神妙，曾奉诏画御马。"玉花"八句叙曹霸因画马得到玄宗的赏赐，称赞他的画艺在当时无与伦比。"将军"八句叙曹霸晚年落魄，随地写真。末段写曹霸的今衰与二、三、四段写曹霸的昔盛相对照。这段"将军"句收上，"必逢"句开下。

【注释】 ①魏武:魏武帝之省称，即曹操。　②于今:如今。庶:庶人，平民。清门:寒门。玄宗天宝末年，曹霸因罪削籍为庶民，故云。　③英雄割据:指曹操曾平定中原，建立了三分割据的伟业，是历史上的杰出人物。虽已矣:虽然已成历史陈迹了。　④文采风流:指曹操的文学才能。这句说曹操的文学事业流风余韵仍然后继有人，有曹霸继承下来。这是对曹霸的赞扬，下面转入正面写他。　⑤学书:学习书法。卫夫人:卫铄，字茂猗，李矩之妻，晋代有名的女书法家。相传王羲之曾向她学习书法。　⑥无过:未能超过。王右军:王羲之，字逸少，曾为右军将军，是东晋最大的书法家。　⑦这两句说，曹霸一生专心绘画，轻视富贵。《论语·述而》:"其为人也，发愤忘食，乐以忘忧，不知老之将至云尔。"又:"不义而富且贵，于我如浮云。"　⑧开元:玄宗年号(713—741)。常引见:曾经常常由内臣带领去见皇帝。引见，专用于朝见皇帝。　⑨承恩:承蒙皇帝的恩惠。数(shuò 硕):几次。南薰殿:长安南内兴庆宫的内殿。　⑩凌烟功臣:唐贞观十七年(643)在凌烟阁画的二十四功臣像。少颜色:指旧迹将灭，颜色暗淡。这两句说，贞观年间在凌烟阁画的功臣像，到开元年间已色彩暗淡，于是玄宗命曹霸将军重画，使这些功臣别开生面。　⑪良相：美相，贤相。进贤冠：文官所戴的帽子。大羽箭：太宗好用四羽大竿长箭。上句写阁上文臣，下句写阁上武将。　⑫褒(bāo 包)公：褒国公段志元。鄂公：鄂国公尉迟敬德。这两人都是猛将。　⑬英姿：英俊威武的姿态。飒爽：威风凛凛的样子。　⑭先帝：指唐玄宗，因此时他已经死去。御马：玄宗所骑的马。一作"天马"。玉花骢：骏马名。　⑮画工：画师。如山：这里极言其多。貌：描绘，描摹。不同：和它(玉花骢)的神态不一样。这句说，许多画工给玄宗画玉花骢都画得不像。　⑯是日：此日。赤墀(chí 池)：宫殿的红色台阶。　⑰迥(jiǒng 炯)立：昂头特立。阊阖(chāng hé 昌合)：神话中的天门，此指宫门。生长风：形容玉花骢抖擞的神态。⑱诏谓：皇帝指令。将军：指曹霸。拂：这里是打开、展开的意思。绢素：指画绢。⑲意匠：用意如匠人的构思，故云。惨淡经营：苦心布局。惨淡，辛苦。　⑳斯须：一会儿。一作"须臾"。九重(chóng 虫)：宫殿有九门，即宫门九重，这里概指宫殿。真龙：真正的骏马，指画得逼真，故云。古代称名马为"龙"，指高八尺的马。　㉑一洗：犹一扫。这句说常见的马都相形见绌了，这是极言曹霸画的玉花骢是空前未有的杰作。　㉒玉花：玉花骢的省略。却在：反在。御榻：皇帝睡的床。此指宫殿。这句意谓，御榻上的玉花骢是画中的假马，庭前的玉花骢是真马。但因画中的玉花骢逼真，所以说玉花骢反在御榻上了。　㉓榻上庭前：指宫殿上画的玉花骢和台阶下真的玉花骢。庭前，指赤墀下的真马。屹(yì 义)相向：屹立相对。这句画画的马和真马一模一样，不分彼此。　㉔至尊：皇帝。催赐金：催促给曹霸赏赐金钱。　㉕圉(yǔ 语)人：养马的人。太仆：掌管皇帝车马的官。惆怅：这里是表示惊讶赞叹之意。㉖弟子：学生。韩干：人名，也以画人物和马著名。入室：凡得老师嫡传的叫"入室弟子"。《论语·先进》："由也升堂矣，未入于室也。"《历代名画记》："韩干，大梁人。善写貌人物，尤工鞍马。初师曹霸，后自独擅，遂为古今独步。"　㉗穷殊相：穷尽各种形态。　㉘这两句说，韩干只喜欢画形体肥大的大宛马，杜甫认为这样会丧失马的神骏之气。骅骝：千里马名。　㉙盖有神：大概有神相助吧。　㉚必：倘若。一作"偶"。佳士：品行优良之士。写真：即画像。　㉛即今：与篇首"于今"照应。飘泊干戈际：指在安史之乱中，东奔西走，生活不得安定。　㉜屡貌：往往描摹。这句说曹霸为了生活常常为一般路人画像。　㉝途穷：指处境艰难。反遭俗眼白：反而遭受到俗人的白眼。白眼，是不以正眼看人，对人轻视的一种表示。㉞公：指曹霸。对他的尊称。　㉟盛名：大名。　㊱终日：整天。坎壈(kǎn lǎn 砍览)：遭遇不顺，困穷失意。

寄韩谏议注

杜 甫

今我不乐思岳阳①，　身欲奋飞病在床②。
美人娟娟隔秋水③，　濯足洞庭望八荒④。

鸿飞冥冥日月白⑤，　青枫叶赤天雨霜⑥。
玉京群帝集北斗，　或骑麒麟翳凤凰⑦。
芙蓉旌旗烟雾落⑧，　影动倒景摇潇湘⑨。
星宫之君醉琼浆⑩，　羽人稀少不在旁⑪。
似闻昨者赤松子⑫，　恐是汉代韩张良⑬。
昔随刘氏定长安⑭，　帷幄未改神惨伤⑮。
国家成败吾岂敢⑯，　色难腥腐餐枫香⑰。
周南留滞古所惜⑱，　南极老人应寿昌⑲。
美人胡为隔秋水⑳，　焉得置之贡玉堂㉑？

【说明】 这首诗大概是大历元年(766)杜甫在夔州(今四川奉节县)所作。谏议，即谏议大夫。韩注：生平不详。诗中提到岳阳、洞庭、潇湘、南极，韩注可能是楚人，大概家住岳阳。根据诗的内容推测，韩注早在安史之乱后，便参与帷幄运筹，随从肃宗定长安立过大功，但后来见政局混乱，为了避祸，便辞官隐居岳阳。杜甫和韩注有旧谊，深知韩注的为人，对他的贤能十分敬佩，所以寄诗深致思慕之情，并希望他能重回朝廷为使国家治平而贡献力量。

【注释】 ①思岳阳：即思岳阳韩注。思，想念。岳阳，即今湖南岳阳市。　②这句说，因病卧在床，想去岳阳看望他而不可能。《诗经·邶风·柏舟》："静言思之，不能奋飞。"　③美人：《楚辞》以美人比君子，此指韩注。娟娟：美好的样子。这句语本《诗经·秦风·蒹葭》："蒹葭苍苍，白露为霜。所谓伊人，在水一方。"故后人凡想念远人都用"隔秋水"以寄意。　④濯(zhuó 浊)足洞庭：在洞庭湖中洗足。濯，洗。洞庭，湖名，在今湖南北部。八荒：犹八极，即天下之意。　⑤鸿飞冥冥：扬雄《法言·问明》："鸿飞冥冥，弋人何篡？"鸿，喻贤人。冥冥，指远空。弋人，捕鸟的人。何篡，哪能取。后人引此为贤人远远避祸之喻。日月白：象征韩注志行高洁。下句用意同。　⑥这句写深秋景色，与"隔秋水"照应。雨(yù 玉)霜：下霜。　⑦玉京：道教称元始天王所居之处。这里借指帝京。从玉京以下一段中凡是所用仙道术语都是隐指现实。群帝：对天帝而言，指当时王公和群臣。北斗：星名。《晋书·天文志》："北斗七星，在太微北，人君之象，号令之主。"或：有的。麒麟：在这里和凤凰都指仙人的坐骑。《集仙录》："群仙毕集，位高者乘鸾，次乘麒麟，次乘龙。"翳(yì 义)：遮蔽。这里仍是骑的意思。这两句说，群帝聚集在玉京的天王周围，有的骑着麒麟，有的骑着凤凰。其含意是：这些朝臣一个个围绕在皇帝身旁，在远方流落的人韩注望着，有如登仙似的。这实是杜甫对尸位素餐的群臣的辛辣讽刺。　⑧芙蓉旌旗：旌旗上有芙蓉花的文彩。烟雾落：落于烟雾之中。萧悫《秋思》："芙蓉露下落，杨柳月中疏。"为这句用语所本。这句说旌旗如落在烟雾之中。　⑨这句总冒上三句，大意是说玉京群仙在太空活动的影子形成倒景在潇湘之中荡漾。这都是从流落在岳阳的韩注看来如此。潇湘：二水名，在今湖南，潇水流入湘水，再注入洞庭湖。　⑩星宫之君：如二十八宿等。这是借指在朝群臣,如上文之"群帝"。醉琼浆:酣饮仙酒。琼浆,仙酒。　⑪羽人:穿着羽衣的仙人,即飞仙。指韩注。这句说韩注已去位。皇帝身边没有贤臣。　⑫似闻:好像听到。昔者:追溯古时。赤松子:古仙人名,神农时为雨师。《史记·留侯世家》:"张良曰:吾以三寸舌为帝王师,封万户,位列侯,布衣之极,于良足矣。愿弃人间事,从赤松子游耳。"这里以张良身世隐指韩注。下二句同。　⑬汉代韩张良:张良,字子房。他原来是韩国的公族,因秦国到处搜捕他,便变姓埋名,后辅刘邦定天下,为汉代开国功臣之一。　⑭昔随:从前随从。刘氏:指汉高帝刘邦。定长安:即定天下,因汉代建都长安。韩注也协助肃宗平定西京长安。　⑮帷幄未改:言韩注运筹帷幄之谋仍在。《汉书·高帝纪》:"上(刘邦)曰:夫运筹帷幄之中,决胜千里之外,吾不如子房。"帷幄,军帐。运筹帷幄,是能在后方决定作战策略的意思。神惨伤:因肃宗死代宗立,社会动荡不安,故云"神惨伤"。　⑯成败吾岂敢:言韩注不忘忧国。诸葛亮《后出师表》:"臣鞠躬尽瘁,死而后已,至于成败利钝,非臣之明所能逆睹(预见到)也。"　⑰色难腥腐:言韩注面对腥腐社会而显出讨厌的脸色。餐枫香:道家用枫香和丹药而服,故云。《尔雅》注:"枫似白杨,叶圆而岐,有脂而香,今之枫香是也。"餐,吃。这句说,韩注是因厌恶浊世而思洁身引退的。　⑱周南留滞:指司马谈困居洛阳事。《史记·太史公自序》:"是岁(这一年),天子始建汉家之封,而太史公(指司马谈)留滞周南(洛阳),不得与从事。"古所惜:为古人所惋惜。这句是以司马谈的困居洛阳比喻韩注困居岳阳,得不到皇帝的重用,而感到十分可惜。　⑲南极老人:星名。据传这种星辰天下太平才会出现,主管"寿昌"。应寿昌:并非祝他多寿,而是希望天下太平,人们才能寿昌。这句是以南极老人比喻韩注,认为韩注现在应该出来辅佐皇帝使天下太平。　⑳美人:指韩注。胡为:为什么。胡,何。这句故设问与第三句照应。　㉑焉得:安得,即怎么能。置之:把他废弃不用。之:指代韩注。贡玉堂:为朝廷作出贡献。玉堂,即玉殿,在汉未央宫内。这里指唐朝。这句说,韩注这样的贤才应当在朝廷贡献力量,怎么能弃置不用呢?

古柏行

杜　甫

孔明庙前有老柏, 柯如青铜根如石①。
霜皮溜雨四十围, 黛色参天二千尺②。
君臣已与时际会, 树木犹为人爱惜③。
云来气接巫峡长, 月出寒通雪山白④。
忆昨路绕锦亭东, 先主武侯同閟宫⑤。
崔嵬枝干郊原古, 窈窕丹青户牖空⑥。
落落盘踞虽得地, 冥冥孤高多烈风⑦。
扶持自是神明力, 正直原因造化功⑧。

大厦如倾要梁栋，　万牛回首丘山重⑨。
不露文章世已惊，　未辞剪伐谁能送⑩？
苦心岂免容蝼蚁，　香叶终经宿鸾凤⑪。
志士幽人莫怨嗟，　古来材大难为用⑫。

【说明】 这首诗是大历元年(766)杜甫在夔州(今四川奉节县)歌咏诸葛亮庙前古柏之作。全诗三韵自成三段，每段八句。首段是咏夔州古柏的正文，以诸葛亮能与刘备君臣际会结束。次段的前四句以咏成都诸葛亮庙前古柏作陪衬，后四句又回到咏夔州古柏的正题上来。末段借夔州古柏的难运，抒发"古来材大难为用"的感慨。诗咏古柏，咏诸葛亮，实际也是杜甫自咏怀抱。杜甫一生咏诸葛亮的诗特别多。诸葛亮才大不能尽其用，但尚有君臣际遇建功立业之机，而杜甫一生怀抱"致君尧舜上"的大志，却一再受到朝廷的摒斥。所以，诗以古柏为题，全是借题发挥。

【注释】 ①孔明庙：指夔州的诸葛亮庙。孔明，姓诸葛，名亮，琅玡(今山东东南)人，辅佐刘备建立蜀国，封武乡侯，简称武侯。柯(kē科)：树枝。这句形容柏树的古老。铜比干之青劲，石比根之坚硬。　②霜皮溜雨：指树皮白色而润泽，雨一落到上面就滑走了。"霜皮"一作"苍皮"。围：一抱为一围。黛(dài代)：青黑色。参天：高出天空的样子。这两句是夸张形容古柏的高大。　③君臣：指刘备和诸葛亮。际会：遇合。犹：还。为：被。人：人民。这两句说，诸葛亮辅佐刘备建立了蜀国，遗爱在民，人民立庙怀念他，连他庙前的柏树也得到爱护，所以至今依然黛色参天。　④巫峡：长江三峡之一，在今四川巫山县长江中。雪山：在今四川松潘县南，为岷山主峰，因终年积雪，故名。这里指代岷山。按雪山在夔州之西，巫峡在夔州之东。这两句说，东面巫山的云来而古柏之气与它相接，西面雪山的月出而古柏之寒与它相通。这是极力形容古柏高大的气象，近接东面的巫峡，远通西面的雪山。仇兆鳌《杜少陵集详注》这两句放在"君臣"二句之前。　⑤忆昨：回忆以前。杜甫是去年离成都来夔州的，故云。路绕：路过。锦亭：成都有锦江，杜甫住在成都草堂时，曾在江上建亭，严武有《寄题杜二锦江野亭》诗，故名"锦亭"。先主：指刘备。武侯：指诸葛亮。详见注①。同閟(bì闭)宫：同一祠庙。成都刘备庙和诸葛亮庙连在一起，先主庙西院即武侯庙，故云"同閟宫"。閟，深闭；宫，庙。　⑥崔嵬(wéi维)枝干：指成都武侯庙前的柏树，即《蜀相》中所说的"锦官城外柏森森"。崔嵬，高大的样子。郊原：城郊的原野。古：有古致。窈窕(yǎo tiǎo)：幽深的样子。丹青：指成都武侯庙内的漆绘。户牖(yǒu有)空：指庙内空虚无人。牖，窗户。以上四句因夔州武侯庙前的古柏而联想到成都武侯庙前的古柏，下面又回到夔州武侯庙前的古柏正文来。　⑦落落：独立不群的样子。盘踞：形容古柏立根地上如龙盘虎踞之势。虽得地：虽然得到庙前之地。冥冥：高空的颜色。孤高：独特的高，与前面的"参天二千尺"照应。烈风：猛风。这两句说，夔州庙前的古柏虽盘踞得地，但它在高山，不像成都庙前的古柏在平原，所以经常受到猛风的吹刮。　⑧扶持：救护的意思。神明：神灵。原因：原来因为。造化：天地。这两句说，夔州古柏不被烈风吹倒，至今安然无恙，正是得到神灵的救护；它的正直参天，

065

正是得到天地的钟爱。　⑨厦(shà)：大屋子。倾：倒塌。要：需要。栋：房屋的大梁。王通《中说·事君篇》："大厦之倾，非木所支。"这句反用其意，说像古柏这样的大木可以支撑大厦使它不倾。万牛回首：这是说古柏重如丘山，万牛也因拉它不动而回头观看。　⑩不露文章：不显露文采，这是比喻古柏具有深远器识，它不同流俗，不事浮华，不以花叶之美炫人。辞：拒绝。剪：斩断。伐：砍。下句含意是，古柏虽然向来"为人爱惜"而不被剪伐，但它本身却希望能为世大用而不辞剪伐之苦，今后谁能重视它把它选拔去做廊庙的栋梁之材呢？　⑪苦心：柏心味苦，故云。容：藏。蝼(lóu 楼)蚁：蚂蚁。香叶：柏叶气香，故云。宿：居住。鸾凤：即凤凰。这两句说，柏树的心虽苦，还不免受到蚂蚁的蛀蚀；而柏叶气香，却终能得到凤凰的喜爱。　⑫志士：坚持正义的有志之士。幽人：幽居之人，指隐士。古来：是说不独今天，从古以来就是如此。

观公孙大娘弟子舞剑器行 并序

杜 甫

　　大历二年十月十九日①，夔府别驾元持宅②，见临颍李十二娘舞剑器③，壮其蔚跂④，问其所师⑤，曰："余公孙大娘弟子也⑥。"开元五载⑦，余尚童稚⑧，记于郾城观公孙氏舞剑器浑脱⑨，浏漓顿挫⑩，独出冠时⑪，自高头宜春、梨园二伎坊内人⑫，洎外供奉舞女⑬，晓是舞者⑭，圣文神武皇帝初⑮，公孙一人而已。玉貌锦衣，况余白首；今兹弟子，亦匪盛颜⑯。既辨其由来，知波澜莫二⑰。抚事慷慨，聊为《剑器行》⑱。往者吴人张旭，善草书、书帖⑲，数尝于邺县见公孙大娘舞西河剑器⑳，自此草书长进㉑，豪荡感激㉒，即公孙可知矣㉓。

昔有佳人公孙氏㉔，　一舞剑器动四方㉕。
观者如山色沮丧㉖，　天地为之久低昂㉗。
㸌如羿射九日落㉘，　矫如群帝骖龙翔㉙。
来如雷霆收震怒㉚，　罢如江海凝清光㉛。
绛唇珠袖两寂寞㉜，　晚有弟子传芬芳㉝。
临颍美人在白帝㉞，　妙舞此曲神扬扬㉟。
与余问答既有以㊱，　感时抚事增惋伤㊲。
先帝侍女八千人㊳，　公孙剑器初第一㊴。
五十年间似反掌㊵，　风尘澒洞昏王室㊶。
梨园子弟散如烟㊷，　女乐余姿映寒日㊸。

金粟堆南木已拱㊹，　瞿塘石城草萧瑟㊺。
玳筵急管曲复终㊻，　乐极哀来月东出㊼。
老夫不知其所往㊽，　足茧荒山转愁疾㊾。

067

【说明】　公孙大娘是玄宗开元年间有名的女舞蹈家，善于剑舞，能舞《邻里曲》及《裴将军满堂势》、《西河剑器浑脱》，精妙均冠绝一时。公孙大娘弟子即序文中的"李十二娘"。剑器是唐代的"健舞曲"之一，也就是武舞。其特点是"女子雄装"执剑，表现威武战斗的姿态。

这诗的中心即"五十年间似反掌"，"感时抚事增惋伤"。杜甫从大历二年(767)在夔州看了公孙大娘弟子李十二娘"剑器"舞后，不禁"乐尽哀来"，想起五十年前即开元五年(717)他在郾城看公孙大娘"独出冠时"的"剑器浑脱"时的国家盛况，因而不胜今昔沧桑之感。这时玄宗的墓木已拱，公孙大娘早已"寂寞"无闻。自己也由童稚变为白头，就是公孙大娘的弟子李十二娘也不年轻了。五十年来，国运江河日下，中兴遥遥无期，安史之乱虽平，藩镇之祸难制，前路茫茫，不知所往。诗中从李十二娘联想到公孙大娘，从公孙大娘联想到"圣文神武皇帝"，诗人即小见大，"抚事慷慨"，激荡衷肠；诗笔也极尽纵横捭阖"浏漓顿挫"之妙。

【注释】　①大历二年：公元767年。大历(766—779)，唐代宗李豫年号。　②别驾：官名，是州刺史的佐吏。元持：人名，生平不详。宅：居住的地方。　③临颍(yǐng 影)：唐县名，故城在今河南临颍西北。李十二娘是临颍人。　④壮：动词，表示钦敬。其：她的，指李十二娘。蔚跂(qì 器)：雄浑浩荡的样子。　⑤问其所师：问她是跟谁学习的。　⑥余：我。弟子：学生。　⑦开元五载：公元717年。开元(713—741)，唐玄宗李隆基年号。五，一作"三"。载，年。　⑧余尚童稚：我还年幼。当时杜甫才七岁。童稚，幼小。　⑨郾(yǎn 眼)城：唐县名，今河南郾城县。剑器浑脱：浑脱，也是一种武舞，从胡舞"泼寒胡戏"演变而来，舞态和剑器同样雄壮。剑器与浑脱二舞融合起来的新舞称"剑器浑脱"。　⑩浏漓：形容舞姿的活泼。顿挫：形容舞姿的起伏不定。　⑪独出冠(guàn 贯)时：言公孙大娘的舞技超群出众，在当时名列第一。冠，位居第一。　⑫高头：浦起龙注："按高头，疑即前头之谓。"前头，即常在皇帝面前歌舞的人。宜春、梨园二伎坊内人：开元二年(714)，玄宗在蓬莱宫旁设置教坊演习乐舞，亲自教授法曲，参加演习乐舞的人称为梨园子弟。梨园子弟中有宫女数百人，居宜春院，称为内人，也称"前头人"。伎坊，即教坊，教习音乐歌舞的机构。　⑬泊(jì 记)：及，到。外供奉：指不居宫内随时奉诏入宫演奏的男女伎人。　⑭晓：通晓。是舞：此舞，指"剑器浑脱"。　⑮圣文神武皇帝：指玄宗，是开元二十七年(739)群臣所上的尊号。　⑯这四句大意是，我小时候观公孙大娘剑器舞时，她还是"玉貌锦衣"的妙龄女子，如今我已白头老翁了；就连公孙大娘的弟子也不是年轻人了。玉貌：指公孙大娘年轻时的美好容颜。锦衣：华美的服饰。白首：白头。兹：此。弟子：指李十二娘。匪：不是，义同"非"。盛颜：丰美的容颜，指青年。　⑰辨：判别，分析。由来：来历，指十二娘的师承关系。波澜莫二：指李十二娘的舞技与公孙大娘的舞技一脉相承。波澜，指舞姿的意态和节奏。莫二，没有两样。　⑱抚事：追念往事。慷慨：激昂感叹的意思。聊：姑且。为《剑器行》：做《剑器行》这篇诗。　⑲往者：从前。张旭：字伯高，苏州(今江苏苏州市)人，唐代著名书法家，善草书，后人称他为"草圣"。　⑳数(shuò硕)：屡次。尝：曾经。于：在。邺(yè业)县：今河南临漳县西。西河剑器：剑器舞的一种。　㉑自此：从这以后。长(zhǎng掌)进：增加进步。　㉒豪荡感激：指豪放飞扬，饱含着激情。　㉓即：则，那么。这句说，那么公孙大娘舞技的高超就可想而知了。　㉔昔：从前。佳人：美人。公孙氏：指公孙大娘。　㉕动四方：舞艺大名轰动四方。㉖观者如山：形容观看的人特别之多。色沮丧：因见舞技高妙惊心动魄，使脸为之变色。　㉗这句说天地也好像随着她的舞姿起伏而起伏了。低昂：高低，用作动词。　㉘爔(huò霍)：闪烁的样子。指剑光。羿射九日：古代神话，唐尧时十日并出，草木焦枯，有个善射的人名羿，一连射落九个太阳。　㉙矫：矫捷。群帝：一群天神。骖(cān参)龙翔：驾龙飞翔。　㉚来：指剑舞开头。雷霆挟(zhì秩)震怒：形容舞者的动作迅猛紧张。挟，鞭击的意思。挟，原作"收"，似与诗意不符，现依清人毕亨意见改。(参看《文史哲》1979年第二期殷孟伦、袁世硕《杜甫名篇中几个词语的训释问题》)　㉛罢：指剑舞结束，与上句的"来"对举成文。江海凝清光：舞时剑光飞动，气象万千，舞罢剑光停止不动，有如江海凝聚着清光。　㉜绛(jiàng酱)唇：红色的嘴唇，指代公孙大娘。绛，大红色。珠袖：指她的剑舞。两寂寞：指公孙大娘早已亡故，她的舞蹈也寂寞无闻了。㉝晚有：后有。晚，后也。一作"况有"。况，正也。弟子：指李十二娘。传芬芳：指公孙大娘虽已亡故，但她的精妙的舞技却为李十二娘继承下来，即序文中的"既辨其由来，知波澜莫二"。芬芳，香气，这里是对公孙大娘剑技的美称。　㉞临颍美人：指李十二娘。白帝：白帝城，指夔州。杜甫这次是在"夔府别驾元持宅，见临颍李十二娘舞剑器"，所以说"临颍美人在白帝"。　㉟神扬扬：神采飞扬。　㊱既有以：既有根由，序文中有李十二娘答杜甫的"余公孙大娘弟子也"一语。　㊲怅伤：怅惜与悲伤。　㊳先帝：指玄宗。侍女：这里指侍从玄宗的女艺人。八千人：极言侍女之多。　㊴初第一：本来就是第一。初，本也。　㊵五十年间：自开元五年(717)杜甫初见公孙大娘时到写此诗时的大历二年(767)恰好五十年。似反掌：形容时间过去之快有如反掌。　㊶风尘澒(hòng)洞：喻指安史之乱为害之大。澒洞，广大无边的样子。昏王室：使唐朝国运走向衰落。　㊷这句说安史之乱后，梨园弟子如烟消云散。　㊸女乐：泛指女歌舞艺人。这里指李十二娘。余姿：李的舞蹈尚有开元盛世遗留下来的风韵和姿态。寒日：指时已孟冬，兼切时令和李即将迟暮的年华。㊹这句说玄宗墓前的树木已经很大了，也就是说玄宗已死去几年了。玄宗死于代宗宝应元年(762)四月，至此已五年多。金粟堆：见前《韦讽录事宅观曹将军画马图》注㉕。拱：两手合抱。这里是夸张之词。　㊺瞿塘石城：指夔州白帝城。夔州近瞿塘峡，又白帝城在白帝山上，故云。草萧瑟：记当时石城的荒凉景象，这都与杜甫对李十二娘的沦落和天宝后的寂寞的感慨有关。萧瑟，冷落没有生气的样子。　㊻玳(dài代)筵：豪华的筵席。急管：管乐急促的节奏。管，泛指笙箫之类的乐器。　㊼乐：指宴会中的歌舞。哀：指"抚事慷慨"，不胜今昔之感。　㊽老夫：杜甫自称。不知其所往:不知自己今后走向何处。 ㊾这句说因多年奔走脚上生了茧,荒山路险,愈走下去愈感到痛苦不堪。

石鱼湖上醉歌 并序

元 结

漫叟以公田米酿酒①,因休暇则载酒于湖上②,时取一醉。欢醉中,据湖岸引臂向鱼取酒③,使舫载之④,遍饮坐者⑤,意疑倚巴丘、酌于君山之上⑥,诸子环洞庭而坐⑦,酒舫泛泛然触波涛而往来者⑧。乃作歌以咏之⑨。

石鱼湖,似洞庭, 夏水欲满君山青⑩。

山为樽,水为沼, 酒徒历历坐洲岛⑪。

长风连日作大浪, 不能废人运酒舫⑫。

我持长瓢坐巴丘, 酌饮四座以散愁⑬。

【说明】 石鱼湖,在今湖南道县东。关于石鱼湖命名的由来,元结在《石鱼湖上诗序》中说:"漫泉南有独石在水中,状如游鱼。鱼凹处,修之可以贮酒。水涯四匝,多欹(斜)石相连,石上堪人坐,水能浮小舫载酒,又能绕石鱼洄流,乃命湖曰石鱼湖,镂(刻)铭于湖上。显示来者,又作诗以咏之。"

这首诗是元结任道州刺史时所作。诗中反映作者对黑暗现实的愤慨,洋溢着浪漫主义情调。

【注释】 ①漫叟:元结自号漫叟。 ②休暇:休息。 ③引:伸。鱼:指石鱼。 ④舫(fǎng 仿):船。载:装运。之:指代酒。 ⑤遍饮坐者:请所有在座的人饮酒。饮,给人家喝酒。 ⑥意疑:意中以为。倚:靠着。巴丘:山名,在湖南岳阳县洞庭湖边。此指石鱼湖边的山。君山:在洞庭湖中。此指石鱼湖中的石鱼。 ⑦诸子:指同游的人。环:围绕着。洞庭:这里借指石鱼湖。 ⑧泛泛:在水上游动。 ⑨乃:于是。咏:歌咏。 ⑩欲:要。 ⑪樽:酒杯。沼(zhǎo 找):池子。此指酒池。这两句说,要把山谷当酒杯,把湖泊当酒池。酒徒:指和作者同游一块喝酒的人。历历:即一个个的意思。洲岛:指石鱼湖中的小山。 ⑫长风:大风。作:发生,掀起的意思。废:停止。这两句说,尽管连日狂风大浪,也不能阻止我们的酒船在湖上行走。 ⑬持:拿着。酌饮四座:倒酒请满座的同游者痛饮,也就是序文中说的"遍饮坐者"。以散愁:用酒来舒散愁闷。

山　石

韩　愈

山石荦确行径微，　黄昏到寺蝙蝠飞①。
升堂坐阶新雨足，　芭蕉叶大栀子肥②。
僧言古壁佛画好，　以火来照所见稀③。
铺床拂席置羹饭，　疏粝亦足饱我饥④。
夜深静卧百虫绝，　清月出岭光入扉⑤。
天明独去无道路，　出入高下穷烟霏⑥。
山红涧碧纷烂漫，　时见松枥皆十围⑦。
当流赤足踏涧石，　水声激激风生衣⑧。
人生如此自可乐，　岂必局促为人靰⑨？
嗟哉吾党二三子，　安得至老不更归⑩！

【作者简介】　韩愈(768—824)，字退之，河南南阳(今河南孟县)人。其郡望为昌黎，故自称昌黎韩愈。早孤，依嫂郑氏抚育培养，贞元八年(792)进士。贞元末迁监察御史，因上疏请减关中赋、役，触怒德宗，贬阳山(今广东阳山县)令，改江陵法曹参军。元和中为国子监博士、河南令，累官至太子右庶子，随宰相裴度平淮西之乱，迁刑部侍郎。又因上表谏宪宗迎佛骨事，贬潮州(今广东潮阳县)刺史，不久移袁州(今江西宜春县)刺史。穆宗时，召为国子监祭酒，历京兆尹兼御史大夫及兵部、吏部侍郎。

　　韩愈推崇儒学，力排佛老；维护中央集权，反对藩镇割据；反对骈文，提倡散文，倡导唐代古文运动。他主张力去陈言和文从字顺。他的文章气势奔放，遒劲有力，是司马迁后杰出的散文家之一。他的诗兼学李杜，而自成一家。其艺术上的最大特色是雄健奇崛和以文为诗，对宋诗发展影响极大。但因过于追求新奇，有时不免流于艰涩险怪。有《韩昌黎集》。

【说明】　《山石》的写作时间和地点，历来众说纷纭，迄无定论，在无确凿证据之前，不能妄下断语，但这也无妨对本诗艺术成就的评价。(参阅钱仲联先生《韩昌黎诗系年集释》有关部分)此诗是韩愈一首杰出的纪游诗。诗中顺序记了黄昏到寺、夜深宿寺、天明辞寺三个不同的时间，以清新而劲美的笔触刻画了几幅极为生动的画面，无论是写寺内还是山中景色，都给人一种新鲜可喜的感觉，篇末抒发感慨，透露作意。汪佑南云：此诗"通体写景处多浓丽，即事写怀以淡语出之。浓淡相间，纯任自然，似不经意，而实极经意之作也。"方东树云："凡结句都要不从人间来，乃为匪夷所思，奇险不测。他人百思所不解，我却如此结，乃为我之诗，如韩愈《山石》是也。不然人人心中所可有，手下所可到，是为凡近。"汪、方二氏的精辟评语，不仅对我们理解本诗的艺术特色颇有神益，即对评价他诗也不无启示。元遗山《论绝句三十首》之一云：

唐诗三百首详注

070

"'有情芍药含春泪,无力蔷薇卧晚枝。'拈出退之《山石》句,始知渠是女郎诗。""有情"二句见秦观《春雨》诗,诗的题材不同,诗人的风格不同,即同一诗人,风格也不是单一的。前人早已指出元论的偏激,但它也毕竟形象地说出了《山石》的风格特色。故后来黄裳云:"《山石》诗最清峻。"翁方纲亦云:"全以劲笔撑空而出,若句句提笔者。"黄、翁二氏对此诗风格的概括是与元论相表里的。

此诗截取首句前二字为题,并非诗的主旨所在。此种取题法,《诗经》中早已开其先例,杜甫诗中此例特多。

【注释】 ①荦(luò 洛)确:险峻不平的样子。径:路。微:狭窄。蝙蝠飞:点明到寺的时间和景色。 ②升堂:进入寺中厅堂。阶:台阶。新雨:不久前刚下的雨。栀子:常绿灌木,夏季开花,白色,有浓香。一作"支子"。这两句说,到寺之后,先进入客堂,后又坐在台阶上看寺院风景,由于刚刚下了充足的雨水,所以芭蕉的叶子特别大,栀子的花朵也分外肥。 ③这两句说,和尚告诉我古壁上佛画很精彩,并拿灯火照着我观看,的确是少见的好画。稀:稀少。一解"依稀",看不分明。 ④铺床拂席:言和尚给作者准备床铺。置:陈设。羹(gēng 耕):菜汤。这里泛指菜。疏粝(lì 利):即糙米饭。这里指简便的饭食。"疏"一作"粗"。饱我饥:给我充饥。饱,动词。 ⑤百虫绝:各种虫声都没有了。清月出岭:夜深朗月才从山岭那边升起。这说明是下弦月。扉(fēi 非):门扇。 ⑥无道路:因有雾气辨不清道路。出入高下:言走出一个山谷,又进入另一个山谷,有时向高处爬,有时向低处走。穷烟霏(fēi 非):言走遍了烟雾。霏,云飞的样子,这里指烟雾流动。这两句大意是,天亮后在布满烟雾的山中行路,十分困难。 ⑦山红涧碧:指山中的红花,涧底的碧水。涧,两山间的沟溪。纷:繁盛。烂漫:光彩分布的样子,形容山花。时见:随时可见。枥:同"栎",落叶乔木,花黄褐色,果实叫橡子。十围:极言松、栎的粗大。围,一抱叫一围。 ⑧这两句与前面的"新雨足"照应。当流:遇着流水。赤足踏涧石:打赤脚横过涧水。涧底有石,故云。风生衣:作者感觉风好像是从衣中生出,其实是指风吹衣动。生,一作"吹"。 ⑨人生如此:指上面所写对山景的纵情赏览。局促:拘拘束束。为人靰(jī 机):被人家所笼络、控制。靰,缰绳在马口叫靰。这里是名词动用,即笼络牵制的意思。 ⑩吾党二三子:指追随自己的几个知心朋友。党,志趣相同的人们叫党。安得:哪能。至老:到老。不更归:更不归的倒文。更,再。归,即辞官回家。

八月十五夜赠张功曹

韩 愈

纤云四卷天无河, 清风吹空月舒波①。

沙平水息声影绝, 一杯相属君当歌②。

君歌声酸辞正苦, 不能听终泪如雨③。

"洞庭连天九疑高, 蛟龙出没猩鼯号④。

十生九死到官所，　　幽居默默如藏逃⑤。

下床畏蛇食畏药，　　海气湿蛰熏腥臊⑥。

昨者州前捶大鼓，　　嗣皇继圣登夔皋⑦。

赦书一日行千里，　　罪从大辟皆除死⑧。

迁者追回流者还，　　涤瑕荡垢清朝班⑨。

州家申名使家抑，　　坎轲只得移荆蛮⑩。

判司卑官不堪说，　　未免捶楚尘埃间⑪。

同时辈流多上道，　　天路幽险难追攀⑫。"

君歌且休听我歌，　　我歌今与君殊科⑬。

"一年明月今宵多，　　人生由命非由他，

有酒不饮奈明何⑭！"

【说明】 张功曹即张署，功曹是其官名（详后）。德宗李适贞元十九年（803）韩愈与张署都在京任监察御史，因天大旱，韩愈、张署和李方叔三人同上奏章，请求朝廷减免关中税、役，遭到幸臣李实的谗害，于是三人同时贬官南方，韩贬阳山（今广东阳山县）令，张贬临武（今湖南临武县）令。贞元二十一年（805）正月，顺宗李诵即位（未改元），二月照例大赦天下，韩愈和张署就到郴州（今湖南郴县）待命。同年八月宪宗李纯即位，又颁发大赦令，结果韩愈改官为江陵府（今湖北江陵县）法曹参军，张署改官为江陵府功曹参军，都是刺史的属官。这首诗是韩愈在郴州得到改官消息，准备赴任江陵时所作，题已标明时间是"八月十五夜"（中秋）。

全诗三段。首段"纤云"六句写中秋月夜，对酒当歌，并交代张署歌的内容"声酸辞苦"，为过渡到二段作铺垫。次段"洞庭"十八句代张署为歌，诉说两人共同的遭遇与悲愤。末段"君歌"五句故作旷达，声称要与张署"殊科"，但这实际上更加深了两人内心的痛苦，反映出两人处境的悲凉。末段的"月"、"酒"、"歌"均与首段遥相呼应；首段押"歌"韵，末段又回到"歌"韵，以使首尾应和，这些都说明此诗构思的特色。

【注释】 ①纤（xiān 先）云：一丝一丝的云。四卷：四处散开。河：银河。舒：发射开来。波：指明月的光辉。　②一杯：指酒。属（zhǔ 主）：劝酒。君：指张署。　③辞正苦：一作"辞且苦"。听终：听完。　④洞庭：湖名，在今湖南北部。连天：形容洞庭湖的浩大无际。九疑：山名，即苍梧山，在今湖南宁远县境。张署的歌从这句开始。猩：猩猩。鼯：（wú 吾）：形似松鼠，尾长，前后肢之间有皮膜，能在树间滑翔。住在树洞里，昼伏夜出。号（háo 豪）：号叫。贞元十九年张署南贬，与韩愈同行，路过洞庭湖，这里追述当时旅途的艰险。　⑤十生九死：即差一点死去的意思。官所：指张署贬地临武。幽居：在僻远地方居处。默默：不得意。如藏逃：好似躲藏的逃亡犯一样。　⑥下床畏蛇：南方潮湿，地下蛇多，故云。畏，怕。食畏药：吃东西怕中毒。药，指蛊毒。相传是南方边地一种用毒虫制成的害人的药。湿蛰（zhé 哲）：指藏在潮湿土中的虫蛇之类放射的毒气。蛰，藏在土中的虫类叫蛰。熏：蒸发。臊（sāo 骚）：臭气。　⑦昨者：

前几天。一作"昨日"。州前：指郴州衙门前。捶大鼓：指擂鼓聚集官民和囚犯宣布大赦令。嗣皇：新皇帝，指宪宗。继圣：继承神圣的事业，即继承帝位。嗣、继义同。登：进用的意思。夔皋(kuí gāo 葵高)：指贤臣。夔和皋陶都是传说中虞舜的贤臣。　⑧赦书：指皇帝发布的大赦令。千里：一作"万里"。大辟：死刑。除死：免除死刑。⑨迁者：降贬官职的人。张署和韩愈也属此类。追回：召回。流者：流放到边远地区的人。涤瑕荡垢：指改革政治。瑕，白玉上的斑点。垢，污秽。清朝班：清除朝中的奸邪。　⑩州家：指刺史。申名：提名向上申报。使家：指中央派驻的湖南观察使杨凭。抑：指压制刺史申名上报。坎轲：不遇，倒霉的意思。只得：只能够。移荆蛮：指调往江陵府任职。江陵地带古属楚国，春秋时中原各国称楚国为荆蛮。《史记·吴太伯世家》索隐："荆者，楚之旧号，以州而言之，地在楚越之界，故称荆蛮。"　⑪判司：唐代对诸曹参军的总称。当时已任命张署为功曹参军，韩愈为法曹参军。卑官：低卑的官位。按功曹虽是七品，但如有过，上官可随时鞭打，所以说"未免捶楚尘埃间"。未免：不能免除。捶楚：指被鞭打。捶和楚都是刑具。这里名词动用。尘埃间：指伏在地上受刑。　⑫同时辈流：指和张署、韩愈一同迁谪的官吏。上道：指上路回京城任职。天路：喻指进身于朝廷的途径。幽险：黑暗而危险。难追攀：难以攀登上去。上一句是羡慕"同时辈流"否极泰来，下一句是慨叹他们自己青云路杳。张署的歌到此为止。　⑬休：停止。殊科：不同类。这是韩愈的牢骚话。　⑭今宵：今夜，指八月十五夜(中秋)。多：指明月最圆最亮。非由他(tuō 拖)：不是由于别的原因，不必归怨"使家抑"。他，其他的。奈明何：怎能对得起今宵的明月呢？明，即"明月"的省略。末三句为韩愈的歌。蒋云翘云："用'明'字似不成句，当用'月'。"

谒衡岳庙遂宿岳寺题门楼

韩　愈

五岳祭秩皆三公①，　四方环镇嵩当中②。
火维地荒足妖怪③，　天假神柄专其雄④。
喷云泄雾藏半腹⑤，　虽有绝顶谁能穷⑥。
我来正逢秋雨节⑦，　阴气晦昧无清风⑧。
潜心默祷若有应⑨，　岂非正直能感通⑩？
须臾静扫众峰出⑪，　仰见突兀撑青空⑫。
紫盖连延接天柱，　石廪腾掷堆祝融⑬。
森然魄动下马拜⑭，　松柏一径趋灵宫⑮。
粉墙丹柱动光彩⑯，　鬼物图画填青红⑰。
升阶伛偻荐脯酒，　欲以菲薄明其衷⑱。
庙令老人识神意⑲，　睢盱侦伺能鞠躬⑳。

073

手持杯珓导我掷㉑，　云此最吉余难同㉒。
窜逐蛮荒幸不死㉓，　衣食才足甘长终㉔。
侯王将相望久绝，　神纵欲福难为功㉕。
夜投佛寺上高阁㉖，　星月掩映云朣胧㉗。
猿鸣钟动不知曙㉘，　杲杲寒日生于东㉙。

【说明】谒，朝拜。衡岳，即衡山，也称南岳，衡岳庙在今湖南衡山县西三十里。题门楼，在寺门楼上题诗。

　　韩愈于贞元十九年谪贬阳山，贞元二十一年（即永贞元年）遇大赦，改官江陵府法曹参军（参看上诗说明）。这首诗是他赴任江陵途经衡山谒庙之作。

　　全诗四段。"五岳"六句叙衡岳的地位和形势。"我来"八句叙秋雨连绵因祷神而放晴，得以仰望群峰。"森然"十四句叙入庙祭神不是求福，而是"明衷"，对自己的遭际深致不满。这一段是全诗的中心。"夜投"四句叙投宿佛寺，收题作结。

【注释】①五岳：见前杜甫《望岳》说明。祭秩：祭礼的次第等级。三公：历代官制不同，周称太师、太傅、太保为三公，汉称大司马、大司徒、大司空为三公，后世三公便成为朝廷最高官位的通称。这句说祭五岳的典礼比照祭三公的等级致祭。唐时，五岳之神都封王号，南岳（衡岳）神封司天王。　　②这句说五岳以泰、华、衡、恒四岳环镇四方，嵩岳在它们的中央。　　③火维：古人以木、火、金、水、土分属东、南、西、北和中央，火维即南方。维，隅、边。地荒：荒远之地。足：多。　　④假：授予。神：指南岳之神赤帝祝融氏。柄：权力。这句说上帝给了南岳神权力，要它雄镇南荒。　　⑤泄：吐出。半腹：指衡岳的山腰。　　⑥绝顶：最高峰。谁能穷：谁能攀登到它的最高峰呢？穷，尽，用作动词。　　⑦这句点明作者游衡岳庙的季节是秋天，详见上诗说明。　　⑧晦昧：阴暗的样子。无清风：因秋雨连绵，气压很低。清，一作"晴"。⑨潜心：专心一意。默祷：暗暗祷祝，向南岳神祈求天晴。若有应：好像有应验似的，指下文所写天色由阴转晴的现象。　　⑩正直能感通：意思是自己的祈求能够感通神灵，愿望得以实现，正是神灵正直的征验。正直，指神灵。《左传·庄公三十二年》："神，聪明正直而壹者也。"　　⑪须臾（yú 余）：一会儿。静扫：指清风悄悄地把阴云吹走了。扫，形容吹得干净。众峰出：衡岳所有峰峦重新显现出来。苏轼《潮州韩文公庙碑》中的"公之精诚，能开衡山之云"指此。　　⑫突兀：指高耸而特出的山峰。撑青空：好像撑着青天似的。　　⑬这两句承前"众峰出"而言。《长沙记》："衡山七十二峰，最大者五：芙蓉、紫盖、石廪、天柱、祝融为最高。"连延：形容山势连绵不断。腾掷：形容山势起伏不平。堆：动词，言祝融峰高出天际，因五峰中又以祝融峰为最高，故云。杜甫《望岳》："祝融五峰尊，峰峰次低昂。紫盖独不朝，争长欓相望。"　　⑭森然魄动：言山峰高峻，望之使人惊心动魄。拜：拜神灵，因天转晴，表示感谢。　　⑮松柏一径：一路两旁，却是松柏。径，路。趋：走向。灵宫：神灵的宫室，这里指衡岳庙。⑯粉墙丹柱：白色的墙壁红色的柱子。动光彩：指"粉墙丹柱"红白颜色相互辉映，光彩飞动，这句写庙的外景。　　⑰这句写庙内的壁画。　　⑱升阶：指作者自己登上台阶进入庙堂祭神。伛偻(yǔ lóu 雨楼)：躬着腰，指向神表示崇敬。荐：进献。脯(pú 蒲)：干肉。菲薄：微薄。这里指微薄的祭品(脯、酒)。明其衷：表明自己的苦衷。衷，心。这两句的大意是，我来祭神不是为了求神赐福，而是为了向神倾诉自己无地可告的幽愤情怀。参看上诗说明。　⑲庙令老人：专职主管神庙的老人。唐制，五岳庙各设庙令一人，专管祝祭。令，一作"内"。　⑳睢盱(suī xū 虽须)：张眼叫睢，闭眼叫盱。睢盱是偏义复词，偏用"睢"义，指瞪着眼睛看着。侦伺：窥察。能鞠躬：即惯于鞠躬的意思。鞠躬，这里指弯腰向神致敬。这句写祭神时，庙令老人站在作者旁边引导祭神的形象。　㉑杯珓(jiào 教)：一种极简单的占卜工具。用玉、蚌壳或竹木制成，形略似瓢，有对称的两片，可以分合，占卜时把两片合起掷在地上，根据它的俯仰向背，以定吉凶。一作"杯角"，也可写作"杯教"、"杯校"。这句说庙令老人手拿杯珓告诉怎么掷。　㉒云：说。此最吉余难同：这里的庙神最灵，别地的庙神都不能和它相比。程学恂《韩诗臆说》云："吉，犹灵验也。"有的注释说这是庙令老人给韩愈掷珓的卦象所作的判语，这是与诗意不符的，韩愈并未掷珓，韩愈根本没有求神赐福之意，从后四句的内容便可得到证明。　㉓窜逐蛮荒：指谪贬阳山县令事。幸不死：侥幸没有死在蛮荒，指调任江陵府法曹参军。参看上诗说明。　㉔甘心终：甘愿长久地如此而终身。　㉕这两句说，我早就断绝了功名富贵的念头，神即使要给我赐福也无济于事了，这完全是作为政治失意而说的牢骚话。　㉖投：指投宿。㉗掩映：彼此遮掩而互相衬托。这里指星、月互相辉映。朣胧(tóng lóng 童龙)：光明隐约的样子，这里形容云层里透射出的星月光辉，时现时隐。　㉘这句说猿鸣钟响不觉就天亮了。天亮时猿会鸣叫，谢灵运《从斤竹涧越岭西行》诗云："猿鸣诚知曙，谷幽光未显。"这句正是翻用其意。　㉙杲杲(gǎo 搞)：光明的样子。寒日：因是秋天，又是早上初出的太阳，故云"寒日"。生于东：从东方升起。

石鼓歌

韩　愈

张生手持石鼓文①，　　劝我试作石鼓歌。

少陵无人谪仙死，　　才薄将奈石鼓何②！

周纲陵迟四海沸③，　　宣王愤起挥天戈④。

大开明堂受朝贺，　　诸侯剑佩鸣相磨⑤。

蒐于岐阳骋雄俊⑥，　　万里禽兽皆遮罗⑦。

镌功勒成告万世⑧，　　凿石作鼓隳嵯峨⑨。

从臣才艺咸第一⑩，　　拣选撰刻留山阿⑪。

雨淋日炙野火燎，　　鬼物守护烦㧑呵⑫。

公从何处得纸本⑬，　　毫发尽备无差讹⑭。

辞严义密读难晓⑮，字体不类隶与蝌⑯。
年深岂免有缺画⑰，快剑斫断生蛟鼍⑱。
鸾翔凤翥众仙下，珊瑚碧树交枝柯⑲。
金绳铁索锁钮壮，古鼎跃水龙腾梭⑳。
陋儒编诗不收入㉑，二雅褊迫无委蛇㉒。
孔子西行不到秦，掎摭星宿遗羲娥㉓。
嗟余好古生苦晚㉔，对此涕泪双滂沱㉕。
忆昔初蒙博士征，其年始改称元和㉖。
故人从军在右辅㉗，为我量度掘臼科㉘。
濯冠沐浴告祭酒㉙，如此至宝存岂多㉚？
毡苞席裹可立致㉛，十鼓只载数骆驼㉜。
荐诸太庙比郜鼎㉝，光价岂止百倍过㉞？
圣恩若许留太学，诸生讲解得切磋㉟。
观经鸿都尚填咽，坐见举国来奔波㊱。
剜苔剔藓露节角㊲，安置妥帖平不颇㊳。
大厦深檐与盖覆，经历久远期无佗㊴。
中朝大官老于事，讵肯感激徒婳婀㊵。
牧童敲火牛砺角㊶，谁复著手为摩挲㊷？
日销月铄就埋没㊸，六年西顾空吟哦㊹。
羲之俗书趁姿媚㊺，数纸尚可博白鹅㊻。
继周八代争战罢㊼，无人收拾理则那㊽！
方今太平日无事㊾，柄任儒术崇丘轲㊿。
安能以此上论列，愿借辩口如悬河51。
石鼓之歌止于此52，呜呼吾意其蹉跎53！

【说明】　欧阳修《集古录》云："石鼓文在岐阳(今陕西岐山县)，初不见称于前世，至唐人始盛称之，而韦应物以为周文王之鼓，至宣王刻诗尔。韩退之直以为宣王之鼓，在今凤翔孔子庙中。鼓有十，先时散弃于野，郑余庆始置于庙而亡(失)其一。皇祐四年(1052)，向傅师求于民间得之，十鼓乃足。其文可见者四百六十五，磨灭不可识者过半，然其可疑者三四。退之好古不妄者，余姑取以为信耳。至于字画，亦非史籀(周宣王太史名，作大篆)不能作也。"但经近人考明字体，参稽经史，而断为秦昭王时之刻石。石鼓是我国遗留几千年的珍贵文物，从宋末至今，一直存于今北京市。以《石鼓歌》为题歌咏石鼓文的，韩愈之前有韦应物，之后有苏轼。

这首诗是元和六年(811)韩愈由河南(今河南洛阳市)令调升职方员外郎回长安后所作。其目的是再三强调保存和研究石鼓文字的重要意义，认为它长期散失荒野无人收拾，以致"牧童敲火牛砺角"，"日销月铄就埋没"，未免太可惜了。所以，韩愈是怀着满腔悲愤而作《石鼓歌》的，他希望他的强烈呼吁能从此引起朝廷的重视。其中对"陋儒"和"中朝大官"的讥刺也都是从这一目的出发的。诗人义正词严，笔酣墨饱。诗的结构绵密，又富有波澜，中间多用照应和衬笔，更增强了诗的感染力。全诗五段。"张生"四句总起点题。自谦无李杜之才不能把歌作好。"周纲"十二句追叙石鼓制作的原委。"公从"十四句赞叹石鼓文的文义和字体之古，说明大有保存研究的必要。"嗟余"二十句回忆自己曾向祭酒建议，请移石鼓于太学。"中朝"十六句慨叹建议未被采纳，再次吁请朝廷重视，收句点明作意。

【注释】 ①张生：指张彻，韩愈的学生、侄孙女婿。石鼓文：这里指从石鼓上拓下来的文字，即后文的所谓"纸本"。 ②少陵：指杜甫。杜陵在长安城东南，秦时为杜县地，因有汉宣帝陵墓，故称杜陵。杜陵东南有少陵，为汉宣帝许后葬地。杜甫出襄阳杜氏一支，但其远祖杜预为京兆杜陵人，故杜氏祖籍为杜陵。杜甫在长安时，也曾在这一带住过。由于上述两种原因，故其诗中常自称"少陵野老"、"杜陵野客"或"杜陵布衣"。杜甫曾在长安少陵北、杜陵西的一个地方居住，所以自称"少陵野老"。无人：指人已死去。谪仙：指李白。李白《对酒忆贺监》诗序云："太子宾客贺公(即贺知章)于长安紫极宫一见余，呼余为'谪仙人'。"才薄：才小。这两句说，杜甫李白早已死去，自己没有他们那样大的诗才，怎么能作好石鼓歌呢？ ③周纲：周朝的纲纪法度。陵迟：衰坏。四海沸：指社会动乱。《后汉书·袁术传》："今海内鼎沸。" ④宣王：周宣王，姓姬名靖。他继厉王即位。挥天戈：指宣王南征北伐，他曾对猃狁、西戎、淮夷、徐戎、荆蛮等用兵，《诗经》中的《六月》、《采芑》等诗即记其事。古代称皇帝为"天"，故称其用兵为"挥天戈"。 ⑤这两句说，宣王即位后大开明堂，受到朝臣和诸侯的热烈祝贺。明堂：天子施政的地方。诸侯：周初天子分封到地方的所谓"列国"之君称"诸侯"。剑佩鸣相磨：极言来朝贺宣王的诸侯之多，以至于彼此的佩带的刀剑都相磨作响。 ⑥蒐(sōu 搜)于岐阳：一个春天宣王在岐阳打猎。按周宣王"蒐于岐阳"古代没有明文记载。蒐，春季打猎。岐阳，今陕西凤翔县。骋(chěng 逞)：放任，尽量展开。 ⑦遮罗：遮，拦。罗，围。这句说到处的鸟兽都被包围起来。 ⑧镌(juān 捐)功勒成：指在石鼓上铭刻功勋。镌、勒，都是刻的意思。成，名词，与"功"同义。告万世：告示万代。 ⑨隳(huī 灰)：毁坏。嵯峨(cuó é 搓鹅)：峻险突兀的样子，这里指代高山。这句说由于制作石鼓而挖开高山找石头。 ⑩从臣：随从宣王的朝臣，指仲山甫、尹吉甫、方叔、召叔等。才艺：这里指从臣的文采。咸：都。第一：指第一流。 ⑪撰刻：撰写文字刻于石鼓之上。山阿：山的弯曲处。 ⑫炙(zhì 制)：以火烤肉。这里是晒的意思。燎(liǎo 了)：烧。烦：劳。扙：同"挥"，挥手。呵：吆喝。这两句大意是，石鼓长年暴露在山野，经过雨淋日晒野火烧而安然无恙，这是多劳鬼神的百般保护。后一句和杜甫《古柏行》的"扶持自是神明力"同意。 ⑬公：指张彻。纸本：指拓下来的石鼓文本。这句与第一句照应，开始正面叙写石鼓文。 ⑭这句说拓本十分准确没有毫发差错。讹：错误。 ⑮辞严义密：文辞庄严，意思周密。读难晓：难以读懂。　⑯不类：不像。隶：隶书。秦程邈作隶书，得到始皇赞许，任他为御史。因奏事频繁，篆字难以胜任，于是改用隶字，以便隶人书写，故名"隶书"。蝌：蝌蚪文。周时所用的文字，头大尾小，很像蝌蚪，晋人称为"蝌蚪文"。　⑰这句说因年深月久，石鼓上的文字不可避免有缺笔画之处。韦应物《石鼓歌》也有"风雨缺讹苔藓涩"之句。　　⑱这句说石鼓文缺笔画之处好像快剑把活的蛟、鼍砍断了似的。这是形容石鼓文字体的生动有力。斫(zhuó 浊)：用刀、斧砍。蛟：古代传说中一种能发洪水的动物。鼍(tuó 驼)：鼍龙，俗称"猪婆龙"，是鳄鱼的一种，皮可以张鼓。　⑲翔、翥(zhù 注)：都是飞的意思。珊瑚碧树：班固《西京赋》："珊瑚碧树，周阿而生。"顾嗣立注云："晋石崇传，武帝赐崇珊瑚树，高三尺许，枝柯扶疏。"这两句说，石鼓文字好像群仙下降，鸾凤飞翔为之先导，又好像珊瑚碧树枝柯扶疏。这是极力形容石鼓文字体的活跃和美丽。　⑳古鼎跃水：《史记·封禅书》："宋太丘社亡，而鼎没于泗水彭城下。"《水经注》："周显王四十二年(公元前 327)九鼎没于泗渊。"龙腾梭：《晋书·陶侃传》："侃少时，渔于雷泽，网得一织梭，以挂于壁。有顷雷雨，自化为龙而去。"这两句写石鼓文字体的古老雄劲。　㉑陋儒：见识短浅的儒生，指当时的采风者。　㉒二雅：《诗经》中的《大雅》、《小雅》。褊(biǎn 扁)：狭隘。迫：局促。委蛇(wēi tuó 威驼)：宽大的意思。这句的意思是：二雅只载小的不载大的，就是说二雅没有把石鼓文选入是编书的人眼光短浅。　㉓秦：秦国，今陕西一带，即石鼓文的产生地。掎摭(jǐ zhí 己职)：取引的意思。遗：丢了。羲(xī 西)：羲和，这里借指太阳。娥：嫦娥，这里借指月亮。这两句说，孔子西游没有到秦国，结果他编的诗只拾取了星星而丢掉了太阳和月亮。古代科学不发达，认为月亮比星星大。　㉔嗟(jiē 阶)：叹息。余：我。好古：爱好研究古代文化。苦晚：苦于出生太晚。苏轼《石鼓歌》："韩公好古生已迟，我今况又百年后。"是指此而说的。　㉕涕：鼻涕。双滂沱(páng tuó 旁驼)：指眼泪和鼻涕一同流淌。　㉖忆昔：回忆以前。初：刚。蒙：受。博士：官名。唐时有太学、国子诸博士，并为教授之官。按韩愈是元和元年(806)自江陵法曹参军被召回京任国子监博士，所以他说："其年始改称元和。"　㉗故人：不详。从军在右辅：《三辅黄图》："太初元年(公元前 104)以渭城以西属右扶风，长安以东属京兆尹，长陵以北属左冯翊，以辅京师，谓之三辅。"右辅谓右扶风，即凤翔府。韩愈故人为凤翔节度府从事，所以说"从军在右辅。"　㉘量度(duó 夺)：计划。掘：挖。臼科：坑坎，即安放石鼓的处所。　㉙濯冠：洗帽子。沐：洗头。浴：洗澡。祭酒：官名。唐制，国子监有祭酒一人，从三品掌邦国儒学训导的政令。当时韩愈为国子博士，即国子学的教授。他"濯冠沐浴告祭酒"是说明对保护石鼓文的态度极其庄严。　㉚至宝：极贵重之宝。　㉛毡苞席裹：指包扎石鼓以免运输损坏。苞，包裹。立至：立刻便运到了。　㉜这句说十只石鼓只用几头骆驼运载就成了。　㉝荐诸太庙：把它进献给太庙。荐，进献。诸，"之于"二字的合音。太庙，皇帝的祖庙。郜(gào 告)鼎：《左传·桓公二年》："夏四月取郜大鼎于宋，戊申纳于太庙。"杜注："郜国所造。"郜国在今山东城武县。这句说应该把石鼓和郜国的宝鼎一样隆重地进献给太庙。　㉞这句说石鼓与郜鼎相比，身价何止超过它一百倍呢！光价：光荣的身价。　㉟这两句说，假如能蒙受皇恩允许把石鼓留在太学，那么就便于给诸生讲解和他们切磋琢磨。若：

假如。太学:指国子监。诸生:这里指在太学进修的学生。切磋(cuō 搓):对学问的观摩研究。这里指研究石鼓文。㊱观经鸿都:《后汉书·灵帝纪》:"光和元年(178)二月,始置鸿都门。"注:"鸿都,门名也。"又《后汉书·蔡邕传》载:熹平四年(175)诏诸儒正定六经文字,命蔡邕为古文、篆、隶三体书写,刻了石碑,立于太学门外。因此来观看和摹写的人,每天十分拥挤,填塞了街陌。韩愈诗中把观经太学门误为观经鸿都门。填咽:形容人和物的拥挤。坐见:将看到。举国:全国。这两句大意是,东汉太学门外观看六经碑文的人尚且十分拥挤,那么今后来国子监观看石鼓文的人更是盛况空前。㊲剜(wān 弯):用刀挖去。剔(tì 替):剔除。薜(xiǎn 险):植物的一种,与苔相似。露节角:指露出石鼓文字的笔画。㊳安置妥帖:安放稳妥。颇(pō 坡):偏斜。㊴厦(shà 煞):大屋子。覆:遮盖。经历:经过。期无佗(tuō 拖):希望石鼓没有损坏。无佗,同"无他",犹无恙,即无忧无病的意思。㊵中朝:言朝内。老于事:言处理事情很保守,很疲沓。讵(jù 巨):岂,哪里,表示反诘。感激:感动奋发。徒:只是。媕婀(ān ē 安阿):犹疑不决的意思。㊶牧童敲火:指牧童在石鼓上重敲,以致爆出火星,故云。砺(lì 利):磨擦。这句意谓石鼓暴露在山野,常常会遭到破坏。㊷复:又。著(zhuó 灼)手:用手,下手。"著"同"着"(zhuó 灼)。摩挲(suō 梭):用手抚摩。这里指爱惜、保护石鼓。㊸销:熔化金属。铄(shuò 朔):熔化。就:趋向,即时。埋没:隐藏而不见。这里是消失的意思。㊹六年:指作者从元和元年(806)在长安初任国子监博士"濯冠沐浴告祭酒"至元和六年写此诗时。西顾:西望石鼓所在地岐阳。这六年中,韩愈多数时间都在长安和洛阳做官,元和三年夏末由长安调往东都(洛阳)任真博士,元和五年调河南(今洛阳市)令,元和六年提升职为员外郎又回长安。他时时盼望能从岐阳荒野把石鼓运来长安保护,岐阳在长安、洛阳西面,故称"西望"。吟哦:体会,这里是用心思的意思。㊺羲之:王羲之,字逸少,晋会稽(今浙江绍兴)人。官至右军将军,也称王右军。工书法,临池学书,池水为之黑。真书、草书、行书等造诣都很深,行书更是冠绝今古,以《兰亭集序》、《乐毅论》、《黄庭经》最有名,亦善丹青。俗书:沈德潜《唐诗别裁》云:"隶书风俗通行,别于古篆,故云俗书,无贬右军意。"方成珪《笺正》云:"俗书对古书而言,乃时俗之俗,非俚俗之俗也。"趁姿媚:追求字体的美观。㊻博白鹅:换白鹅。《晋书·王羲之传》载:他喜爱鹅,山阴有个道士养了一群白鹅,羲之看了很喜欢,坚决向道士购买。道士说:"你给我写《道德经》,我把鹅全部赠给你。"羲之欣然把经写完,得鹅而归。㊼八代:说法不一,有的说是秦、汉、魏、晋、北魏、齐、周、隋;有的说是汉、魏、晋、宋、齐、梁、陈、隋。㊽收拾:言把散乱的东西收集起来。这里是指把石鼓收集保存起来的意思。理则那(luó 罗):哪有此理。那,犹何也。㊾方今:到现在。㊿柄:权。任:用。儒术:言儒者之道。崇丘轲:崇尚孔丘、孟轲。(51)这两句说,怎能得到辩口如悬河的人才把上述要求反映到朝廷去呢?论列:谓论议其事而列举之,以资比较。悬河:谓善于辞令。《晋书·郭象传》:"王衍每云,听象(说话)如悬河泻水,注而不竭。"(52)止于此:到此为止。(53)呜呼:叹息之词,与前文"嗟余"二字照应。蹉跎:失时的意思。与前文"六年西顾空吟哦"照应。

渔 翁

柳宗元

渔翁夜傍西岩宿①，　晓汲清湘然楚竹②。
烟销日出不见人，　欸乃一声山水绿③。
回看天际下中流④，　岩上无心云相逐⑤。

【说明】 这首诗是通过对渔翁一天活动的描绘，反映诗人倾慕渔翁看似自由的生活，赞赏永州的奇妙山水，从而排遣他被贬后的抑郁情怀。有人说这首诗的"主旨却在写景"，这只是看到了诗的表面现象，而没有看到在这种美妙景色下掩盖着诗人的复杂心情。他在永州的许多写景诗都隐藏着诗人的身世和品格，前面的《溪居》是如此，后面的《雪》也是如此，而《雪》中"独钓寒江雪"的渔翁和这里"欸乃一声山水绿"的渔翁都是诗人高洁情怀的写照。

【注释】 ①傍(bàng 蚌)：靠着。西岩：即永州的西山。《柳河东集》有《始得西山宴游记》。　②晓：早上。汲：打水。清湘：清澈的湘江之水。湘，即湘江，又称湘水，在今湖南，流经永州。然：同"燃"。楚竹：永州古属楚地，故称其地所产之竹为"楚竹"。　③欸(ǎi)乃：摇橹的声音。一说舟子摇船时应橹的歌声。唐时湘中棹歌中有《欸乃曲》，元结在湘中任刺史时受到棹歌的影响，也仿作了《欸乃曲》五首。　④天际：天边，指肉眼看来好似天地交接之处。　⑤无心云相逐：形容云随意飘动。陶潜《归去来辞》有"云无心以出岫"之句。

长恨歌

白居易

汉皇重色思倾国①，　御宇多年求不得②。
杨家有女初长成③，　养在深闺人未识④。
天生丽质难自弃⑤，　一朝选在君王侧⑥。
回眸一笑百媚生⑦，　六宫粉黛无颜色⑧。
春寒赐浴华清池⑨，　温泉水滑洗凝脂⑩。
侍儿扶起娇无力⑪，　始是新承恩泽时⑫。
云鬓花颜金步摇⑬，　芙蓉帐暖度春宵⑭。
春宵苦短日高起⑮，　从此君王不早朝⑯。
承欢侍宴无闲暇⑰，　春从春游夜专夜⑱。
后宫佳丽三千人⑲，　三千宠爱在一身⑳。

金屋妆成娇侍夜㉑，玉楼宴罢醉和春㉒。
姊妹弟兄皆列土㉓，可怜光彩生门户㉔。
遂令天下父母心㉕，不重生男重生女㉖。
骊宫高处入青云㉗，仙乐风飘处处闻㉘。
缓歌慢舞凝丝竹㉙，尽日君王看不足㉚。
渔阳鼙鼓动地来㉛，惊破《霓裳羽衣曲》㉜。
九重城阙烟尘生㉝，千乘万骑西南行㉞。
翠华摇摇行复止㉟，西出都门百余里㊱。
六军不发无奈何㊲，宛转蛾眉马前死㊳。
花钿委地无人收，翠翘金雀玉搔头㊴。
君王掩面救不得，回看血泪相和流。
黄尘散漫风萧索㊵，云栈萦纡登剑阁㊶。
峨嵋山下少人行㊷，旌旗无光日色薄㊸。
蜀江水碧蜀山青，圣主朝朝暮暮情。
行宫见月伤心色，夜雨闻铃肠断声㊹。
天旋地转回龙驭㊺，到此踌躇不能去㊻。
马嵬坡下泥土中㊼，不见玉颜空死处㊽。
君臣相顾尽沾衣㊾，东望都门信马归㊿。
归来池苑皆依旧○51，太液芙蓉未央柳○52。
芙蓉如面柳如眉○53，对此如何不泪垂○54。
春风桃李花开日，秋雨梧桐叶落时。
西宫南内多秋草○55，落叶满阶红不扫。
梨园弟子白发新○56，椒房阿监青娥老○57。
夕殿萤飞思悄然○58，孤灯挑尽未成眠○59。
迟迟钟鼓初长夜○60，耿耿星河欲曙天○61。
鸳鸯瓦冷霜华重○62，翡翠衾寒谁与共○63。
悠悠生死别经年○64，魂魄不曾来入梦○65。
临邛道士鸿都客○66，能以精诚致魂魄○67。
为感君王辗转思○68，遂教方士殷勤觅○69。
排空驭气奔如电○70，升天入地求之遍○71。
上穷碧落下黄泉○72，两处茫茫皆不见○73。

忽闻海上有仙山，　　山在虚无缥缈间⑭。
楼阁玲珑五云起⑮，　　其中绰约多仙子⑯。
中有一人字太真⑰，　　雪肤花貌参差是⑱。
金阙西厢叩玉扃，　　转教小玉报双成⑲。
闻道汉家天子使⑳，　　九华帐里梦魂惊㉑。
揽衣推枕起徘徊㉒，　　珠箔银屏迤逦开㉓。
云鬓半偏新睡觉㉔，　　花冠不整下堂来。
风吹仙袂飘飘举，　　犹似霓裳羽衣舞㉕。
玉容寂寞泪阑干，　　梨花一枝春带雨㉖。
含情凝睇谢君王㉗，　　一别音容两渺茫㉘。
昭阳殿里恩爱绝㉙，　　蓬莱宫中日月长㉚。
回头下望人寰处，　　不见长安见尘雾。
唯将旧物表深情㉛，　　钿合金钗寄将去㉜。
钗留一股合一扇㉝，　　钗擘黄金合分钿㉞。
但教心似金钿坚，　　天上人间会相见。
临别殷勤重寄词㉟，　　词中有誓两心知㊱。
七月七日长生殿㊲，　　夜半无人私语时㊳。
在天愿作比翼鸟，　　在地愿为连理枝㊴。
天长地久有时尽，　　此恨绵绵无绝期㊵。

【作者简介】　白居易(772—846)，字乐天，晚年自号香山居士，下邽(今陕西渭南附近)人。贞元十五年(798)进士。授秘书省校书郎，补盩厔(今陕西周至县)尉，历任翰林学士、左拾遗及左赞善大夫。元和十年(815)宰相武元衡被刺，因直言敢谏，要求严缉凶手，被贬江州(今江西九江市)司马，移忠州刺史。后由中书舍人出任杭州、苏州等地刺史，官至刑部尚书。

　　白居易是杜甫之后唐代杰出的现实主义诗人。他继承诗经和杜甫的现实主义传统，主张"文章合(应该)为时而著，歌诗合为事而作"(《与元九书》)。在杜甫"即事名篇"新题乐府的启发下与元稹等人共同倡导了新乐府运动。他早期创作了一百多篇讽喻诗，比较深刻地揭露了当时的社会矛盾，反映了劳动人民的疾苦。但由于阶级局限和当时政治环境的险恶，自贬江州司马后便逐步消沉，后来更崇奉佛教，走上了逃避现实的道路。在他的《讽谕诗》外，长篇叙事诗《长恨歌》、《琵琶行》具有独特的艺术特色，为歌行体开辟了新路，对后来的戏剧也有一定影响。白居易的艺术风格平易自然，深入浅出。其艺术成就在唐代仅次于李杜。有《白香山集》。

　　【说明】《长恨歌》是元和元年(806)白居易任盩厔县尉时所作。白居易的友人陈鸿配合他作《长恨歌传》，都是以社会流传的唐玄宗和杨贵妃的爱情悲剧为题材，因此以"长恨"名篇。这篇叙事诗，情节曲折离奇，想象极为丰富，写实与幻想结合，抒情与叙事杂糅，语言优美，音韵和谐，明显受了当时近体诗和传奇等文体的影响，在艺术上有着很高的成就。但其思想内容却有明显的局限性。玄宗后期政治黑暗，生活荒淫，从而招致祸害天下的安史之乱，遭到人民和历史的谴责。当时的诗人李白、杜甫和后来诗人杜牧、李商隐都在诗中进行过批判和讽刺，而白居易却一往情深地歌颂。尽管作者在前面对玄宗荒淫误国也有所讽刺，但远远不能与后面的深厚同情相比。很显然，《长恨歌》的主题不是讽刺，而是歌颂帝妃爱情的"真挚"和"永恒"，这在题中也明白标示出来，作者自己还有"一篇《长恨》有风情"的自诩。后人以为"此刺明皇之迷于声色而不悟也"的说法是与诗的内容不符，也是与作者的本意相违背的。当然，这里指出诗的局限性并不妨碍它在诗歌发展史上的显著地位，也丝毫未减损它对今天诗歌创作在艺术上的借鉴作用。

全诗可分四段。"汉皇"三十二句叙玄宗专宠杨妃；"九重"十八句叙安史乱起，玄宗奔蜀和杨妃之死；"天旋"二十四句叙玄宗回京对杨妃思念不已；"临邛"四十六句叙方士为玄宗找得杨妃，结尾点题，颇有余韵。

【注释】 ①汉皇：指汉武帝刘彻。这里借指唐玄宗李隆基，是古典诗歌中惯用的以古喻今的手法。重色：看重女色。思：思慕。倾国：指美女。汉武帝的乐人李延年善歌舞，一次在武帝面前唱歌起舞，赞美他妹妹的美色："北方有佳人，绝世而独立。一顾倾人城，再顾倾人国。宁不知倾城与倾国，佳人难再得！"汉武帝听后大为钦羡。不久李延年的妹妹得以入宫，就是后来汉武帝十分宠爱的李夫人（白居易的《新乐府》中有《李夫人》可以参看）。后世以"倾城"、"倾国"作为美人的代称便是本于李延年的歌词。 ②御宇：统治天下。求不得：找不着。 ③杨家有女：指杨玉环。她是蜀州司户杨玄琰的女儿，弘农（今河南灵宝县）人，一说蒲州（今山西蒲县）人。幼时养在叔父杨玄璬家中，开元二十三年（735）册封为玄宗第十八个儿子寿王李瑁的妃子。玄宗看中了她，开元二十八年（740）命她度为女道士，住在太真宫，赐名太真，天宝四年（745）才正式册封为贵妃。初长成：刚刚长大成人。 ④这句是为玄宗的丑事讳避，不好直说他夺儿子的妃子为自己的妃子。但语意略含讽刺。 ⑤天生丽质：天生的美色。难自弃：意思是即使自己不去争取也终究会得到君王的宠幸。 ⑥一朝：一天。侧：旁边。指成为贵妃。 ⑦回眸（móu 谋）：转动眼珠。眸，眼中瞳仁，泛指眼珠。一笑百媚生：本李白《清平乐令》："一笑皆生百媚。" ⑧六宫：周制，天子有六寝，王后有六宫。后世总称后妃所居之地为六宫。粉黛（dài 代）：原是妇女的化妆品，粉即脂粉，黛是画眉的颜料，后成为妇女的代称。无颜色：是说六宫的妃嫔与杨贵妃一比，脸上都显得黯淡无光了。 ⑨赐浴华清池：受玄宗恩赐到华清宫温泉中洗澡。华清池，唐华清宫（原名温泉宫）的温泉池，在今陕西临潼县骊山上。 ⑩凝脂：形容白嫩而滑润的皮肤。《诗经·卫风·硕人》："手如柔荑，肤如凝脂。"笺："脂寒而凝，亦言白也。" ⑪侍儿：言婢女。 ⑫始是：才是。新：初。承恩泽：指杨妃得到玄宗的宠爱。承，蒙受。恩泽，恩及于下，如雨泽润物，故称。 ⑬云鬓：如乌云般的鬓发。花颜：如鲜花般的容貌。金步摇：妇女首饰，钗的一种。《释名·释首饰》："步摇,上有垂珠,步则摇也。"　　⑭芙蓉帐:带有荷花图案的帐子。鲍照《行路难》:"七彩芙蓉之羽帐。"春宵:春夜。　　⑮苦短:苦于时间太短。日高起:太阳升得很高了才起床。这句写玄宗的生活荒淫已极。　　⑯君王:指玄宗。不早朝:言玄宗因宠爱杨妃而懈怠国政。　　⑰承欢:接受皇帝的欢爱。侍宴:陪伴皇帝宴饮。闲暇:空闲。　　⑱专夜:指杨妃得到玄宗的专宠。　　⑲后宫:言宫中妃嫔所居之处,义同"六宫"。《礼·昏义》:"古者天子后(皇帝后妃)立六宫。"注:"天子六寝,而六宫在后。"佳丽:美好。这里指代后宫中的美女,如皇后、贵妃以及才人之类。三千:极言其多。　　⑳在一身:集中在杨妃一人身上。　　㉑金屋:指极其豪华富丽的房屋。《汉武故事》:"武帝为太子时,长公主(即武帝的姑母)欲以女配帝,问曰:'儿欲得妇,阿娇好否?'帝曰:'若得阿娇,当以金屋贮(藏)之(她)。'"后来便把"金屋"泛指男子所宠爱的妇女的住处。这里指杨玉环住的宫室。妆成:妆饰好了。　　㉒玉楼:形容华美的楼台。宴罢:酒宴结束。　　㉓这句说杨妃一家人都分封了土地。杨妃得到玄宗宠爱后,她的父亲杨玄琰追赠太尉齐国公,母亲封凉国夫人,堂兄杨铦任鸿胪卿,杨锜任侍御史,大姐嫁崔家封韩国夫人,三姐嫁裴家封虢国夫人,八姐嫁柳家封秦国夫人,堂兄杨钊赐名国忠,任右丞相封魏国公。姊(zǐ 子):姐姐。列土:分封官位和领地。　　㉔可怜:可爱,可羡。　　㉕遂:于是。令:使得。心:心理。　　㉖不重生男重生女:当时有两首歌谣:"生女勿悲酸,生男勿喜欢。""男不封侯女作妃,看女却为门上楣。"(详见陈鸿《长恨歌传》)　　㉗骊宫:指骊山华清宫。参看注⑨。　　㉘仙乐:指华清宫的种种音乐声。　　㉙凝丝竹:丝竹慢慢地发出声音来。丝,弦乐器,如胡琴、琵琶之类。竹,管乐器,如笙、箫之类。　　㉚尽日:整天。看不足:看不厌。以上四句化用杜甫《自京赴奉先县咏怀五百字》"君臣留欢娱,乐动殷樛嶬"、"中堂舞神仙"、"悲管逐清瑟"之意,写玄宗和杨妃在华清宫荒淫作乐。　　㉛渔阳:唐郡名,是范阳节度使所辖的八郡之一,这里用以泛指范阳地带。鼙(pí 皮)鼓:古代军中用的小鼓,即骑鼓。这句说安禄山从范阳起兵反叛。　　㉜霓裳羽衣曲:舞曲名,原是西凉府节度使杨敬述所献西域乐舞《婆罗门》,经过玄宗润色而成的一种新曲。　　㉝九重:指皇帝居住的地方,古代皇宫门有九重。城阙(què 确):指京城长安。烟尘生:发生了寇警。这句意谓安禄山的叛军已经威胁到京城长安。　　㉞这句指玄宗从长安向成都逃跑。千乘万骑(jì 季):指车马之多。西南行:指奔向成都。　　㉟翠华:指皇帝的车驾的旗帜,因上用翠羽装饰,故名。行复止:走了又停下来。　　㊱都门:都城之门,指长安西边的延秋门。百余里:指马嵬坡,在今陕西兴平县西,距长安(今陕西西安市)为百余里。　　㊲六军:古代天子有六军,这里泛指皇帝的护从队伍。不发:指军队不肯前进。这句是说,玄宗逃到马嵬坡时,龙武将军陈玄礼代表将士意见,向玄宗请求诛杀杨妃,玄宗无可奈何,只得令高力士把她缢死。　　㊳宛转:缠绵悱恻的样子。蛾眉:美丽的女子。指杨妃。　　㊴花钿(diàn 店):镶嵌金花的首饰。委地:丢在地上。翠翘、金雀:都是钗名。玉搔头:玉簪子。这两句说,杨玉环的花钿、翠翘、金雀、玉搔头这些首饰都丢在地上无人收拾。　　㊵黄尘散漫:指路上尘土飞扬。萧索:萧条衰飒的意思。　　㊶云栈:高入云间的栈道。山路险峻,架木为路以通来往叫栈道。又叫阁道。萦纡(yíng yū 营迁):回环曲折。剑阁:大小剑山之间的栈道名,又名剑门关，在今四川剑阁县北。这句写玄宗已进入蜀地。㊷峨嵋山：在今四川峨眉山市境，成都市西南。玄宗只到成都，未经过峨眉，这里泛指蜀道艰难，是夸张的描写。㊸旌旗：旗帜的总称。这里指玄宗的旗帜。日色薄：形容日光暗淡。㊹这四句写玄宗在蜀触景伤情，日夜想念杨妃。圣主：指玄宗。行宫：皇帝的临时驻地。夜雨闻铃：郑处诲《明皇杂录·补遗》载：玄宗入蜀时，经过斜谷，遇上十多天的阴雨。在栈道雨中听到铃声，隔山相应，感到特别凄凉，悼念杨妃，便采仿它的声音，谱成《雨霖铃曲》以寄恨。这里暗咏其事。行宫二句的结构是：行宫见月色而伤心，夜雨听铃声而肠断。㊺天旋地转：言大局转变。龙驭：皇帝的车驾。这句是说，大局好转，玄宗由成都回长安。肃宗至德二年(757)九月郭子仪收复长安，同年十二月玄宗由蜀还京。㊻此：指前文的"西出都门百余里"，也就是下句的"马嵬坡"。踌躇(chóu chú 仇除)：犹豫。这里是徘徊的意思。不能去：不能离开。㊼马嵬坡：见注㊱。㊽玉颜：美貌，指杨妃。空死处：空见死处。见字承上省略。空，只。这句说不见杨妃只见她死的地方。㊾相顾：互相观望。尽：都。沾衣：指眼泪沾湿了衣服。㊿信马：言无心鞭马，听任马向前去。(51)苑(yuàn 院)：养禽兽种花木的园子。这里指皇帝狩猎、游玩的园林。依旧：照旧。(52)太液：汉建章宫北池名，在今陕西西安市东，池广十顷。芙蓉：此指水芙蓉，荷花。未央：汉宫名，故址在今西安市西北。(53)这句说，看到太液池中的荷花就像看到了杨妃的面容，看到未央宫前的柳叶就像看到杨妃的眉毛。李白《清平调三首》有"云想衣裳花想容"之句，这句化用其意。(54)如何：怎么。泪垂：掉眼泪。(55)西宫：即西内，指太极宫。南内：即兴庆宫。"内"一作"苑"。兴庆宫在东内之南，故称南内。玄宗回京后先住在兴庆宫，因该宫靠近大街，时常和外界接触，肃宗怕他有复辟野心，便把他迁入西宫。(56)梨园弟子：指当年玄宗在梨园训练的乐工，详见前杜甫《观公孙大娘弟子舞剑器行》注⑫。白发新：白发新添。(57)椒房：后妃所居的宫殿。以椒和泥涂壁，取其芳香而温暖。阿监：宫中女官。阿，发语词。青娥：青春美貌。青娥与上句白发对称。(58)夕：晚上。殿：宫殿。萤：萤火虫。思悄然：愁闷不语的样子。(59)孤灯：形容玄宗晚年生活的凄凉，并非实写。古代宫廷晚上烧烛，不点油灯。挑：点油灯须用灯草吸油燃烧，时刻要剔灯草，否则容易熄灭。未成眠：不能睡着。(60)迟迟：徐徐。钟鼓：晚上报更的钟鼓声。(61)耿耿：微明的样子。河：指银河。欲曙：要天亮。(62)鸳鸯瓦：两片嵌合成对的瓦。霜华：即霜花。重：指霜厚。(63)翡(fěi 匪)翠衾(qīn 亲)：上面饰有翡翠羽毛的华美被子。(64)悠悠：长远。经年：经过一年。(65)魂魄：附在人体内的精神灵气，旧时迷信的说法，说人有三魂七魄。这里指杨妃死后的鬼魂。(66)临邛(qióng 穷)：今四川邛崃县。道士：崇奉道教的人。鸿都：后汉京城洛阳的宫门名。这里借指长安。这句说蜀地的道士来长安作客。(67)这句说道士能用法术把杨妃的魂魄招来。精诚：真诚。指心意。致：使来。(68)辗转思：翻来覆去地想念。(69)遂：因而。教(jiāo 交)：使令。方士：有方术之士。古时称杂技为方术，如医药、卜筮、占验等都是。这里的方术指占卜法术而言。殷勤：热情而周到。觅(mì 密)：寻找。(70)排空驭气：在空中腾云驾雾的意思。奔如电：奔驰如电光一样迅速。(71)求：找。之：指代杨妃。遍：尽，到处的意思。(72)穷：尽，用作动词，找遍了的意思。碧落：道家称天界为碧落。黄泉：指地下。这句是顶着上句"升天入地求之遍"说的，"上穷碧落"即"升天"，"下(穷)黄泉"即"入地"，就是天上、地下都找遍了。这句中动词"穷"的用法和前文"不见玉颜空(见)死处"中动词"见"的用法相同，下半句都因字数限制而承上省略。　⑦两处：指碧落和黄泉。茫茫：不明，渺茫得很。皆不见：都没有见到她。　⑦缥缈(piāo miǎo 漂秒)：隐隐约约，似有似无。　⑦玲珑：精巧细致。五云：五色的云彩。这句说玲珑的楼阁耸立在五色的云彩中间。⑦绰约：美好轻盈的样子。仙子：仙女。　⑦中有：仙子中有。字太真：名字叫太真。太真，杨妃原名杨玉环，曾被度为女道士，玄宗给她赐道名太真，所以这里用作仙号。参看注③。　⑦雪肤花貌：雪一样白的肌肤，花一样美的容貌。参(cēn 此恩合音)差(cī 疵)：仿佛的意思。　⑦金阙：金做的宫阙。阙，门楼。厢：正房前面两边的房屋。叩：敲。玉扃(jiōng)：玉做的门。小玉：白居易《霓裳羽衣舞歌》自注云："吴王夫差女小玉。"双成：姓董，传说中西王母的侍女。小玉、双成都是借指杨妃的侍女。这两句的大意是，由于杨妃居住在仙府的深处，方士敲门后，开门的人便转叫小玉去告诉双成，再由双成转告杨妃。　⑧闻道：听说是。汉家天子使：指玄宗派来的道士。　⑧九华帐：花饰繁丽的帐子。九，表示多数。华，古"花"字。这句说杨妃从九华帐里的睡梦中惊醒了。　⑧揽衣：拿衣服穿。徘徊(huái 怀)：来回地走。　⑧珠箔(bó 泊)：珠帘。银屏：以银丝花纹镶嵌的屏风。迤逦(yǐ lǐ 以李)：接连的样子。⑧云鬓(jì 寄)半偏：发结偏在一边。指刚睡醒未加整理。下半句"新睡觉"是说明"云鬓半偏"的原因。新：刚刚。睡觉：睡醒了。　⑧这两句说清风吹着杨妃的袖子飘飘飞动，还好像她当年在玄宗跟前表演《霓裳羽衣曲》的舞态一样轻盈可爱。袂(mèi 妹)：衣袖。举：扬起的意思。犹：还。⑧玉容：美如玉的容颜。寂寞：冷静凄凉的样子。泪阑干：眼泪纵横满面。阑干，纵横的样子。这两句说，杨妃满脸泪水好像一枝梨花洒满了春雨似的。后一句是形容杨妃的美丽。　⑧含情凝睇(dì 帝)：流动的眼波中含有无限深情。凝睇，注视。谢君王：指杨妃对着使者向玄宗致意。下面的文字是她致意的内容。谢，以辞相告。　⑧音容：声音、容仪。渺茫：无实无凭的。　⑧昭阳殿：汉宫名，汉成帝皇后赵飞燕所居。这里借指杨妃生前所住的宫殿。　⑨蓬莱宫：仙人所住的宫室，这里指杨妃所住的仙境。蓬莱，仙山名。　⑨唯将：只把。旧物：指生前玄宗给她作为结婚纪念的金钗和钿合。陈鸿《长恨歌传》："定情之夕，授金钗、钿合以固之。"　⑨钿(diàn 店)合：用黄金珠宝嵌成花纹的合子，一盖一底。金钗：用黄金制成的首饰，有两股。将：语助词。　⑨这句说金钗留下一股，钿合留下一扇(边)。就是说钗的另一股和合的另一扇(边)请托使者带给玄宗去。　⑨擘(bò 波去声)：以手分开。这句即补足上句的意思。　⑨重寄词：再三请使者带话给玄宗。　⑨这句说，话中的誓言只有她和玄宗两人心中知道。　⑨长生殿：在骊山华清宫内，天宝元年(742)十月修建，是祭神的宫殿，又名集灵台。　⑨私语：私下说的话。　⑨比翼鸟：是一种雌雄相并而飞的鸟。《尔雅·释地》："南方有比翼鸟焉，不比不飞，其名谓之鹣鹣。"连理枝：两树不同根而枝干相连而生的树木。这两句是他们"七月七日长生殿，夜半无人私语时"发的誓言。陈鸿《长恨歌传》："夜殆半，休侍卫于东西厢，独侍上。上凭肩而立，因仰天感牛女事，密相誓心，愿世世为夫妇。" ⑩最后两句点题,说明生离死别的遗憾无法消除。

琵琶行 并序

白居易

元和十年①,予左迁九江郡司马②。明年秋,送客湓浦口③,闻舟中夜弹琵琶者。听其音,铮铮然有京都声④。问其人,本长安倡女⑤,尝学琵琶于穆、曹二善才⑥。年长色衰,委身为贾人妇⑦。遂命酒⑧,使快弹数曲⑨。曲罢悯然⑩。自叙少小时欢乐事,今漂沦憔悴⑪,转徙于江湖间⑫。余出官二年⑬,恬然自安⑭,感斯人言,是夕始觉有迁谪意⑮。因为长句,歌以赠之⑯,凡六百一十二言⑰,命曰《琵琶行》⑱。

浔阳江头夜送客⑲, 枫叶荻花秋瑟瑟⑳。
主人下马客在船㉑, 举酒欲饮无管弦㉒。
醉不成欢惨将别, 别时茫茫江浸月㉓。
忽闻水上琵琶声, 主人忘归客不发㉔。
寻声暗问弹者谁㉕? 琵琶声停欲语迟㉖。
移船相近邀相见㉗, 添酒回灯重开宴㉘。
千呼万唤始出来, 犹抱琵琶半遮面㉙。
转轴拨弦三两声㉚, 未成曲调先有情㉛。
弦弦掩抑声声思㉜, 似诉平生不得志㉝。
低眉信手续续弹㉞, 说尽心中无限事㉟。
轻拢慢捻抹复挑㊱, 初为霓裳后六幺㊲。
大弦嘈嘈如急雨㊳, 小弦切切如私语㊴。
嘈嘈切切错杂弹㊵, 大珠小珠落玉盘。
间关莺语花底滑㊶, 幽咽泉流冰下难㊷。
冰泉冷涩弦凝绝㊸, 凝绝不通声暂歇。
别有幽愁暗恨生㊹, 此时无声胜有声㊺。
银瓶乍破水浆迸, 铁骑突出刀枪鸣㊻。
曲终收拨当心划㊼, 四弦一声如裂帛㊽。
东船西舫悄无言㊾, 唯见江心秋月白㊿。
沉吟放拨插弦中㈤, 整顿衣裳起敛容㉒。

自言本是京城女㊺，　　家在虾蟆陵下住㊻。
十三学得琵琶成，　　　名属教坊第一部㊼。
曲罢曾教善才伏㊽，　　妆成每被秋娘妒㊾。
五陵年少争缠头，　　　一曲红绡不知数㊿。
钿头银篦击节弹㉟，　　血色罗裙翻酒污㉟。
今年欢笑复明年，　　　秋月春风等闲度㉟。
弟走从军阿姨死㉟，　　暮去朝来颜色故㉟。
门前冷落车马稀㉟，　　老大嫁作商人妇㉟。
商人重利轻别离，　　　前月浮梁买茶去㉟。
去来江口守空船，　　　绕船明月江水寒㉟。
夜深忽梦少年事，　　　梦啼妆泪红阑干㉟。
我闻琵琶已叹息，　　　又闻此语重唧唧㉟。
同是天涯沦落人，　　　相逢何必曾相识㉟！
我从去年辞帝京㉟，　　谪居卧病浔阳城㉟。
浔阳地僻无音乐㉟，　　终岁不闻丝竹声㉟。
住近湓江地低湿㉟，　　黄芦苦竹绕宅生㉟。
其间旦暮闻何物㉟？　　杜鹃啼血猿哀鸣㉟。
春江花朝秋月夜㉟，　　往往取酒还独倾㉟。
岂无山歌与村笛？　　　呕哑嘲哳难为听㉟。
今夜闻君琵琶语㉟，　　如听仙乐耳暂明㉟。
莫辞更坐弹一曲㉟，　　为君翻作琵琶行㉟。
感我此言良久立㉟，　　却坐促弦弦转急㉟。
凄凄不似向前声㉟，　　满座重闻皆掩泣㉟。
座中泣下谁最多㉟？　　江州司马青衫湿㉟。

【说明】　元和十年(815)六月，李师道派人刺杀主持平定藩镇叛乱的宰相武元衡，白居易当时任左赞善大夫，虽不是谏官，却首先上疏直言敢谏，请求急捕凶手以雪国耻，但马上遭到权贵的谗害，说他不是谏官而越职言事；又造谣中伤，说他浮华无行，结果被贬为江州司马。

这首诗是他谪贬江州第二年秋天所作。诗中以琵琶女沦落的悲凉遭遇为题材，通过对她的身世的生动描写，抒发了白居易自己政治上不得意的悲愤心情。琵琶女技艺精妙，却由长安流落江湖，白居易抱负宏伟，却由京城贬居江州，两人一样不幸，同病相怜，所以诗人把二者紧紧联系起来，发出了"同是天涯沦落人，相逢何必曾相识"的慨叹。他们两人的不幸在当时并不是个别现象,而是封建社会成千成万有才能的文人和艺人的共同命运。所以尽管诗的基调比较低沉,但诗中所刻画的琵琶女的形象和揭示诗人的遭遇却具有深刻的社会意义。

全诗四段。"浔阳"十四句,叙因送客江头偶然与琵琶女相遇;"转轴"二十四句,叙琵琶女技艺之高及其琵琶艺术感染力之强;"沉吟"二十四句,记琵琶女自述昔盛今衰的身世;"我闻"二十六句,叙诗人对琵琶女的同情和抒发自己的迁谪之感。《琵琶行》不仅内容丰富,艺术上也有很大的特色。首先,诗人善于运用细节描写突出人物性格,运用景物描写,渲染环境气氛。在景物描写中,更以秋江月色前后映带,使浓厚的抒情气氛贯串于全篇的叙事之中。又充分运用明快而富有音乐美的语言,生动巧妙的比喻,给人以丰富的联想。其次,诗人为了适应诗中思想感情的起伏变化,在用韵方面也发挥了诗人卓越的艺术才能。全诗换韵十九次之多,平韵九次,仄韵十一次,两句一韵的九处,开头、结尾均用入声韵。同时为了不以词害意,竟不惜几次重韵,如"鸣"、"生"各重一次, "声"重两次,这在前人的歌行中也是罕见的。

【注释】 ①元和十年:即公元815年。元和是唐宪宗李纯的年号(806—820)。 ②予:我。一作"余"。左迁:降职,贬官。古人以右为尊,以左为卑。左表示降级。迁表示职位的变动。九江郡:隋代的郡名,治所在今江西九江市,唐天宝元年(742)改称浔阳郡,乾元元年(758)复改江州,所以诗里所说的九江郡、浔阳城、江州指的都是九江。司马:官名,州刺史的副职。当时的司马是冗员散职,没有实权。 ③湓(pén盆)浦口:湓水源出江西瑞昌县,东流至九江西,进入长江处的渡口叫湓浦口,又称湓口。 ④铮铮(zhēng争):象声词,形容金属相碰的声音。这里指琵琶的清脆声。京都声:京城长安流行的声调。 ⑤倡女:这里指歌女。"倡"同"娼"。 ⑥尝:曾经。善才:唐人对琵琶师的称呼。 ⑦委身:将己身托付于人。封建社会,女子没有独立的经济地位,必须嫁给男子,故称委身。为贾(gǔ古)人妇:做商人的妻子。 ⑧遂:于是。命酒:吩咐人设酒席。 ⑨数曲:几曲。 ⑩曲罢:指琵琶曲弹完了。悯然:悲伤愁苦的样子。一作"悯默"。自叙:自我叙述,介绍。 ⑪漂沦:漂泊、流落。憔悴(qiáo cuì 桥脆):面色黄瘦。 ⑫转徙(xǐ洗)于江湖:辗转迁移到四方各地,就是说从京城长安流落到外地,江湖是对"长安"而言。 ⑬余:我。出官:指从京官贬为地方官。 ⑭恬(tián 甜)然:形容心里很平静。 ⑮感斯人言:被这个人的话所感动。斯人,此人,指琵琶女。是夕:此夜。始:才。有迁谪(zhé哲)意:有被降职外调的不痛快的感觉。 ⑯因:因此。为长句:此指作七言古诗。长句,唐人惯称七言古诗为长句。如李白《江夏赠韦南陵冰》:"玉箫金管喧四筵,苦辛不得申长句。"杜甫《苏端薛复筵简薛华醉歌》:"近来海内为长句,汝与山东李白好。"但中唐以后诗人亦常称七律为长句。如:白居易《得湖州崔十八使君书ърз 与杭越邻郡因成长句代贺并寄微之》、元稹《寄旧诗与薛涛因成长句之》。歌:吟咏。之:指代琵琶女。 ⑰凡:统计及总称一切之词。这里是总共的意思。六百一十二言:六百一十二字。全诗实为六百一十六字,每句七字,共八十八句。"二"字当是后人传刻之误。 ⑱命:取名。行:乐府歌辞的一体,与"歌"类似,往往泛称为歌行。 ⑲浔阳江:长江流经九江市北面的一段称浔阳江。 ⑳荻(dí敌):多年生草本植物,生水边,跟芦苇相似。瑟瑟:风吹草木的声音。　㉑这句写主人为客人饯别。句式为互文,"下马"、"在船"为主、客所共有。主人:白居易自称。　㉒这句说举起酒杯要饮却没有管弦伴奏。古人筵席上往往有奏乐劝酒的习俗。管、弦:管乐、弦乐。这里泛指音乐。㉓这两句写饯别时的沉闷气氛和悲凉情景。茫茫:无边无际看不清楚。江浸月:月亮倒映江心,好似被江水浸着一样。　㉔客不发:客人不开船出发。这两句说忽然听到江上传来了动人的琵琶声,于是主人忘了回去,客人也忘了开船出发了。　㉕寻声:跟着声音去寻找。暗问:悄悄地探问。弹者谁:弹琵琶的是什么人?　㉖欲语迟:想说话却又迟疑起来。　㉗移船相近:白居易把自己送别客人的船移近琵琶女的船。邀相见:邀请她出来见面。　㉘添酒:增加了酒菜。回灯:移灯。重开宴:重新摆设酒席。　㉙犹:还。半遮面:遮住半边脸部。　㉚转轴拨弦:指弹奏前调弦校音的准备动作。轴,　琵琶上端有四轴,用来系弦,转轴可定弦的松紧。三两声:指试弹几声,检查各弦音阶的准确程度如何。　㉛未成曲调:指上句的"拨弦三两声"。这句说在不成曲调的"拨弦三两声"中便预先传达出琵琶女的思想感情。㉜弦弦:每一根弦。掩抑:指弹奏时用掩按抑遏的手法。声声思(sì 四):每一声都含有哀怨的情意。思,情意。　㉝似诉:好像诉说。　㉞低眉:低头。信手:随手。指弹时似不经意,说明手法熟练。续续弹:连续不断地弹。　㉟这句说,说尽了久蓄心头的无限伤心的事。　㊱拢、捻、抹、挑:都是弹琵琶的指法。复:又。　㊲初为霓裳:开始弹的是《霓裳羽衣曲》。后六幺(yāo 腰):后为《六幺》,后来弹的是《六幺》。"后"后面的"为"字承"初为"的"为"省去。《霓裳》,全名《霓裳羽衣曲》,参看上诗注㉜。《六幺》,当时京城流行的曲调名。本名《录要》(将乐工所进的曲调录要成谱),后讹为《六幺》、《绿腰》。　㊳大弦:指琵琶上最粗的一根弦。嘈嘈:形容声音沉重舒长、雄壮喧响。　㊴小弦:指细弦。切切:形容乐声细促急切。私语:避人低声说知心话。　㊵错杂:两种以上的东西夹杂在一起。　㊶间关:鸟声。滑:形容莺声婉转流利。　㊷幽咽:形容低微的哭声。这里形容遏塞不畅的流泉声。冰:一作"水"。难:与上句的"滑"对举,意义相反,形容泉声的艰涩,与"幽咽"照应。一作"滩",与诗意不合。　㊸冰泉冷涩:形容乐声像冰下的泉水声那样滞涩。冷涩,咽塞的感觉。弦凝绝:弦好像冻断了似的。凝,冻结。一作"疑"。白居易另有《夜筝》:"弦凝指咽声停处,别有深情一万重。"用语相似。　㊹别有:另有。幽愁暗恨:隐藏在心底的哀愁和怨恨。　㊺此时:这时。胜有声:一作"复有声"。复有声,指稍停又弹。沈德潜云:"小住复弹,此余声也。"又云:"诸本'此时无声胜有声'矣,下二句如何接出?宋本'无声复有声'谓住而又弹也。古本可贵如此。"　㊻这两句形容经过一刹那间的寂静之后,突然迸发出激昂慷慨的声音来。银瓶:汲水器。乍:忽然。迸(bèng 蹦):喷射。铁骑(jì 季):精强的骑兵。突出:突然出来。鸣:响。　㊼曲终:乐曲弹到尾声时。拨:拨片,弹琵琶用来拨弦的工具。当心划:用拨片在琵琶的中部划过四弦,就是"收拨",是结束时常用的手法。　㊽如裂帛:像撕裂丝织品一样的声响。　㊾舫(fǎng 纺):船。悄无言:静悄悄的没有人说话。　㊿唯见:只见。江心秋月白:与前文"江浸月"照应。　51沉吟:欲语而又迟疑的样子。《六书故》:"喜为歌吟,疑为沉吟。"　52起:站起来。敛容:对听众显出严肃而恭敬的样子。　53自言:自我介绍。言,说。 (54)虾蟆陵:原名“下马陵”,在长安(今陕西西安市)东南曲江附近,是当时京城酒楼和舞榭所在地。 (55)教坊:唐时官办教习歌舞技艺的机构。这句说,她的名字曾经是排在教坊的第一部中。 (56)伏:通“服”,佩服。 (57)秋娘:唐时著名歌伎的通称。如谢秋娘、杜秋娘等。妒:妒忌。 (58)五陵年少:指长安的富贵子弟。五陵,见前岑参《与高适薛据登慈恩寺浮图》注⑭。争:争着给。缠头:唐时歌舞伎演奏完毕,宾客赠给的绫帛或财物叫缠头。红绡(xiāo 消):一种精细轻薄的红色丝制品。这两句说,每当她弹完一曲后,长安贵族子弟给她送的红绡(即缠头)简直不计其数。 (59)钿(diàn 店)头银篦(bì 闭):两头镶着金花和珠宝的发篦。银,一作“云”。击节:打拍子。 (60)血色:鲜红如血的颜色。污(wù 悟):染也。这句说,因在长安常陪伴客人喝酒,所以血色罗裙曾被打翻了的酒溅染脏了。 (61)这两句大意是,为了生活,在长安年复一年地弹奏,美好青春就这样随便地被消磨掉了。等闲:寻常的意思。 (62)走:往也。阿姨:姨母。 (63)这句说,容颜一天天显得衰老了。故,衰老的意思。 (64)车马稀:指找她弹奏的贵客少了。“车马”一作“鞍马”。 (65)老大:上了年纪。这句意即序文中的“年长色衰,委身为贾人妇”。 (66)这句说,前月到浮梁贩卖茶叶去了。浮梁:唐县名,故城在今江西景德镇市北。浮梁是当时重要的茶叶集散地。 (67)去来:走了以后。江口:渡口。这两句说,丈夫走了之后,与她相伴的只有空船以及寒冷的明月、江水罢了。明月江水寒:与前文“江浸月”、“江心秋月白”照应。 (68)梦啼:梦中哭醒了。妆泪红阑干:妆饰的脂粉和泪水混在一起,因此脸上显出了纵横的红色泪痕。妆,指脸上的脂粉。红,胭脂红色。阑干,纵横的样子。 (69)重唧唧:更加叹息,承上句“已叹息”而言。唧唧,叹息的声音,这里名词动用。 (70)同是:指白居易与琵琶女两人同样是。天涯:天边,对京城长安而言。沦落:漂沦流落。这两句说,你我同样是流落江湖的失意人,过去虽不曾相识,但彼此命运相同,心境相通,这次即便是偶然相逢也不妨倾吐心事。故下文便向她诉说谪贬之苦。 (71)辞:辞别,离开。帝京:指长安。 (72)谪:见注⑮。居:住。浔阳城:当时江州治所,今江西九江市。 (73)地僻:地方偏僻。 (74)终岁:整年。丝竹:泛指音乐。 (75)湓江:即湓水。见注③。 (76)黄芦:即芦苇。苦竹:高五六丈,笋初夏出土,通常不开花,有时六七月间枝梢开,多数颖花,形小而密集,茎及箨可制器具,笋可食。绕宅生:围绕着住宅生长。 (77)其间:其中,指作者的住宅一带。旦暮:日夜。闻何物:听得见什么东西。 (78)杜鹃:鸟名,形状像鹰。本名鹃,相传是古代蜀帝杜宇的魂魄所化,故名杜鹃或杜宇;子鹃、子规则是它的别名。鸣声凄厉,能动旅客思归之情,故又称催归、思归。又传说它叫时嘴上会流出血来,古代诗人常用“啼血”形容它凄厉的鸣声,如:王令《送春》的“子规夜半犹啼血”,文天祥《金陵驿》的“化作啼鹃带血归”。 (79)花朝:春季花开的早晨。秋月夜:即“秋江月夜”,“江”字承上“春江花朝”省去。 (80)往往:常常。独倾:一个人倒酒喝。 (81)这两句说,难道没有山歌和村笛吗?但是它们都嘈杂繁碎使人很难听下去。白居易在这里贬低“山歌与村笛”,是为了衬托琵琶女技艺的高妙。呕哑(ōu yǎ 欧雅)嘲哳(cháo zhé 潮折):指乱杂而繁碎的声音。 (82)君:指琵琶女。琵琶语:指她所奏的琵琶曲。 (83)耳暂明:耳朵为之一爽。暂,一。 (84)莫辞:不要推辞。更坐:重新坐下。与前文“起敛容”照应。更，再。 ⑧翻：依照曲调，写成歌词。 ⑧此言：这些话。良久立：站立了很久。 ⑧却坐：重新坐下。照应"莫辞更坐"。却，再。促弦：把弦拧得更紧。 ⑧凄凄：寒凉之意。向前：刚才。 ⑧重闻：重新听。掩泣：遮着脸流泪。 ⑨座中：在座的人当中。一作"就中"。泣：眼泪。 ⑨江州司马：白居易自称。青衫：唐时最低官职的服色。

韩　碑

李商隐

元和天子神武姿①，　彼何人哉轩与羲②。

誓将上雪列圣耻③，　坐法宫中朝四夷④。

淮西有贼五十载⑤，　封狼生貙貙生罴⑥。

不据山河据平地⑦，　长戈利矛日可麾⑧。

帝得圣相相曰度⑨，　贼斫不死神扶持⑩。

腰悬相印作都统⑪，　阴风惨淡天王旗⑫。

愬武古通作牙爪⑬，　仪曹外郎载笔随⑭。

行军司马智且勇⑮，　十四万众犹虎貔⑯。

入蔡缚贼献太庙⑰，　功无与让恩不訾⑱。

帝曰"汝度功第一⑲，　汝从事愈宜为辞⑳"。

愈拜稽首蹈且舞㉑，　"金石刻画臣能为㉒。

古者世称大手笔㉓，　此事不系于职司㉔。

当仁自古有不让㉕"，言讫屡颔天子颐㉖。

公退斋戒坐小阁㉗，　濡染大笔何淋漓㉘！

点窜《尧典》《舜典》字㉙，　涂改《清庙》《生民》诗㉚。

文成破体书在纸㉛，　清晨再拜铺丹墀㉜。

表曰"臣愈昧死上㉝"，咏神圣功书之碑㉞。

碑高三丈字如斗㉟，　负以灵鳌蟠以螭㊱。

句奇语重喻者少㊲，　谗之天子言其私㊳。

长绳百尺拽碑倒㊴，　粗砂大石相磨治㊵。

公之斯文若元气㊶，　先时已入人肝脾㊷。

汤盘孔鼎有述作㊸，　今无其器存其词㊹。

呜呼圣皇及圣相㊺，　相与烜赫流淳熙㊻。

公之斯文不示后⁴⁷，　　曷与三五相攀追⁴⁸？
愿书万本诵万遍⁴⁹，　　口角流沫右手胝⁵⁰。
传之七十有二代⁵¹，　　以为封禅玉检明堂基⁵²。

【作者简介】 李商隐(813—858)，字义山，号玉溪生，怀州河内(今河南沁阳县)人。早年为令狐楚所赏识，又因其子绹之力而于开成二年(837)中进士。王茂元镇兴元，素爱其才华，表为掌书记，并以女儿嫁给他。当时牛、李竞争剧烈，王茂元属李党，令狐楚属牛党，李商隐夹在中间，处境困难，因而政治上一生不得意。

李商隐与杜牧齐名，同为晚唐的重要诗人。他虽遭际坎坷，但始终关心政局，反对宦官擅权，藩镇割据。他的诗揭露了当时的政治黑暗和社会动乱，用多种方式抒写了伤时忧国之情以及个人怀才不遇之感。其中咏史诗多是借古讽今抨击朝政之作。爱情诗大都写得缠绵悱恻，哀艳动人。他的诗最富艺术特色，许多篇什构思新颖，想象奇妙，形象鲜明，语言优美。而其七绝七律更是脍炙人口，抒情婉转，造意含蓄，韵调和谐，对仗工巧。但由于他终生潦倒，诗中往往流露感伤情绪；有些诗也由于用典冷僻，措辞过美，以致诗义隐晦难以捉摸。有《李义山集》。

【说明】 唐宪宗时，宰相裴度力主削平藩镇，首先进军淮西。元和十二年(817)，他亲赴淮西前线指挥。韩愈为行军司马。淮西平定，韩愈随裴度还京，宪宗命他撰《平淮西碑》。韩愈认为淮西所以平定，首先是裴度执行宪宗之意，所以碑文中突出地叙述了他的决策统帅之功。唐邓随节度使李愬却认为在淮西之役中，他雪夜入蔡州，生擒吴元济，应居首功，对碑文突出裴度耿耿于怀。李愬的妻子是唐安公主的女儿，出入宫禁，说碑文内容不真实，于是宪宗使人倒碑磨去韩文，命翰林学士段文昌重新撰文刻碑。

李愬在淮西之役中建立了卓著的功勋，但对淮西之役全过程来说，其功勋终究是局部的，而且是在裴度统一部署指挥下和"武、古、通"的协同作战所取得的。韩愈在碑文中突出裴度是识大体有远见，正如姚范所说："裴度以宰相宣慰，君臣协谋，著度之威，而主威益隆。"这对日后平定河北，统一全国是有深刻意义的。韩愈的《平淮西碑》反对藩镇割据，维护中央集权，旗帜鲜明，观点明确，在历史上的进步意义是不容否定的。李商隐的《韩碑》对韩文加以肯定和赞扬，也是有真知灼见的进步行为，当然，他还可能有针砭时政的意图。到宋代，陈珦磨去段文，重刻韩文；苏轼并以诗对韩文大加赞扬："淮西功业冠吾唐，吏部文章日月光。千载断碑人脍炙，不知世有段文昌。"(《临江驿》)这些实际上都是对李商隐看法的声援。

全诗五段。"元和"八句，叙淮西割据势力猖獗和宪宗平定的决心；"帝得"十句，叙裴度指挥平定淮西之功；"帝曰"八句，叙韩愈受命撰《平淮西碑》；"公退"十四句，叙撰文、立碑和倒碑的经过；"公之"十二句，赞叹《平淮西碑》的不朽价值。

【注释】 ①元和天子：指宪宗李纯。元和是宪宗的年号(806—820)。神武：神圣英武。姿：同"资"，资质，素质。　②彼：他，指宪宗。何人：怎么样的人。哉：语末疑问词，相当于"呢"。轩：轩辕氏，即黄帝。羲：伏羲氏。他们都是传说中的上古圣王，这里用来比喻宪宗。这句句式比较特殊，实为两句：上四字"彼何人哉"是问，下三字"轩与羲"是答，就是说，宪宗是怎么样的人呢？他是上古轩辕氏和伏羲氏那样的圣王。　　③雪：洗雪。列圣耻：指玄宗、肃宗、代宗、德宗、顺宗各朝在安史之乱以来的种种变化中所蒙受的耻辱。列，诸，各。　　④这句说坐在法宫之中使四夷前来朝贺。法宫：皇帝治事宫室的正殿。四夷：原指中国四境的东夷、西戎、南蛮、北狄等少数民族，这里泛指全国的节度、州郡。《平淮西碑》铭词有"既定淮蔡，四夷毕来"之句。⑤这句说淮西叛乱割据达五十年之久。按史籍记载，淮西镇从代宗大历末(779)节度使李忠臣被李希烈所逐开始，一向反对中央，经过陈仙奇、吴少诚、吴少阳、吴元济等节度使相继割据，到宪宗元和十二年(817)平定淮西共三十九年。据此"淮西有贼"实是"三十九载"，这里说"五十载"当是举其成数。李诗所云"五十载"也可能是沿韩愈碑文"蔡帅之不廷授，于今五十年"之旧。淮西：言淮水上游之地，亦称淮右。唐设淮西节度使。贼：这里指对抗朝廷拥兵割据的李希烈之流。载：年。　　⑥封狼：大狼。貙(chū 初)：动物名。《尔雅·释兽》："貙獌似狸。"疏："貙似狸而大，一名獌。"獌，狼属，大獌名貙獌。罴(pí 皮)：棕熊。这里的封狼、貙、罴等凶残的猛兽都是喻指上句的淮西贼李希烈等。所谓狼生貙、貙生罴是文学形象的比喻，不能按生物学去落实。　　⑦这句说李希烈他们割据淮西，对抗朝廷，并不是凭山河之险(淮西是平原)，而是自恃兵力强盛。　　⑧利：尖锐。日：天天。麾：同"挥"。　　⑨帝：指宪宗。圣相：极言宰相的贤能。相曰度：即"圣相曰度"的省略。曰度，叫裴度。　　⑩贼斫(zhuó 灼)不死：裴度和前任宰相武元衡都极力主张平定藩镇，对淮西用兵，成德镇王承宗和淄青镇李师道于元和十年(815)六月派人行刺，武元衡被害，裴度受重伤。斫，砍。这句说裴度被贼刺伤而没死是得到神灵的保护。当时宪宗愤怒地说："度得全，天也。"　　⑪都统：天宝末，置天下兵马元帅都统，监总管诸道兵马。元和十二年(817)七月，宰相裴度请亲赴淮西督战。诏拜门下侍郎平章事(宰相)又兼彰义军节度使、淮西宣慰招讨处置使。裴度因韩弘已领都统，于是辞去"招讨"之名，但行使都统职权之实。

⑫阴风：这里指寒风。惨淡：暗淡。天王旗：皇帝的旗帜。裴度从长安出发时，宪宗命神策军三百骑卫从，并亲自到通化门送行，故云"天王旗"。　　⑬愬(shuò 朔)：李愬，元和十一年被任命为唐邓随节度使，讨伐吴元济。武：韩公武，是淮西都统韩弘的儿子。古：李道古，为鄂岳团练使。通：李文通，为寿州团练使。牙爪：犹爪牙。以喻武臣。这句说，李愬、韩公武、李道古、李文通做裴度的武将。韩愈《平淮西碑》云："光颜、重胤、公武合攻其北，道古攻其东南，文通战其东，愬入其西。"　　⑭仪曹外郎：即礼部员外郎。平淮西时，礼部员外郎李宗闵兼御史，任军中书记，跟随裴度出征，故云"载笔随"。　　⑮行军司马：指韩愈。平淮西时，裴度奏右庶子韩愈兼御史中丞，充彰义军司马。智且勇：有智谋又有胆略。　　⑯这句说平淮西的十四万大军都像虎貔一样勇猛。众：这里指军队。犹：如，像。貔(pí 皮)：即貔貅猛兽。《尚书·牧誓》："尚桓桓，如虎如貔，如熊如罴，于商郊。"注："桓桓，威武貌，欲将士如四兽之猛，而奋击于商郊也。"　　⑰入蔡缚贼：元和十二年(817)十月十五日，李愬雪夜行军袭击蔡州，十七日，活捉吴元济，用槛车解送京城长安。十一月，宪宗登兴安门接收俘虏，将吴元济处死。蔡，即蔡州，故治在今河南汝南县。献太庙：吴元济被解送到长安后，先

把他献给太庙，然后解往东市斩首。太庙，皇帝的宗庙。　　⑱功无与让：言裴度在平定淮西所建立的功勋无人可与他相比。庾信《商调曲》："功无与让，铭太常之旌。"恩不訾(zī资)：言裴度因此受到皇帝极其深重的恩遇。裴度平淮西之后，论功行赏，进金紫光禄大夫，上柱国，封晋国公，户三千。不訾，无限量的意思。　　⑲这句说，皇帝说"你裴度的功劳第一"。这是顶着上句说的。帝：指宪宗。汝(rǔ乳)：你。⑳从事：官名，汉刺史的佐吏，如别驾、治中等，都称为从事吏。韩愈随从裴度平淮西，任行军司马，参与谋划，与从事的意义相近。宜为辞：应该撰写为裴度记功的文章。

　　㉑稽(qǐ启)首：叩头。蹈且舞：表示欢欣鼓舞。蹈，跳跃。且，又。　　㉒这句说，为裴度撰写歌颂功德的文章我是能够胜任的。金石刻画：金指钟鼎，石指碑碣，古时多在上面刻画记述功德的文字，韩愈写的文字也要刻画在碑上（《平淮西碑》），故云。臣：古代臣下对皇帝自称为"臣"。这里是韩愈对宪宗自称。　　㉓古者：古时。"者"字无义，起凑音节的作用。世称：社会上认为。大手笔：大著作，这里指为裴度撰写记功的文字是有关朝廷大事的大著作。　　㉔这句说，为裴度撰写记功文字这样的大事在古时不交给文学侍从之臣去完成。在唐代，这种文字都由翰林学士撰写，所以韩愈这样谦虚地说。但他结果还是说了回来："当仁自古有不让。"系：关系到。职司：职掌。这里指行军司马。　　㉕当仁不让：遇到应该做的事，积极主动去做。《论语·卫灵公》："当仁，不让于师。"　　㉖这句说，韩愈的话一说完，宪宗便连连点头。讫(qì气)：结束。屡：几次。颔颐(hàn yí汗移)：用作动词，点头的意思。颔，下巴颏。颐，面颊，腮。　　㉗公：指韩愈。退：指到小阁中去准备撰写。斋戒：旧时祭祀前，穿整洁衣服，戒绝嗜欲（如不喝酒，不吃荤，等等），以表虔诚。这里形容韩愈对撰写《平淮西碑》态度的庄严和恭敬。　　㉘濡(rú如)染：指以笔蘸墨。淋漓：饱满的样子。　　㉙点窜：言修整字句。点是减去，窜是改换。《尧典》、《舜典》：均《尚书》篇名。这句意谓：韩愈《平淮西碑》的序文，其笔法可追攀《尚书》的《尧典》、《舜典》。　　㉚涂改：与上句的"点窜"义近。《清庙》、《生民》：均《诗经》篇名。《清庙》在《周颂》中，《生民》在《大雅》中。这句意谓：韩愈《平淮西碑》序文后面缀的铭词，其笔法可追攀《诗经》的《雅》、《颂》。　　㉛破体：行书的变体。唐张怀瓘《书断》："王献之变右军行书，号曰破体书。"　　㉜清晨：早晨。再拜：表示极度恭敬。丹墀(chí迟)：这里指宫殿的红漆台阶。　　㉝昧死：冒犯死罪。这是旧时臣下向皇上写奏章时用的套语。　　㉞咏神圣功：歌颂宪宗、裴度的神圣功勋。书之碑：书之于碑，把它写在碑上。　　㉟字如斗：字像酒杯那样大。　　㊱这句说，石碑下面有灵鳌背负着，石碑上面有蟠龙盘绕着。负以灵鳌：以灵鳌负它。灵鳌，海中大鳖，这里指载负石碑的鳌形基石。灵，神灵，美称。蟠以螭(chī痴)：以螭蟠它。蟠，盘绕。螭，无角龙。指碑上所刻的螭形花纹。　　㊲喻：理解。　　㊳谗(chán蝉)之天子：谗之于天子，指李愬妻到皇帝那里说韩愈的坏话。谗，说人家的坏话。之，指代韩愈。天子，指宪宗。　　㊴拽(zhuài)：拉。　　㊵治(zhì)：整理。　　㊶斯文：此文。指《平淮西碑》。若：像。元气：即天地间的空气。　　㊷这句说，韩愈的《平淮西碑》早已深入人心。　　㊸汤盘：指商汤沐浴的盘(浴盆)上刻有铭文。《大学》："汤之盘铭曰：'苟日新，又日新，日日新。'"孔鼎：指孔正考父鼎上的刻文。《左传·昭公七年(前353)》："(正考父)鼎铭云：一命而

偻,再命而伛,三命而俯。循墙而走,亦莫予敢侮。"述作:即指《汤盘》、《孔鼎》上面的铭文。 ㊹这句说,现在《汤盘》、《孔鼎》虽然没有了,但它们的铭词仍然存在。 ㊺呜呼:这里是赞美之词。圣皇:指宪宗。圣相:指裴度。 ㊻相与:相互的意思。烜(xuǎn 选)赫:声威昭著。流:流传。淳:淳正。熙:光明。这句是赞美宪宗和裴度削平藩镇的赫赫功业会千古流传。 ㊼不示后:如果不能传示后世。 ㊽曷(hé 何):相当于"何",怎么。三五:指三皇五帝,与前文"轩"、"羲"照应。这句说,怎么能知道宪宗的功业能与三皇五帝并驾齐驱呢? ㊾这句说,韩碑我愿抄写一万份朗读一万遍。书:写。诵:读。 ㊿口角流沫:承上句的"诵万遍"。沫,唾沫。右手胝(zhī 支):承上句的"书万本"。胝,手脚上的茧。这里指右手因抄万份韩碑而生的茧。
(51)这句说,韩碑可传千秋万代。《史记·封禅书》:"管仲曰:'古者封泰山禅梁父者,七十二家。'"有:又。 (52)封禅:古时帝王为宣扬其功业而祭天祭地的一种典礼。在泰山上筑土为坛以祭天,报天之功叫封;在泰山下小山(梁父)上开辟祭地,报地之功叫禅。玉检:封存封禅文书的器具。明堂:古时帝王宣明政教、召见诸侯、举行祭祀和选拔人才的地方。

乐 府

燕歌行

高 适

汉家烟尘在东北, 汉将辞家破残贼①。
男儿本自重横行②, 天子非常赐颜色③。
拟金伐鼓下榆关④, 旌旆逶迤碣石间⑤。
校尉羽书飞瀚海⑥, 单于猎火照狼山⑦。
山川萧条极边土⑧, 胡骑凭陵杂风雨⑨。
战士军前半死生⑩, 美人帐下犹歌舞⑪。
大漠穷秋塞草腓⑫, 孤城落日斗兵稀。
身当恩遇常轻敌, 力尽关山未解围⑬。
铁衣远戍辛勤久⑭, 玉箸应啼别离后⑮。
少妇城南欲断肠⑯, 征人蓟北空回首⑰。
边庭飘飖那可度⑱, 绝域苍茫更何有⑲。
杀气三时作阵云, 寒声一夜传刁斗⑳。
相看白刃血纷纷㉑, 死节从来岂顾勋㉒?
君不见沙场征战苦㉓, 至今犹忆李将军㉔。

【作者简介】 高适(约700—765),字达夫,一字仲武,渤海蓨(今河北沧县)人。幼时贫困,二十岁后游长安、蓟门、梁、宋等地。四十岁以后,因宋州刺史张九皋推荐,举有道科,授封丘尉。不久愤而辞去,在河西节度使哥舒翰幕府中掌书记。安史之乱后,历任显官,终左散骑常侍。《旧唐书》指出:"有唐以来,诗人之达者唯适而已。"

由于高适早年生活潦倒,有机会接触人民,深知民间疾苦;参加戎旅后,对边塞生活又深有体验,所以他有一部分诗现实性较强。他的诗歌成就是多方面的,但其中最富艺术魅力的还是边塞诗,本书入选的《燕歌行》即其代表。盛唐诗人大都对边塞乐于吟咏,唯独高适与岑参最负盛名。高适的古风多吸取近体诗的韵律,虽对仗排比而仍不失古诗奔放自然的特色。有《高常侍集》。

【说明】 《燕歌行》是乐府平调曲名。《乐府诗集》:"《乐府解题》曰:'晋乐奏魏文帝《秋风》、《别日》二曲,言时序迁换,行役不归,妇人怨旷,无所诉也。'《乐府广题》曰:'燕,地名也,言良人从役于燕,而为此曲。'"高适原序说:"开元二十六年(738),客有从御史大夫张公出塞而还者,作《燕歌行》以示适。感征戍之事,因而和焉。""御史大夫张公"指幽州长史张守珪(guī 归)。诗中有"战士军前半死生,美人帐下犹歌舞"之句,历来评此诗者多认为是讽刺张守珪的。傅璇宗先生在《唐代诗人丛考》中已指出其谬误。他在翔实考证之后说:从高适《宋中送族侄式颜》"这首诗,可以确切地证明《燕歌行》并非讽刺张守珪的隐慝败状。'战士军前半死生,美人帐下犹歌舞'是用典型化的诗句写军中的苦乐不均,如果以为专指历史上的具体某事,反而将其典型意义缩小了"。(参阅该书《高适年谱中的几个问题》第二部分)

根据诗的序言,作者主要是针对"东北"边将军政败坏而发的。诗的主题是对边将在卫国战争中骄纵轻敌致使广大爱国战士遭受惨重牺牲的揭露。

诗开头写出广大战士慷慨出征,杀敌卫国的决心和豪气。接下去又描绘了边塞警报十分紧急,胡骑向我发动了猖狂进攻。面对这种情况,广大战士个个视死如归,希望尽快地消灭敌人。然而黑暗的现实和他们的愿望相反,正在"战士军前半死生"的严重关头,边将们却仍然过着花天酒地"美人帐下犹歌舞"的糜烂生活。这就深刻地揭示了爱国的广大战士与昏庸腐朽的边将之间的深刻矛盾,也从而反映了最高统治者任用边将的不得其人。诗中作者对广大战士奋不顾身、英勇杀敌的英雄气概和崇高风格进行了热情的歌颂,对边将的骄纵轻敌、不恤战士给予了尖锐的讽刺。

此诗出色地描绘了错综复杂的矛盾和战士在不同情况下内心感情的种种变化。它采用了鲜明的对比和大量的排偶句。尽管作者大量运用排偶句,但却毫无板滞之感,这在乐府诗中也是不多见的。其次,作者在用典和遣词各方面处处紧扣诗题"燕"字,如"东北"、"榆关"、"碣石"、"瀚海"、"狼山"、"大漠"、"蓟北"、"李将军"等都同"燕"的环境和历史有着非常密切的关系。而末尾以广大战士怀念"李将军"结束,既扣紧了"燕"字,又点明并深化了主题,读来尤其精警动人。

【注释】 ①汉家:汉朝,这里借指唐朝。烟尘:烽火和尘土,这里指敌人入侵。汉将:即唐将,用法同"汉家"。残贼:凶暴的敌人。 ②男儿:男子。本自:本来。横行:驰骋奋战,无所阻挡。 ③天子:皇帝。赐颜色:给面子,赐予光彩的意思。 ④扠(chuāng 窗):击的意思。金:指钲(zhēng 征),似铃,行军时用来节止步伐。伐:敲打。下：出。榆关：即山海关，在今河北省秦皇岛市东北。　⑤旌旆（jīng pèi 京配）：指军中的各种旗帜。逶迤（wēi yí 威移）：连绵不断的样子。碣（jié 节）石：山名，在今河北省昌黎县北，汉时还在陆上，六朝时沉入渤海中。这里用来泛指东北沿海一带。⑥这句说校尉又从渤海方面急忙地传来了警报。校尉：武官名，位次于将军。羽书：插有鸟羽的军用紧急文书。瀚海：大沙漠，这里指今内蒙古自治区东北、西拉木伦河上游一带的沙漠，当时为奚族所占。　⑦这句意谓敌人已准备向我发动猖狂的进攻。单于（chán yú 蝉余）：匈奴部族首领的称号，这里指突厥的首领。唐时突厥属单于都督府。猎火：打猎时燃起的火光。古代游牧民族作战前，往往举行大规模的狩猎，它的意义相当于现代的军事演习。狼山：即狼居胥山，在今内蒙古自治区克什腾旗西北一带。　⑧这句说边地的山川整个呈现出萧条之状。极：穷尽。　⑨这句说敌人骑兵像狂风急雨似的发动了进攻。胡骑（jì 记）：指敌人的骑兵。北方民族骑兵的战斗力极强。凭陵：侵犯。杂风雨：形容敌人的骑兵来势凶猛如狂风急雨。　⑩这句说战士们在前线牺牲惨重。军前：指前线。半死生：死者、生者各半，说明伤亡之多。　⑪这两句说边将骄纵淫逸，不能身先士卒，正当战士在前线遭到惨重牺牲时，他们还在军营中令美女唱歌跳舞。美人：指边将的歌女。帐下：指边将的营帐之中。　⑫大漠：大沙漠，即前文的"瀚海"。穷秋：深秋。塞（sài 赛）：边塞。腓（féi 肥）：病，这里指枯萎。一作"衰"。　⑬这两句说，将军们身受朝廷的恩遇，却守备不严，以致常常遭到敌人的进攻，广大战士在战斗中用尽了力气，还不能解除敌人的围困。身当恩遇：身受朝廷的重视。轻敌：不认真对付敌人。关山：指边塞作战之地。　⑭铁衣：即铁甲。远戍：远离家乡为国戍守边疆。　⑮玉箸（zhù 助）：形容战士妻子的眼泪流下像玉制的筷子。箸，筷子。　⑯少妇：这里指战士的妻子。城南：长安住宅区在城南。　⑰征人：指战士。蓟（jì 季）北：泛指东北边地。蓟，唐蓟州治所，今河北蓟县。　⑱边庭：边疆。飘飖（yáo 摇）：动荡不安的意思。那可度：哪能度过。　⑲绝域：极远的边地。苍茫：迷茫不清的样子。更：再。何有：即何在。　⑳上句写白天战场杀气腾腾，弄得天昏地暗；下句写黑夜军营戒备森严，警报频传。三时：指时间长久。三，不表确数。阵云：形容杀气如云成阵。一夜：指整夜。刁（diāo 雕）斗：军用铜器，容积一斗，白天用来煮饭，晚上敲它报更。　㉑刃（rèn 认）：兵器的总称，如刀、剑、矛、戟等。血纷纷：纷纷，繁盛的样子，这里指血多。"血"一作"雪"。　㉒死节：指为国献身。节，气节，这里指保卫祖国的气节。岂顾勋（xūn）：哪里是为了个人的功勋。㉓君不见：君，对人的尊称。君在这里不确指哪个人，乐府诗中常有"君不见"、"君不闻"之类的措词。沙场：即战场。　㉔今天的战士还常常怀念汉代的李广将军。忆：想念。李将军：指汉代名将李广，武帝时为右北平太守，防御匈奴。作战时能身先士卒，深受部下爱戴。匈奴人很害怕他，几年不敢犯边。详见《史书·李将军列传》。一说"李将军"指战国时赵将李牧。李牧事迹见《史记·廉颇蔺相如列传》。

古从军行

李　颀

白日登山望烽火①，　黄昏饮马傍交河②。
行人刁斗风沙暗③，　公主琵琶幽怨多④。
野营万里无城郭⑤，　雨雪纷纷连大漠⑥。
胡雁哀鸣夜夜飞，　胡儿眼泪双双落⑦。
闻道玉门犹被遮，　应将性命逐轻车⑧。
年年战骨埋荒外，　空见蒲桃入汉家⑨。

【说明】　《从军行》属乐府《相和歌·平调曲》，内容多写军旅苦辛愁怨之情。此诗借汉武帝无谓的征战讽刺唐玄宗黩武穷兵，其结果是"年年战骨埋荒外，空见蒲桃入汉家"，如此而已。这里的"闻道玉门犹被遮，应将性命逐轻车"和杜甫《兵车行》中的"边庭流血成海水，武皇开边意未已"有异曲同工之妙。

【注释】　①烽火：边塞用来报警的烟火。　②饮马：给马喝水。傍：靠着。交河：在今新疆维吾尔自治区吐鲁番县境。　③行人：这里指出征的战士。刁斗：见上诗注⑳。风沙暗：指风沙特别大，使白天也显得昏暗。　④公主琵琶：汉武帝时，乌孙(西域国名)国琨莫(一作"弥")向汉求婚，武帝以江都王刘健的女儿细君为公主，嫁给他，称乌孙公主。为了减除她在途中的思乡之苦，叫人在马上弹琵琶以为娱乐。幽怨：深长的怨恨。这句意谓边地荒凉，使人发愁。　⑤野营：在野外结营。一作"野云"。郭：外城。　⑥大漠：大沙漠。　⑦胡雁：指西北少数民族地区的雁。胡儿：指西北少数民族的人民。这两句写战争的残酷，"胡儿"和汉族士兵一样感到痛苦，连胡雁也因失所而日夜哀鸣。　⑧闻道：听说。玉门：即玉门关，在今甘肃敦煌县。犹：还是。遮：拦阻。这里是指皇帝不准休兵。《史记·大宛传》载：汉武帝命李广利攻大宛(西域国名)，目的是要他到贰师城取良马，号他为贰师将军。作战经年，死伤过多，他上书请求罢兵。武帝大怒，派人挡住玉门关，下令说："军有敢入者辄斩之！""玉门犹被遮"即用其意。应：该。性命：生命。逐：追随，跟着。轻车：原指汉武帝时的轻车将军李蔡，这里泛指将军。这两句说，既然战争不利而皇帝又不准休兵，那战士就只该冒着生命危险继续跟随将军作战。　⑨年年：指作战时间之久。战骨：战士的尸骨。荒外：极其遥远的边地。空见：只见。蒲桃：同"葡萄"，一作"蒲陶"。葡萄是西域特产，汉武帝时，汉使从大宛采葡萄种子归国，遍种于汉武帝的行宫旁边。见《汉书·西域传》。这两句说，连年征战牺牲了无数的战士，只是换来一些葡萄献给皇帝享乐罢了。

洛阳女儿行

王　维

洛阳女儿对门居①，　才可容颜十五余②。
良人玉勒乘骢马③，　侍女金盘脍鲤鱼④。
画阁朱楼尽相望⑤，　红桃绿柳垂檐向⑥。
罗帏送上七香车，　宝扇迎归九华帐⑦。
狂夫富贵在青春，　意气骄奢剧季伦⑧。
自怜碧玉亲教舞，　不惜珊瑚持与人⑨。
春窗曙灭九微火⑩，　九微片片飞花琐⑪。
戏罢曾无理曲时⑫，　妆成只是熏香坐⑬。
城中相识尽繁华，　日夜经过赵李家⑭。
谁怜越女颜如玉，　贫贱江头自浣纱⑮！

【说明】《洛阳女儿行》属乐府《新乐府辞》，取萧衍《河中之水歌》中"洛阳女儿名莫愁"的前四字为题。这首诗是借描写贵妇人的豪奢而空虚的生活，讽刺豪门贵族平庸无能而高官厚禄意气骄横，末两句"越女"的遭遇正是象征贤才与上面的洛阳女儿象征庸才而对照的。作者对这种不合理的社会现象深致不满。诗前幅先写否定事物，末尾两句写肯定事物并露出作意，前后形成强烈对照，艺术效果良好。后来白居易的《歌舞》、《买花》、此诗《轻肥》等诗正是受到王维这种对照的启示。

【注释】①洛阳女儿：这里指贵族女子。洛阳，非实指。对门居：萧衍《东飞伯劳歌》有"谁家女儿对门居，开颜发艳照里闾"之句。对门，夫妻配合的意思。　②才可：约莫。容颜：容貌。十五余：十五岁多些。　③良人：丈夫。玉勒：宝玉装饰的马笼头。骢马：青白色的良马。按诗意，这句中的"玉勒"本应放在"乘"之后"骢马"之前，如"良人乘玉勒骢马"，但这样便成了散文的句子，违反了七言诗上四下三的规律，读起来拗口，所以才把它的位置和"乘"调换，这在诗中是完全容许的，也是常见的现象。　④侍女：婢女。脍(kuài 快)：细切的鱼肉。这里名词动用。辛延年《羽林郎歌》："就我求珍肴，金盘脍鲤鱼。"王维这里正是用辛的成句。　⑤画阁朱楼：形容住宅的豪华。尽相望：满眼都是。　⑥垂檐向：向着屋檐下垂着。这句写洛阳女儿住宅周围风景之美。　⑦罗帏：丝织的帐幕。这里指用来护围七香车的帘幕。七香车：芳香华贵的车子。七香，用多种香料制成的香。宝扇：古时贵族女子出嫁时遮面用的。九华帐：见前白居易《长恨歌》注㉛。这两句写洛阳女儿出嫁时的排场。以上六句写洛阳女儿生活的奢华。　⑧狂夫：古时妇女自称其丈夫的谦词。与前文"良人"照应。在：当。意气：这里有任性的意思。骄奢：骄纵而奢侈。剧：甚于，动词。季伦：晋代石崇字季伦。他以骄奢闻名，曾与贵戚王恺斗富。王恺拿出一株两尺高的珊瑚树和石崇比，石崇用铁如意把它敲碎，王恺认为太可惜了。石崇便叫人拿出三四尺高的珊瑚树六七株来偿还王恺。这两句说，洛阳女儿的丈夫年轻富贵，意气骄奢超过了石季伦。　　⑨自怜：自我珍惜。碧玉：南朝宋汝南王的侍妾。这里指"狂夫"的侍女。珊瑚持与人：见注⑧。持与人，拿给人家。这两句承上两句写"狂夫"的"骄奢"。　　⑩曙灭：天亮时熄灭。九微火：灯名。《汉武内传》："七月七日，设座大殿上，燃九光九微之灯，以侍王母。"　　⑪花琐：指灯火的碎屑。　　⑫戏：游玩。理曲：温习琴曲。⑬妆成：梳妆打扮好了。熏香：把香料点燃，使香气随烟喷发。　　⑭赵李：语本阮籍《咏怀》中的"西游咸阳时，赵李相经过。"赵殿成笺注认为，赵、李是指汉成帝二女宠赵飞燕、李平的亲属，"籍所引，正借用为贵戚事"。这两句说洛阳女儿相识与来往的不是豪门，便是贵戚。　　⑮怜：爱。越女：指西施，见前王维《西施咏》说明。颜如玉：指容貌美丽。《古诗》："燕赵多佳丽，美者颜如玉。"浣(huàn 换)：洗。这两句说，谁会爱上贫贱的越女西施呢？尽管她貌美如玉，也只能天天在江头自己浣纱罢了。

老将行

王　维

少年十五二十时，　　步行夺得胡马骑①。
射杀山中白额虎②，　　肯数邺下黄须儿③。
一身转战三千里，　　一剑曾当百万师④。
汉兵奋迅如霹雳⑤，　　虏骑崩腾畏蒺藜⑥。
卫青不败由天幸⑦，　　李广无功缘数奇⑧。
自从弃置便衰朽⑨，　　世事蹉跎成白首⑩。
昔时飞雀无全目⑪，　　今日垂杨生左肘⑫。
路旁时卖故侯瓜，　　门前学种先生柳⑬。
苍茫古木连穷巷，　　寥落寒山对虚牖⑭。
誓令疏勒出飞泉⑮，　　不似颍川空使酒⑯。
贺兰山下阵如云⑰，　　羽檄交驰日夕闻⑱。
节使三河募年少⑲，　　诏书五道出将军⑳。
试拂铁衣如雪色㉑，　　聊持宝剑动星文㉒。
愿得燕弓射大将㉓，　　耻令越甲鸣吾君㉔。
莫嫌旧日云中守，　　犹堪一战取功勋㉕。

【说明】《老将行》也属乐府《新乐府辞》。

这首诗是歌颂一位从小英勇、屡立边功的老将被弃闲居，但仍希望为国杀敌的高尚品质和爱国精神。诗中也流露了诗人对统治者压抑贤才的愤慨情绪。全诗三段，每段十句。"少年"十句，写老将少年时的英雄气概和有功无赏的不幸遭遇；"自从"十句，写老将被弃闲居后的寂寞生活和苦闷心情；"贺兰"十句，写老将闻边情紧急，仍希望为国杀敌建立边功。

【注释】 ①夺得胡马：《史记·李将军列传》载，李广兵败被胡骑抓住，使广卧马上，广假装已死，他瞥见旁边一个胡儿骑了一匹良马，忽然跳上良马，把胡儿推堕马下，鞭马南奔而脱险。这句化用其事。胡，这里指敌方。得，一作"着"，一作"取"，义同。这两句形容老将少年时的机智、勇敢。 ②射杀山中白额虎：据《史记·李将军列传》载，李广为右北平太守时，多次射杀山中猛虎。又据《晋书·周处传》载，周处曾射死山中的白额虎，为民除害。 ③肯数(shǔ 暑)：岂肯让？邺(yè 业)下黄须儿(ní 倪)：指曹操的第二个儿子曹彰，性刚猛，胡须色黄，年轻时善于骑马射箭，征乌桓时立了大功，曹操赞美他说："我黄须儿可用也。"(《世说新语》)魏都城在邺(今河南临漳县)，故云"邺下黄须儿"。 ④师：军队。 ⑤汉兵：汉朝的兵。奋迅：奋，奋起；迅，迅速。常用以形容能振心力，捷于赴事。霹雳：迅猛的雷声。 ⑥房骑(jì季)：敌人的骑兵。畏：害怕。蒺藜(jí lí 急黎)：即铁蒺藜，古时战地用的一种防御工具，状如菱角，散布途中，阻拦敌军。 ⑦卫青：汉武帝皇后卫子夫之弟，因征匈奴，官至大将军。天幸：言自然侥幸，非人力所致。卫青的外甥霍去病，也因征匈奴立大功封骠骑将军。赵殿成笺注："《汉书》：'去病所将常选，然亦敢深入，常与壮骑先其大军，亦有天幸，未尝困绝也。'按天幸乃去病事，今指卫青，盖误用也。"按：赵殿成所引《汉书》的话见《霍去病传》。 ⑧李广：陇西成纪(今甘肃秦安县)人，善骑射，文帝时因击匈奴有功，拜散骑常侍。武帝时为右北平太守，匈奴人很害怕他，称他为"飞将军"，几年不敢犯边。他与匈奴交战七十多次，屡建奇功，却一直得不到封侯的爵赏。无功：指没有功名，并不是说他没有建立功勋。缘：因为。数奇(jī 基)：即命运不好。数，命数；奇，古人认为偶数(双数)吉，奇数(单数)凶。汉武帝元狩四年(公元前119)李广随从大将军卫青击匈奴，武帝暗中告诫卫青说："李广年老数奇，毋令当单于，恐不得所欲。"以上史实均见《史记·李将军列传》。这句是借李广的事迹比喻老将有功无赏的遭遇。 ⑨弃置：抛弃不用。衰朽：言老迈无用。 ⑩蹉跎：虚度岁月。白首：白头。 ⑪昔时：从前。飞雀无全目：形容老将射艺之高超。《文选》鲍照《拟古》："惊雀无全目。"李善注引《帝王世纪》："帝羿有穷氏与吴贺北游。贺使羿射雀。羿曰'生之乎？杀之乎？'贺曰：'射其左目。'羿引弓射之，误中右目。羿仰首而愧，终身不忘。故羿之善射，至今称之。""无全目，是说射艺之精，能射中雀之一目，使其双目不全。这句和前文"射杀山中白额虎"照应。"飞雀"原作"飞箭"，赵殿成笺注认为"箭当作雀"。现依赵注改。 ⑫上句说，老将从前的射技是非常高超的。下句说，由于多年被废弃，现在年老力衰，肘上像生瘤子一样不灵活，再也无力射箭了。垂杨生左肘(zhǒu 帚)：意谓老将肘硬不能挽弓射箭了。《庄子·外篇·至乐》："支离叔与滑介叔观于冥伯之丘，昆仑之墟，黄帝之所休，俄而柳生其(指滑介叔)左肘。"王先谦注："瘤作柳。""柳生其左肘"即"瘤生其左肘"。杨柳是柳的别名，"垂杨生左肘"即"垂柳(瘤)生左肘"。这句承上"自从"两句。 ⑬这两句是说老将如今被迫隐居。故侯瓜：故侯，指秦朝的召平曾封东陵侯。秦灭亡后,他变为布衣,在长安城东种瓜为生,瓜美,世人称之为"东陵瓜"。见《史记·萧相国世家》。故,旧,从汉代对前代的秦而言。先生柳:晋陶潜有《五柳先生传》云:"先生不知何许人也,亦不详其姓字,宅边有五柳树,因以为号焉。"后人因称陶潜为"五柳先生"。　⑭苍茫:旷远迷茫的样子。穷巷:深僻的巷子。寥落:犹言寂寞。虚牖(yǒu有):空虚的窗户。这两句写老将的住处。　⑮令:使。疏勒出飞泉:用东汉耿恭求泉的典故。耿恭带兵守疏勒城,抵抗匈奴,匈奴截断水源,耿恭便命令士兵在城中掘井,深十五丈尚不见泉,耿恭便整衣祈祷。不久泉水迸出,全军高呼"万岁"! 匈奴大惊以为神助,于是撤兵而去。见《后汉书·耿弇列传》。疏勒,今新疆维吾尔自治区疏勒县。这句意谓老将尚有为国戍边的壮志。　⑯颍川空使酒:用灌夫好发酒疯的典故。灌夫,颍川郡颍阴(今河南许昌)人,是西汉景帝时的将军。性刚直,不喜阿谀贵戚,好使酒骂座,后被田蚡诬陷灭族。见《史记·魏其武安侯列传》。颍川,这里用以指代灌夫。使酒,借酒发脾气。　⑰贺兰山:在今甘肃贺兰县西,唐时是西北边防据点之一。阵如云:极言驻兵之多。　⑱羽檄:军用紧急文书。交驰:交互奔驰。日夕:不分白天黑夜。闻:传报。这句意谓军队调动极其频繁。　⑲节使:使臣。古时使臣持符节以为信记,故称。三河:指河东(今山西黄河以东一带)、河内(今河南黄河以北一带)、河南(今河南黄河以南一带)。募年少:招募青年人从军。　⑳诏书:皇帝的文告。五道出将军:即将军分五道出兵迎击敌人。《汉书·常惠传》:"汉大发十五万骑,五将军分道出。"《汉书·匈奴传》:"遣御史大夫田广明为祁连将军,四万余骑出河西;渡辽将军范明友,二万余骑出张掖;前将军韩增,三万余骑出云中;后将军赵充国为蒲类将军,三万余骑出酒泉;云中太守田顺为虎牙将军,三万余骑出五原。凡五将军兵十余万骑,出塞各二千余里。""五道出将军"语本此。　㉑铁衣:铠甲,即古人作战时穿的铁制防护衣。这句说把铁衣抹得像雪一样白。　㉒聊:姑且。持:拿起。宝剑动星文:镶在宝剑上的七个金星闪闪发光。王维《赠裴旻将军》:"腰间宝剑七星文,臂上雕弓百战勋。见说云中擒黠虏,始知天上有将军。"可与此诗互相参看。《吴越春秋》:"子胥乃解百金之剑,以与渔者:'此吾前君之剑,中有七星,价值百金。'"孔稚珪《白马篇》其二:"文犀六属铠,宝剑七星光。"吴均《边城将》:"刀含四尺影,剑抱七星文。"　㉓愿得:希望得到。燕弓:古时燕地所产的弓,以坚劲著名。大将:此指敌方将领。　㉔越甲鸣吾君:这是用齐国雍门子狄的故事。《说苑·立节篇》载:越国的军队侵入齐国的国境,雍门子狄为此向齐王请死。齐王说:"鼓铎之声未闻,矢石未交,长兵未接,你怎么便请死呢?"雍门子狄说:"我曾听说,从前您在苑围打猎,有个车右因车子的左毂作响惊扰了您而向您请死,有这回事吗?"齐王说:"有这回事。"雍门子狄说:"现在越国的军队惊扰您难道还会在左毂响声惊扰之下吗?车右可以因左毂响而死,而我却不可以因越兵入境而死吗?"说完便刎颈自杀了。当天,越国人听到这事便撤兵七十里,并且说:"齐国有雍门子狄这样好的臣子,侵犯齐国将使越国社稷遭受灭亡的危险。"便引兵回国。齐王以上卿之礼葬雍门子狄。越甲,指越国的军队。鸣:惊扰。吾,我。君,这里指齐王。这句是说,老将认为国家让敌人侵犯是自己的耻辱,誓死杀敌报国。　㉕莫嫌:不要嫌弃。旧日:从前。云中守:是用汉魏尚的故事。魏尚是汉文帝时的名将。他做云中太守时,防御匈奴,极得军心,匈奴不敢犯边。后因上功首虏差六级,被削职为民。有一天汉文帝对冯唐说:"我独不得廉颇、李牧为将,岂忧匈奴哉?"冯唐却为魏尚抱不平,说:"陛下(皇帝)法太明,赏太轻,罚太重,且云中守尚,坐(因)上功首虏差六级,陛下下之吏,削其爵,罚作之。由是(此)言之,陛下虽得李牧不能用也。"文帝听了很高兴,便责令冯唐持节去赦免魏尚的罪,并恢复他云中太守的官职。见《汉书·冯唐传》。云中,今山西大同一带。守,太守的简称。犹堪:还能。最后两句写老将虽被弃置闲居,但仍渴望为保卫边疆杀敌立功。

桃源行

王 维

渔舟逐水爱山村①，　　两岸桃花夹古津②。
坐看红树不知远③，　　行尽青溪忽值人④。
山口潜行始隈隩⑤，　　山开旷望旋平陆⑥。
遥看一处攒云树⑦，　　近入千家散花竹⑧。
樵客初传汉姓名，　　居人未改秦衣服⑨。
居人共住武陵源⑩，　　还从物外起田园⑪。
月明松下房栊静⑫，　　日出云山鸡犬喧⑬。
惊问俗客争来集⑭，　　竞引还家问都邑⑮。
平明间巷扫花开，　　薄暮渔樵乘水入⑯。
初因避地去人间⑰，　　及至成仙遂不还⑱。
峡里谁知有人事，　　世中遥望空云山⑲。
不疑灵境难闻见⑳，　　尘心未尽思乡县㉑。
出洞无论隔山水，　　辞家终拟长游衍㉒。
自谓经过旧不迷，　　安知峰壑今来变㉓。
当时只记入山深，　　青溪几度到云林㉔。
春来遍是桃花水，　　不辨仙源何处寻㉕。

【说明】《桃源行》也属乐府《新乐府辞》。诗的遣词造句多本于陶潜的《桃花源记》。但王维把"桃花源"当做仙境来歌咏,却毫无现实意义,对陶潜创作《桃花源记》的意图也是一个极大的歪曲。这虽是作者十九岁时的创作,但这为他日后隐居辋川逃避现实在思想上播下了种子。

【注释】①逐水:追逐着水。　②古津:古渡口。这里指幽僻的溪流。一作"去津"。　③坐看:且看。红树:指桃花。不知远:不管路远。　④值:碰上,遇到。

"忽值"一作"不见"。　　⑤始：开始。隈隩(wēi yù 威遇)：山岩的幽深曲折处。　　⑥旷：空阔。旋：忽然间。平陆：平坦的土地。　　⑦攒(cuán)云树：云和树聚集在一起。　　⑧千家：指桃花源中的人家。散花竹：到处散生着花和竹子。　　⑨樵客：采柴的人。这两句说，到桃花源中采柴的人开始传着汉朝人的姓名，而桃花源中的居民依然没有改变秦朝人穿的衣服。因为他们的祖先是在秦朝逃避来桃花源的，秦以后的外界变化全不知道，故云。　　⑩武陵源：即桃花源，在今湖南桃源县，晋代属武陵郡(今湖南常德)，故称。　　⑪物外：人世以外。　　⑫房栊(lóng 龙)：房屋。栊，窗户。　　⑬喧：大声。这里指鸡犬鸣叫。　　⑭俗客：指渔人和樵客。　　⑮竞引还家：争着延引渔人到自己家中去。问都邑：指居人向渔人询问自己原来家乡的情况。"都"一作"乡"。　　⑯平明：天刚亮时。闾(lú 驴)巷：言里巷。薄暮：傍晚。渔：指捕鱼的人。樵：指采柴的人。这两句写桃花源环境的幽静和生活的安详。　　⑰避地：指"避秦时乱"。去：离开。人间：王维是把桃花源作为仙境来描绘的，所以称桃花源以外的社会为人间。　　⑱及至：等到。遂：便。　　⑲峡里：指桃花源中。世中：即上文的"人间"。空：只。这两句意谓，外界的人远远只能望着桃花源的云山，根本不知道这里面还有人们生活着。　　⑳不疑灵境：渔樵不会怀疑这里是仙境。难闻见：难以听到和看到。　　㉑尘心：俗念。这句说由于渔樵还没有消尽俗念，所以他们仍然想念家乡。　　㉒出洞：指离开桃花源。拟：想，打算。游衍：游玩。这两句说渔樵离开桃花源以后，尽管和它隔着千山万水，但总想辞家再来这里尽情地游玩。　　㉓这两句说，自己认为经过的旧路不会迷乱，哪料到原来的山峰山谷现在已经变样了。这就是说，想再到桃花源去，已经找不到原来的路了。壑(hè 贺)：山谷。今来：犹云"如今"。　　㉔几度：几次。云林：和前文"云树"照应。　　㉕遍是：到处都是。桃花水：春季桃花开时雨水很多，故称。仙源：指桃花源，和前文"灵境"照应。这两句说，尽管春来到处都可看到桃花水，但不认识去桃花源的路，又从何处去寻找仙源呢？

<h1 style="text-align:center">蜀道难</h1>

李　白

噫吁嚱，危乎高哉①！蜀道之难，难于上青天②！

蚕丛及鱼凫，开国何茫然③。

尔来四万八千岁，不与秦塞通人烟④。

西当太白有鸟道，可以横绝峨嵋巅⑤。

地崩山摧壮士死，然后天梯石栈相钩连⑥。

上有六龙回日之高标⑦，下有冲波逆折之回川⑧。

黄鹤之飞尚不得过，猿猱欲度愁攀援⑨。

青泥何盘盘，百步九折萦岩峦⑩。

106

扪参历井仰胁息⑪，以手抚膺坐长叹⑫。

问君西游何时还⑬？畏途巉岩不可攀⑭！

但见悲鸟号古木，雄飞雌从绕林间⑮。

又闻子规啼夜月，愁空山⑯。

蜀道之难，难于上青天⑰！使人听此凋朱颜⑱。

连峰去天不盈尺⑲，枯松倒挂倚绝壁⑳。

飞湍瀑流争喧豗，砯崖转石万壑雷㉑。

其险也若此，嗟尔远道之人胡为乎来哉㉒！

剑阁峥嵘而崔嵬，一夫当关，万夫莫开。

所守或匪亲，化为狼与豺㉓。

朝避猛虎，夕避长蛇㉔。

磨牙吮血，杀人如麻㉕。

锦城虽云乐，不如早还家㉖。

蜀道之难，难于上青天！侧身西望长咨嗟㉗。

【说明】　《蜀道难》，乐府《相和歌·瑟调曲》，内容都是写蜀道难行。李白这篇虽用旧题，但无论思想内容的丰富和艺术技巧的高超都是空前的。这首诗是天宝初年李白在长安所作。

全诗三段。"噫吁嚱"十九句，写蜀道的高峻及其开辟历史；"问君"十四句，写蜀道的奇险难行及途中的恐怖气氛；"剑阁"十四句，写蜀中地形险要及其在政治上的重要性。综观全诗，诗人大胆运用神话传说，出色地描绘了由长安入蜀的惊险而奇丽的山川，对祖国大好河山进行了热情的赞颂，诗中借对剑阁惊险的描绘，点出了蜀中地形险要和环境险恶，直接抒发了他深沉的爱国思想，他希望这一大好河山不要成为野心家祸国殃民的巢穴，是对当时封建中央选人守蜀的警诫。本诗在旧时代有其进步意义。即在今天秦蜀道路畅通(宝成铁路通车)后仍有其历史价值和艺术价值。诗的艺术特色主要是想象和夸张，尤其是夸张贯串于全诗。诗人以惊人的想象与高度的夸张相结合，刻画了奇险而壮美的山川风貌，给读者以强烈的艺术感染。诗人为了突出蜀险易乱的主题，一开头便大呼"噫吁嚱，危乎高哉！蜀道之难，难于上青天"，来引起读者的注目。以下便转入蜀道难的具体描绘。诗末又以"蜀道之难，难于上青天！侧身西望长咨嗟"与开头作强烈的呼应而结束。"蜀道之难，难于上青天"在诗中三次出现，表现了强烈的反复咏叹，大大增浓了诗的抒情色彩。同时，诗句长短不拘，参差错落，笔法豪放恣肆富于变化，冲破了以前七古的老套，也有力地表现了诗人奔腾澎湃的爱国激情。

【注释】　①噫吁嚱(yī xū xī 衣虚西)：惊叹声。宋庠《笔记》："蜀人见物惊异，辄曰'噫吁嚱'，李白作《蜀道难》，因用之。"危乎高哉：是加倍惊叹蜀道又高又险。乎、哉，这里都是语气感叹词。　②这句说行走蜀道比登上青天还要困难。　③蚕丛、鱼凫(fú 扶)：传说中蜀国的两个开国先王。何：多么。茫然：渺远的样子。这两句说，蚕丛、鱼凫开建蜀国的远古历史，因时间邈远，无法考查。　④尔来：此来，指自地开国以来。四万八千岁：是夸张之词。岁，年。不：一作"乃"。秦塞(sài 赛)：犹言秦地。指今陕西一带。塞，边界险要的地方。古人称秦为"四塞之国"，故云。人烟：谓人户烟火。这两句说，从蜀地开国后，因高山阻挡，几万年不能和秦地来往。　⑤这两句意谓，由秦入蜀西面有太白山拦着，没有人路只有鸟道。西当：西面当着，这是以长安为中心而言。太白：山名，在今陕西郿县东南。鸟道：指太白山顶峰峦起伏，只有一条鸟才能飞过的线路。横绝：横度。峨嵋：见前白居易《长恨歌》注㊷。巅：山顶。　⑥这两句说，地崩山塌壮士牺牲了，然后秦、蜀之间才有路可通。壮士死：古代神话传说，秦国开发蜀地时，秦惠王答应把五个美女嫁给蜀王，蜀王派了五个力士去迎接，回到梓潼，遇上一条大蛇钻进山洞，五个力士便共同拉住蛇尾，想把它拉出来，结果把山拉倒，五个力士和美女都被压死，山也分为五岭，从此秦蜀之间才开始往来。壮士，指五个力士。天梯：指高峻的山路，一级一级像上天的梯子一样。石栈(zhàn 站)：在山岩间凿石架木而建成的道路。钩连：连接起来。　⑦六龙回日：古代神话，羲和驾着六条龙拉的车子每天载着太阳在空中运行，到了这里也只好迂回而过。指把车子从高峰旁边绕过去。高标：这里指峰巅。　⑧冲波：冲激起来的波浪。逆折：波浪回旋曲折。回川：旋涡。　⑨黄鹤：即黄鹄(hú 胡)，一名天鹅。体长三尺余，形似鹅，颈长，毛色苍黄，也有白的，善于高飞，是健飞的大鸟。猱(náo 挠)：蜀地所产的猿类的一种，又名金线狨。欲：想。愁攀援：意即害怕攀援，难以攀援上去。上句说善飞的黄鹄飞不过去，下句说善攀援的猿猱也攀不上去，都是极度形容蜀山之高，蜀道之难行。　⑩青泥：山岭名，在今陕西略阳县西北。盘盘：回旋曲折的样子。百步九折：在短短的一百步路程内，要转许多弯子。九，言其多，非确数。萦(yíng 营)：环绕。岩峦(luán 峦)：山峰。这两句说，由秦入蜀经过青泥岭时，转来转去都是山峰。　⑪扪(mén 门)：摸。历：经过。参(shēn 深)、井：二星宿名。参是蜀地的分野，井是秦地的分野。仰：仰头。胁息：屏住呼吸。这句说，由秦入蜀，山高摩天，登者可以上摸星辰，仰头一望简直使人紧张得透不过气来。"扪参"、"历井"互文见义，既是"扪参、井"又是"历参、井"。　⑫抚膺：摸着胸口。叹：这里押平韵读"tān 摊"。　⑬君：泛指入蜀的人，下文"远道之人"同。"问君西游何时还"是李白立足长安对西游蜀地的人而言。　⑭畏途：可怕的路途。巉(chán 谗)岩：险峻的山岩。不可攀：不可以攀登上去，意谓危险极了。　⑮但见：只闻。悲鸟：叫声凄厉的鸟。号(háo 毫)古木：号于古木，在古树上哀鸣。雄飞雌从：一作"雄飞从雌"。　⑯又闻：承上文"但见"。子规：见前白居易《琵琶行》注㊆。啼夜月：啼于夜月之下，子规在夜月之下哀啼。愁空山：愁于空山之中，游人在空山之中听了子规哀啼而发愁。子规啼声哀怨动人，听上去好像在叫"不如归去"似的。　⑰这句与开头第二句以及末尾倒数第二句重叠见义。⑱此：指"子规啼夜月"的凄凉情景。凋朱颜：使青春红润的容颜为之衰谢。这句意谓，在蜀山听了"子规啼夜月"，使青年人也会因发愁而变得衰老。这是高度的夸张形容。　⑲连峰：峰连着峰。去：距离。盈：满。这句一作"连峰入烟几千尺"。

倚：靠着。绝壁：陡绝的岩壁。　㉑飞湍(tuān 团阴平)：如飞的急流。瀑(pù 铺)流：瀑布。喧豗(huī 灰)：哄闹声。砯(pēng 烹)：水击岩石的声音。崖(yá 牙)：山边。转：翻滚。壑(hè 贺)：山谷。这两句说急流和瀑布汇成的巨流撞岩转石在万山中发出雷鸣般的声响。　㉒嗟(jiē 阶)：叹词，相当于"唉"。尔：你。远道之人：远路而游蜀地的人。胡为乎来哉：做什么到这里来呢！胡为：为胡，为什么。胡，这里同"何"。乎、哉，这里兼有疑问、感叹两种语气。　㉓剑阁：见前白居易《长恨歌》注㊶。峥嵘(zhēng róng 争荣)：高峻的样子。崔嵬(wéi 围)：高险而突兀不平的样子。一夫：一人。莫开：不能打开、攻破。或：有的，这里是假设的意思。匪：同"非"，不是。亲：亲近可靠的人。狼、豺：比喻残害人民的叛乱者。这五句写剑阁地势的险要。　㉔朝：早上。夕：晚上。猛虎、长蛇：都是比喻蜀地可能出现的叛乱者。这两句是说对叛乱者防不胜防的意思。　㉕吮(shǔn 损)血：吸血。如麻：像麻一样多。　㉖锦城：即锦官城，成都的别名。成都自古以来是蜀地的政治、经济、文化中心，也是全国有名的繁华城市之一。云：说。不如早还家：与前文"西游何时还"照应。《古诗十九首》(其十九)："客行虽云乐，不如早旋归。"这两句化用其意。　㉗侧身：因忧惧不安而立身反侧。西望：因担忧而西望蜀地。这仍然是就李白立足在长安而言，与前文"西当太白"、"西游"照应。长咨(zī 资)嗟：长叹息。"嗟"在这里因押"麻"韵，仍须读"jiā"，不然念起来就有损诗味了。张衡《四愁诗》："侧身西望泪沾裳。"

长相思二首

李　白

其　一

长相思，　　　　　在长安①。
络纬秋啼金井阑②，　微霜凄凄簟色寒③。
孤灯不明思欲绝④，　卷帷望月空长叹⑤，
美人如花隔云端⑥。
上有青冥之长天，　下有渌水之波澜⑦。
天长地远魂飞苦，　梦魂不到关山难⑧。
长相思，　　　　　摧心肝⑨。

其　二

日色欲尽花含烟，　月明如素愁不眠⑩。
赵瑟初停凤凰柱，　蜀琴欲奏鸳鸯弦⑪。
此曲有意无人传，　愿随春风寄燕然⑫。

忆君迢迢隔青天，

昔日横波目，　　　今为流泪泉⑬。

不信妾肠断，　　　归来看取明镜前⑭。

【说明】《长相思》属乐府《杂曲歌辞》，取《古诗》："上言长相思，下言久别离"之意为题。

李白这两首诗不是同时之作，是编选人蘅塘退士因诗题相同而排在一起的。第一首似是写他被迫离开长安后对玄宗的想念，相思而不能相见，连梦魂也难度关山，诗中充满了诗人壮志难酬的苦闷和愤懑。第二首写一女子对出征丈夫的想念，缠绵悱恻，不胜哀怨之苦。

【注释】①长安：唐代京城，今陕西西安市。　　②络纬：虫名。又名莎鸡，俗称纺织娘。金井阑：形容雕漆华丽的井栏。"阑"通"栏"。这句说，纺织娘秋夜在井栏上鸣叫。　　③微霜：小霜。凄凄：寒凉的意思。簟(diàn 店)：竹席。　　④不明：指灯不亮。思欲绝：极言想念得激烈。　　⑤卷帷：卷起窗帘。望月："这里就是"望月怀远"之意。叹：因押平韵，读"tān 摊"。　　⑥美人：指贤人君子，这里指诗人所怀念的人。如花：这里是象征他的才德。隔云端：喻相隔之远。枚乘《杂诗》："美人在云端，天路隔无期。"为本句用语所本。　　⑦青冥：这里是形容高远的天空，做"长天"的状语。渌(lù 路)水：清水。这两句承"隔云端"具体描绘与"美人"相隔之遥远。　　⑧天长地远：是上两句内容的综合。天长即"上有青冥之长天"，地远即"下有渌水之波澜"。这两句写天长地远不能见面，想在梦中相会，但梦魂也难度这重重险阻的关山。　　⑨长相思：与第一句重叠而作强烈的呼应。摧心肝：伤心肝。摧，悲伤的意思。　　⑩日色欲尽：指太阳正在西沉。花含烟：形容傍晚水汽渐多，远看花色朦胧如含烟雾。素：洁白的绢，形容月色。这两句写女子日夜相思之苦。　　⑪赵瑟：战国时赵女善鼓瑟，故名。初停：刚停止。凤凰柱：刻有凤凰形状的瑟柱。这里含有夫妇成双配偶之意。下句"鸳鸯弦"用法同。"凤凰"、"鸳鸯"都是雌雄相随的鸟。蜀琴：蜀郡人司马相如善弹琴，故名。蜀琴也可能含有司马相如以琴心挑卓文君故事的联想。这两句中的鼓瑟弹琴都是写女子对丈夫的怀念之情。　　⑫此曲：指上两句的琴瑟之音。燕(yān 烟)然：山名。燕然山即杭爱山，在今蒙古人民共和国境内。东汉窦宪追北单于，曾登此山勒石纪功而还。这里借指女子的丈夫远戍的边塞。这两句说，琴瑟曲中的深意无人传给丈夫，但愿它随着春风送到燕然去吧。春风在这里人格化了，这和诗人在《闻王昌龄左迁龙标遥有此寄》的"我寄愁心与明月，随君直到夜郎西"的"明月"用法相同。　　⑬忆：想念。君：指丈夫。迢迢：遥远。昔：从前。横波：言目斜视，如水波之横流，这里形容目光的顾盼生动。流泪泉：极言泪水之多。这三句说，由于热切地想念丈夫，往日生动的目光今天已变为流不尽的泪水了。　　⑭妾：古时女子的自我谦称。看取：看着。取，语助词，犹着也。明镜：明亮的镜子。

行路难

李 白

金樽清酒斗十千，　　玉盘珍羞直万钱①。
停杯投箸不能食，　　拔剑四顾心茫然②。
欲渡黄河冰塞川，　　将登太行雪满山③。
闲来垂钓碧溪上，　　忽复乘舟梦日边④。
行路难，行路难，　　多歧路，今安在⑤？
长风破浪会有时，　　直挂云帆济沧海⑥。

【说明】《行路难》是古乐府《杂曲歌辞》旧题，内容多写世路艰难及离别悲伤之情。李白《行路难》共三首，这是其中的第一首。

此诗写他被迫离京漫游，感到功业无成，因借旅途的处处艰难比喻仕途的重重险阻。诗中洋溢着诗人对黑暗政治的愤恨和切望施展抱负的积极浪漫主义精神。

【注释】①金樽：华美的酒器。清酒：指美酒。斗十千：见下诗注⑫。玉盘：华美的菜盘。珍羞：珍贵的菜肴。羞：同"馐"。直：同"值"。这两句写筵席的华贵。　　②投：掷下。箸(zhù 驻)：筷子。不能食：不能吃下。四顾：向四面张望，形容不知所措。茫然：渺茫而无着落的神情。这两句是化用鲍照《拟行路难》："对案不能食，拔剑击柱长叹息。"③太行：即太行山，在今山西、河北、河南三省边界。这两句暗喻自己的政治出路被权贵堵塞。　　④垂钓碧溪：吕尚(姜太公)未遇文王前，曾一度在磻溪(今陕西宝鸡市东南)钓鱼。李白这里的垂钓碧溪是借指他被排挤出长安后的漫游隐居生活。忽复：忽然又。乘舟梦日边：伊尹将受商汤的聘用时，梦见乘船经过日、月旁边。日、月比喻天子、皇后。这两句暗用吕尚和伊尹终得任用的故事表示自己对重回朝廷的希望。　　⑤多歧路：多岔路。《列子·说符》："杨子之邻亡羊，即率其党(乡里人)，又请杨子之竖(小孩)追之。杨子曰：'嘻！亡一羊，何追者之众？'邻人曰：'多歧路。'既反(返)，问：'获羊乎？'曰：'亡之矣。'曰：'奚亡之？'曰：'歧路之中又有歧焉，吾不知所之(往)，所以反也。'"今安在：现在要走的正路在什么地方？安，何，指什么地方。这两句说前途极其曲折崎岖。　　⑥长风破浪：喻舒展宏伟抱负。《宋书·宗悫传》："宗悫少时，叔父炳问其志。悫曰：'愿乘长风破万里浪。'"会：当，该。有时：有时机。直挂云帆：一径挂起高大的风帆。济：渡。沧海：青绿色的海，泛指大海。这两句是比喻，意谓总有一天会施展自己的政治抱负。

将进酒

李 白

君不见黄河之水天上来，　奔流到海不复回①。

君不见高堂明镜悲白发，　　朝如青丝暮成雪②。
人生得意须尽欢，　　　　　莫使金樽空对月③。
天生我材必有用，　　　　　千金散尽还复来④。
烹羊宰牛且为乐⑤，　　　　会须一饮三百杯⑥。
岑夫子，丹丘生，　　　　　将进酒，杯莫停⑦。
与君歌一曲，　　　　　　　请君为我倾耳听⑧。
钟鼓馔玉不足贵⑨，　　　　但愿长醉不愿醒⑩。
古来圣贤皆寂寞，　　　　　惟有饮者留其名⑪。
陈王昔时宴平乐，　　　　　斗酒十千恣欢谑⑫。
主人何为言少钱，　　　　　径须沽取对君酌⑬。
五花马，　　　　　　　　　千金裘，
呼儿将出换美酒，　　　　　与尔同销万古愁⑭。

【说明】　《将进酒》属古乐府《鼓吹曲·铙歌》旧题，内容多写宴饮放歌的情趣。

　　这首诗大概是天宝四年(745)李白在梁园(今河南开封市)与友人岑勋、元丹丘欢宴时所作。同时之作有《酬岑勋见寻就元丹丘对酒相待以诗见招》、《鸣皋歌送岑征君》、《送岑征君归鸣皋山》，可以参看。李白被权贵排挤出长安后，感到政治抱负无法施展，内心苦闷无法排遣，因而借酒发泄，强烈地表现出他蔑视世俗反抗权贵的傲岸性格，也反映出他对"天生我材必有用"的自信精神。但诗中也流露出他的人生易老及时行乐的消极思想。全诗气势奔放，语言豪迈，句法明快多变，是最能代表李白艺术特色的作品之一。

　　【注释】　①君不见：是乐府中常用的一种套语，"君不闻"也是如此。其中的"君"多是泛指。天上来：黄河发源于青海，因那里地势极高，故云。不复回：不再回头。②高堂：高大的厅堂。这句说，在高堂的明镜中照见白发而生悲。青丝：形容黑发。青，黑色。　③得意：高兴的时候。须：要，应该。莫使：不要使得。金樽：华美的酒器。空：白白地。这两句说，人生在世应尽情欢乐，在月下不要让酒杯空着，而应该对月痛饮。　④千金散尽：李白《上安州裴长史书》："曩昔(从前)东游维扬，不逾(过)一年，散金三十余万，有落魄公子，悉皆济之。"还复来：还会再来的。　⑤宰：杀。且为乐：姑且作乐。　⑥会须：应该。三百杯：极言饮酒之多，表示痛饮，并非实指。　⑦岑(cén)夫子：即岑勋。丹丘生：即元丹丘。两人都是李白的好友。将(qiāng 腔)进酒，杯莫停：一作"进酒杯莫停"。将，请。　⑧与君：给你们，为你们。君，指岑勋、元丹丘两人。歌：唱。为我：和"与君"相应。倾耳听：倾着耳听，也就是要特别认真地听。　⑨钟鼓馔(zhuàn 转)玉：指富贵。古时富贵人家宴会上常鸣钟击鼓作乐。馔玉是形容饮食的精美。馔，饮食。不足贵：不值得重视。　⑩但愿：只希望。　⑪寂寞：指默默无闻，得不到朝廷的重用。惟有：只有。饮者：饮酒的人。　⑫陈王：指曹操的第三子曹植，于魏明帝太和六年(232)被封为陈王。宴平乐：曹植《名都篇》有

"归来宴平乐,美酒斗十千"。平乐,即平乐观(guàn 贯),汉宫阙名,故址在洛阳西门外,今河南洛阳市附近。斗酒十千:一樽酒值十千枚铜钱,极言酒美。斗,酒器。恣(zì自)欢谑(xuè):尽情地欢乐嬉笑。这两句叙曹植当年的豪华放浪生活。　⑬主人:李白自称。何为:为何。径须:直须,应该直截了当。沽取:买取。取,见前李白《长相思》注⑭。对君酌:对着你们喝酒。　⑭五花马:毛色呈五种花纹的马。这里指名贵的马,与下句"千金裘"对举。千金裘:价值千金的狐裘。《史记·孟尝君列传》:"孟尝君有一狐白裘,直千金,天下无双。"将出:拿出去。尔:你们,指元丹丘、岑勋。万古愁:形容愁闷之多。这四句说要不惜任何代价沽酒消愁。

兵车行

杜 甫

车辚辚,马萧萧,　　　　　行人弓箭各在腰①。
耶娘妻子走相送,　　　　　尘埃不见咸阳桥②。
牵衣顿足拦道哭,　　　　　哭声直上干云霄③。
道傍过者问行人,　　　　　行人但云点行频④。
或从十五北防河,　　　　　便至四十西营田;
去时里正与裹头,　　　　　归来头白还戍边⑤。
边庭流血成海水,　　　　　武皇开边意未已⑥。
君不闻汉家山东二百州,　　千村万落生荆杞⑦。
纵有健妇把锄犁,　　　　　禾生陇亩无东西⑧。
况复秦兵耐苦战,　　　　　被驱不异犬与鸡⑨。
长者虽有问,　　　　　　　役夫敢伸恨⑩?
且如今年冬,　　　　　　　未休关西卒⑪。
县官急索租,　　　　　　　租税从何出⑫?
信知生男恶,　　　　　　　反是生女好;
生女犹得嫁比邻,　　　　　生男埋没随百草⑬!
君不见青海头,　　　　　　古来白骨无人收⑭。
新鬼烦冤旧鬼哭,　　　　　天阴雨湿声啾啾⑮。

　　【说明】《兵车行》和下面的《丽人行》、《哀江头》、《哀王孙》四篇都是杜甫自创新题即事名篇的新乐府诗。这首诗是天宝十年(751)在长安为反对玄宗不断开边而作。它以用兵吐蕃为题材,以小见大,进行揭露与讽刺。诗劈头如风雨骤至,出现了一个哭声震天送别征人的凄惨场面,令人触目惊心。下面却设为问答,具体控诉玄宗的开边罪行及其严重后果。诗以人哭开始,以鬼哭结束,暗示眼前的征人都将变为"新鬼"之后的新鬼,真是悲惨之极。诗中形象地揭示了不断开边给人民带来了深重苦难,使农业生产遭到严重的破坏,田地荒芜而皇帝还要急索租税,"边庭流血成海水"而玄宗开边的欲望还没有停止。这是一篇封建时代进步诗人大胆揭露皇帝淫威,深切同情人民疾苦的血泪诗篇。其思想的深刻,感情的沉痛,章法的整严而善于曲折变化,音响的谐和而富于顿挫生姿,在乐府诗中都是前无古人的。

【注释】 ①辚辚(lín 邻):众车声。萧萧:马鸣声。行人:从军出征的人。 ②耶:同"爷",父亲。走相送:赶来送别。咸阳桥:即中渭桥,在咸阳西南渭水上,今陕西西安市西北。桥广六丈,南北一百八十步,有六十八个桥洞,是唐代长安通往西域的要道。这两句写行人与送行的人众多,扬起尘埃满天,连大桥也看不见了。 ③干:冲犯。这两句暗示不正义的战争人民是不支持的,所以送行的人哭声震天。④道傍过者:即指杜甫自己。但云:只说。点行频:不断点兵出征。点行,即按名册强制征调。频,频繁,即指下文的"十五北防河","四十西营田",等等。 ⑤或:有的人。十五、四十:均指年龄。防河:玄宗开元十五年(727)以后,经常征调陇右、关中、朔方诸军驻扎河西(黄河以西之地,今甘肃、宁夏一带)防止吐蕃侵扰,称为防河。营田:即汉代的屯田制,屯戍的兵士兼开垦的力役,平时种田,战时作战。当时屯田在西北一带,也是为了防备吐蕃的骚扰。去时:离开家乡的时候。里正:唐制,一百户为一里,设有里正,即里长。与裹头:给征丁扎头巾。这里形容征丁年幼,需要里正代扎头巾。与上文"十五"照应。还戍边:还要去戍守边塞。这四句说被征的人从小到老都在外地防河、营田、戍边,永无回家从事生产之望。 ⑥边庭:边疆。一作"边亭"。流血成海水:极言兵士牺牲之多。《资治通鉴》卷二百一十六:"天宝八年(749)六月,哥舒翰以兵六万三千,攻吐蕃石堡城,拔之,唐军卒死伤数万。"武皇:即汉武帝,这里隐指唐玄宗。一作"我皇"。开边:以武力开拓边疆。意未已:即野心勃勃还没有停止。这两句是本诗的中心。 ⑦汉家:借指唐家。山东二百州:山东,这里义同"关东",指华山以东。《十道四番志》:"关以东七道,凡二百一十一州。"(《分门集注杜工部诗》引)荆杞(qǐ 起):荆柴和枸杞,均野生植物。这两句意谓,由于玄宗征调频繁,致使广大农村一片萧条。 ⑧纵:纵然,即使。健妇:强健的妇女。陇亩:即田亩。无东西:指禾长得不成行列。这两句说,农业生产遭到严重破坏。 ⑨况复:况且加上。秦兵:关中兵,指这次从咸阳桥出发的队伍,也就是下文的"关西卒"。不异:不别于。这两句说由于秦兵耐战,所以他们被征调得更加频繁。 ⑩长者虽有问:与上文的"道傍过者问行人"照应。长者,对年老人的尊称,这里是行人对杜甫的尊称。役夫:行人自称。敢伸恨:岂敢申说自己心头的怨恨? 这两句用反诘写出人民对压迫敢怒而不敢言的痛苦。 ⑪且如:就像。休:停止。关西卒:即秦兵。这两句与前文"武皇开边意未已"照应。 ⑫县官:言天子,因不敢直诉,故谓之"县官"。急索租:紧急地索取租税。租税从何出:与上文"千村万落生荆杞"、"禾生陇亩无东西"照应。 ⑬信:诚,的确。生男恶:生了男孩是坏事,因男的要被征调当兵。这句与上文"耶娘"照应。反是:反而是。犹得:还能。比邻:近邻。埋没随百草:指战死草野,无人收埋,即下文的"白骨无人收"。这四句写由于皇帝无休止的征战,改变了人们重男轻女的心理状态。

《长城谣》:"生男慎勿举,生女哺用脯。不见长城下,尸骸相支拄?"为杜诗所本。

⑭君不见:与前文"君不闻"照应。青海头:青海湖边。自唐高宗仪凤年间开始,唐和吐蕃经常在这一带交战,唐兵死亡很多。青海头,与上文"边庭"照应。 ⑮烦冤:愁烦委屈的意思。啾啾(jiū 纠):古人迷信想象的鬼叫声。末二句与前文"牵衣"二句照应。

丽人行

杜 甫

三月三日天气新①, 长安水边多丽人②。
态浓意远淑且真③, 肌理细腻骨肉匀④。
绣罗衣裳照暮春, 蹙金孔雀银麒麟⑤。
头上何所有⑥? 翠为匐叶垂鬓唇⑦。
背后何所见? 珠压腰衱稳称身⑧。
就中云幕椒房亲⑨, 赐名大国虢与秦⑩。
紫驼之峰出翠釜⑪, 水精之盘行素鳞⑫。
犀箸厌饫久未下⑬, 鸾刀缕切空纷纶⑭。
黄门飞鞚不动尘⑮, 御厨络绎送八珍⑯。
箫鼓哀吟感鬼神⑰, 宾从杂遝 实要津⑱。
后来鞍马何逡巡! 当轩下马入锦茵⑲。
杨花雪落覆白蘋, 青鸟飞去衔红巾⑳。
炙手可热势绝伦, 慎莫近前丞相嗔㉑。

【说明】 天宝年间,玄宗宠爱杨妃,杨氏一家骤然显赫,杨国忠于天宝十一年(752)十一月任右丞相。这首诗是天宝十二年春杜甫在长安所作。诗是通过讽刺杨氏兄妹的骄奢淫荡,从侧面揭露玄宗后期的政治黑暗。全诗三段。"三月"十句从体貌服饰总叙游览曲江的丽人,为下段转到正面写秦、虢等丽人作铺垫。"就中"十句从饮食写秦、虢的穷奢极欲。"后来"八句叙杨国忠的骄横淫逸。从"长安水边多丽人"到"赐名大国虢与秦"到"慎莫近前丞相嗔"这一脉络来看,诗人的创作意图已鲜明如画。

【注释】 ①三月三日:即上巳节。原为阴历三月上旬的巳日(六日),自古便有临水祓除不祥的风俗。《后汉书·礼仪志》已有上巳活动的记载,虽自魏以后,改为三月三日举行,不再用巳日(见《晋书·礼乐志》),但仍旧称之为"上巳节"。后世便成为春游的节日。开元时长安士女多在这一天游览曲江。 ②长安水边:指曲江,在长安(今陕西西安市)东南,是当时的风景区,为贵族的游览胜地。丽人:美女。这里指以杨妃姐妹等贵妇人为中心的美女。 ③态浓意远:姿色艳丽,意气高远。淑且真:娴静而又自然。　　④肌理细腻:皮肤的纹理非常细嫩。匀:匀称,适中。　　⑤这两句说,绣罗衣裳上的金孔雀、银麒麟与暮春的阳光相互辉映,光彩照人。罗:一种质地稀疏而轻软的丝织品。暮春:即春季的阴历三月,与前文"三月三日"照应。蹙(cù促):刺绣的一种工艺。金孔雀、银麒麟:指用金、银两种显光的丝线刺绣的孔雀和麒麟。这句的结构是"蹙金银孔雀蹙金银麒麟","银麒麟"的"蹙"字承上省略,"金"、"银"二字互文见义。　　⑥有:与下文"背后何所见"的"见"互文见义。　　⑦翠:翡翠,即绿色硬玉。为:制作。一作"微",但以"为"字为好。与下文"压"字对称。匌(è扼)叶:古代妇人发髻上的花饰。垂:向下挂着。鬓唇:鬓边。　　⑧珠压腰衱(jiè借):衣后襟或裙腰上缀着珍珠,压使下垂。衱,一解作"裙带"。稳称(chèn衬)身:稳重贴身的意思。称,适合。　　⑨就中:其中。云幕椒房亲:这里指杨贵妃的姐妹们,即下句所云。云幕:画有云气的帐幕,汉成帝在甘泉紫殿设有云幄、云帐、云幕。椒房:后妃所居的宫殿,汉未央宫有椒房殿。以椒和泥涂壁,取其温暖和芳香。云幕、椒房均指后妃的宫殿。　　⑩赐名:皇帝恩赐的封号。虢(guó国)与秦:即虢国夫人与秦国夫人,详见前白居易《长恨歌》注㉓。杨妃有三个姐妹均封为国夫人,这里举虢、秦以概括三人。　　⑪驼峰:骆驼背上突起的肉包叫驼峰,其味鲜美,是唐贵族的珍贵食品之一。翠釜(fǔ府):翠色的锅子,一说青铜锅子。　　⑫水精:即"水晶"。行:传递。《帝王世纪》:"车行酒,骑行炙。"《南史·王琨传》:"传酒行炙。"行炙,传递菜肴。素鳞:白色的鱼。　　⑬犀箸(zhù驻):犀牛角制的筷子。厌饫(yù玉):吃饱足了。"厌"同"餍",饱也;饫,饱也。　　⑭鸾(luán峦)刀:有铃的刀,古时祭祀用以割肉。《诗经·小雅·信南山》:"执其鸾刀。"传:"鸾刀,刀有鸾者。"陈奂传疏:"《说文》:'銮,铃也,象鸾鸟之声。'通假作鸾。"缕切:细切成丝。空纷纶:白白地忙了一阵。纷纶,忙乱的样子。　　⑮黄门:宦官(太监)的通称。飞鞚(kòng控):快马飞驰。鞚,马缰绳。不动尘:形容骑马的技术熟练,虽飞马前进而尘土不扬。　　⑯御厨:皇帝的厨房。络绎:连接不断。八珍:古时八种珍贵的食品,其名称历来说法不一。这里泛指各种名贵的美味。　　⑰箫鼓:古时的两种乐器,箫是管乐之一。一作"箫管"。感鬼神:极言箫鼓声感染力之强,语含讽刺。　　⑱宾从:随从杨氏姐妹而来的客人。杂遝(tà踏):杂乱而众多的样子。实要津:语意双关,一指宾从在曲江塞满了交通要道;一指他们都是在朝廷占据要职的大官。　　⑲后来鞍马:最后一个骑马来的人,指杨国忠,即下文的"丞相"。参看前白居易《长恨歌》注㉓。后来,迟到的。何:多么。逡(qūn群阴平)巡:将进不进的样子。当轩:即当门的意思。入:进入。一作"立"。锦茵(yīn因):华贵的地毯。这两句写杨国忠气焰骄横,旁若无人的神态。　　⑳上句是写暮春曲江实景,唐时曲江多杨柳。杨花雪落:极言杨花飞舞之盛。覆:掩盖着。古代有人认为这两句是杜甫用隐语,借眼前景物影射杨国忠与从妹虢国夫人通奸,也可通。即以杨花谐杨氏,"杨花入水化为萍"(《广雅》),"萍之大者曰蘋"(《尔雅冀》),杨花、萍、蘋是一本同源的。这里以杨花谐杨姓,以"杨花覆白蘋"喻指杨氏兄妹的暧昧关系。又,北魏胡太后与杨白花私通,白花惧祸南奔改名杨华,胡太后作《杨白花歌》怀念他,有"杨花飘荡落谁家","愿衔杨花入窠里"之句。这里的杨花也化用这一与杨姓有关的淫乱故事。青鸟：神话中西王母的使者，后世泛称传递消息的人。红巾：妇女用的红手帕，古时妇女往往以红巾为定情之物，所以"青鸟衔红巾"也是指他们之间暗通消息。仇兆鳌认为这两句是继续写杨国忠的骄横气焰："杨花青鸟，点暮春景物，见唯花鸟相亲，游人不敢仰视也。一时气焰，可畏如此。"特录以供参考。　㉑炙(zhì 至)手可热：热得烫手，形容气焰逼人。炙，烤。势绝伦：权势之大无人可比。慎莫：千万不要。慎，小心。近前：走近。丞相：指杨国忠。嗔(chēn)：发怒。一作"瞋"，睁大眼睛瞪人。这两句点明丞相气焰熏天。

哀江头

杜 甫

少陵野老吞声哭，	春日潜行曲江曲①。
江头宫殿锁千门，	细柳新蒲为谁绿②？
忆昔霓旌下南苑，	苑中万物生颜色③。
昭阳殿里第一人，	同辇随君侍君侧④。
辇前才人带弓箭，	白马嚼啮黄金勒⑤。
翻身向天仰射云，	一笑正坠双飞翼⑥。
明眸皓齿今何在？	血污游魂归不得⑦。
清渭东流剑阁深，	去住彼此无消息⑧。
人生有情泪沾臆，	江草江花岂终极⑨？
黄昏胡骑尘满城，	欲往城南望城北⑩。

　　【说明】　这首诗是至德二年(757)春天在长安所作。安史之乱前，曲江是长安的游览胜地，玄宗、杨妃每年来此巡游，热闹已极。而今江头宫殿深锁，满目一片荒凉，今昔对比，触景生悲。从眼前的"细柳新蒲"、"江草江花"深刻体会到国破的巨痛。把当年玄宗、杨妃的欢乐无极和当前国家的遍地疮痍联系起来，从"明眸皓齿"一变而为"血污游魂"，从"苑中万物生颜色"一变而为"黄昏胡骑尘满城"，是多么沉痛的血的教训。时局大变，万方多难，这就是杜甫"吞声哭"、"泪沾臆"的根本原因。

　　【注释】　①少陵野老：杜甫自称。详见前韩愈《石鼓歌》注②。吞声哭：指哽咽，幽咽，因怕叛军知道，不敢哭出声来。潜行：偷偷地走着。曲江：见前杜甫《丽人行》注②。曲：指曲江弯曲偏僻的地方。这两句写自己偷偷来到沦陷后的曲江吞声哭泣。
②江头宫殿：曲江是帝、妃游幸之所，原来两岸都有行宫台殿。锁千门：因这时长安被安史叛军占领。细柳新蒲为谁绿：意谓此地江山换主，物是人非。岑参的"庭树不知人去尽，春来还发旧时花"(《山房春事》)，刘长卿的"飞鸟不知陵谷变，朝来暮去弋阳溪"(《登余干古城》)，刘禹锡的"淮水东边旧时月，夜深还过女墙来"(《石头城》)，崔

护的"人面不知何处去,桃花依旧笑春风"(《题昔所见处》),楼颖的"一去姑苏不复返,岸傍桃李为谁春"(《西施石》),等等,都和杜甫的"细柳新蒲为谁绿"同一手法。

③忆昔:回忆从前(安史之乱前)。霓旌:颜色如同霓虹的彩旗,是皇帝的仪仗。南苑:即芙蓉苑,是玄宗的行宫之一,因在曲江南面,故称"南苑"。生颜色:焕发出光彩,增加了光辉。这两句回想当年玄宗、杨妃游览曲江的情景。　　④昭阳殿里第一人:昭阳殿,汉成帝宫殿名。第一人,指成帝宠妃赵飞燕,这里借指杨妃。辇(niǎn):皇帝乘的车子。随君:随从皇帝。侍君侧:侍奉在皇帝旁边。这句说当年杨妃天天不离左右地陪伴着玄宗。　　⑤才人带弓箭:才人是宫中女官,她们在辇前武装骑马,侍卫皇帝和贵妃。啮(niè 孽):咬。勒:马口衔着的嚼口。　　⑥仰射云:指仰射云中的飞鸟。坠:落下。双飞翼:两只飞鸟。这句说,才人技艺精妙,一箭射下两只飞鸟,博得杨妃一笑。一笑,一作"一箭"。　　⑦明眸(móu 谋)皓(hào 浩)齿:形容美人的形态,指杨妃。明眸,明亮的眼睛。眸,瞳仁。今何在:今在何,现在在何处。血污游魂:指杨妃被缢死于马嵬坡事。参看前白居易《长恨歌》注㊲。　　⑧清渭:即渭水。古有"渭清泾浊"之说,故称。渭水在今陕西境内,流经马嵬坡南,杨妃葬于渭水之北。剑阁:是由秦入蜀必经之地。参看前白居易《长恨歌》注㊶。深:远的意思。去住:去,离开,指玄宗离马嵬坡入蜀;住,留下,指杨妃死后埋在渭水之北。这两句意谓,渭水东流,剑阁西上,一去一留,一生一死,彼此永无消息。　　⑨泪沾臆:泪水沾湿胸部。与前文"吞声哭"照应。江草江花:指曲江的花草,与前文"细柳新蒲"照应。草,一作"水"。岂终极:哪里有穷尽之时。这两句写杜甫痛感时局大变,而花草无知,年年依旧,触景伤情,不禁泪流。　　⑩胡骑(jì 季):这里指安禄山的骑兵。城南:指杜甫当时住的地方。望城北:望着城北,因皇宫在长安城北。一作"忘南北",一作"忘城北"。最后两句写杜甫见胡尘满城的愤慨和怅惘的心情。末句与前文"潜行"照应。

哀王孙

杜　甫

长安城头头白乌,　　夜飞延秋门上呼,
又向人家啄大屋,　　屋底达官走避胡①。
金鞭断折九马死,　　骨肉不得同驰驱②。
腰下宝玦青珊瑚,　　可怜王孙泣路隅③。
问之不肯道姓名,　　但道困苦乞为奴④。
已经百日窜荆棘,　　身上无有完肌肤⑤。
高帝子孙尽隆准,　　龙种自与常人殊⑥。
豺狼在邑龙在野,　　王孙善保千金躯⑦!
不敢长语临交衢,　　且为王孙立斯须⑧。

昨夜东风吹血腥，　东来橐驼满旧都⑨。
朔方健儿好身手，　昔何勇锐今何愚⑩！
窃闻天子已传位，　圣德北服南单于⑪。
花门剺面请雪耻，　慎勿出口他人狙⑫。
哀哉王孙慎勿疏，　五陵佳气无时无⑬！

【说明】　天宝十四年(755)十一月安史之乱爆发，次年六月安史叛军占领潼关。杨国忠怂恿玄宗连夜奔蜀，致使许多皇亲国戚因事发突然而留在长安。叛军占领长安后，大肆搜捕百官，杀戮宗室，先杀霍国长公主，永王妃及驸马杨驲等八十人，又杀皇孙二十余人，并剖其心。投降的官吏也有不少为贼耳目，遍搜王孙献贼立功。王孙们到处逃窜，狼狈已极。杜甫在潼关，沦陷时，正带着家人从奉先(今陕西蒲城)向鄜州(今陕西鄜县)逃难。七月，肃宗在灵武(今宁夏回族自治区灵武县)即位。他闻讯便把家安顿在鄜州的羌村，只身投奔灵武，中途被叛军俘虏，带到已经沦陷的长安。杜甫在长安待了半年多，亲身尝到国破家亡的痛苦，亲眼看到人民被安史叛军屠杀的惨状。他在这里把个人生死置之度外，密切关注时局，日夜盼望官军平定叛军，恢复国家统一局面，写了《悲陈陶》、《悲青坂》、《塞芦子》、《春望》、《哀江头》、《哀王孙》等一系列杰出的爱国诗篇。

　　《哀王孙》是至德元年(756)秋冬之际之作。全诗三段。"长安"四句回忆玄宗出逃情形。"金鞭"十二句，记当时王孙逃窜的狼狈情状。"不敢"十二句，告诉王孙局势已有好转，要他们谨防毒手，等待光复。

【注释】　①头白乌：即白头的乌鸦。延秋门：唐宫苑西门，出此门，有便桥渡渭水。天宝十五年(756)六月潼关沦陷，玄宗便由此门仓皇逃蜀。屋底：屋里。达官：大官。走避胡：奔跑逃避安史叛军。这四句意谓，头白乌是不祥之鸟，开初它在门上叫，玄宗便出延秋门奔蜀，后来啄大屋，朝官便四面逃散。《三国典略》："侯景篡位，令饰朱雀门，其日有白头乌万计，集于门楼。童谣曰：'白头乌，拂朱雀，还与吴。'"这里大概是用这个故事，将侯景之乱比喻安禄山的反叛。把"头白乌"视为不祥之鸟是古人迷信思想的反映。　②金鞭断折：指玄宗以金鞭鞭马快跑而断折。九马死：许多名马都因快奔过劳而死。九马，九匹骏马，这里指皇帝御用的马。骨肉：指王孙。驰驱：骑马快跑。这两句说，由于玄宗奔蜀时慌急，致使许多王孙不能和他同行。上句是诗人设想之词。　③宝玦(jué决)：玉佩，状如有缺口的玉杯。青珊瑚：郑常《洽闻记》："珊瑚初生时，肌理软腻，一年变作黑色，见风则变红色，三年色青。"泣：小声地哭。路隅(yú余)：路旁边，路角落。　④问之：问他们。但：只。乞为奴：请求给人家做奴仆。　⑤百日：约数，指日子多。窜：逃躲。荆：荆柴，野生灌木。棘(jí及)：即酸枣树，野生灌木，茎上多刺。　⑥高帝：汉高帝刘邦。尽：都是。隆准：高鼻。《史记·高祖本纪》："高祖为人隆准而龙颜。"这里借汉喻唐。龙种：古时称皇帝为龙，故称其子孙为龙种，这里指王孙。常人：一般的人。殊：不同。这两句固然说明了诗人平定叛乱心切，但也反映了他的阶级偏见和宿命论观点。　⑦豺狼在邑：指安禄山已在东京洛阳称帝。邑，京城。龙在野：指玄宗在蜀、肃宗在灵武，当时的京城长安已被安史叛军占领。善保：请好好保重。千金躯：指极贵重的身体。　　⑧不敢长语临交衢(qú 渠)：不敢临交衢长语，我不敢在临近交通的大路上和你多说话。长，多。临，靠近。衢，大路。且：只。立：站立。斯须：一会儿。这两句意谓，我不敢在大路边和你多说话，但我还是要为你站立一下子告诉你一些好消息。下面便是告诉的内容。　　⑨东风：一作"春风"。血腥：血腥气，指安史叛军到处屠杀。橐(tuó 驼)驼：同骆驼。橐，两头开口的口袋。是说骆驼能负橐囊而驮物，故称。《旧唐书·史思明传》："自禄山陷两京(东京洛阳、西京长安)，常以骆驼运两京御府珍宝于范阳(今北京市大兴县)，不知纪极(终极、穷尽)。"旧都：指长安，因当时肃宗在灵武，故称。　　⑩朔方健儿：指哥舒翰所率领的朔方军。好身手：好本领。昔：从前。何：多么、何等。勇锐：英勇、敏锐。今何愚：现在是多么迟钝，指天宝十五年(756)哥舒翰守潼关，大败。　　⑪窃闻：私下听到。天子已传位：指玄宗已传位给肃宗。天宝十五年七月肃宗即位于灵武。圣德：这里指玄宗的德。玄宗奔蜀时，曾对肃宗说："西北诸胡，我向来厚待它们，今后你一定可以得到它们的帮助。"南单于(chán yú 蝉余)：东汉光武帝中兴，匈奴分裂为三，南单于服从汉朝。这里借指回纥。肃宗即位后，遣使与回纥和亲，至德二年(757)其首领入朝。　　⑫花门：即回纥。劗(lí 梨)面：匈奴风俗，在宣誓仪式上割面流血，表示忠诚信义。这里指回纥坚决表示出兵助唐平定安史叛乱。请雪耻：即请求为唐平定叛乱，洗雪耻辱。慎勿：千万不要。出口：指漏出这个消息。他人：别人，主要指投降安史叛军的官吏。狙(jū 居)：伺机袭击。　　⑬哀哉：可哀啊。疏：疏忽。五陵：原指长安的汉朝陵墓，见前岑参《与高适薛据登慈恩寺浮图》注⑭。这里借指玄宗以前五个皇帝的陵墓：献陵(高祖)、昭陵(太宗)、乾陵(高宗)、定陵(中宗)、桥陵(睿宗)。佳气：兴旺之气。《后汉书·光武纪》："气佳哉，郁郁葱葱然。"无时无：没有什么时候没有。

五 言 律 诗

经鲁祭孔子而叹之

李隆基

夫子何为者①，　　栖栖一代中②。
地犹邹氏邑③，　　宅即鲁王宫④。
叹凤嗟身否⑤，　　伤麟泣道穷⑥。
今看两楹奠，　　当与梦时同⑦。

【作者简介】　李隆基(685—762)，即唐玄宗，一称唐明皇。开元间先后任用贤才姚崇、宋璟、韩休、张九龄等为相，史称"开元之治"。后内宠贵妃杨玉环，外宠边将安禄山，任用奸邪李林甫、杨国忠为相，政治腐败，终于招致安史之乱，自己奔逃成都，让位于其子肃宗李亨，在位四十四年。

　　李隆基能诗通音律。他一向崇尚经术，摒弃浮华，注意改革学风。登帝位后，更凭借天子权力在政治上加以号召，对盛唐质朴文风的形成起了一定作用。他自己的诗作也大都雄健有力，是他"恶华好实，去伪从真"(殷璠《河岳英灵集》序)主张的实践。沈德潜称他的诗"开盛唐一代先声"。《全唐诗》录存其诗一卷。

【说明】　诗题《全唐诗》作《经邹鲁祭孔子而叹之》。鲁是春秋时的国名，都城在今山东曲阜县。孔子(公元前551—前479)，名丘，字仲尼，春秋鲁国人。曾做过鲁国的司空、大司寇等官。后来周游列国十三年，不见用。年六十八回到鲁国，删订《诗》、《书》、《礼》、《乐》，解释《周易》，著述《春秋》。他在曲阜杏坛讲学，培养了许多弟子，后世称为"至圣先师"，奉为儒家之祖。开元十三年(725)李隆基到泰山，行封禅大典，回京途中经过曲阜"幸孔子宅致祭"(《资治通鉴》新版6767页)，因赋此诗。诗着重嗟叹孔丘一生不得志，对他深表同情。

【注释】　①夫子：一般的敬称。这里指孔丘。何为者：犹"何为焉"或"何为乎"。者，语助词。　②栖栖(xī 西)：忙忙碌碌，不安定的样子。《论语·宪问》："丘何为是栖栖者欤？"　③邹(zōu)：鲁国邑名，即今山东邹县。孔丘的父亲叔梁纥曾在此任大夫，是孔丘生长的地方。　④宅：住宅。即：就是。鲁王宫：汉代鲁恭王的宫殿。孔丘的住宅在今曲阜县的阙里。孔安国《尚书序》："鲁恭王坏孔子旧宅,以广其居,升堂闻金石丝竹之声,乃不坏宅。"　⑤叹凤:《论语·子罕》:"子曰:'凤鸟不至,河不出图,吾已矣夫!'"嗟(jiē 阶):叹息。身否(pǐ 匹):即生不逢时的意思。否,困难,逆境。"否"原是《周易》卦名,象征天地不交,万物不通,命运闭塞。　⑥伤麟:据《史记·孔子世家》载,鲁哀公十四年(公元前 418),鲁国人猎获一只麒麟。孔子认为麒麟在乱世出现,被人猎获,是象征自己不得志和将要死亡,就流泪叹息道:"麟也,麟出而死,吾道穷矣!"自此即绝笔,不著述《春秋》。　⑦两楹(yíng 盈)奠:《礼记·檀弓》:"夫子(指孔子)曰:'余畴昔(从前)之夜,梦坐奠于两楹之间,夫明王不兴,而天下其孰(谁)能宗余,余殆(差不多)将死也!'盖寝疾七日而殁(死亡)。"殷代人死后,灵柩都停放在两楹之间。因为孔丘是殷人的后裔,所以做了这个梦便认为自己快要死了。后世敬重他,也就在两楹之间祭奠他。楹,房屋的柱子。奠,向死者陈设祭品,表示悼念。当:尚也。

望月怀远

张九龄

海上生明月①,　天涯共此时②。
情人怨遥夜③,　竟夕起相思④。
灭烛怜光满,　披衣觉露滋⑤。
不堪盈手赠,　还寝梦佳期⑥。

【说明】　望月怀远,望着明月怀念远方的亲人。诗从"望月"二字着笔,诗人由望月而起相思,愈望而相思愈烈,以致长夜难眠竟生"不堪盈手赠,还寝梦佳期"的妙想。全诗情景难分,韵味深厚,前人称为五律中的《离骚》。此诗似有诗人的理想寄托。

【注释】　①生:这里是出现、升起的意思。　②天涯(yá 牙):天边,点题中"远"字。共此时:共有此时的明月光辉。这句意谓,因月照天下,这时我望明月怀念远方的亲人,他望着明月也一样在怀念我,所以说"天涯共此时"。　③情人:有情的人,多情的人,这里是诗人自称。遥夜:长夜。这句和萧纲《夜夜曲》中的"愁人夜独长"用意相同。　④竟夕:整夜。相思:相念。这里用作名词,做"起"的宾语。　⑤灭烛:熄灭烛光。怜:喜爱。光满:指月色皎洁。谢灵运《怨晓月赋》:"卧洞房兮当何悦,灭华烛兮弄素月。"此用其语。披衣:指披着衣服到户外去望月。觉露滋:因"望月怀远"太久,所以才觉得露水太多。滋,多。这两句写深夜望月,徘徊相思,由户内到户外的过程。　⑥这两句说,月光虽美好可爱,却不可能持此相赠,倒不如回去睡觉,在梦中也许可以和亲人相会吧。陆机《拟明月何皎皎》:"照之有余辉,揽之不盈手。"此用其语。不堪:不能。盈手:手里握满。盈,满。还寝:回去睡觉。佳期:美好的期会。

杜少府之任蜀川

王　勃

城阙辅三秦，　风烟望五津①。
与君离别意，　同是宦游人②。
海内存知己，　天涯若比邻③。
无为在歧路，　儿女共沾巾④。

【作者简介】 王勃(649—676)，字子安，绛州龙门(今山西河津)人。年十四应幽素科试及第，授朝散郎，为沛王府修撰。当时诸王中斗鸡风盛行，王勃戏为沛王鸡向英王鸡挑战的檄文，被高宗逐出王府。因而漫游蜀中，在剑南登山远望，慨然思慕诸葛亮的功业，并赋诗见情。后任虢州参军，犯罪当死，遇赦除名。他父亲福畤为此受到连累，由雍州司功参军贬为交趾令。王勃前往探望，渡海溺水，惊悸而死。年二十八。

王勃与杨炯、卢照邻、骆宾王号称"初唐四杰"。他们的诗风虽不尽相同，但仕途坎坷，怀才不遇的遭际却极相似。他们的诗歌都表现了积极进取的精神，抒发了自己被压抑的愤懑，扩大了诗歌题材的范围，在反对齐梁诗风和促进五律的成熟方面都有一定的贡献。杜甫对他们曾给予正确的评价："王杨卢骆当时体……不废江河万古流。"(《戏为六绝句》)而王勃的诗文在四杰中又具有显著的地位。王勃是陈子昂登上文坛以前初唐最有影响的诗人。有《王子安集》。

【说明】 杜少府名不详。少府，即县尉。之任，赴任。蜀川，泛指蜀地。此诗是王勃在长安任职时为送别杜少府赴蜀就任县尉而作。首联从离别的地点说到赴任的地点。两地形势壮阔，诗句气势豪迈，为诗的乐观结局铺平了道路。颔联虽表现出彼此惜别的心情，但颈联马上一转，用"海内存知己，天涯若比邻"这样意境开阔震烁千古的诗句，把惜别之情一笔撇开。末联以豪情壮语来鼓舞行人不要有儿女情态作结，表现作者壮阔的胸怀。古代的赠别诗多带有感伤气氛，本诗笔力雄健，情调昂扬，却是难能可贵的。诗的平仄、押韵、对仗合于近体诗的基本要求，是初唐五律渐趋成熟的证明。

【注释】 ①这两句说，雄伟的长安城被三秦所拱卫，透过一片辽阔的风光景色，遥遥望见五津。上句点明送别的地点是长安，下句指出赴任的地点是蜀地。城阙(què确)：借指唐京城长安。宫门前的望楼叫阙，这里以部分代全体。辅三秦：以三秦为辅佐。三秦，指今陕西一带，这里是秦国的旧地，项羽灭秦，分关内为三，封秦的三个降将为雍王、翟王、塞王，故称三秦。风烟：风光景色。五津：是长江在蜀地(今四川)内的五个渡口名，即白华津、万里津、涉头津、江南津、江首津。 ②这两句说，你、我都是远离故乡出外做官的人，又在客中作别，其心情是不言而喻的。与：和。君：指杜少府。宦游：在外地做官。 ③这两句说，只要把朋友经常放在心上，就是天涯之隔,也像近邻一样。海内:四海之内,古代指全国。比:近。古代五家相连为比。邻:古代八家(一说五家)相连为邻。比邻,极言相隔很近。曹植《赠白马王彪》:"丈夫志四海,万里犹比邻。恩爱苟不亏,在远分日亲。"为此联所本。　　④这两句说,不要在岔路口分手的时候,像多情的年轻男女那样哭哭啼啼,让泪水沾湿了佩巾。无为:不要的意思。歧路:岔路,指离别分手之地。儿女:犹言男女。

在狱咏蝉　并序

骆宾王

余禁所禁垣西①,是法厅事也②。有古槐数株焉。虽生意可知,同殷仲文之枯树;而听讼斯在,即周召伯之甘棠③。每至夕照低阴,秋蝉疏引,发声幽息,有切尝闻④。岂人心异于曩时,将虫响悲于前听⑤?嗟乎⑥!声以动容,德以象贤⑦。故洁其身也,禀君子达人之高行⑧;蜕其皮也,有仙都羽化之灵姿⑨。候时而来,顺阴阳之数⑩;应节为变,审藏用之机⑪。有目斯开,不以道昏而昧其视⑫;有翼自薄,不以俗厚而易其真⑬。吟乔树之微风,韵姿天纵⑭;饮高秋之坠露,清畏人知⑮。仆失路艰虞,遭时徽纆⑯。不哀伤而自怨,未摇落而先衰⑰。闻蟪蛄之流声,悟平反之已奏⑱;见螳螂之抱影,怯危机之未安⑲。感而缀诗,贻诸知己⑳。庶情沿物应,哀弱羽之飘零㉑;道寄人知,悯余声之寂寞㉒。非谓文墨,取代幽忧云尔㉓。

西陆蝉声唱㉔,　南冠客思深㉕。
不堪玄鬓影,　来对白头吟㉖。
露重飞难进,　风多响易沉㉗。
无人信高洁,　谁为表余心㉘。

【作者简介】　骆宾王(约640—约684),婺州义乌(今浙江义乌附近)人。高宗李治末年曾任武功、长安主簿及侍御史。任侍御史时,见高宗昏庸,武后擅政,几次上书议论朝政,触怒武后而被诬下狱。出狱后又被贬为临海(今浙江临海县)丞,怏怏不得志,便弃官而去。中宗嗣圣元年(684),徐敬业在扬州起兵讨武则天,骆宾王投奔敬业,为其草拟讨武氏檄文。武则天读到这篇檄文,开头"但嘻笑,至'一抔之土未干,六尺之孤安在?'瞿然(惊视动色)曰:'谁为之?'或以宾王对。后曰:'宰相安得失此人?'"(《新唐书·文艺传》)敬业兵败,宾王下落不明。据古籍记载,有被杀、投水、逃亡、为僧等说法。中宗下诏收集其文,并命郗云卿编次。清代陈熙晋笺注的《骆临海全集》是搜集他的诗文最完善的本子。

骆宾王年少有文名。他的五言律诗和七言歌行颇具特色,如《在狱咏蝉》、《帝京篇》都是脍炙人口的名作。《全唐诗》录存其诗三卷。

【说明】 本诗作于狱中，大概在高宗仪凤三年(678)。诗人以蝉起兴，又以蝉自比，把自己含冤下狱的强烈愤慨婉转地寄寓于比兴之中，在诗中不仅抒发了他个人的悲愤，也抒发了许多进步文人在封建暴政压抑下的不平。通篇感情深沉，风格凝练。

【注释】 ①余：我。禁所：囚禁的地方。禁垣(yán 元)西：狱墙西边。垣，墙。 ②是：此。法厅事：一作"法曹厅事"。法官审理罪犯的公堂。法曹，法曹参军的简称，负责治狱决刑的官吏。厅事，指中庭，即受理诉讼的地方。 ③虽生二句：生意，犹生机。《晋书·殷仲文传》："大司马府中有老槐树，顾之良久而叹曰：'此树婆娑，无复生意。'"这里即用殷仲文故事，叹息自己被囚禁的艰危处境。周召(shào 邵)伯之甘棠：《诗经·召南·甘棠》："蔽芾甘棠，勿剪勿伐，召伯所茇。"召伯，即召公，名奭，因封邑在召(今陕西岐山西南)而得名。甘棠，是赞美召伯在甘棠树下听讼断案不烦劳百姓之德，百姓便将召伯听讼所在之甘棠保护下来(勿剪勿伐)。甘棠，即棠梨，又名白棠，蔷薇科，落叶亚乔木，农历二月开白花，结实如小楝子大。其树接梨甚佳。这两句仅仅是骆宾王借甘棠比其狱旁之槐树，与召伯就甘棠听讼不烦劳百姓之德的内容毫无共同之处。 ④疏引：指秋蝉鸣声清远。幽息：气息轻微。有切尝闻：比以前听到的更加凄切。尝，曾。闻，听。 ⑤异于：不同于。曩(nǎng)时：从前。将：犹或也，抑也。虫响：指秋蝉鸣声。 ⑥嗟乎：忧叹之词。 ⑦声以动容：蝉声足以动人。德以象贤：蝉德有似贤人。象，肖像之意。《书·微子之命》："殷王元子，惟稽古，崇德象贤。""德以象贤"本此。 ⑧这两句是说，蝉能洁身自好，具有君子达人的清廉之德。禀(bǐng 丙)：禀性，旧时称天所赋予人的品性资质。这里用作动词。君子：有才德的人。达人：对一切达观，见识高超，不同于流俗的人。曹植《蝉赋》："皎皎贞素，侔(等同)夷(伯夷)惠(柳下惠)兮，帝臣是戴，尚其法兮。"陆机《寒蝉赋序》："至于寒蝉，才齐美矣。夫头上有绥，则其文也；含气饮露，则其清也；黍稷不享，则其廉也；处不巢居，则其俭也；应候守常，则其信也。加以冠冕，取其容也。君子则其操，可以事君，可以立身，岂非至德之虫哉？"这两句脱意于此。 ⑨蜕(tuì 退)其皮：指蝉蜕皮。仙都：仙人聚居之处。羽化：道家成仙之谓。灵姿：仙姿。这两句是说，蝉蜕去皮后，便可羽化飞天，上登仙都。夏侯湛《东方朔画赞序》："蝉蜕龙变，弃俗登仙。"为这两句用语所本。 ⑩候：等待。数：定数，规律。 ⑪节：季节。审：熟悉。藏用：指退隐和出仕。《论语·述而》："用之则行，舍之则藏。""藏用"本此。机：机宜。 ⑫道昏：世道昏暗。昧其视：闭目不看。 ⑬俗厚：指世俗所看重富贵。易其真：改变自己的志节。易，改换。真，真实，本性，与伪相对。凡质实不变皆谓之真。 ⑭吟：鸣。乔树：高树。韵姿：气韵和风度。天纵：意谓上天所赋予。 ⑮高秋：深秋，即农历九月。坠露：掉下的露水。清畏人知：《晋书·良吏·胡威传》载，晋武帝颇器重荆州刺史胡质之"忠清"，曾问其子胡威："卿孰与父清？"威对曰："臣不如也。臣父清恐人知，臣清恐人不知。" ⑯仆：自我谦称。艰虞：艰难忧患。遭：遇。徽缰(mò 墨)：捆囚犯的绳索。这里用作动词，囚禁。 ⑰摇落：凋残。宋玉《九辩》："悲哉秋之为气也，萧瑟兮草木摇落而变衰。"为此句用语所本。 ⑱蟪蛄(huì gū 惠姑)：蝉的一种。平反：即昭雪冤案而出狱之意。这两句意谓自己的冤案终会获得平反昭雪。 ⑲螳螂抱影：

指螳螂见蝉影而欲捕蝉。这两句意谓因陷害自己的人尚在身旁而感到难安。　　⑳缀诗：成诗。因连缀词句而成文，故称。贻：赠。诸："之于"的合音。知己：彼此相互了解而情谊深切的人，即知心朋友。　　㉑庶：希冀之词。物：指蝉。弱羽：亦指蝉。飘零：坠落的样子。　　㉒悯：怜惜。余声：指蝉而言。　　㉓这两句意谓，不是为了文辞之美，而是用它聊表幽忧而已。云尔：语末助词，犹"如此而已"。云，如此。尔，而已，罢了。　　㉔西陆：秋天。司马彪《续汉书》："日行西陆谓之秋。"　　㉕南冠：指囚犯。这里是诗人自谓。《左传·成公九年（前582）》："晋侯观于军府，见钟仪。问之曰：'南冠而絷者谁也？'有司对曰：'郑人所献楚囚也。'"后世便以南冠为囚犯的代称。客思（sì 四）：客居外地的思乡情绪。深，一作"侵"。　　㉖不堪：不能忍受的意思。一作"那堪"。玄鬓：玄的音、义双关。玄，黑色；玄鬓，即黑发，指盛年，与下句的"白头"对称。玄又与"蝉"谐音；玄鬓，即蝉鬓，指妇女的鬓发梳制成蝉翼的形状。《古今注》："魏文帝宫人莫琼树始制蝉鬓，缥缈如蝉翼。"这里的"玄鬓"即"蝉鬓"，不是指妇女的鬓发，而是反过来指蝉。白头：诗人自称。汉乐府《杂曲歌辞·古歌》："座中何人，谁不怀忧？令我白头。"诗人当时只有三十八岁，自称"白头"是说明他怀"忧"深重，容易白头的意思。吟：谓蝉鸣。这两句说，我含冤下狱，忧愤如山，加上这秋蝉对着我悲鸣，更使我不能忍受。　　㉗这两句说，秋季露重风多，蝉已逐渐失去其活动能力。诗人以秋蝉的"飞难进"、"响易沉"的寂寞生涯，比喻自己在狱中有翼难飞，有口难言，有冤难伸的艰危处境，目的是希望有人对他同情而把他营救出来。沈约《听蝉鸣应诏》诗："叶密形易扬，风回响难住。"此句袭其形而新其意。　　㉘信：相信。高洁：清高洁白。这里也是诗人以蝉喻己。曹植《蝉赋》："皎皎贞素……尚其洁兮。"又陆机《寒蝉赋序》："含气饮露，则其清也。黍稷不享，则其廉也。"因蝉居高饮洁，所以古人常以蝉作为高洁的象征。为（wèi 未）：替，帮。表：表白。余：我。这两句说，我的心和秋蝉一样高洁，有谁能相信我，替我的冤案平反昭雪呢？沈约《咏竹》诗："无人赏高洁，徒此抱贞心。"

和晋陵陆丞早春游望

杜审言

独有宦游人①，　偏惊物候新②。
云霞出海曙③，　梅柳渡江春④。
淑气催黄鸟⑤，　晴光转绿蘋⑥。
忽闻歌古调⑦，　归思欲沾巾⑧。

【作者简介】　杜审言（约645—约708），字必简，巩县（今河南巩县附近）人。他属于襄阳杜氏的支派。他的祖籍是京兆，这就是历史上又称他襄阳人或京兆人的原因。高宗咸亨元年（670）进士，先后任隰县（今山西汾西县）尉、洛阳丞等小官。后因事贬吉州(今江西吉安县)司户参军,不久免归。武则天时被召见,令赋诗,颇受赞赏,授著作郎,迁户部员外郎。中宗继位,因与武则天宠臣张易之有交往,远流峰州。不久又起用为国子监主簿、修文馆直学士。

杜审言青年时期与李峤、崔融、苏味道被称为"文章四友"。他为人狂放,常以文章自负。他的诗以五律著称,格律谨严,技巧纯熟,是唐代"今体诗"的奠基人之一。他是杜甫的祖父,杜甫曾以"吾祖诗冠古"、"诗是吾家事"而自豪。杜甫的律诗在某些方面受到他的影响。《全唐诗》录存其诗一卷,共四十余首。

【说明】 杜审言曾在江阴任过县尉、县丞,本诗当是他在此期间与同郡僚友任晋陵丞的陆某唱和之作。和(hè 贺)是依照别人诗的意思或韵脚作诗。初、盛唐人的和诗多是和诗意,中唐始有和韵之举,如白民易和张仲素《燕子楼诗三首》、元稹《和乐天梦亡友刘太白同游二首》、刘禹锡《同乐天和微之深春二十首》,且均为次韵。到北宋才流行和韵之作。晋陵即今江苏常州市。陆丞:当时任晋陵县丞,名不详。《早春游望》是他的原作。本诗写江南早春的气候变化历历如绘,今天读来犹觉春光明媚,春意盎然,有如身历其境。全诗因"宦游人"而"偏惊物候新",中间两联扣紧题中"游望"二字具体描绘"物候新"。末联以"忽闻歌古调"很自然转到点明和意,而以"归思欲沾巾"照应篇首"宦游人"作结。诗的构思极为细腻,对仗工整,语言色彩鲜明,声调优美,其中"出"、"渡"、"催"、"转"四个动词,使"云霞"、"梅柳"、"淑气"、"晴光"都拟人化了,是诗中极为传神之笔。

【注释】 ①独有:唯有,只有。宦游人:远游四方以求仕宦的人。 ②偏惊:特别惊心。物候:自然界因季节变化而产生不同的景物和气候。 ③这句说,天亮时海边的云气经朝阳照射辉映成彩。因朝阳从东边升起,晋陵临近东海,故称"出海曙"。曙(shǔ 暑):朝阳。 ④这句说,由于江南气候偏暖,江北气候偏冷,江南春早,江北春迟,梅柳枝头的春色是渐渐由江南过渡到江北的。晋陵在长江南面。 ⑤淑气:和暖的气候。催黄鸟:催使黄鸟早鸣。黄鸟,即黄莺,又名黄鹂、仓庚。 ⑥晴光:晴暖的阳光。转绿蘋:使蘋草的绿色愈来愈浓。江淹《咏美人春游》:"江南二月春,东风转绿蘋。"此用其语。蘋,多年生水草,茎柔软细长,生四片小叶,一名田字草。 ⑦忽闻:忽然听到。歌:歌唱,吟咏。古调:指陆丞的原作《早春游望》,赞扬其格调近于古人。 ⑧归思(sì 四):回乡的念头。欲沾巾:要流下眼泪沾湿手巾。

杂 诗

沈佺期

闻道黄龙戍①,　　频年不解兵②。
可怜闺里月,　　长照汉家营③。
少妇今春意,　　良人昨夜情④。
谁能将旗鼓,　　一为取龙城⑤?

【作者简介】　沈佺期(约656—约714),字云卿,相州内黄(今河南内黄县)人。高宗上元二年(675)进士,任通事舍人、考功员外郎。武后朝,他和宋之问谄附权贵张易之。中宗复位,张被杀,他因受贿流放驩州。后回朝历任起居郎、修文馆直学士、中书舍人、太子詹事等官。

沈佺期与宋之问不仅生活经历相似,创作道路也相似,两人都是当时的宫廷文人,作品多是歌颂升平的应制之作,内容贫乏。但他们被贬后,生活上都有些感受,因而诗的内容较前充实。《新唐书·文艺传》指出:“自魏建安后,迄江左,诗律屡变。至沈约、庾信以音律相婉附,属对精密。及之问、佺期又加靡丽。回忌声病,约句准篇如锦绣成文,学者宗之,号为‘沈宋’。”尽管他们的作品仍然承袭六朝形式主义的诗风,但他们在唐代律诗的成熟过程中是有一定影响的。至于他们在贬地写的一些纪行述感之作,感情比较真挚,技巧相当成熟,也是不能一概否定的。《全唐诗》录存沈诗三卷。

【说明】　魏晋以来的诗人,以“杂诗”命题的诗篇不少,王粲、曹丕、曹植、嵇康、左思、陶潜都有。《评注文选》对杂诗作了一个解释:“杂者,不拘流例,遇物即言,故云杂也。”本诗是以闺中少妇和战地征夫的两地相思写征戍之苦。全诗语浅意深,耐人吟咏,对后来诗人之作有所影响,如高适《燕歌行》的“少妇城南欲断肠,征人蓟北空回首”即用其颈联,李白《子夜吴歌》的“何日平胡虏,良人罢远征”即化用其末联。

【注释】　①闻道:听说。黄龙:即黄龙冈,在今辽宁开原县西北,是唐代的东北要塞。　②频年:连年。解兵:战罢撤兵。　③这两句含意是,因月照思妇、征夫两地,所以闺中月也就是营中月;同时今夜征夫、思妇分散两地之月,也就是他们夫妻从前在家团聚所见之月。月在这里实际是他们两心相通的象征。可怜:可爱。闺(guī规):旧指女子住的内室。长照:一作“偏照”。汉家营:即唐家营。为避免直指,唐代诗人多有以汉代唐的,参看前岑参《走马川行奉送封大夫出师西征》注⑧。　④上句承“闺里月”,下句承“汉家营”。今春:今年,实指年年,与“频年”照应。良人:丈夫。昨夜:实指夜夜,与“今春”同一含意。　⑤末两句说,谁能指挥军队消灭敌人,使征夫回家与少妇团聚呢?这里与首联照应。旗鼓:军旗与军鼓,都是作战的用具,这里指代军队。取龙城:拔下龙城。龙城,在今蒙古人民共和国境内,是匈奴大会祭天之地。《史记·匈奴列传》:“五月大会龙城,祭其先天地鬼神。”司马贞《索隐》引崔浩云:“西方胡皆事(侍奉)龙神,故云大会处曰龙城。”这里借指敌国的首要地区。

题大庾岭北驿

宋之问

阳月南飞雁①,　传闻至此回②。

我行殊未已③,　何日复归来④。

江静潮初落⑤,　林昏瘴不开⑥。

明朝望乡处⑦,　应见陇头梅⑧。

【作者简介】 宋之问(656？—712)，一名少连，字延清，汾州(今山西汾阳附近)人，一说虢州(今河南灵宝县)人。高宗上元二年(675)进士。早年有文名，武后朝官尚书临丞，左奉宸内供奉。中宗神龙元年(705)大臣张柬之等发难迫使武则天下台。因宋之问曾谄事张易之，中宗把他贬为泷州(今广东罗定县)参军，到州不久逃归，又谄附武三思，选入修文馆直学士。后因事贬为越州(今浙江绍兴县)长史，在此遍访剡溪山水，赋诗流传京师。睿宗即位，认为他"狯险盈恶，无悛悟之心"而流放钦州(今广东钦县北)。玄宗先天中，命他自杀。《全唐诗》录存其诗三卷。其余参看上诗作者简介。

【说明】 大庾岭在今江西大余县南，广东南雄县北，为五岭之一。北驿，大庾岭北的驿站。

此诗即宋之问贬赴泷州途中所作。作者触景生情，融情入景，一开头便以雁的行踪反衬自己的身世。雁南飞可以北回，而自己南贬却不知何日可以北归。杜甫的"肠断江城雁，高高正北飞"(《归雁》)、陆游的"自恨不如云际雁，南来犹得过中原"(《枕上偶成》)、杨万里的"只余鸥鹭无拘管，北去南来自在飞"(《初入淮河四绝句》)的手法都与此相类似。第三联展见"江潮初落，林瘴不开"这一异乡景色更加重了思乡情绪，为末联深化思乡的主题作好铺垫。诗中提到梅花，但作者尚未见到梅花，《度大庾岭》却是作者度岭见到梅花后之作。"度岭方辞国，停轺一望家。魂随南举雁，泪尽北枝花。"读此可以加深对本诗作意的理解。全诗借思乡发泄作者被贬岭南的牢骚，但意在言外。

【注释】 ①阳月：阴历十月。《尔雅》："十月为阳"，故称。南飞雁：雁是一种阳鸟，为避寒，九、十月间逐暖南飞，春则北返，故称雁为"随阳雁"或"随阳鸟"。 ②这句说，古代传说雁南飞至大庾岭便北返。此：指大庾岭。 ③殊未已：还没有停止。殊，犹，还。 ④复：再。 ⑤潮初落：潮水刚平落下去。初，刚刚。 ⑥瘴：南方山林中因湿热蒸郁而成之气称为瘴气。 ⑦望乡处：远望故乡的地方，指大庾岭高处，即下句的"陇头"。 ⑧陇头梅：大庾岭上梅树很多，又有"梅岭"之称。因它地处亚热带，十月便开梅花。沈德潜《唐诗别裁》云："陇头疑是岭头。"

次北固山下

王 湾

客路青山下， 行舟绿水前①。
潮平两岸阔， 风正一帆悬②。
海日生残夜， 江春入旧年③。
乡书何处达？ 归雁洛阳边④。

【作者简介】 王湾，洛阳人。玄宗先天年间(712—714)进士。开元初任荥阳(今河南荥阳县)主簿，后参加编次四部典籍和校理丽正院书。仕途坎坷，官终洛阳尉。

王湾是开元时代的著名诗人之一。"词翰早著,为天下所称。往来吴楚间,多有著述。"(《唐才子传》)但大都散佚。《全唐诗》录存其诗十首。《次北固山下》是广为传诵的名篇。

【说明】 殷璠《河岳英灵集》题作《江南意》,首联作"南国多新意,东行伺早天"。末联作"从来观气象,惟向此中偏。""阔"作"失","一"作"数"。次,停歇,住宿。这里指泊船。北固山在今江苏镇江市,北临长江,其势险固,因而得名。

这首诗写诗人在北固山因冬末春初的旅途景色而触发的思乡之情。前三联写景,景中含情,末联抒情,情中有景。诗中写景由概括到具体,二、三联均由首联的"行舟绿水"四字生发开来,末联的"乡书"、"洛阳"照应首联的"客路",客路的精神贯串全诗。"海日生残夜,江春入旧年"是全诗的警句,也是历来传诵的名句,当时的宰相兼诗人张说大为赞赏,并亲手写于政事堂,作为朝中文士和诗人的典范。殷璠也赞叹为"诗人已来,少有此句"。诗中"潮平两岸阔,风正一帆悬"写得明快雄丽,也是不可多得的佳句,它把长江下游潮涨江阔,波澜滚滚,诗人扬帆东下的壮阔图景生动地描绘了出来,给人一种"乘长风破万里浪"的豪迈感。

【注释】 ①这两句大意是客中船行长江,路过北固山下。上句就山而言,下句就水而言。客路:旅途。青山:指北固山。行舟:走船。绿水:指长江。 ②这两句说,因潮满而觉长江江面增宽,因顺风东下而一帆高悬。平:指潮水上涨与江岸相平。 ③这两句说江上的曙光破晓前便从东方升起,江南偏暖,腊月未尽,而江上的春气先来。海:指长江下游宽阔的江面。日生残夜:是说江面太阳升起得早。残夜,残留、剩下的夜晚,指天将破晓时。春入旧年:因腊月立春,旧年未尽而春先入,故云"春入旧年"。 ④末两句意谓,家在洛阳,旧年将尽,思乡念切,因生托归雁传书之想。乡书:这里指寄回家乡的书信。归雁:北归的雁,秋后雁逐暖南飞,春则北飞。故云《汉书·李广苏建传》载:苏武出使匈奴被拘留,曾有雁足系书回汉的典故。参看后温庭筠《苏武庙》说明。后人常以雁为邮使或书信的代称。

破山寺后禅院

常 建

清晨入古寺①,　初日照高林②。
曲径通幽处③,　禅房花木深④。
山光悦鸟性⑤,　潭影空人心⑥。
万籁此俱寂⑦,　惟闻钟磬音⑧。

【说明】 诗题一作《题破山寺后禅院》。破山寺即兴福寺,在今江苏常熟县西北虞山上。禅院,指寺院。

这首诗可与后面王维的《过香积寺》合读。两诗同是咏寺,而王维咏的是赴寺途中的幽景,本诗咏的则是寺后院的静趣,都不从寺本身着笔,而构思新颖,各呈其妙。

【注释】　①清晨:指日出前后的一段时间。　　②初日:初升的太阳,与上句"清晨"照应。　　③曲径:弯曲的小路。幽处:幽深僻静之处。　　④禅房:即僧房,僧侣的住房。　　⑤山光:山林的风光景色。悦:喜欢。这里用作动词。这句说山光使鸟儿怡然自得。　　⑥潭影:这里指山光倒映在空明澄澈的潭中。潭,池。这句说潭影使人忘却一切心中杂念。　　⑦万籁(lài 赖):指一切声响。籁,凡是能够发出声响的孔窍都叫籁。此:此时。俱:都。寂:没有声音。　　⑧惟闻:只能听见。钟磬(qìng 庆):两种乐器。这里指寺观里报时拜神的两种用具。

寄左省杜拾遗

岑　参

联步趋丹陛,　　分曹限紫微①。

晓随天仗入②,　　暮惹御香归③。

白发悲花落,　　青云羡鸟飞④。

圣朝无阙事⑤,　　自觉谏书稀⑥。

【说明】　左省,即门下省。唐代中央行政机构,门下省在左边,称"左省",中书省在右边,称"右省"。当时杜甫任左拾遗,属左省,岑参任右补阙,属右省。左拾遗、右补阙都是谏官。

此诗作于肃宗乾元元年(758)春,杜甫有《奉答岑参补阙见赠》的和诗。岑参在诗中以"白发悲花落"自叹,以"青云羡鸟飞"称杜甫。这当然是旧时文人的客套。其实,岑参这时只有四十三岁,比杜甫还小三岁。杜甫在和诗的后半却反其意而答。"冉冉柳枝碧,娟娟花蕊红。故人得佳句,独赠白头翁。"岑参在右省不得意,杜甫在左省更是不得意。杜甫不久前因疏救房琯,直言力谏触怒肃宗,险些被杀,同年六月便因房琯事株连贬为华州(今陕西华县)司功参军。本诗的尾联用的是反语,明为对朝廷的颂扬,实则暗含讽刺,肃宗王朝并不是"无阙事",而是阙事很多,当时的忧国之士如杜甫、岑参,对此都是不满的。

【注释】　①这两句说,两人一同上朝,但分班办公。联步:同步,一同走。趋:赴,赶。杜甫和诗的前半说:"窈窕青禁闼,罢朝归不同。君随丞相后,我往日华东(门下省)。"丹陛(bì 闭):宫殿的红色台阶。分曹:分班。因岑参属中书省,居右署,杜甫属门下省,居左署,故称"分曹"。限紫微:相隔中书省。唐中书省多种紫薇花,开元二年改名为紫薇省,故称。微,当作"薇"。　　②晓随:天亮时随着。天仗:天子朝会的仪仗。入:入朝。　　③惹:沾染。御香:宫殿里的香烟。归:归家。　　④"白发"句岑参自谓,"青云"句指杜甫。花落:指时为暮春季节。青云:喻高位。　　⑤圣朝:圣明之朝,封建时代臣下对朝廷的敬称。阙(quē 缺):过失,不完美。阙,这里仍读仄声。　　⑥谏书:规劝皇帝的奏章。稀:少。

赠孟浩然

李　白

吾爱孟夫子①，　　风流天下闻②。
红颜弃轩冕③，　　白首卧松云④。
醉月频中圣⑤，　　迷花不事君⑥。
高山安可仰⑦，　　徒此揖清芬⑧！

【说明】　孟浩然，见前《秋登万山寄张五》作者简介。开元二十七年(739)李白游襄阳，访孟浩然，本诗即作于此时。李白集中的《春日归山寄孟浩然》也是同年之作。

诗中极力赞美孟浩然隐居不仕的清高品格，表示对他的崇敬之情。但诗的二、三两联与孟浩然的事迹不大符合。孟在此之前曾游京师，应进士试不第，仕进几遭碰壁(见本诗注⑤)，才无可奈何回到襄阳。开元二十五年(737)，张九龄贬为荆州长史，他已被召为从事。当时孟是四十八岁，三四年后他便死了，怎么能说他"红颜弃轩冕"，"迷花不事君"呢？他的"醉月"、"卧松云"只不过是身在山林，心存魏阙，以隐邀名以仕进之资罢了。这从孟浩然的许多诗中也可得到印证。李白并不是不知道孟浩然的历史，他之所以要这样写，正说明他自己对隐居生活的向往。他一生也有过几次隐居，但其目的和孟浩然的隐居毫无二致。

【注释】　①孟夫子：指孟浩然。夫子，一般的敬称。　　②风流：谓举止潇洒，品格清高。这里指孟浩然的爱饮酒、善吟诗等生活行为。天下：古代指全中国。　　③红颜：指少年。轩冕(miǎn 免)：泛指做官。轩，华美的车子；冕，大官的帽子。　　④白首：白头，指年老。卧松云：指隐居山林。松云，松树云霭。　　⑤醉月：赏月醉酒。频：屡屡。中(zhòng 众)圣：中酒，即喝醉了。古时酒徒称清酒为圣人，称浊酒为贤人。见《三国志·程邈传》。中，这里因限于平仄，应读平声。按《新唐书·文艺传》："采访使韩朝宗约浩然偕至京师，欲荐诸朝。会故人至，剧饮欢甚。或曰：'君与韩公有期。'浩然叱曰：'业已饮，遑恤他！'卒不赴。朝宗怒，辞行，浩然不悔也。"这句可能是隐指此事。　　⑥迷花：迷恋花草。这里指隐居。不事君：不侍奉皇帝。　　⑦这句意谓孟浩然风格高尚，不可趋及。《诗经·小雅·车辖》："高山仰止，景行行止。"为此句所本。安可：怎能。仰：仰慕，仰望。　　⑧徒：但，只。揖：拱手为礼，作揖，表示十分崇敬。清芬：指清美芬芳的品德。

渡荆门送别

李　白

渡远荆门外，　　来从楚国游①。

山随平野尽^②，　江入大荒流^③。
月下飞天镜^④，　云生结海楼^⑤。
仍怜故乡水^⑥，　万里送行舟。

【说明】 荆门，山名，在湖北宜都县西北长江南岸，与江北虎牙对峙，上合下开，形势险要，春秋、战国时是楚国的西方门户。

这首诗是李白二十五岁离川漫游出夔门后渡荆门之作。沈德潜在《唐诗别裁》中认为"诗中无送别意，题中二字可删"。诗明快而生动地描绘了长江闯出三峡流入平原地带的壮阔形势和奇丽景色，反映了诗人的开阔胸襟。"山随平野尽，江入大荒流"一联雄阔豪放。杜甫《旅夜书怀》中的"星垂平野阔，月涌大江流"，显然是受了李白这两句的影响，但李写的是日景，杜写的是夜景；李是行舟中的暂视，杜是停舟后的细观，各有特色。

【注释】 ①从：就。楚国：今湖北一带地方，在春秋战国时属楚国，故称。　②这句意谓蜀地多崇山峻岭，自荆门以东进入平野，地势平旷，高山便消失了。尽：完了，消失。　③大荒：广阔无际的原野。　④这句说，月亮倒映在江心，好像天上飞下了一面镜子。　⑤云生：指江上云彩的变幻。海楼：即海市蜃楼。海上空气下层比上层密度大，经过光线折射，在空中呈现许多像城市、楼台等奇幻景象，叫海市蜃楼。　⑥怜：爱。故乡水：指长江。因李白是蜀人，长江水自蜀东流而下，所以他亲切地称它为"故乡水"。

送友人

李　白

青山横北郭^①，　白水绕东城。
此地一为别^②，　孤蓬万里征^③。
浮云游子意，　落日故人情^④。
挥手自兹去^⑤，　萧萧班马鸣^⑥。

【说明】 李白送别的友人是谁未详。这首诗通过送别环境的刻画，气氛的渲染，触景生情，即景取喻，很好地表达了他们依依惜别之意，反映了两人之间的深挚友谊。

【注释】 ①郭：外城。　②为别：作别。　③孤蓬：一名"飞蓬"，枯后根断，常随风飞旋。这里比喻远行的友人。万里征：万里行。　④上句说游子离家，踪迹不定，好像浮云飘忽一样。游子：古代称远游作客的人为游子。这里指友人。下句说，落日徐徐而下，似乎有所留恋。以此比喻送行者对友人的惜别之情。故人：老朋友。这里是诗人自称。孟浩然《岷山送张去非游巴东》(一作《岷山送朱大》)："蹉跎游子意，眷恋故人心。"这两句化用其意。　⑤自兹去:从这里离开。兹,此。古诗:"故人从兹去。"　⑥萧萧:马鸣声。班:分别。

听蜀僧浚弹琴

李白

蜀僧抱绿绮①，　西下峨嵋峰②。
为我一挥手③，　如听万壑松④。
客心洗流水⑤，　余响入霜钟⑥。
不觉碧山暮，　秋云暗几重⑦。

【说明】蜀僧浚,蜀地的和尚,名浚的。据詹瑛《李白诗文系年》,蜀僧浚即李白《赠宣州灵源寺仲浚公》中的仲浚公。两诗同是天宝十二年(753)秋季所作。这首诗正面描写琴声之妙只用了"如听万壑松"一句,其余都是从旁衬托。全诗既一气贯注,又飘洒动人。

【注释】①绿绮:原为司马相如的琴名。傅玄《琴赋序》:"楚王有琴曰绕梁,司马相如有绿绮,蔡邕有焦尾,皆名器也。"这里泛指琴。　②峨嵋:山名,在今四川峨眉山市。　③挥手:这里指弹琴。嵇康《琴赋》:"伯牙挥手,钟期听声。"　④这句说好像听到了万谷的松涛一样悦耳。这是以松涛喻琴声的清越,以万壑松比琴声的宏远。壑(hè贺):山谷。　⑤这句说听了僧浚优美的琴声,心中好像流水洗涤了一样清凉。客:诗人自称。流水:语意双关,既实指,又暗用伯牙善弹琴的故事。参看前王维《送綦毋潜落第还乡》注⑧。　⑥余响:琴的余音。霜钟:《山海经·中山经》载:"丰山有九钟,霜降则钟鸣。"这里泛指钟声,用一"霜"字是为了切时,结句有"秋云"二字可证。全句是说琴的余音有如钟声。这是以霜钟喻琴。　⑦这句说因琴音美妙,听得入神,不知不觉之间就天黑了。

夜泊牛渚怀古

李白

牛渚西江夜①，　青天无片云。
登舟望秋月，　空忆谢将军②。
余亦能高咏③，　斯人不可闻④。
明朝挂帆席，　枫叶落纷纷⑤。

【说明】牛渚,山名,在今安徽当涂县西北。其北部为采石矶,突出江中,与北岸的横江浦隔江对峙,形势险要,水流湍急,是舟行险地。怀古是追怀古昔,古代许多文人的怀古之作多是以古喻今。李白在题下的原注云:"此地即谢尚闻袁宏《咏史》处。"据《晋书》的《谢尚传》、《袁宏传》载:谢尚,字仁祖,曾多次为将军。袁宏,字彦伯,有逸才,曾作《咏史》诗。谢尚镇守牛渚时,在一个秋月之夜,与部下乘船游江,听到有人在江上吟咏,"声既清朗,辞又藻拔",一打听,是袁宏吟咏他的《咏史》诗。谢尚便把他迎到自己的船上,和他谈论,直到天明。袁宏得到谢尚奖掖,"自此名誉日茂"。李白在这里借夜泊牛渚怀念谢尚以抒发其怀才不遇恨无知音的感慨。同是一座牛渚山,同是西江的秋月之夜,可是自己却不能像晋代诗人袁宏遇到谢尚那样的知音。其实,作为诗人,袁宏的成就是不能与李白相比的。李白在《劳劳亭歌》中也自称"昔闻牛渚吟五章,今来何谢袁家郎"。诗人见皓月当空,秋江妙景不减当年,想到自己落魄江湖,政治抱负不得施展,愈想愈不能成眠,所以结句愤慨地说:"明朝挂帆席,枫叶落纷纷。"结句把停泊的地点(牛渚山、西江水)和季节(秋天)都巧妙地不露痕迹地贯串起来,并与首句作强烈的照应。全诗不加雕饰,不用对仗,而音韵铿锵,余味不尽,这在古人的律诗中也是罕见的。

【注释】 ①牛渚西江:古时称从江西到南京一段的长江为西江,牛渚山即在西江这一段中,故称。 ②空忆:徒然怀念。谢将军:指谢尚,他曾为镇西将军,镇守牛渚。 ③余:我。高咏:谓善于吟诗。 ④斯人:此人,指谢尚。 ⑤挂帆席:指拉起船帆离开牛渚。纷纷:杂乱,繁多。这两句的含意是,我明朝扬帆而去,给我送别的,只有纷纷而下的枫叶罢了。以此表示诗人的寂寞之感和愤激之情。

月 夜

杜 甫

今夜鄜州月, 闺中只独看①。
遥怜小儿女, 未解忆长安②。
香雾云鬟湿, 清辉玉臂寒③。
何时倚虚幌, 双照泪痕干④。

【说明】 这首诗是至德元年(756)八月杜甫被安史叛军所俘,在沦陷后的长安月夜思家之作。诗人在诗中用含蓄曲折的手法表现其极其深刻沉痛的思想感情。王嗣奭《杜臆》云:"公本思家,偏想家人思己,已进一层,至念及儿女不能思,又进一层。发湿臂寒,看月之久也,月愈好而苦愈增,语丽情悲,末又想到聚首时对月舒愁之状,词旨婉切。"全诗想象丰富,结构严谨。

【注释】 ①鄜(fū 肤)州:今陕西鄜县。鄜州月即长安月。闺(guī 规)中:即闺中的人,指妻子。只独看(kān 刊):只是一个人看月亮。这两句设想妻子正在望月怀念自己。 ②怜:可惜。解:懂得。忆长安:想念在长安的父亲。这两句向来认为有两层意思:一是小儿女自己不懂得想念在长安的父亲;一是小儿女不懂得母亲看月是在想念在长安的父亲。纪昀云："言儿女未解忆，正言闺人(妻子)相忆耳。故下文直接香雾云鬟一联。" ③香雾：雾本来没有香气，香气从云鬟的膏沐中生出，故云。云鬟：形容头发稠密蓬乱。清辉：指月光。玉臂：洁白如玉的手臂。这两句想象妻子在户外望月怀念自己的情景。因月下久立，雾深露重，所以有"云鬟湿"、"玉臂寒"之感。④何时：与首句"今夜"照应。倚：靠着。虚幌(huǎng恍)：通明的薄帷。幌，帐幕，这里指门帘。双照：指月亮在一地照着两人。与"独看"照应。这两句写希望将来团聚、共同望月时的情景。

春 望

杜 甫

国破山河在， 城春草木深①。
感时花溅泪， 恨别鸟惊心②。
烽火连三月， 家书抵万金③。
白头搔更短， 浑欲不胜簪④。

【说明】 这首诗是至德二年(757)春天在沦陷后的长安之作。

杜甫因大敌当前，报国心切，毅然决然辞家投奔灵武(详见前《哀王孙》说明)，不料中途落入敌手，报国既不成，回家又不得。他在长安亲眼看见"群胡归来血洗箭，仍唱胡歌饮都市。都人回面向北啼，日夜更望官军至"(《悲陈陶》)的情景，深深感到国家灾难的深重。满城草木，遍生烽烟，诗人触景伤情，竟至看花溅泪，听鸟惊心，不知何日才能逃脱虎口奔赴凤翔(当时的临时首都)。他每念及此，便心中如焚，坐立不安，往往搔首徘徊，不知如何是好："白头搔更短，浑欲不胜簪"，具体生动地表达了诗人极其沉重而愤激的心情。

诗一开头就沉重地突出"国破"二字，令人触目惊心，在诗的构思上有着深刻的意义，接着第二句便以"城春草木深"，紧扣"国破"点题，为全诗的爱国思想的发展揭开了序幕。诗的构思绵密，正是诗人爱国思想感情深沉热烈的具体表现。尽管诗人被敌人俘去长安，个人的生活非常痛苦，但诗人并没有因此而减轻他对国难和战局的忧虑，相反的是更加加重了。他在长安把个人生死置之度外，而全神贯注在敌我力量的消长上，日夜盼望"官军"收复长安，趁早消灭敌人。像《悲陈陶》、《悲青坂》、《塞芦子》都是以乐府诗的形式直接地阐明他的抗敌意见，《春望》则是以格律诗的形式含蓄地抒发他的爱国深情。尽管他的爱国思想有着明显的阶级局限性，但在当时，不少官吏投降了敌人，不少"盛唐"时代的有名诗人面对国难噤若寒蝉。只有杜甫，在大敌当前，能深切关注大局，不断以他的诗篇揭露敌人，打击敌人，相形之下，这种爱国思想更是难能可贵的。

诗题为"春望"，前半由"春望"而生情，抒写忧国情怀，后半在前半的基础上抒发因"春望"而引起的思家愁绪，但目的仍是为了突出忧国。因国破而家亡，对家思得切,正说明对国忧得深。末尾以白发"不胜簪"回应"国破",全诗强烈的忧国感情和爱国精神便跃然纸上。本诗结构严谨,情景交融,文字凝练,意在言外,在古典诗歌中是有典范性的。

【注释】 ①这两句说,国都长安沦陷了,山河虽然依旧在目,可是人事全非,繁盛的长安被敌人烧杀一空,春天里草木丛生,满目荒凉。国:指国都长安,也兼指国家。 ②这两句说,由于感念国事,虽然春花盛开,但看了不是使人愉快,而是使人流泪。因为恨别家人,虽然到处春鸟和鸣,但听了不是使人高兴,而是使人惊心。溅(jiàn 见)泪:流泪。"溅泪"和"惊心"的主语都是诗人自己。这两句用的是反衬的手法,不是拟人的手法。 ③这两句说,今年入春以来,三个月战火没间断过,获得一封家信,真是抵得上万两黄金。三月:指正月、二月、三月。因在这三个月中,叛军史思明等围攻太原,受到李光弼的抵抗,郭子仪引兵从鄜州出击河东的叛军崔乾祐;叛军安守忠从长安出兵西犯武功,等等,战争极其频繁激烈,所以说:"烽火连三月。"家书:家信。抵:抵当(dàng 档),抵得上。抵万金,极言家信的难得,杜甫被俘到长安以来,和家中音信断绝。既是国破,又是家亡,所以说:"家书抵万金。" ④这两句说,本来稀疏的白发越抓越少了,简直要连簪子也受不住了。白头:即白发,因这首五律是仄起,这句第二字应用平声,而"发"字是仄声,不合律,所以用"头"字。更短:因原来的头发已经稀疏,所以说"更"。短:少。浑(hún 魂):全,满,引申为"简直"。欲:要。胜(shēng 声):承受。簪(zān):是古人用来绾住头发的一种首饰,用它把帽子别在头发上。古代的男子也留长头发,梳辫子挽成髻(jì 计),所以要用簪子。不胜簪,不受簪,即头发少得梳不拢,连簪子也插不上的意思。鲍照《拟行路难十八首》其十六:"白发零落不胜簪"为本诗末联用语所本。

春宿左省

杜 甫

花隐掖垣暮,　啾啾栖鸟过①。
星临万户动,　月傍九霄多②。
不寝听金钥,　因风想玉珂③。
明朝有封事,　数问夜如何④。

【说明】 至德二年(757)四月杜甫从长安金光门逃出,冒险走小路到达行在所(临时首都)凤翔见肃宗,任左拾遗。同年秋天收复长安,肃宗在十月还京。这首诗是乾元元年(758)春天在长安所作。左拾遗属门下省,唐皇宫坐北朝南,门下省在东,即左边,故称左省,亦称左掖,宿即值宿,晚上在左省值班。

这首诗写杜甫晚上在门下省值班时忠于讽谏职守,准备封事,通宵不寐等待早朝的紧张心情。诗中从薄暮到晚上,从深夜到拂晓,脉络分明。首句即点题,结句"夜"字与首句"暮"字呼应。前二联情景交融,颔联是诗中的警句。

【注释】 ①花隐:因天色将暮,花光不显。掖(yè 夜)垣(yuán 员):禁墙,宫墙。这里指门下省之墙,因在宫禁之旁。啾啾(jiū 纠):鸟鸣声。栖鸟:回巢的鸟。过(guō 锅):度,经过。这两句写左省黄昏时的景色。 ②临:下照。万户:指宫殿的千门万户。动:指星光照射之处,闪烁欲动。傍(bàng 蚌):靠近。九霄:义同九天,指天的极高处。这里是形容宫殿高入云霄,接近月亮。多:指宫殿傍月,所以得到的月色特别多。这两句写左省的夜中景色。"星临万户动"是月出之前的景色。 ③不寝:夜不成寐。黄生云:"本言不寐,用寝字方响。"听金钥:指听开宫门的锁钥声。玉珂(kē 柯):马络头上的装饰品。马行则响,谓之鸣珂。百官上朝都骑马,但在省中是听不到玉珂声的,因风吹马铃作响有如玉珂,所以联想起它。这两句写不能成寐的心情。 ④封事:即把奏章密封在黑色袋中(怕有宣泄),上朝时则呈给皇帝。唐制,补阙、拾遗掌供奉讽谏,大事廷诤,小事则上封事。数(shuò 朔):屡次,多次。夜如何:问夜多深了,生怕耽误早朝上封事的时间。这两句是"不寝"的原因。

至德二载,甫自京金光门出,间道归凤翔。乾元初从左拾遗移华州掾,与亲故别,因出此门,有悲注事

杜 甫

此道昔归顺， 西郊胡正繁①。
至今犹破胆， 应有未招魂②。
近侍归京邑， 移官岂至尊③?
无才日衰老， 驻马望千门④。

【说明】 至德二载,公元757年。至德,唐肃宗年号。京,指长安。金光门,长安外城的西门之一。间(jiàn 见)道,即小路。凤翔,今陕西凤翔县,当时是肃宗的行在所。乾元初,指公元758年。乾元也是肃宗的年号。移官,实是贬官。华(huà 话)州,今陕西华县。掾(yuàn 院)是属官的通称。亲故,亲戚故旧。因,因而。此门,指金光门。往事,指去年"自京金光门出,间道归凤翔"事。

杜甫于至德二年(757)春天从沦陷后的长安逃往凤翔经过金光门,乾元元年(758)六月因直言疏救房琯事由左拾遗贬为华州司功参军又经过此门,所以诗中寄寓着诗人深沉的愤慨和难言之痛。这次贬官使杜甫再也没有机会回长安了,但他从此却有了更多的机会接触灾难深重的人民,这对他的政治前途是个极大的打击,但给他的诗歌创作却带来一个大丰收。这是出乎诗人意料的。

【注释】 ①此道:指金光门之路。昔:从前,指去年春天。归顺:指逃离安史叛军占据的长安而归凤翔。安史反叛分裂国家为"逆",唐肃宗维护国家统一举兵讨伐安史为"顺"。西郊:指长安的西郊,杜甫出金光门归凤翔必经西郊。胡:指安史叛军。繁:

多。　②至今：直到现在，指从去年逃出长安到现在离开长安赴华州这一年多时间。破胆：心惊胆战，指受惊到了极点。招魂：向有二义，一谓为死者招魂，一谓为生者招魂。这里指后者。这两句意谓，自从去年脱贼归顺时饱受惊恐，现在还心有余悸，精神还没有恢复。　③近侍：侍奉皇帝之官，指左拾遗。京邑：指华州，华州距长安不远，等于京郊县邑，故称。岂：难道。至尊：皇帝，指肃宗。这两句说，我由左拾遗贬为华州司功参军，难道是皇帝的本意吗？前人曾说，由于当时贺兰进明在肃宗面前谗害房琯，并攻击杜甫，所以房、杜都先后贬官。但他们之所以被贬官，根本问题是肃宗要排除异己，排除玄宗旧臣，杜甫在玄宗时期虽只做一个管兵器的小官，但杜与房是同党，两人休戚与共。所以杜甫的"移官岂至尊"明为痛恨谗人，实则是用反语讽刺肃宗。　④无才：没有才能的人，杜甫自称。这也是反语。日衰老：一天一天衰老。驻马：停马，立马。望千门：指回望宫殿。因"维时遭艰虞"，"恐君有遗失"（《北征》）而不忍急遽离去。最后两句反映了杜甫虽被贬官而仍十分关注朝政的痛苦心情。

月夜忆舍弟

杜　甫

戍鼓断人行，　边秋一雁声①。
露从今夜白，　月是故乡明②。
有弟皆分散，　无家问死生③。
寄书长不达，　况乃未休兵④！

【说明】　这首诗是乾元二年（759）秋杜甫在秦州（今甘肃天水县）怀念其弟之作。诗写兄弟因战乱而分散而无家而音信杳然。尽管此夜露白月明，风景大好，但在异乡的戍鼓和孤雁声中观赏，只能倍增怀乡忆弟之悲而已。安史之乱后，诗人虽颠沛流离，出生入死，但从未忘怀政治。他的诗总是把个人困境和人民苦难相结合，把生活小题和国家大事相联系，使读者能从中深刻地感受到时代的脉搏。本篇便是这样的杰作之一。

【注释】　①戍（shù 束）鼓：戍楼上的更鼓。戍，防守。秦州城楼上有驻防军守夜，定时击鼓。断人行：因战乱交通阻塞，音信断绝。边秋：边塞的秋天。安史之乱后，西北大片土地被吐蕃侵占，故称秦州为"边"。雁声：闻雁声更加想念弟弟。古时既有雁足传书的典故，现在诸弟音信杳然；又有以雁行称兄弟之喻，现在兄弟因战乱分离各地，所以感物伤情。　②上句是说如此月夜容易思家，今夜又偏逢白露节，更容易思家。下句是说，今夜月色好，而故乡的月色应更明。月色的强弱无所谓异地、故乡，"月是故乡明"只不过是诗人热切思乡的心理反应，也就是对弟弟深切怀念之情的一种幻觉，但兄弟都因安史之乱而远离故乡，何时能回故乡在如此秋月之夜欢聚一堂呢？　③这两句顶着"故乡"说，虽然有弟，但都从故乡分散，家中早已无人，所以说"无家问死生"。杜甫后在《村夜》中有"中原有兄弟，万里正含情"之句。杜甫有弟四人，即杜颖、杜观、杜丰、杜占。这时只有杜占在他身边。　④寄书：寄信。长不达：寄出的信常常不能到达，因为战乱交通阻断，不容易得到回信，故称。况乃：况且是。未休兵：战争没停止。乾元二年九月史思明又攻陷汴州（今河南开封市），西进至东京洛阳，李光弼同他交战。上句与"雁声"照应，下句与"戍鼓"照应。

天末怀李白

杜　甫

凉风起天末，　君子意如何①？
鸿雁几时到，　江湖秋水多②。
文章憎命达，　魑魅喜人过③。
应共冤魂语，　投诗赠汨罗④。

【说明】　这首诗也是乾元二年(759)秋天在秦州所作。前半以凉风起兴，对景相思，鸿雁秋水，寄托深情。后半要他当心魑魅，投诗汨罗，为他的悲惨遭际愤慨不平。诗中深刻地表达了诗人对好友李白的深挚情谊。

【注释】　①凉风：秋风。天末：天边，指秦州。参看上诗注①中的"边秋"。君子：指李白。意如何：心情怎样。　②鸿雁：指代书信。几时到：杜甫好久未得到李白的确切消息。江湖秋水多：即前《梦李白》二首中"江湖多风波，舟楫恐失坠"之意。参看其注⑨、⑮。秋水：与"凉风"照应。　③文章：即文学。憎：恨。命达：命运通达。魑魅(chī mèi 痴妹)：山精、怪物。这两句说从来的文人大都怀才不遇，穷困终生，好像文学作品憎恨命运通达似的。夜郎是魑魅出没之地，要当心不要被它们吃掉。实则这里的魑魅是比喻当时陷害李白的奸邪。　④共冤魂：共，和。冤魂，指屈原。屈原无罪被逐，含冤难伸，因投汨罗江而死。语(yù 玉)：说话。投诗：把诗投下汨罗江吊祭屈原。汨(mì 密)罗：江名，在今湖南湘阴县东北。末两句意谓，李白参加永王李璘幕府是出于爱国，他被流放是和屈原一样的含冤受屈。

奉济驿重送严公四韵

杜　甫

远送从此别，　青山空复情①。
几时杯重把，　昨夜月同行②。
列郡讴歌惜，　三朝出入荣③。
江村独归处，　寂寞养残生④。

【说明】 这首诗是宝应元年(762)七月在绵州作。奉济驿,在今四川绵阳县。严公即严武,字季鹰,华阴人,与杜甫交情深厚,其父严挺之是杜甫的老友,在政治上和杜甫同属于房琯一派。严武曾两次任剑南节度使,对杜甫生活多方照顾。宝应元年七月,严武被召还京,杜甫从成都送他直到绵州才分手。先有《奉送严公入朝十韵》、《送严侍郎到绵州同登杜使君江楼宴》二诗,所以这首诗称"重送"。

【注释】 ①此:从此,从这里。此,指绵州。青山空复情:纵使青山对人妩媚多情也属徒然,因我恨别易生悲伤。空复情,徒然有情。李白《沙丘城下寄杜甫》有"齐歌空复情"之句。 ②杯重把:即重把杯,重新聚首把酒言欢之意。这两句是担心与严武后会无期,而旧欢难再。按诗意,上句在后,下句在前,诗人为了使语意曲折而不板直,所以倒置。 ③列郡:指剑南诸郡。讴(ōu 欧)歌:谓歌颂功德。惜:为严武离川而可惜。三朝:指玄宗、肃宗、代宗。出入:指严武出将入相。荣:光荣。荣在这里是押韵,仍应读古音"yíng 营"。上句说他任地方官有政绩,受到百姓的爱戴(这与史载有出入),下句说他有才干,一直得到朝廷的重用。 ④江村:指成都草堂,因草堂在成都西郊浣花溪,即濯锦江畔,杜甫在成都有《江村》一诗可证。独归去:指送走严武后一个人回成都草堂去。寂寞:清静,冷静。养:保养。残生:余年,残余的生命。

别房太尉墓

杜 甫

他乡复行役, 　驻马别孤坟①。

近泪无干土, 　低空有断云②。

对棋陪谢傅, 　把剑觅徐君③。

唯见林花落, 　莺啼送客闻④。

【说明】 这首诗是广德二年(764)在阆州(今四川阆中县)将回成都时所作。房太尉,即房琯,字次律。天宝五年(746)任给事中,天宝十五年(756)玄宗奔蜀,拜为相。后因指挥陈涛斜之战失败,肃宗乾元二年(759)六月贬为邠州刺史。上元元年(760)四月改礼部尚书,不久又贬为晋州刺史。代宗宝应二年(763)四月拜特进刑部尚书,在路上染病,广德元年(763)八月卒于阆州僧舍,年六十七,赠太尉。房太尉墓在阆中县城外。杜甫与房琯在政治上为同志。另有《祭相国房公文》、《谢敕放三司推问状》可以参看。

本诗从对房琯的无限哀痛中抒发诗人的知遇之感,至于他自己被贬华州以来的凄凉境况自在言外。前半写坟前哀悼,后半写临别徘徊;结句以"花落莺啼送"与首句"驻马别"呼应,含意不尽,更增强了诗的沉痛气氛。

【注释】 ①他乡:家乡以外的地方概称他乡,或称异乡。复行役:指又将从阆州赴成都。杜甫逃亡到成都后,不久又因兵乱逃往绵州、汉州、梓州、阆州等地。行役,在外地奔走。驻马:停马。孤坟:指房琯墓。　　②这两句意谓,因过于哀伤而泪沾土湿,连低空的断云也为之愁惨而不忍飞去。　　③对棋陪谢傅:《晋书·谢安传》载,苻坚率众百万驻扎淮肥,谢安为征讨大都督,与谢玄围棋赌于别墅,终于击退敌兵;死后赠太傅。这里是以谢安比房琯,以陪者自比,说明两人平生交谊之深厚,也是赞扬房琯的出将入相之才。把剑觅徐君:《说苑》:"吴季札聘晋,过徐,心知徐君爱其宝剑,及还,徐君已殁,遂解剑系其冢(坟墓)树而去。"这里是以季札自比,以徐君比房琯,说明自己永世不忘房琯知遇之情。上句谓房琯生前,下句谓房琯死后。　　④唯见:只见。这两句暗点题中"别"字,但别时不见送客之人,能送客的只有落花啼鸟而已,说明房琯死后墓间甚为凄凉。顾宸注:"考琯长子乘,自少两目盲,孽子(妾所生之子)孺复尚幼。故去世未久冢间寂寞如此。"

旅夜书怀

杜　甫

细草微风岸,　危樯独夜舟①。
星垂平野阔,　月涌大江流②。
名岂文章著,　官应老病休③。
飘飘何所似?　天地一沙鸥④。

【说明】　这首诗是永泰元年(765)杜甫率领家人离开成都乘船下渝州(今重庆市)、忠州(今四川忠县)一带时所作。在这以前,严武于广德二年(764)再镇西川,执意劝杜甫入幕。杜甫难却旧情,只好勉强就任,但终于在永泰元年(765)正月辞职回草堂,他在《简院内诸同僚》中有"白头趋幕府,深觉负平生"的慨叹。不久携家乘舟东下,因而在诗中深刻地抒发了诗人怀才不遇、半生漂泊之感。前半即景(旅夜),后半抒情(书怀)。颔联的雄阔壮丽的景象与颈联的落寞凄凉的境遇对照。结句"天地一沙鸥"上贯全诗精神。

【注释】　①微风:小风。岸:指江岸边。危樯(qiáng 墙):很高的桅杆。危,高也。独夜舟:谓孤零零的一条船夜泊江边。这一联写旅夜泊船江岸的孤寂,暗寓只身漂泊之感,为末联作伏笔。　　②星垂:指星光下照。平野:平坦的原野。阔:宽阔。月涌:月亮倒映江中随波涌动。大江:指长江。谢朓《暂使下都夜发新林至京邑赠西府同僚》有"大江流日夜,客心悲未央"之句。上联写近观,这联写远望:万点星光映照空旷原野,一轮明月涌动浩荡长江。这联两句分承上联两句,平野承"岸",大江承"舟"。
③这一联用反语抒写怀抱。杜甫的名确实是因文章而著,官则不是因老病而休。按:杜甫于乾元二年(759)秋天辞去华州司功参军和广德二年(764)正月辞去西川节度幕府参谋,两次休官都因政治抱负无法施展,而与"老病"无关。这一联语气貌似和平,实则愤激。应:是。　　④飘飘:飞翔的样子。实则这里含有飘零、漂泊之意。一

作"飘零"。用"飘飘"只是就下句的"沙鸥"而言。同年诗人的《春日江村》中有"乾坤万里眼……漂泊到如今"之句。何所似:好像什么呢? 天地:茫茫天地之间。一沙鸥:沙滩上一只孤零零的白鸥。"一"与首联"独"照应。同年诗人的《去蜀》中有"世事忽黄发,残生随白鸥"之句。末联设为问答,紧接上联,完足题中"书怀"意。诗人独立孤舟,就眼前景以沙鸥自喻,上句自问,下句自答。下句"一沙鸥"之渺小与"天地"之广大又自然形成对照,诗人的愤慨到此已极。

登岳阳楼

杜 甫

昔闻洞庭水, 今上岳阳楼①。
吴楚东南坼, 乾坤日夜浮②。
亲朋无一字, 老病有孤舟③。
戎马关山北, 凭轩涕泗流④。

【说明】 杜甫于大历三年(768)正月由夔州(今四川奉节县)携家乘舟出峡,岁暮抵达岳州(今湖南岳阳市)城下,赋有《泊岳阳城下》、《登岳阳楼》等诗。岳阳楼,岳阳城西门楼,开元初张说为岳州刺史时所建,下临洞庭,烟波浩荡,景色万千,为登览胜地。

　　这首诗写登楼的所见和所感。首联以登楼壮观能偿夙愿为喜;颔联赞颂洞庭湖的波澜浩荡,气势磅礴;颈联慨叹亲朋音信杳然,自己老病无依;末联北望秦陇以兵乱未息为忧。诗人在诗中把个人命运和国家忧患相联系,把寂寞的身世感慨和壮阔的自然景色相映衬,意境雄大,情调悲壮,是历代最为传诵的登岳阳楼的名篇。

【注释】 ①洞庭水:即洞庭湖。《水经注·湘水》注:"(洞庭)湖水广圆五百余里,日月若出没于其间。"这两句写初登楼时的愉快心情。昔闻,今上,夙愿已酬。 ②吴、楚:春秋时国名。大致说来,吴在洞庭湖东,楚在洞庭湖南。坼(chè 彻):分裂,这里是分开、分界之意。乾坤:天地,包括日月。日夜浮:日夜在洞庭湖中浮动,极言湖面之广大。这两句写登楼壮观,咏叹洞庭湖磅礴伟大的气象。 ③亲朋:亲戚、朋友。无一字:没有一点音信。字,指书信。老病:既年老又多病。有孤舟:只有一只孤独的船,因日夜在水上漂泊以船为家。这两句紧接洞庭湖的伟大写自身的落寞,恰成强烈对照。上句承"吴楚"句,下句承"乾坤"句。 ④戎马:兵马。指战争未息。这年八月吐蕃不断进犯灵武(今宁夏回族自治区灵武县)、邠州(今陕西邠县)。九月郭子仪奉命率兵五万屯驻奉天(今陕西乾县)防卫。凭:靠着。轩:栏杆。与"岳阳楼"照应。涕泗(sì 四):眼泪和鼻涕。这两句慨叹北方战乱未平。

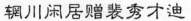

辋川闲居赠裴秀才迪

王　维

寒山转苍翠，　秋水日潺湲①。
倚杖柴门外，　临风听暮蝉②。
渡头余落日，　墟里上孤烟③。
复值接舆醉，　狂歌五柳前④。

【说明】　辋（wǎng往）川，水名，在今陕西蓝田县南终南山下。宋之问在此建有蓝田别墅，后为王维所得。《新唐书·王维传》云："维别墅在辋川，地奇胜，有华子冈、欹湖、竹里馆、柳浪、茱萸泮、辛夷坞，与裴迪游其中，赋诗相酬为乐。"王维在此闲居三十多年。裴迪，关中人，与王维友好。后随王维弟王缙入蜀，与杜甫有诗唱和。秀才，这里是对未取得功名的士人的称呼。

　　本书入选王维的几首五言律诗多是他半官半隐后的作品。这首诗借描绘辋川秋日景色写作者隐居山中飘然物外的闲情逸致。前三联写景正是为末联的抒情而发的。首联写山色水声，次联写"听暮蝉"，三联扣住"暮"字写望"落日"和"孤烟"，末联写裴迪醉后"狂歌"，结出赠意，暗寓两人心心相印，志同道合。全诗自然流转，构思绵密，层次井然。而喻守真先生怀疑此诗前四句"或有颠倒错乱之处"，原因是颔联没有对偶。他说："我以为最好将起首一、二句移作颔联，三、四句移作起句，那对于平仄格律既不失粘，在意义上也比较自然。"（《唐诗三百首详析》）这段评语值得商榷。如果按照喻先生的意见，将首、颔二联位置对换，虽然前半不失粘，但前二联与后二联的平仄却恰好相反，在诗的意义上也就不好联系了，原来诗的第五句"渡头余落日"，正是紧承第四句"临风听暮蝉"的"暮"字而发的。唐人律诗中，首联对偶而颔联不对偶的例子不少，前人称为"偷春体"。现仅举本书五律为例。如：王勃的《杜少府之任蜀川》，常建的《破山寺后禅院》。至于颔、颈二联仅颔联不对偶的，本书中也不乏其例。如：宋之问的《题大庾岭北驿》，李白的《听蜀僧浚弹琴》，杜甫的《月夜》、《天末怀李白》，刘长卿的《饯别王十一南游》，等等。

　　【注释】　①寒山：因秋天气候转凉，故称。苍翠：青绿色。日：日日。潺湲（chán yuán 蝉园）：流水声。　　②倚杖：拄着手杖。倚，靠着。柴门：以柴为门，旧指穷人住的房屋。临风：对着风，迎着风。听暮蝉：听傍晚的蝉鸣叫。　　③渡头：渡口，河流两岸过渡的码头。落日：下山的太阳。墟里：村落。孤烟：这里指傍晚的炊烟。　　④复：又。值：碰上。接舆：春秋时楚国隐士陆通，字接舆，佯狂遁世，又叫"楚狂"。这里是借指裴迪。醉：喝醉了酒。狂歌五柳前：在陶潜面前狂放而歌。狂歌，毫无拘束地唱。五柳，指陶潜。陶潜写有《五柳先生传》，后人因称他为"五柳先生"。这里是王维借以自喻。

山居秋暝

王　维

空山新雨后，　天气晚来秋①。
明月松间照，　清泉石上流②。
竹喧归浣女，　莲动下渔舟③。
随意春芳歇，　王孙自可留④。

【说明】　山居，山中的住所，指作者的辋川别墅。暝(míng 明)，天晚。这首诗写山居秋暮的幽静景色，反映作者陶醉山林自得其乐的志趣。中间两联对仗工整，景色如画，全诗语言清朗明净。

【注释】　①上句写山居，下句写秋暝。新雨后：刚下雨之后。晚来秋：晚上天气寒凉更有秋意。　②这两句描绘山中晚景。明月承"晚来"，清泉承"新雨"，松、石承"山"。　③这两句都是前果后因句，因浣女归而竹喧，因渔舟下而莲动。喧：喧哗，喧笑。归浣女：浣女归。浣女，洗衣服的女子。下渔舟：渔舟下。下，指渔舟下水捕鱼。　④末两句说，春芳要消歇就随它消歇吧，秋光大好，而王孙依旧可以待在山中。刘安在《楚辞·招隐士》中描绘了春景之后说："王孙兮归来，山中兮不可以久留。"王维这里的"王孙自可留"是反用其意，暗寓自己决意归隐山中。随意：任凭。庾信赋："细草横阶随意坐。"春芳：春天的花草香气。歇：这里是消失的意思。王孙：原指贵族子弟。这里是王维借以自称。

归嵩山作

王　维

清川带长薄①，　车马去闲闲②。
流水如有意，　暮禽相与还③。
荒城临古渡④，　落日满秋山。
迢递嵩高下⑤，　归来且闭关⑥。

【说明】　嵩山，在河南登封县北，古称外方，又名嵩高，是我国五岳中的中岳。
　　这首诗写作者归隐的决心，诗题和诗的结句都作了明白的表露。诗中所有景色都是配合作者这一决心而选择的。

【注释】　①清川：清清的流水。川，河流。带：映带。薄：草木交错。这里用作名词。陆机《君子有所思行》："曲池何湛湛，清川带华薄。"此用其语。　②闲闲：自得的样子。　③这两句说，流水一去不回头，傍晚鸟儿相接还山，这似乎都是有意迎合自己一意归隐的志趣。陶潜《饮酒》:"山气日夕佳,飞鸟相与还。"又《归去来辞》:"云无心以出岫,鸟倦飞而知还。"均为作者诗意所本。暮:指薄暮,傍晚。禽:鸟。相与:彼此相交接,朋友相好。这里是相接、相连的意思。　④临:当着。古渡:古时的渡口遗迹。　⑤迢递(tiáo dì 条帝):遥远的样子。　⑥且:将要。闭关:闭门不出。这句用张九龄《登城楼望西山作》中的成句:"忽复尘埃事,归来且闭关。"高适《蓟中作》中也有"归来独闭关"之句,也是用张诗而换一字。

终南山

王　维

太乙近天都①，　　连山到海隅②。
白云回望合，　　青霭入看无③。
分野中峰变，　　阴晴众壑殊④。
欲投人处宿⑤，　　隔水问樵夫⑥。

【说明】　终南山,即秦岭,又名中南山或南山,在陕西长安县南五十里,绵延八百余里,是渭水与汉水的分水岭。

这首诗的中心是歌咏终南山的雄伟。全诗从它的主峰太乙着笔,总揽全山,有高屋建瓴之势,十分形象地把终南山巍峨磅礴的气势描绘了出来。前人评此诗"四十字中无所不包,手笔不在杜陵下"。

【注释】　①太乙:在长安西、陕西武功县境,是终南山的主峰名,也是终南山的别名。近天都:接近天帝所居之处。这是夸张形容终南山的高。一说天都指京城长安而言。　②连山:山峦连绵。到海隅:到达海边。这是夸张形容终南山脉的长远,它并未到达海边。隅,靠边沿的地方。　③这两句说远望满山云气或青或白变幻莫测。这是承首联具体写山的高峻和长远。上句承高意生发,下句承远意生发。回望合:四望如一。霭(ǎi 矮):云气。入看(kān 刊)无:走近去看又不见了。　④这两句说,以中峰为标志,东西就属于两个不同的星宿的分野:在同一时间内,各个山谷之间阴晴也不相同。这是承第二句具体写山的广大。分野:我国古代天文学把二十八宿星座与地下的九州联系起来划分,称为"分野"。中峰:即太乙峰。壑(hè 贺):山谷。殊:异,不同。　⑤欲:想要。投:找上去。人处:有人住的地方,指山广人稀而言。宿:住宿。　⑥樵(qiáo 桥)夫:砍柴的人。

酬张少府

王　维

晚年惟好静①，　　万事不关心。

自顾无长策， 空知返旧林②。
松风吹解带③， 山月照弹琴。
君问穷通理， 渔歌入浦深④。

【说明】 酬即报、答，和诗的意思。

诗写作者晚年好静，退隐山林潇洒自得的情趣。山境僻静，诗境清幽，"晚年惟好静，万事不关心"是作者逃避现实的思想的最好的自我表白。这种思想也贯串于王维在辋川写的许多诗中。前二联纵笔直书，颈联充满了画意，末联点明"酬"字，含意不尽。

【注释】 ①晚年：老年人一生中最后的一个时期。惟：只。好静：爱好清静。意思是不愿做官。 ②自顾：自己经过考虑。长策：良好的谋划。空知：只知。返：回。旧林：以前住过的山林，指辋川。 ③松风：松林中的风。 ④君：指张少府。穷：穷困，不得志。通：通显，谓仕宦显达。渔歌：捕鱼时唱的歌。浦：水边或河流入海的地区。末两句酬张少府，上句为问，下句为答，但没有正面回答，所谓"渔歌入浦深"正是作者最欣赏的幽静境界，其含意似是"我愿穷，不愿通"。

过香积寺

王　维

不知香积寺①， 数里入云峰②。
古木无人径③， 深山何处钟？
泉声咽危石④， 日色冷青松⑤。
薄暮空潭曲， 安禅制毒龙⑥。

【说明】 诗写作者走访香积寺途中的见闻和感想。其中着重写了到寺之前山路的极其幽静之境。他开头并不知道山中有寺，走了几里，深入云峰，在古木森森人迹罕至之处，忽然听到深山传来钟声，才知山中有寺。继续前行，一路所遇无非是"泉声咽危石，日色冷青松"的深僻清幽的景色。直到薄暮才到达寺前。前六句写到寺前路上之景，由远而近。末二句才接触到寺，但未正面写它，只是从侧面咏叹寺僧禅理之高深以见一斑。全诗构思新奇，不落常套；用字精妙，耐人玩味。

【注释】 ①香积寺：故址在今陕西西安市南子午谷正北。 ②数里：几里。③径：小路。 ④这句意谓山泉流过高险的岩石发出呜咽的声音。这是说危石使泉声呜咽。孔稚珪《北山移文》："石泉咽而下怆。"咽：呜咽。危：高。 ⑤这句意谓日光照进浓阴的松林也带寒意。这是说青松使日色寒冷。 ⑥薄暮：傍晚。曲：曲折隐僻之处。安禅：谓心身安然入于禅定。制：制伏。毒龙：唐释道世《法苑珠林》："西方山中有池，毒龙居之。昔五百商人止宿池侧，龙怒，泛杀商人。槃陀王学婆门咒，就池咒龙,龙悔过向王,王乃舍之。"这两句的大意是,傍晚伫立潭边,毒龙无影,潭水澄清,足见寺僧禅理之高超。

送梓州李使君

王　维

万壑树参天①，　千山响杜鹃②。
山中一夜雨，　树杪百重泉③。
汉女输橦布④，　巴人讼芋田⑤。
文翁翻教授，　不敢倚先贤⑥。

【说明】　梓州,唐属剑南道,即今四川三台县。李使君名不详。使君是古代对州郡长官的尊称。杜甫有《送李梓州使君之任》诗,与此不知是否同一人。

诗的一、二联写蜀山春景,明快如画;二联从一联蝉联而下又自成流水对,颇有特色。三联记当地风俗,寓有穷困之意。四联以文翁喻李使君,是赞扬也是勉励,希望李能使梓州面貌一新。

【注释】　①壑(hè 贺):山谷。参天:高出天空的样子。　②响:这里是鸣叫的意思。杜鹃:鸟名。详见前白居易《琵琶行》注⑱。　③树杪(miǎo 秒):树梢。百重(chóng 虫):百层。重,复叠,层叠。　④这句说蜀汉的女子以橦花织布缴纳赋税。输:缴纳。左思《蜀都赋》:"布有橦(tóng 童)华。"刘渊林注:"橦华者,树名橦,其花柔毳可织为布也。"《元和郡县志》:"剑南道梓州,开元贡绫绵丝布,赋布绢。"　⑤巴人:蜀人。讼(sòng 颂):诉讼。旧时称打官司。芋田:种植芋头的田。蜀人多种芋充饥。"巴人讼芋田"的历史不详。　⑥这两句的大意是,你一定能翻新文翁治蜀的教化,不敢倚仗先贤的成绩而无所作为的。文翁教授:《汉书·循吏传》载,文翁做蜀郡太守,见蜀地僻陋,想进行改造,便挑选聪敏有才能的郡县子弟,送到京城,受业博士。又修学宫,在成都市中招下县子弟为学宫弟子,蜀郡从此"大化"。教授,以学业传授于人。倚:靠着。先贤:已经去世的有才德的人。这里指文翁。

汉江临眺

王　维

楚塞三湘接①，　荆门九派通②。
江流天地外，　山色有无中③。
郡邑浮前浦④，　波澜动远空⑤。
襄阳好风日，　留醉与山翁⑥。

【说明】 汉江即汉水,源出今陕西宁强县,流经襄樊市,至武汉市入长江。临眺即居高远望。眺,一作"泛"。

诗咏汉江的浩渺。全诗气势雄伟,意境阔大。颔联有独创性,是难得的名句。权德舆《晚渡扬子江却寄江南亲故》:"远岫有无中,片帆烟水上",欧阳修《平山堂长短句》:"平山栏槛倚晴空,山色有无中"都用王句。但纪昀指出颈联"撑不起,六句尤少味,复衍二句故也"。

【注释】 ①楚塞(sài 赛):楚国的边界。春秋战国时湖北一带属楚国。塞,边界上的险要地方。三湘:湘水的总称。湘水合沅水称沅湘,合潇水称潇湘,合蒸水称蒸湘,故名。这句是说汉江接楚塞三湘。 ②荆门:山名,在湖北宜都县西北,位于长江南岸。九派:指长江支流之多。九非确数。这句是说汉江通荆门九派。 ③这两句说,江水浩荡,好像流出了天地之外,山色缥缈,忽隐忽现,似有似无。 ④郡邑:指位于汉江两岸的州县城市。浦:水边。因水势浩大,远望郡邑好像浮在前面的水边。 ⑤这句说因水天相接,远处的天空好像在波涛中漂动。 ⑥这两句说襄阳风光无限美好,愿留下来和山翁酣饮共赏。襄阳:在今湖北北部,是历史上汉水南岸著名的大城市。现与樊城合并称襄樊市。与:共。山翁:指晋代山简。他曾任征南将军,镇守襄阳,常去习氏园池(襄阳的名胜区)游览宴饮,尽醉而归。

终南别业

王 维

中岁颇好道①,　晚家南山陲②。
兴来每独往,　胜事空自知③。
行到水穷处④,　坐看云起时。
偶然值林叟⑤,　谈笑无还期。

【说明】 终南别业,即辋川别业。别业,别墅。

全诗围绕"好道"二字写作者隐居终南超然物外的闲适情趣。"晚家南山陲"正为"好道"计。他独来独往,随遇而安,欲行则行,欲止则止,玩水观云,极为自得。"行到水穷处,坐看云起时"真是化工之笔,诗味、理趣兼而有之。

高步瀛云:"按此首,本集赵注本入古诗,他本多入律诗。此等作律诗读则体格极高,若在古诗则非其至者。齐、梁人诗皆可以此意求之。"

【注释】 ①中岁:中年。颇:很。好:喜爱。道:这里指佛家的禅理。作者好佛。 ②晚:指晚年。家:动词,居住。陲(chuí 垂):边上。 ③胜事:快意的事。空自知:只是自己感受到。空,只。 ④穷处:穷尽的地方。 ⑤值:遇着。叟:老人。

临洞庭上张丞相

孟浩然

八月湖水平①，　涵虚混太清②。
气蒸云梦泽③，　波撼岳阳城④。
欲济无舟楫⑤，　端居耻圣明⑥。
坐观垂钓者，　徒有羡鱼情⑦。

【说明】　临洞庭，就是眺望洞庭湖。洞庭湖在湖南北部，湘、资、沅、澧诸水都汇流其中，北面分几道注入长江。张丞相即张九龄，时为丞相。孟浩然西游长安，希望在政治上得到他的援引而上此诗。前半以洞庭湖的波澜壮阔；象征开元时代开明的政治局面，后半以自己的落拓不堪，与雄伟的湖景和兴盛的时代相比显得太不相称，希望政治抱负得到施展，又苦于无人援引，所以深有"欲济无舟楫，端居耻圣明"的慨叹。全诗运用比兴，作者急于求荐，但又不露痕迹，构思新颖，艺术上颇具特色。其中"气蒸云梦泽，波撼岳阳城"与杜甫的"吴楚东南坼，乾坤日夜浮"（《登岳阳楼》）同为描绘洞庭湖的名句。

【注释】　①湖水平：湖水上涨，与岸齐平。　②涵虚：形容湖水空明。混：混同，混为一体。太清：天空。全句是说澄清的湖水与天空混为一色，即水天一色。③气蒸：指水汽弥漫。云梦泽：古代云、梦本为二泽，在洞庭湖北岸，湖南、湖北二省境内，梦泽在长江南，云泽在长江北，后大部分淤积为平地，并称云梦泽。　④撼：摇动。岳阳城：今湖南岳阳市，位于洞庭湖东岸。　⑤欲：想。济：渡过去。楫（jí及）：划船的用具，长的叫棹，短的叫楫。楫因限于平仄，这里仍读仄声。　⑥端居：闲处，隐居。耻圣明：有愧于当今圣明时代。圣明，"圣明时"的略文，就是太平时代的意思。　⑦这两句说，坐着看钓鱼的人，徒然有着羡鱼之情罢了。这里是以钓鱼比喻求仕。《淮南子·说林训》："临河而羡鱼，不如归家织网。"后来"临渊羡鱼，不如退而结网"便成谚语。垂钓者：钓鱼的人。徒有：徒然有，空有。

与诸子登岘山

孟浩然

人事有代谢①，　往来成古今②。
江山留胜迹③，　我辈复登临④。
水落鱼梁浅⑤，　天寒梦泽深⑥。
羊公碑尚在，　读罢泪沾襟⑦！

【说明】 岘(xiàn 现)山,一名岘首山,在湖北襄阳县城南,是当地名胜。

这首诗是孟浩然隐居鹿门山时游览岘山凭吊古迹之作。作者借题发挥,认为羊祜虽早已死去,却能遗爱人间,"与此山俱传",为"江山留胜迹",联想自己仕进失败,宿愿未酬,只能在隐居中落魄终生,死后必将"湮没无闻,使人悲伤"。"羊公碑尚在,读罢泪沾襟。"这两句名为悲羊祜,实则是作者悲自己。全诗重点在末二句,前六句抒发感慨和描写景物都是为此而发。

【注释】 ①代谢:轮换、更替的意思。 ②往来:指日往月来,岁月推移。古今:由日往月来累积而成。古,凡是时间上过去的陈迹都称为古,如古人、古物。③留胜迹:前人遗留下来的名胜古迹。这里指下文的"羊公碑"等。 ④我辈:我们。指作者自己和同游诸子。复登临:又登临,对羊祜曾登岘山而言。详见注⑦。登临,登山观看。 ⑤鱼梁:沙洲名,在襄阳鹿门山的沔水中。这句说因水落鱼梁洲露出,故见其浅。 ⑥梦泽:见上诗注③。这句说因天寒梦泽水退,故见其深。

⑦这两句说羊公碑至今还存留着,读完碑文不觉泪水沾湿了衣襟。《晋书·羊祜传》:羊祜镇守荆襄,"性乐山水,每风景必造。岘山置酒,言咏终日不倦。尝慨然太息,顾谓从事中郎邹湛等曰:'自有宇宙,便有此山,由来贤达胜士登此远望,如我与卿者多矣,皆湮没无闻,使人悲伤。'湛曰:'公令(美)闻令望,必与此山俱传……至若湛等,乃当如公言耳。'祜卒,襄阳百姓于岘山祜平生游憩之所,建碑立庙,岁时飨祭焉。望其碑者莫不流涕。杜预因名为堕泪碑"。羊祜,字叔子,晋南城(今山东费县西南)人。晋武帝时累官尚书左仆射,都督荆州诸军事,镇襄阳。后陈述伐吴之计,因病举杜预自代。在镇时,轻裘缓带,身不披甲,务修"德政",所以襄阳百姓为怀念他而立碑纪念。

宴梅道士山房

孟浩然

林卧愁春尽①, 搴帷览物华②。
忽逢青鸟使③, 邀入赤松家④。
金灶初开火⑤, 仙桃正发花⑥。
童颜若可驻, 何惜醉流霞⑦。

【说明】 梅道士,生平不详。孟浩然诗集中另有《梅道士水亭》、《寻梅道士》等诗,可见两人关系之密切。

这首诗的前半写作者正在赏览春景时,忽然被邀到梅家。后半热情赞叹梅道士的生活。诗的后三联遣词造句都切合道士身份,末以"醉流霞"三字点"宴"字,振起全诗,颇有余味。

【注释】 ①林卧:高卧山林,指隐居。尽:完了。 ②搴(qiān 千):拉开。帷:围起来遮挡用的帐幕。这里是指门帘。览:看。物华:暄和妍丽的景物。 ③青鸟使:

仙人的使者,仙人使唤的人。这里指梅道士打发来请孟浩然赴宴的人。　④赤松:即赤松子,古仙人名。这里指梅道士。　⑤金灶:道家炼丹的炉灶。　⑥仙桃:《汉武故事》:王母出桃与武帝,帝留核欲种,母曰:"此桃三千岁一实,非下土所植也。"　⑦这两句说假如喝流霞酒能永葆童颜,又何惜一醉呢?童颜:少年红润的容颜。若:假如。驻:停留。醉:饮醉。动词。流霞:仙酒名。葛洪《抱朴子·祛惑》:"项曼都入山学仙,十年而归,家人问其故,曰:'有仙人但以流霞一杯与我,饮之辄(常)不饥渴。'"

岁暮归南山

孟浩然

北阙休上书^①，　南山归敝庐^②。
不才明主弃^③，　多病故人疏^④。
白发催年老，　青阳逼岁除^⑤。
永怀愁不寐^⑥，　松月夜窗虚^⑦。

【说明】 岁暮,这里指农历十二月。南山,见李白《下终南山过斛斯山人宿置酒》说明。诗题一作《归终南山》,《河岳英灵集》作《归故园作》。

这首诗是孟浩然在长安应试失败后回到南山之作。诗一开头便以"南山"与"北阙"对照,可见诗人的愤慨溢于言表。次联的怨语虽出于委婉,但对所谓"明主"实是辛辣的讽刺。三联见岁序更新,自叹年光虚度,壮志未酬。末联写其"永怀愁"根,深夜难眠的况味。全诗抒情,只有末尾以"松月"之景收应南山,增强了诗的艺术效果。但诗的伤感气氛较重。

【注释】 ①北阙:皇宫门。因宫殿坐北朝南,故名。休上书:停止上书。上书,向皇帝提出自己的政见和主张。这里指上书求仕。　②敝庐:破陋房屋。　③不才:不能干,古人多用为自称的谦词。明主:英明的君主。这里是指唐玄宗李隆基。这里名为对他的尊敬,实是对他的讽刺。弃:遗弃。　④故人疏:被故人所疏远。故人,老朋友。　⑤青阳:春天。除:去。这句说春天一到,新年必将代替旧岁,故云"逼岁除"。　⑥永怀:永远不能忘怀,指朝廷不重视人才,致年老岁暮而事业无成。愁不寐:愁苦得长夜不能成眠。不寐,睡不着。　⑦这句说月亮从松间射进窗来,自己更感到寂寞与空虚。

过故人庄

孟浩然

故人具鸡黍^①，　邀我至田家^②。

绿树村边合③， 青山郭外斜④。

开轩面场圃⑤， 把酒话桑麻⑥。

待到重阳日， 还来就菊花⑦。

【说明】 《过故人庄》是孟浩然隐居鹿门山时应故人邀请到田家欢饮之作。诗中着重写了故人的深厚情谊和农村的如画风光。首联是应邀，次联是途中所见，三联是宴饮，四联是被邀约再来。诗中用字极其准确形象，从"合"字见出村边绿树之密，从"斜"字见出郭外青山之远。"还来"与"邀我"相应，"菊花"与"鸡黍"相应。

【注释】 ①具：准备，备办。鸡黍(shǔ 暑)：指丰盛的饭菜。黍，黄米饭。这句是用成语。《论语·微子》："丈人止子路宿，杀鸡为黍而食之。"又《后汉书·范式传》："范式游太学，与汝阳张劭友。并告归，式约后二年当过拜尊亲，共刻日期。至期，劭白母具鸡黍以待，而式果至。" ②田家：种庄稼的人家。 ③合：聚集。 ④郭：指村庄的四周及外部。这里不作"外城"解。 ⑤开轩：打开窗户。谢瞻《答谢灵运诗》："开轩灭华烛。"李善在"轩"下注："窗也。""轩"一作"筵"。面：面向，对着。场：禾场。圃：菜园。 ⑥把酒：持酒，端起酒杯。这里是饮酒的意思。话桑麻：谈论庄稼。古人多以桑麻代庄稼。陶潜《归园田居》："相见无杂言，但道桑麻长。"此用其语。 ⑦待到：等到。重阳日：见前孟浩然《秋登万山寄张五》注⑦。还来：再来。就：靠着，接近。菊花：这里语意双关，既指菊花，又指菊花酒，主要是指后者。这种用法，古人诗中不少，如杜甫《九日五首》："竹叶于人史无分，菊花从此不须开。"末两句是说，等到重阳节，再来赏览菊花痛饮菊花酒吧。

秦中寄远上人

孟浩然

一丘常欲卧①， 三径苦无资②。

北土非吾愿③， 东林怀我师④。

黄金燃桂尽⑤， 壮志逐年衰⑥。

日夕凉风至⑦， 闻蝉但益悲⑧。

【说明】 秦中，原指今陕西中部地区，这里指唐京城长安。远上人事迹不详。上人是对和尚的尊称，远是这个上人之名。

这首诗是在长安的一个秋天作的。诗中写了诗人向远上人诉说他求仕无成，欲隐无资的苦况和悲愤。诗以"日夕凉风至，闻蝉但益悲"结束，更增强了诗的抒情气氛。

【注释】 ①一丘：指隐居的山林。丘，小山。卧：这里是隐居的意思。 ②三径：古人称隐士所居为三径。《三辅决录》："蒋诩字元卿，舍中竹下开三径，唯求仲、羊仲从之游。"陶潜《归去来辞》："三径就荒，松菊犹存。"后人的"三径"本此。苦无资：

苦于无钱维持生活。苦,难以忍受的意思。资,钱财。　　③北土:指长安。因作者的家乡襄阳在长安东南,故称。　　④东林:晋代的刺史桓伊曾为高僧远公在庐山东边建立房殿,即东林寺。见《高僧传》。这里的"东林",指远上人所居之处。师:指远上人,参看前《宿业师山房待丁大不至》说明。"东林怀我师"就是"怀东林我师"。　　⑤燃桂:喻物价昂贵,即烧柴像烧桂一样价高。这是化用"米珠薪桂"的意思。《战国策·楚策》:"楚国之食贵于玉,薪贵于桂……臣今食玉炊桂。"尽:完了。这句是说带来的用费在米珠薪桂的长安都花光了,实在再待不下去了。　　⑥逐年衰:随着年岁的增长而衰减。　　⑦日夕:太阳落下至黄昏的这段时间。凉风:北风。　　⑧但:只。益悲:增加悲愁。

宿桐庐江寄广陵旧游

孟浩然

山暝听猿愁①,　　沧江急夜流②。

风鸣两岸叶,　　月照一孤舟。

建德非吾土③,　　维扬忆旧游④。

还将两行泪,　　遥寄海西头⑤。

【说明】　桐庐江,在今浙江桐庐县境内的钱塘江称桐庐江,一称桐江。广陵,郡名,东汉称广陵,唐称扬州。唐扬州郡故址在今江苏扬州市。此处广陵实指扬州,当是题用旧名。旧游,即故交。

这首诗的内容题已标明,前半"宿桐庐江",后半"寄广陵旧游"。作者旅途落寞的境况,思乡念友的情怀,历历如绘。从"急夜流"到"海西头",从"听猿愁"到"两行泪",前呼后应,景切情深。

【注释】　①暝(míng):天晚。因限于平仄,暝在这里仍读仄声。　　②沧江:谓江,因江色苍,故称。"沧"同"苍"。　　③建德:唐郡名,即今浙江建德县一带。桐庐江经过境内。非吾土:不是我的乡土。王粲《登楼赋》:"虽信美而非吾土兮,曾何足以少留!"　　④维扬:谓扬州。这一句是"忆维扬旧游"的倒装。　　⑤还:仍。遥寄:远寄。海西头:指扬州。古扬州郡幅员广大,东滨大海,故称。杨广《泛龙舟歌》:"借问扬州在何处?淮南江北海西头。"此用其语。李白的"我寄愁心与明月,随君直到夜郎西"(《闻王昌龄左迁龙标遥有此寄》),从这一联之意化出。

留别王维

孟浩然

寂寂竟何待①,　　朝朝空自归②。

欲寻芳草去③，　惜与故人违④。

当路谁相假⑤?　知音世所稀⑥。

只应守寂寞⑦，　还掩故园扉⑧。

【说明】《新唐书·孟浩然传》:"年四十乃游京师。尝于太学赋诗,一座嗟服,无敢抗。张九龄、王维雅称道之。维私邀入内署,俄而玄宗至,浩然匿床下,维以实对。帝喜,曰:'朕闻其人而未见也。何惧而匿?'诏浩然出。帝问其诗,浩然再拜。自诵所为,至'不才明主弃'(《暮归南山》)之句,帝曰:'卿不求仕,而朕未弃卿,奈何诬我?'因放还。"

此诗是孟浩然离开长安回襄阳时所作。诗写作者深知在长安仕进无望,决意回乡,但又不忍与知心朋友王维分别的矛盾心情。诗中充满了对朝廷压抑人才的怨愤,对王维知遇的感激之情,论者说"诗末并不尤人,这是诗人的忠厚之处"是对本诗的曲解,"只应守寂寞"是诗人怨愤之至的反语,他是从未甘心"寂寞"的。

【注释】①寂寂:落寞的意思。竟何待:竟待何,还等待什么。　②空自:独自。　③寻芳草:指隐居。芳草,香草。　④惜:可惜。故人:老朋友,指王维。⑤当路:居要地。这里指朝中掌握重权的人。假:宽容。解作假借、帮助亦通。　⑥知音:知心朋友,指王维。参看前王维《送綦毋潜落第还乡》注⑧。⑦寂寞:清静。　⑧掩:关上。故园:故乡,本乡。扉(fēi 非):门扇。

早寒有怀

孟浩然

木落雁南度①，　北风江上寒。

我家襄水曲②，　遥隔楚云端③。

乡泪客中尽，　孤帆天际看④。

迷津欲有问，　平海夕漫漫⑤。

【说明】诗题一作《早寒江上有怀》或《江上思归》。这首诗是诗人漫游长江中下游因秋景触发思归而不可得之情之作。诗一开头以"雁南度"反衬自己不得北归,下面都是抒写乡情。末了以"迷津欲有问,平海夕漫漫"深化主题,并又从中寄寓其怀才不遇,青云路渺的感慨。诗飘空而起,蕴藉而结,两用比兴,情韵悠然。

【注释】①木落:秋天树叶脱落。雁南度:雁由北南飞。刘彻《秋风辞》:"草木黄落兮雁南归。"　②家:居住。襄水曲:汉水流至湖北襄阳县境称襄水,又称襄河。孟浩然家在襄阳,襄阳在襄水之阳,正当襄水回转处,故称"襄水曲"。　③楚云端:襄阳地势高峻,在江上回望,如在天际;又襄阳古为楚地,故云"楚云端"。端,头,顶。　④天际:天边。看:读"kān 刊"。　⑤迷津:谓迷于津梁,无从觅路。津,渡口。平海:指宽平如海的江面。夕:晚上。漫漫(mán mān):无边无际。这里形容时间"夕"。宁戚《饭牛歌》:"长夜漫漫何时旦?"此本其意。这两句语意双关。

秋日登吴公台上寺远眺

刘长卿

古台摇落后①，　秋日望乡心②。
野寺来人少，　云峰隔水深。
夕阳依旧垒③，　寒磬满空林④。
惆怅南朝事，　长江独至今⑤。

【作者简介】 刘长卿(生卒年不详)，字文房，宣州(今安徽宣城县)人。天宝年间进士。《唐才子传》称"长卿清才冠世，颇凌浮俗，性刚多忤权门，故两逢遭斥，人悉冤之。"至德年间，任长洲尉，因事下狱，贬岭南南巴(今广东茂名市)尉。大历年间，任淮西鄂岳转运留后，因鄂岳转运使吴仲孺诬奏，贬睦州(今浙江建阳县)司马。官终随州(今湖北安陆西北)刺史。世称刘随州。

刘长卿颇负诗名，其创作活动主要在中唐。诗虽多仕途失意和流连风景之作，但也有一部分真实地反映了社会动乱和人民疾苦。长于五言，韵调流畅，词语炼饰。有《刘随州集》。

【说明】 吴公台，在今江苏江都县。本为刘宋沈庆之攻竟陵王诞所筑的弩台，后为陈将吴明彻所增筑，故名。

这首诗写作者登台的见闻和感慨。结句意含讽刺。

【注释】 ①古台:指吴公台。摇落:凋残。这里指台已倾废。　②这句意谓，因秋来登台而生思乡之念。　③夕阳:下山的太阳。依:靠着。这里指夕阳返射在旧垒上，含有"依恋"之意。旧垒:旧的堡垒，指当年包括吴公台在内的防御工事的遗迹。　④寒磬(qìng 庆):磬，乐器名。这里指寺中报时拜神的一种用具。因是秋天，故云"寒磬"。满空林:因秋天树叶脱落，故云"空林"，"空林"之上着一"满"字，更觉秋林之空。　⑤惆怅(chóu chàng 仇倡):失意，心情不舒畅。南朝事:因吴公台关乎到南朝的宋和陈两代事，故称。南朝，宋齐梁陈。独:只有。这两句意谓，南朝旧事已成过去，如今只有长江还像当年一样奔流不息。刘禹锡的《西塞山怀古》:"人世几回伤往事，江声依旧枕寒流。"化用此意。

送李中丞归汉阳别业

刘长卿

流落征南将①，　曾驱十万师②。

罢归无旧业，　老去恋明时③。

独立三边静，　轻生一剑知④。

茫茫江汉上⑤，　日暮欲何之⑥？

【说明】　李中丞，名不详，中丞，官名。汉阳，今属湖北武汉市。别业，即别墅。

诗中作者对李中丞忠勇为国、边功卓著深为敬佩，对其晚年流落江汉深表同情。这样一个"公而忘私，国而忘家"的老将竟被"明时"遗弃，作者在字里行间是婉而多讽的。

【注释】　①这句说，原来是轰轰烈烈的征南将领，现在到处流落。将(jiàng 酱)：军队中高级指挥官。　②曾：曾经。驱：这里是指挥、率领的意思。师：军队。③罢归：罢官而归。旧业：指在原籍的田园庐舍。老去：老来。恋：留恋。明时：政治清明的时代。这两句写李中丞的生活清贫和精神苦闷，语意暗含讽刺：既然是明时，战功卓著的老将又怎么会"罢归"呢？　④三边：指边塞。唐时指幽、并、凉三州之地。静：指边塞平静。轻生：指为国抗敌不怕牺牲。一剑知：只有身上的佩剑知道。这两句意谓，李忠勇为国，边功卓著，但未得到朝廷重用。　⑤茫茫：广阔无际的样子。江汉上：指汉阳，因汉阳是汉水流入长江之处。　⑥日暮：语意双关，一为实指，借以制造悲凉气氛；一指暮年，与"老去"照应。欲何之：欲之何，将往何处去。之，往。欲何之与首句"流落"照应。这句化用李陵"游子暮何之"(《与苏武诗》)之意。

饯别王十一南游

刘长卿

望君烟水阔，　挥手泪沾巾①。

飞鸟没何处？　青山空向人②。

长江一帆远，　落日五湖春③。

谁见汀洲上，　相思愁白蘋④。

【说明】　饯(jiàn 见)别，设宴送行。王十一，名不详，十一是他的排行。

这首诗从饯别写到别后，从别时的"泪沾巾"写到别后相思之苦。全诗由"望君烟水阔"五字展开，抒情曲折，情景交融。

【注释】　①君：指王十一。这两句设想别后相隔水路之远，使人想望，所以一挥手告别便不禁泪流。　②这两句写与王十一分别后，只见青山不见人的惆怅。钱起在《湘灵鼓瑟》中的"曲终人不见，江上数峰青"与此同一含意，同一手法。下句与杜甫《奉济驿重送严公四韵》的"青山空复情"大意相似。飞鸟：喻指王十一离去。　③上句说王十一是从长江乘船出发的；下句说王十一南游的地方是五湖，季节是春天。落日：含意是作者向着王十一帆去的五湖极目而望，一直望到太阳落下为止，落字含有苍茫望远的神情。下句语本柳恽《江南曲》："日落江南春。"　④末两句意谓，别后无人知道自己相思之苦，与首句照应。汀(tīng 听)洲：水中陆地。白蘋：蘋，多年生水草，茎柔软细长，生四片小叶，一名田字草，因于夏秋之间开小白花，故称白蘋。屈原《九歌·湘夫人》："登白蘋兮骋望"、柳恽《江南曲》："汀洲采白蘋"、孟浩然《送元公之鄂渚寻观主张骖鸾》："赠君青竹杖，送尔白蘋洲。"为这两句用语所本。而后来温庭筠《梦江南》："斜晖脉脉水悠悠，肠断白蘋洲"又是化用刘诗之意。

寻南溪常道士

刘长卿

一路经行处， 莓苔见屐痕①。
白云依静渚， 芳草闭闲门②。
过雨看松色③， 随山到水源。
溪花与禅意④， 相对亦忘言⑤。

【说明】 诗题一作《南溪常山道人隐居》。南溪，何处不详。常道士，姓常的道士，名不详。

这首诗借写常道士的隐居环境，生动地勾画出南溪的清幽景色，中间两联清新如画。结句把南溪和常道士与作者自己联系在一起，含意不尽。

【注释】 ①莓(méi 梅)：苔的一种。屐(jī 基)：指鞋。这两句说，一路经过的地方，莓苔上一一现出鞋痕来，说明这里是人迹罕到之地，环境特别幽静。 ②这两句顶着上两句进一步写环境的幽静。上句说白云与静渚相依，是写常道士居处的远景，下句说芳草与闲门相合，是写常道士居处的近景。渚(zhǔ 主)：水中小洲。芳草：香草。闲门：不常开的门，闲静的门。 ③这句说，经过雨洗后的松色更加青翠可爱。④禅(chán 蝉)意：清静的意思。这里隐指常道士。 ⑤忘言：彼此意会，不必言传。

新年作

刘长卿

乡心新岁切①， 天畔独潸然②。
老至居人下③， 春归在客先。
岭猿同旦暮， 江柳共风烟④。
已似长沙傅， 从今又几年⑤？

【说明】 这首诗是作者被贬南巴尉时新年怀乡之作。末联以贾谊身世自比，对谪贬的愤慨之情溢于言表。参看作者后面的《长沙过贾谊宅》和《自夏口至鹦鹉洲夕

《望岳阳寄元中丞》）。

【注释】　①这句说在这新年到来之际我想念家乡的心特别迫切。新岁：新年，指春节。　②天畔：天边，指南巴。潸(shān山)然：流泪的样子。　③老至：老来。居人下：处于人家下面，指官小。　④这两句写作者谪贬南巴的孤独悲苦处境，只有和岭猿同度日夜，和江柳共赏风烟。旦：日。暮：夜。　⑤这两句说，我像贾谊谪贬长沙那样的生活不知还要多少年才能结束。长沙傅：贾谊，西汉洛阳人。年少有才学，文帝很器重，一年中由博士升为大中大夫，因老臣绛灌等忌才谗毁，贬为长沙王太傅。三年后虽召见他，但仍然不能重用，调为梁怀王太傅。梁怀王堕马死，贾谊忧伤过度，一年后也死了。见《汉书·贾谊传》。

送僧归日本

钱　起

上国随缘住①，　来途若梦行②。
浮天沧海远，　去世法舟轻③。
水月通禅寂，　鱼龙听梵声④。
惟怜一灯影，　万里眼中明⑤。

【作者简介】　钱起(722—780)，字仲文，吴兴(今浙江吴兴)人，天宝十年(751)进士，曾任考功郎中、翰林学士等。和卢纶、吉中孚、韩翃、司空曙、苗发、崔峒、耿湋、夏侯审、李端号为"大历十才子"。钱长于五言，词采清丽，音律和谐，时有佳句。但其诗内容单薄，和大历其他才子一样，多是描写景物和投赠应酬之作。有《钱考功集》。

【说明】　这是一首送日本僧人回国的诗。中日两国隔海相望，日僧来回都要渡海，这首诗便是抓住这一特点来写的。前半写日僧"浮天沧海远"来华，后半写他"万里一灯明"回国。全诗虽未明写送别，但送别之意寄寓其中。

【注释】　①上国：指中国。随缘：佛家语，随其机缘不加勉强的意思。　②来途：从日本来中国之路。若梦行：好像在梦中行走，指海阔路长。　③浮天：形容海容量之大，可以浮天。沧海：大海。去世：离开尘世。这里指离开中国。法舟轻：语意双关，一指乘船渡海归国，一指佛法普度众生。上句说日本僧曾经渡海来中国的水程遥远，下句说现在渡海回日本的法舟飘轻。这两句的"远"、"轻"互文见义。　④水月：喻僧品格之清美。唐太宗《三藏圣教序》："松风水月，未足比其清华。"唐太宗是喻玄奘法师的品格，作者用来喻日本僧的品格，非常恰当。同时水月也是写海上夜景，含有僧渡海回国之意，既承"浮天沧海远"，又启末联。禅寂：意即禅定。其含义是，一心审考为禅，释虑疑心为定。梵(fàn犯)声：指念佛经的声音。这两句意谓，日本僧品格清美，佛法崇高，渡海回国时能以经声感动鱼龙。　⑤惟怜：独爱。一灯：禅灯，暗指佛法。《维摩诘经》："譬如一灯然(点亮)百千灯，冥者(暗的)皆明，明终不尽。"万里：与"沧海"照应。这两句是赞扬日本僧能以佛法顺利渡海回国。

谷口书斋寄杨补阙

钱　起

泉壑带茅茨①，　云霞生薜帷②。
竹怜新雨后③，　山爱夕阳时④。
闲鹭栖常早⑤，　秋花落更迟⑥。
家童扫萝径⑦，　昨与故人期⑧。

【说明】　谷口在今陕西泾阳县西北，当泾水出山之处，即仲山的谷口，故名。杨补阙，名不详。补阙，官名。杨补阙和作者约好要来谷口书斋访问，这首诗是催促他的到来。诗中极言书斋的幽静可悦，景物的美妙如画，意在盼望故人来此共赏。末尾才点明作意，艺术感染力较强。

【注释】　①壑(hè 贺)：山沟。茅茨(cí 祠)：茅房，指题中的书斋。带：映带。这句说，书斋被围绕在谷口的泉壑之间。　②薜(bì 碧)帷：薜荔绕墙而生，有如帷幕。薜，薜荔，常绿木质藤本植物，也称"木莲"、"鬼馒头"，果实可制食用凉粉，全株可入药。帷：帷幕。这句说，云霞从薜帷升起。形容书斋在山中高处。　③怜：可爱。新雨：刚下过的雨。这句说，新雨后的竹子翠绿可爱。　④山：即谷口。夕阳：落山的太阳。这句说，夕阳时的山光紫绿万状，更觉可爱。　⑤栖(qī 妻)：鸟停留在巢中。这句说，白鹭因闲的原因很早回巢休息。　⑥迟：晚。这句说，因为在深山，所以秋花落得更晚，含有等待杨补阙快来赏览之意。　⑦家童：家里的童仆。扫萝径：打扫路径，准备杨补阙来访。萝径，与"薜帷"照应。萝，即青萝，详见前李白《下终南山过斛斯山人宿置酒》注⑥。　⑧昨：先前。故人：老朋友，指杨补阙。期：相约。这句说，以前你和我约好你要来我这里访问，我正在等待你的如期到来。

159

淮上喜会梁州故人

韦应物

江汉曾为客，　相逢每醉还①。
浮云一别后，　流水十年间②。
欢笑情如旧，　萧疏鬓已斑③。
何因不归去，　淮上对秋山④？

【说明】　淮上，淮水之上，在今江苏淮阴一带。梁州，今陕西南郑县东。韦应物曾游江汉，与梁州故人在此相逢，每醉而归，故有"江汉曾为客"之句。这首诗写与故人久别重逢之乐以及自伤久滞他乡之苦。颔联比喻生动自然，全诗构思细密，抒情深婉。司空曙的《云阳馆与韩绅宿别》和李益的《喜见外弟又言别》两诗(见后)都明显地得到本诗的启示。

【注释】 ①这两句从淮上重逢追忆十年前两人在江汉聚首时的情景。江汉：指今湖北一带。　②这两句说，别后的行止像浮云一样飘忽不定，十年的时间像流水一样迅速过去。　③这两句说，今天的欢笑和当年一样亲切，可是彼此的头发都已花白而且稀疏了。旧：旧时，从前。萧疏：清疏。斑：花白。　④最后两句叹息自己为何不能像故人那样归去，而独留在淮上愁对秋山呢？沈德潜评云："语意好，然淮上实无山也。"沈德潜是清代人，又有什么根据证明唐代的淮上无山呢？

赋得暮雨送李曹

韦应物

楚江微雨里①，　建业暮钟时②。
漠漠帆来重③，　冥冥鸟去迟④。
海门深不见⑤，　浦树远含滋⑥。
相送情无限，　沾襟比散丝⑦。

【说明】 赋得，古人聚会分题赋诗，分得什么题目，称为"赋得"。如此诗是分得"暮雨"，故称"赋得暮雨"。李曹，《韦苏州集》、《唐诗别裁》均作李胄。

诗题是"赋得暮雨送李曹"，所以前三联是赋"暮雨"，末联才点送别，而仍以雨意收结。作者通过对"暮雨"的形象描写，表现他送别李曹的无限深情。

【注释】 ①楚江：指长江，因战国时从湖北以东长江均属楚国范围，按下句意，这里的楚江即指南京一带的长江，故称。微雨：细雨。这句点出题中的"雨"字。②建业：今江苏南京市。暮钟时：敲暮钟的时候。这里点出题中的"暮"字。　③漠漠：密布的样子。帆：船上的风篷。　④冥冥：昏暗。　⑤海门：地名，即今江苏海门县，距长江入海处不远。　⑥浦：可能是指浦口。滋：湿润的意思。　⑦沾襟：指眼泪沾湿了衣襟。散丝：形容密雨，如张协的《杂诗十首》(其三)有"密雨如散丝"之句。这里借来比喻眼泪之多，又与题中"暮雨"关联，就眼前景抒写离情。

酬程近秋夜即事见赠

韩翃

长簟迎风早①，　空城澹月华②。
星河秋一雁③，　砧杵夜千家④。

节候看应晚⑤， 心期卧已赊⑥。
向来吟秀句⑦， 不觉已鸣鸦⑧。

【作者简介】 韩翃，字君平，南阳（今河南沁阳附近）人，天宝十三年（754）进士。曾任节度使幕僚、驾部郎中、知制诰，官终中书舍人。韩翃是"大历十才子"之一。《全唐诗》录存其诗三卷。

【说明】 酬即以诗词互相赠答，这里是"答"、"和"的意思。程近，生平不详。《秋夜即事》是程近的原作。即事，谓当前的事物。感事之诗，多以"即事"标题，所以也称"即事诗"。

这首诗上半写秋夜的所见所闻，有声有色；下半写因怀程近并和其诗而通宵不寐，一往情深。颔联对仗清新秀逸，颇有特色。

【注释】 ①长簟（diàn 店）：长竹子。《正韵》："簟，竹名。"《南越志》："博罗县东州足簟竹，铭曰：'簟竹既大，薄且空中。节长一丈，其长如松。'"迎风：对着风，遇着风。早：因为长竹必先遇着秋风，故云早。　②澹（dàn 淡）：流动。月华：月亮的光华、光彩。李白《峨嵋山月歌》："黄鹤楼前月华白。"　③星河：银河。　④砧（zhēn 针）：捶或砸东西时垫在底下的器具，这里指捣衣石。参看前李白《子夜吴歌》注②。杵（chǔ 础）：捶衣的木棒。这句化用李白《子夜吴歌》"万户捣衣声"之意。　⑤节候：季节气候。看：读"kān 刊"。晚：指季节已到秋天。　⑥心期：心所向往。卧：睡。赊（shē 奢）：长，这里是"迟"的意思。赊在这里押"麻"韵，仍应读古音"shā 沙"。这句说，由于热切地思念你，所以要睡的时候已经很迟了。　⑦向来：这里指（晚上）一直不断地。吟：吟咏，诵读。秀句：对程近诗的美称。秀，特异的意思。这句点明题中的"酬"字。　⑧鸣鸦：鸦鸣。这里指天亮时。

阙　题

刘慎虚

道由白云尽， 春与青溪长①。
时有落花至， 远闻流水香②。
闲门向山路， 深柳读书堂③。
幽映每白日， 清辉照衣裳④。

【作者简介】 刘慎虚，字挺卿，《唐才子传》作江东人。开元十二年（723）进士。调洛阳尉，迁夏县令。现据廖延平先生的《刘慎虚的〈阙题〉诗有题》（见《文学遗产》1985年第1期）一文考证，刘慎虚原是江东人，后卜居江西靖安。他说："据江西《靖安县志》和《长冈刘氏宗谱》载，刘睿（古慎字）虚的父亲曾任洪州刺史。他在崇文馆做校书郎后，'致仕来父任，游靖安之桃源，乐其山清水秀，俗美化淳，遂卜居焉。'"他是孟浩然的好友，与王昌龄也有唱和。淡于名利，所作诗情幽兴远，思雅词奇，在东南诗人中颇负盛名。《全唐诗》录存其诗一卷，共十五首。

【说明】　此诗因原题已失，后人标为《阙题》。现据廖文载："查阅江西《靖安县志》(道光五年版)和《长冈刘氏宗谱》(民国五年修)，发现都载有这首诗，题目不是《阙题》，而是《归桃源乡》。诗后并注：'白云山在桃源，青溪潭在亘田，深柳读书堂在刘坊坑。'"据此可知，诗写桃源乡深柳读书堂春日的幽境和静趣。读书堂山清水秀，春季环境更是清幽如画。诗人朝夕与之相处，心旷神怡，物我两忘，诗笔也极尽亲切自然之妙，给人以美的享受。俞陛云《诗境浅说》指出："此诗起、结皆不用谐律，弥见古雅。初学效之，恐有举鼎绝膑之患，仍以谐音为妥帖。"

【注释】　①道：路径。由：因为。春：春意，指下面的"花"和"柳"。这两句意谓，路径因为白云而隔断，春意与青溪一样源远流长。　②时有：不时有。落花至：指落花在溪上浮来。落花承"春"，流水承"溪"。这两句说，时刻有落花从远处随着溪水流来，到处闻到一片清香。　③闲门：谓门外幽静。这两句意谓，门户向着山路而开，读书堂在柳荫深处。　④这两句意谓，每当白天在读书堂中，太阳透过柳荫照在衣裳上的是一片清幽的光辉。

江乡故人偶集客舍

戴叔伦

天秋月又满①，　　城阙夜千重②。
还作江南会，　　翻疑梦里逢③。
风枝惊暗鹊，　　露草泣寒虫④。
羁旅长堪醉，　　相留畏晓钟⑤。

【作者简介】　戴叔伦(732—789)，字幼公，润州金坛(今江苏金坛县)人。历参湖南、江西幕府，迁抚州刺史，官终容管经略使。在抚州、容州任职时，关心民瘼，政绩卓著，史书有"清明仁恕"之誉。

戴叔伦诗名很大，与钱起、皇甫冉、郎士元、耿沣、包佶等均有唱和。在当时诗人中，他以反映社会现实见长，写过一些揭露阶级矛盾，同情人民疾苦的好作品。其余抒情写景的小诗也真挚深婉，清新可喜。《全唐诗》录存其诗三卷。

【说明】　这首诗写与故人在客舍偶集之难并从而触动作者思乡之念。"还作"、"翻疑"二词极为传神，"惊"、"泣"二字含意深刻。

【注释】　①天秋：意谓时已秋季。　②城阙(què 确)：城门两边的楼观。这里指代全城。夜千重：夜色深浓。　③江南：泛指长江以南。会：聚会。翻疑：反而怀疑。这两句说，这次在江南聚会，反而怀疑是梦中相逢。意思是偶然相遇，完全出乎意料。杜甫《羌村》有"夜阑更秉烛，相对如梦寐"之句，这两句正是化用其意。　④风枝：指风吹动树枝。泣寒虫：指秋虫在草中的叫声好像哭泣一样凄凉。"泣"一作"覆"。

这两句是就当地夜景写作者在外乡作客的辛酸况味。　　⑤羁旅：留在外乡的旅客。畏：怕。晓钟：指报晓的钟声。晓，天亮。这两句说，我们的客中愁闷只有用酒来排遣吧，一打晓钟彼此又要分离了。

送李端

卢　纶

故关衰草遍，　　离别正堪悲①。
路出寒云外，　　人归暮雪时②。
少孤为客早，　　多难识君迟③。
掩泣空相向，　　风尘何所期④！

【作者简介】　卢纶(生卒年不详)，字允言，河中蒲(今山西永济县)人。曾因避安史之乱，客居鄱阳(今江西鄱阳县)。大历初，屡试不第。宰相元载赏识他的文章，得补阌(wén 文)乡(在今河南)尉，后在河中元帅府任判官，官至检校户部郎中。卢纶是"大历十才子"之一。诗多应酬之作，但有些边塞诗和景物诗很有特色。《全唐诗》录存其诗五卷。

【说明】　李端，见后李端《听筝》作者简介。这首诗写乱中离别之情，前半叙岁寒送别，故乡衰草，寒云暮雪，满目悲凉；后半转到作者身世和时局，"少孤为客早，多难识君迟"。举目风尘扰攘，深恐后会难期。短诗情辞并茂，悲切动人。

【注释】　①故关：指送别之地。衰草遍：遍地都是枯萎的草。"衰草遍"是寒冬景象，后面的"寒云"、"暮雪"正是与此照应。这两句说，在"故关衰草遍"时的离别，正是可悲的事。　②这两句说，李端是经过高入寒云的山路离去的，我送别回来正当日暮飞雪的时候。上句指行者，下句指送者。　③少孤：年少便死了父亲的意思。《孟子·梁惠王》："幼而无父曰孤。"为客早：很早便离开家乡作客。古人称离开家乡谋生或做官为作客。多难：指国家的变乱或个人的灾难很多。这里两者兼而有之。君：指李端。上句说因为少孤所以"为客早"；下句说因为多难所以"识君迟"。两句都是前因后果句，都是作者自叙。　④掩泣：掩泪。空相向：谓李端已去，自己一个人站在送别地点徒自相向。风尘：指世事纷乱，与"多难"照应。期：指后会之期。末句意谓，在这样离乱的年代哪有再见之期呢？

喜见外弟又言别

李　益

十年离乱后，　　长大一相逢①。
问姓惊初见，　　称名忆旧容②。

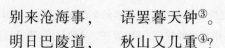

別来沧海事，　语罢暮天钟③。
明日巴陵道，　秋山又几重④？

【作者简介】 李益(748—827)，字君虞，陇西姑臧(今甘肃武威县)人，大历四年(769)进士。调郑县尉，久不升迁，浪游燕赵间，幽州节度使刘济召为从事，不久又参与邠宁戎幕。宪宗时任秘书少监，官终礼部尚书。

李益从军十年，对边塞生活有亲身体验，往往横槊赋诗。他的诗风明快豪放，在当时诗坛负有盛名，边塞诗尤其脍炙人口，《唐才子传》称他为"高适、岑参之流也"。在形式上，他最擅长七绝，其语言之凝练，形象之鲜明，音调之和谐，可以和李白、王昌龄媲美。李益是大历年间的杰出诗人。《全唐诗》录存其诗二卷。

【说明】 外弟，即表弟。这首诗用白描的手法和质朴的语言写悲欢离合之情，深刻反映了长期社会动乱中的人生感慨，具有很强的艺术感染力。颔联词浅意丰，亲切感人。末联含蓄自然，悠然不尽。

【注释】 ①十年离乱：指安史之乱。安史之乱共历八年，十年是举其成数。一：又。这两句说，两人十年前见过面，经过十年离乱又相逢了。　②问姓：指作者开头不认识外弟，便问他姓什么。惊初见：听外弟说了姓名之后，作者才为刚才见面不认识而惊讶。称名：指外弟在作者问他姓时，他自然地说了自己叫什么名字。忆旧容：回忆外弟十年前的容貌，因为他"长大"了。这两句互文见义，"问姓"和"称名"、"惊"和"忆"都是同时进行的。　③别来：指分别十年以来。来，后也。沧海事：指世事变化之大，有如沧海变桑田，桑田变沧海那样。《神仙传》："麻姑自云：'接待以来，已见东海三为桑田。'"语(yù 玉)罢：谈完了，指交谈"别来沧海事"。暮天钟：指深夜报时的钟声。这两句与"十年离乱"照应。　④明日：承"暮天"而来。巴陵：唐岳州治巴陵县，今湖南岳阳市。道：路。这两句意谓，到了明天我们又要远别了。这里化用杜甫《赠卫八处士》"明日隔山岳，世事两茫茫"之意，点题中的"又别"，字面不言别，而别意见于言外，别饶韵致。

云阳馆与韩绅宿别

司空曙

故人江海别，　几度隔山川①。
乍见翻疑梦，　相悲各问年②。
孤灯寒照雨，　深竹暗浮烟③。
更有明朝恨，　离杯惜共传④。

【作者简介】 司空曙，字文明，一说字文初，广平(今河北永年县东南)人。登进士第。早年因安史之乱逃难南方。后入长安为京官。因性情耿介，不肯干谒权贵，改由左拾遗贬长林县(今湖北江陵)丞。晚年被聘入剑南韦皋幕中,所带虚衔为水部郎中。

司空曙为"大历十才子"之一。其诗内容多写交游唱酬和山林之趣,很少赞颂达官贵人。有些篇什写安史之乱后的社会残破情况,以及当时一些文士仕途坎坷的感叹,均语挚情真,不乏佳句,有现实意义。写农民和农村风貌的少数诗篇,也比较质朴真切,在大历诗坛中别具一格。(参考傅璇琮先生《唐代诗人丛考》中的《司空曙考》)《全唐诗》录存其诗二卷。

【说明】 云阳馆,故址在今陕西泾阳县。"韩绅"一作"韩升卿"。宿别,指与韩绅同住宿之后又给他送别。

这首诗前半写久别重逢之情,后半写云阳馆宿别。颔联是历来传诵的名句。

【注释】 ①故人:老朋友,指韩绅。江海:指长江下游。几度:几次,这里似指几年。山川:山水。这两句意谓,两人阔别多年,现在好不容易才得见面。 ②乍(zhà炸)见:忽然相见。翻疑:反而怀疑。这两句说,多年不见,忽然见到了反疑是梦;因久别彼此都忘了对方的年龄,所以在悲叹中互相询问。 ③这两句写两人话旧时馆内外的凄凉夜景,反映两人明天又将分别的悲凉心境。 ④更:再。明朝:明天。恨:指离别之恨。离杯:原是为老友久别重逢而话旧举杯痛饮,实际又是为明朝分别而饯行的"离杯"。惜共传:因相聚时间太短,所以彼此都非常珍惜而互相传杯劝酒。传,传递。

喜外弟卢纶见宿

司空曙

静夜四无邻, 荒居旧业贫①。
雨中黄叶树, 灯下白头人②。
以我独沉久, 愧君相见频③。
平生自有分, 况是霍家亲④!

【说明】 外弟,即表弟。卢纶,见前卢纶《送李端》作者简介。见宿,指卢纶来作者那里住宿。见宿,一作"访宿"。

这首诗前半写自己荒居之苦,后半写外弟见宿之乐,前半写苦是为后半写乐作陪衬的。

【注释】 ①荒居:穷居的意思。旧业:指原有的田园庐舍。这两句一开头便写"见宿",自称家道衰落,旧业无多。 ②这两句写二人灯下话旧时的情景。上句象征两人在乱世中的飘零,下句感慨两人年岁都已老大。 ③独沉:孤独沉沦。愧:感到惭愧。君:指卢纶。频:多次。这两句说,以我这个长久独沉沦的人,多次蒙你来看望,我怎不感到惭愧! ④平生:一生。分(fèn奋):缘分。霍家亲:表亲。西汉霍去病是卫青姐姐的儿子,卫、霍两家是表亲。霍,一作"蔡"。这两句说,你我是知交,自有缘分,何况你又是我的表亲!

贼平后送人北归

司空曙

世乱同南去， 时清独北还①。
他乡生白发， 旧国见青山②。
晓月过残垒， 繁星宿故关③。
寒禽与衰草， 处处伴愁颜④。

【说明】 贼平，指安史之乱已被平定。安史之乱从玄宗天宝十四年(755)冬天开始，到代宗广德元年(763)春天结束，共历八年之久。这首诗当是安史之乱结束不久之作。诗中写出乱离后的荒凉景象和作者送别友人北归而自己未能同归的悲苦情怀。

【注释】 ①时清：谓时已太平，与"世乱"对举。这两句说，两人因避乱一同南来，现在乱平了，只有你一人能够北还。"独"字含有无限悲酸。 ②他乡：外乡，外地，指南来之地。旧国：故乡。国，乡。这两句意谓，我们两人的白发都是在他乡生长的，因为在他乡的时间之久和愁苦之甚，现在你一人回故乡去，世事变更很大，故乡已经残败不堪，恐怕只有青山依旧。杜甫《无家别》："寂寞天宝后，园庐但蒿藜。我里百余家，世乱各东西。存者无消息，死者为尘泥。"正是描写这种情景。上句承"世乱"句，下句承"时清"句。 ③晓月：天亮时的月亮。残垒：残余的军垒。与"世乱"照应。繁星：很多星星，指晚上。故关：旧的关口。这两句是想象友人北还途中的生活辛苦。上句写早行，下句写晚宿。 ④禽(qín琴)：鸟类的总称。衰草：枯萎的草。伴：陪伴。这两句说，友人一路所见，处处都是使人添愁的寒禽与衰草罢了。

蜀先主庙

刘禹锡

天地英雄气， 千秋尚凛然①。
势分三足鼎， 业复五铢钱②。
得相能开国， 生儿不象贤③。
凄凉蜀故伎， 来舞魏宫前④。

【作者简介】 刘禹锡(772—842)，字梦得，洛阳人，祖籍中山(今河北定县)。贞元九年(793)进士，后又中博学鸿词科，授监察御史。他是王叔文革新集团的重要人物之一。王叔文失败后，他被贬为朗州(今湖南常德市)司马，十年后又改为连州(今广东连县)刺史,后调任夔州(今四川奉节县)、和州(今安徽和县)、苏州等地刺史,晚年升迁集贤殿学士、太子宾客,官终检校礼部尚书。

刘禹锡不仅是唐代著名的朴素唯物主义哲学家,而且是有独特成就的杰出诗人。他的诗从各方面反映了中唐的社会风貌,并从中表露了自己的进步的哲学观点。他对宦官擅政、藩镇割据深恶痛绝。他写了不少寓言式的政治诗,对权贵进行了讽刺和批判;也写了不少出色的怀古诗,借古喻今,寓有深刻的现实意义。刘禹锡还是唐代学习民歌成就卓越的诗人,他的《竹枝词》、《杨柳枝》以及《浪淘沙》不仅"独出冠时",脍炙人口,而且对后世诗人颇有影响。他的诗风既沉着简练又明快清新。他的古体不及白居易,而近体却为白居易所不及。他在当时诗坛颇负盛誉。白居易十分钦佩,称他为"诗豪"、"国手"。有《刘宾客集》。

【说明】 蜀先主庙在成都城南。历史上多称开国之君为先主,这里指刘备。

这首诗写凭吊刘备庙后的敬意和感慨,意在表彰刘备的贤能,讥刺刘禅的孱弱,但讥刺还是为表彰服务的,惋叹刘备的"英雄"事业后继无人。首联气势磅礴,末联感慨无限,似寓有给唐王朝鉴戒之意。

【注释】 ①这两句意谓,刘备当年充满天地的英雄气概,千年之后还能令人肃然起敬。英雄:这里是借曹操的话赞美刘备。《三国志·先主传》:"操语先主(指刘备)曰:'夫英雄者,胸怀大志,腹有良谋,有包藏宇宙之机,吞吐天地之志者也。今天下英雄,唯使君(指刘备)与操耳。'"凛然:肃然,可敬畏的样子。 ②这两句概括刘备一生的事业。上句说刘备建立蜀国,与吴国、魏国三分天下成鼎足之势。下句说刘备建立蜀国的目的在于恢复汉业。五铢(zhū 朱)钱:汉武帝发行的钱币名。《汉书·武帝纪》:"元狩五年(公元前118)罢半两钱,行五铢钱。"王莽篡汉后,废止五铢钱不用。汉末童谣:"黄牛白腹,五铢当复。"所以作者这里是借用"五铢钱"指代汉业,"业复五铢钱"就是说刘备的功业是要恢复汉室。上句"势分三足鼎"是为实现下句"业复五铢钱"的目的的手段。 ③这两句说,刘备得到丞相诸葛亮的辅佐,所以能开建蜀国,可是他的儿子刘禅不能继承他的遗志。象贤:谓肖像其先父的贤能。上句承上联,下句开下联。 ④这两句是"生儿不象贤"的内容。蜀故伎(jì 记):蜀国的旧艺人。《三国志·后主传》载:刘禅庸弱,终于在咸熙元年(264)降魏,"东迁至洛阳,策命为安乐县公"。裴松之注引《汉晋春秋》云:"司马文王(司马昭)与禅宴,为之作故蜀伎,旁人皆为之感怆(为刘禅慨叹),而禅喜笑自若。"

没蕃故人

张 籍

前年戍月支①,　　城下没全师①。
蕃汉断消息③,　　死生长别离。
无人收废帐④,　　归马识残旗⑤。
欲祭疑君在,　　天涯哭此时⑥。

【作者简介】 张籍(768—830),字文昌,原籍吴郡(今江苏苏州附近),但实际生长在和州乌江(今安徽和县)。贞元十四年(798)进士,历任太常寺太祝,国子监助教、国子博士、水部郎中、主客郎中、国子司业。

张籍出身寒微,仕途不利,举进士后很久才获得小官。他很关心现实,了解民情,注重诗歌的讽喻作用,写了不少揭露社会矛盾、同情人民疾苦的诗篇。他的乐府诗在中唐诗坛影响较大,曾被白居易誉为"风雅比兴外,未尝著空文"(《读张籍古乐府》)。他和王建齐名,号称"张王乐府"。关于张籍诗的艺术特色,王安石在《题张司业诗》中有很精辟的评语:"看似寻常最奇崛,成如容易却艰辛。"有《张司业集》。

【说明】 没蕃,战败陷落在蕃地。蕃,同番,概指汉族以外的兄弟民族,这里可能是指吐蕃而言。唐时吐蕃地当今新疆维吾尔自治区,多次犯边,与唐交战。诗为没蕃故人生死难明而作。"欲祭疑君在"是全诗的中心,集中地反映了作者极其沉痛的心境。

【注释】 ①戍(shù 树):军队驻守边疆。一作"伐"。月(ròu 肉)支:汉西域国名,这里借指吐蕃。一作"月氏"。 ②城下:指何处不详。没全师:即全军覆没。师,军队。 ③汉:借指唐。 ④废帐:指废弃的行军帐幕。 ⑤识:认识。残旗:残破的旗帜。这两句是设想之词。 ⑥君:指没蕃故人。在:存在,活着。天涯:天边,指故人所在地。这两句说,我想为你祭奠又还疑你还活着,这时我只有向着天涯痛哭了。

赋得古原草送别

白居易

离离原上草，　一岁一枯荣①。
野火烧不尽，　春风吹又生②。
远芳侵古道，　晴翠接荒城③。
又送王孙去，　萋萋满别情④。

【说明】 诗题一作《草》,《白香山集》题作《赋得古原草送别》。赋得,参看前韦应物《赋得暮雨送李曹》说明。这首诗是白居易十五六岁时的作品。诗人热情地歌颂原上草具有无穷的生命力,其色青翠,其气芳香,结句点明题旨,并给它赋以感情,令人百读不厌。这首诗虽是诗人少年时代的创作,但仍然不愧为唐诗的名篇之一。颔联形象中富于哲理,是历来传诵的名句,而且成为今天广泛引用的格言。

【注释】 ①离离:纷披繁盛的样子。原上:因原上草最多,故称。一岁:一年。枯荣:枯,枯萎;荣,繁荣,茂盛。这两句说绵密的原上草一年一荣一枯。 ②这两句意谓原上草有顽强的生命力。句式脱化李白《望庐山瀑布》:"海风吹不断,江月照还空。"下句化用杜甫《不归》诗之末句。 ③远芳:远处的芳草。侵:渐进发展的意思,形容草有地即生。古道:古老的道路。晴翠:晴光照射在草上更显得翠绿可爱。接:连接,形容草无处不长。荒城:荒芜的城垣。这两句承颔联写草繁殖之速,不仅原上,就连古道荒城也无处不生。上句写出草的芳香,下句写出草的光彩。　④又:指又一年,承上文"一岁",年年如此。王孙:原指贵族子弟,这里指出门远游的人。萋萋(qī妻):草长得很茂盛的样子。《楚辞·招隐士》:"王孙游兮不归,春草生兮萋萋。"又江淹《别赋》:"春草碧色,春水绿波。送君南浦,伤如之何!"此本其意,而韵味无穷。

旅　宿

杜　牧

旅馆无良伴，　　凝情自悄然①。
寒灯思旧事，　　断雁警愁眠②。
远梦归侵晓，　　家书到隔年③。
沧江好烟月，　　门系钓鱼船④。

169

【作者简介】　杜牧(803—853),字牧之,京兆万年(今陕西西安市)人。文宗太和二年(828 年)进士。为弘文馆校书郎,历任观察使、监察御史、刺史,官终中书舍人。世称杜樊川。

杜牧年轻时有经邦济世的抱负,好谈军事,注曹操所定《孙子兵法》十三篇,流传于世。他关切朝政,敢于指陈时弊,坚决反对藩镇割据与外族入侵;主张收复失地,统一全国;但政治上一生不得意,生活流于颓废放荡。杜牧擅长诗赋与古文,而以诗的成就为最高,后人称为"小杜",以别于盛唐的杜甫。他和李商隐齐名,世称"小李杜"。杜牧的诗虽有一部分缘情绮靡之作,但揭露时弊反映现实之作也不少。在他的各体诗中,以七律和七绝最为精彩,有不少广为传诵的名作。有《杜樊川集》。

【说明】　这首诗写在旅馆热切思念家乡的情怀。前半开门见山,直书为乡愁所苦;后半曲折含蓄,更深一层抒发乡愁,结句寓有厌倦仕途之意。

【注释】　①良伴:好的同伴,即良友。凝情:集中思绪。自:独也。悄然:寂静无声的样子。上句是原因,下句是结果。　　②寒灯:指倚在寒灯下面。思旧事:思念往事。断雁:孤雁,失群的雁。警:闻雁声而警觉。上句承上"凝情"句,下句启下"远梦"句。　　③这两句说,因距家很远,梦魂归家也要到侵晓时才能到达,至于家信到旅馆那更是隔年的事。侵晓:天快亮时。隔年:这里指下一年春初。上句承上"断雁"句,下句启下"沧江"句。　　④这两句是即景生情,慨叹自己羁旅他乡,没有渔人到处赏览烟月的自由自在。沧江:这里指旅馆门外的江水。好烟月:指隔年春初的美好风景。系(jì记):绑着,这里是停泊的意思。末联与首联照应。

秋日赴阙题潼关驿楼

许 浑

红叶晚萧萧，　　长亭酒一瓢①。

残云归太华，　　疏雨过中条②。

树色随关迥，　　河声入海遥③。

帝乡明日到，　　犹自梦渔樵④。

【作者简介】 许浑，字用晦，润州丹阳(今江苏丹阳县)人。文宗太和六年(832)进士，为当涂、太平县令。后起为润州司马。宣宗大中三年(849)任监察御史，历虞部员外郎，睦州、郢州刺史。他酷爱林泉，淡于名利。诗的格调豪丽，长于律诗，但诗中反映的社会现实不多。有《丁卯集》。

【说明】 诗题一作《行次潼关逢魏扶东归》。秋日，即秋季。赴阙，即赴京。阙原指皇宫前两边的望楼，这里借指京城长安。潼关，在今陕西潼关县。驿楼即驿站之楼。

这首诗主要是从潼关驿楼所见景象着笔。作者这次虽是"赴阙"，但他不慕"帝乡"，却羡"渔樵"。全诗气象壮阔，笔力雄劲，虽放在盛唐诗坛也不逊色。

【注释】 ①红叶:点题中"秋日"。萧萧:风声。长亭:这里指驿楼。庾信《哀江南赋》:"十里五里，长亭短亭。"古时大道旁，十里设一长亭，五里设一短亭，作为旅客休歇之所，与驿站有共同之处，故称。 ②太华(huà话):即西岳华山，在今陕西华阴县。因它的西南有"少华"，故名。中条:山名，一名雷首山，在今山西永济县东南。因山形狭长，又位于太行山和太华山之间，故名。中条山在黄河北，太华山在黄河南，两山夹峙黄河，河水即从这里折向东流。这一联与作者《秋霁潼关驿亭》颔联重出。

③关:指潼关。一作"山"。迥(jiǒng 炯):远。河声:黄河的流水声。 ④帝乡:皇帝所在地，指唐京城长安。犹自:依然是。犹，还。自，本然的意思。渔樵:渔，捕鱼;樵，采柴。这里的"渔樵"指过隐居生活。上句点题中的"赴阙"，下句写作者仍然依恋从前的隐居生活。

早 秋

许 浑

遥夜泛清瑟①，　　西风生翠萝②。

残萤栖玉露，　　早雁拂金河③。

高树晓还密，　　远山晴更多④。

淮南一叶下，　　自觉洞庭波⑤。

【说明】 这首诗题为"早秋",诗中所写景物都是扣紧题旨的。前半写早秋的夜景,后半写早秋的昼景,中间两联又分写高低远近之景,末联以早秋的典故点题并收束全诗。颈联为拗句。

【注释】 ①遥夜:长夜。泛:漂浮,这里是弹的意思。清:清切的瑟声。瑟(sè 色):古时的一种弦乐器。 ②西风:秋风。翠萝:即青萝。 ③残萤:残留下来的萤火虫。栖:停住。这是说萤火虫到了秋天不像夏天那样活跃到处飞翔了。玉露:即白露。早雁:雁是候鸟,秋季南来,春则北去。题为"早秋",是阴历七月,故称"早雁"。拂:掠过。金河:即银河。上句是向低处看,下句是向高处望。 ④晓还密:因是早秋,树叶尚未脱落,又加上天刚亮时有雾气,所以说"晓还密"。晓:天刚亮。晴:晴光。上句是写近观,下句是写远望。 ⑤淮南一叶下:刘安《淮南子·说山》:"见一叶落而知岁之将暮。"自觉:自然会感到。洞庭波:屈原《九歌·湘夫人》:"袅袅兮秋风,洞庭波兮木叶下。"

蝉

李商隐

本以高难饱， 徒劳恨费声①。
五更疏欲断， 一树碧无情②。
薄宦梗犹泛③， 故园芜已平④。
烦君最相警， 我亦举家清⑤。

【说明】 诗的前四句咏蝉,实则自鸣不平。后四句直抒胸臆,结句又把自己的命运和情操与蝉联系起来。全诗意在借蝉的高洁来警戒自己,尽管"五更疏欲断,一树碧无情",当时的政治环境是如此冷酷、险恶,也要像蝉那样保持清高廉洁,永远不变初心。

【注释】 ①本:本来。以高难饱:蝉以高洁自处,自然难以得饱。古人认为蝉栖高树,餐风饮露,是高洁的象征。参看前骆宾王《在狱咏蝉》注㉗。高,意义双关,既指树的高处,又指蝉的高洁。徒:徒然。费声:枉费鸣声。这两句写蝉因自处高洁而难以饱腹,虽悲鸣寄恨也无人同情。 ②五更:快天亮时。疏欲断:指蝉长夜悲鸣,到最后鸣声稀疏到无力继续下去。欲,要。这两句说,尽管蝉叫得声嘶力竭,而碧树对它也是无动于衷。 ③薄宦:低微的官。梗犹泛:喻指作者行踪依然漂泊不定。梗,树枝;犹,还是;泛,漂浮。《战国策·齐策》载:齐孟尝君准备到秦国去,苏秦(《史记·苏秦列传》作苏代)劝阻他说:"今者臣来过于淄上,有土偶人与桃梗相与语,土偶曰:'今子东国之桃梗也,刻削子以为人,降雨下,淄水至,流子而去,则子漂漂者将何如耳?'"这里作者借用这个故事形容自己漂泊无定的宦游生活。 ④故园:故乡。芜(wǔ 五):长满杂草。已:一作"欲"。这两句意谓,我官职微小,年年漂泊他乡,早点辞官归去吧。 ⑤烦:劳,麻烦。君:指蝉。最相警:最能使自己警觉,与第二句的"声"字

五言律诗

171

相照应。举家清：全家清苦，与首句"高难饱"照应。最后两句说，多劳您的鸣声最能使我警惕，不同流合污，我一家也和您一样清苦。

风　雨

李商隐

凄凉宝剑篇①，　羁泊欲穷年②。
黄叶仍风雨，　青楼自管弦③。
新知遭薄俗，　旧好隔良缘④。
心断新丰酒，　消愁斗几千⑤。

【说明】　诗取第三句的"风雨"二字为题，说明自己的身世有如黄叶仍在风雨中飘摇。这首诗写作者怀才不遇到处漂泊以及交游冷落的苦闷。

【注释】　①宝剑篇：唐将领郭震托物言志的诗篇名。《新唐书·郭震传》载：郭震诗文写得出色，武则天召他谈话，要看他所作的诗文，他把《宝剑篇》呈上，武则天看后大加赞叹。这句意谓，我的诗并不比郭震差，可是却无人赏识，想来好不凄凉！这里是以诗篇喻自己的才能。　②羁(jī 基)泊：羁旅漂泊，无处寄托。穷年：终生。③这两句意谓，自己身世飘零，有如黄叶又加上风吹雨打，而豪门贵族却天天歌舞作乐，享尽荣华。仍：再，频。青楼：谓豪家之楼。管弦：管乐与弦乐，这里泛指音乐。④新知：新的知交。遭：碰上。薄俗：浅薄的风俗。旧好：旧的好友。隔：阻断。良缘：好的机会，好的遇合。这两句是写自己的交游冷落。其中的"新知"和"旧好"都可能是有所指的。　⑤心断：念念不忘的意思，犹云念极、想煞。新丰酒：新丰，地名，是汉刘邦给他父亲所建的一个市集，故址在今陕西临潼县东，古时以产美酒闻名，故称。萧绎《登江州百花亭怀荆楚》有"试酌新丰酒"之句。斗几千：见前李白《将进酒》注⑫。斗，一作"又"。这两句说，很想借美酒浇愁，即使酒价昂贵，也不惜沽饮几杯。

落　花

李商隐

高阁客竟去，　小园花乱飞。
参差连曲陌①，　迢递送斜晖②。
肠断未忍扫③，　眼穿仍欲归④。
芳心向春尽⑤，　所得是沾衣⑥。

【说明】　诗咏落花，前半婉转微细，后半无限深情，但伤感气氛浓重。这首诗似是作者借咏落花寄寓自己的身世之感。

【注释】①参差(cēn cī):不齐的样子。曲陌(mò 莫):弯曲的田间小路。　②迢递(tiáo dì 条帝):遥远的样子。斜晖:下山太阳。　③肠断:指伤心极了。　④眼穿:望眼将穿。这句意谓,我眼巴巴地望春留下,而它仍然要离去。　⑤这句意谓,花因春尽而落,我的心因花落而悲。芳心:意义双关,既指花心,也指作者惜花伤春之心。　⑥沾衣:眼泪沾湿衣襟。

凉　思

李商隐

客去波平槛①，　　蝉休露满枝②。
永怀当此节③，　　倚立自移时④。
北斗兼春远，　　南陵寓使迟⑤。
天涯占梦数，　　疑误有新知⑥。

【说明】　这首诗写作者凉秋思念友人的急切而疑惧的复杂心情。因友人自春一别,时至秋凉尚无音信,思念之情不能自已,几次因思而梦,因梦而占,因而疑误友人可能是因有新交而忘老友了。

【注释】①槛(jiàn 见):栏杆。这句说朋友离去正是春水平槛的季节。　②蝉休:蝉的鸣声停止,指夜深。这句说现在思念朋友已是秋夜了。点明题中的"凉"字。　③怀:怀念朋友。点明题中的"思"字。此节:这时节,指秋日。　④倚立:指靠着栏杆站立。移时:一时,等于现在的两个小时。这句写倚栏之久,与"波平槛"照应。　⑤北斗:星名。这里可能是指朋友远去的方位。兼春远:说明友离开我像春去一样的远。远,既指空间,又指时间。南陵:今安徽南陵县。指朋友去的地方。寓使迟:指朋友出使南陵寄信之迟。寓使,寄信。上句说朋友距离我的空间时间之远,下句说朋友离开后杳无音信。　⑥天涯(yá 牙):天边,指作者思念朋友之地。占梦数(shuò 朔):几次把梦中的情况去占卜,看它是吉还是凶。数,多次。新知:新的知交。这两句大意说,朋友去后杳无音信,我在天涯因思而梦,因梦而占,因占而疑他有了新知而把我遗忘了。

北青萝

李商隐

残阳西入崦①，　　茅屋访孤僧。
落叶人何在？　　寒云路几层②？

独敲初夜磬，　闲倚一枝藤③。
世界微尘里，　吾宁爱与憎④！

【说明】　北青萝含义不详,按诗意似是山名。

这首诗写作者赴山中访孤僧的曲折过程和感想。

【注释】　①残阳:剩下的太阳,即落山的太阳。崦(yān 烟):即崦嵫。《山海经》:"鸟鼠同穴山西南曰崦嵫,下有虞泉,日所入处。"　②这两句写访孤僧途中的情景。　③独敲:与"孤僧"照应。初夜:黄昏,与"残阳"照应。磬:见前常建《破山寺后禅院》注⑧。闲倚:幽静地靠着。一枝藤:一枝杖棍,藤可做杖,故称。这两句主语都是孤僧,说明作者已会见孤僧。　④这两句写访问孤僧后的感慨。意谓,整个世界都在微尘之中,一切皆空,我何憎何爱! 这表现了作者对现实的不满,但终究是佛家的消极思想。世界微尘:《法华经》:"三千大千世界,全在微尘。"吾:我。宁:何,哪里。爱憎:《楞严经》:"人在世间直微尘耳,何必拘于爱憎而苦此心也!"

送人东归

温庭筠

荒戍落黄叶①，　浩然离故关②。
高风汉阳渡，　初日郢门山③。
江上几人在？　天涯孤棹还④。
何当重相见⑤？　樽酒慰离颜⑥。

【作者简介】　温庭筠(812—约 870),本名岐,字飞卿,太原祁(今山西祁县)人。屡试进士不第。早年有才名,生活极为浪漫。又好讥剌权贵,常遭排挤,政治上终生不得意。曾为县尉,官终国子助教。

温庭筠诗词兼工。诗风秾丽精巧,虽和李商隐齐名,时称"温李",但成就远不及李商隐。其词多写闺情,是《花间集》的重要作家之一,对早期词的发展有一定影响。有《温庭筠集》。

【说明】　诗题一作《送人东游》。

这首诗写秋季送别。首联记离别的时间,中间两联记友人的行程,前三联都是正面说友人,末联才从侧面透露自己的离愁。颔联高雄俊逸,不愧为名句。

【注释】　①荒戍:荒废的哨所。荒,一作"古"。　②浩然:决然的意思。《孟子·公孙丑上》:"予然后浩然有归志。"故关:旧的关口。　③高风:指秋风。汉阳渡:在今湖北武汉市。初日:晓日,初升的太阳。郢(yǐng 颖)门山:在今湖北江陵县。按友人东归的行程上句在后,下句在前,因"汉阳渡"、"郢门山"的平仄和用韵等关系而倒置。　④天涯孤棹还:"孤棹还天涯"的倒装。天涯,天边。孤棹,即孤舟。棹,划船用具,长的叫棹,短的叫楫。　⑤何当:何日。重(chóng)相见:再次相见。　⑥樽(zūn 尊):盛酒的器具。离颜:指离别后的愁容。

灞上秋居

马　戴

灞原风雨定^①，　晚见雁行频^②。
落叶他乡树^③，　寒灯独夜人。
空园白露滴，　孤壁野僧邻^④。
寄卧郊扉久，　何年致此身^⑤?

【作者简介】 马戴,字虞臣,曲阳(今江苏东海县西南)人。会昌四年(844)进士。原在太原幕府中掌书记,贬龙阳(今湖南常德县)尉,后迁国子博士。

马戴与贾岛、许棠唱和,而与贾岛往来最密。他的诗风壮丽,蕴藉自然,长于抒情写景的小诗。《全唐诗》录存其诗二卷。

【说明】 这首诗写客中秋日闲居自伤不遇的感慨,结句渴望抱负能早日得到施展。前五句都关联异乡秋景。颔联含意深刻,凄切动人。

【注释】 ①灞原:指灞上,在今陕西蓝田县。　②雁行频:雁不断地飞过。③他乡:外乡。　④孤壁:指房屋的孤单而冷清。野僧邻:以野僧为邻。僧,和尚;邻,动词,做邻居。　⑤这两句说,长久地寄住在灞上,哪一年才能出去做官呢?寄卧:一作"醉卧"。郊扉(fēi 非):郊外的住宅。扉,门。致身:即出去做官,为国尽力的意思。《论语·学而》:"子夏曰:'事君,能致其身。'"朱注:"致,犹委也。"

楚江怀古

马　戴

露气寒光集，　微阳下楚丘^①。
猿啼洞庭树^②，　人在木兰舟^③。
广泽生明月^④，　苍山夹乱流。
云中君不见^⑤，　竟夕自悲秋^⑥。

【说明】 楚江,这里似指湘江。这首诗前三联描写楚江秋景,末联才点出怀古。全诗富于画意,风格高逸雄浑,是晚唐难得的佳作。

【注释】 ①这两句写楚江夕阳西下时的景色。寒光:冷光。因是秋天,又是傍晚,故称。微阳:微薄的阳光,指斜阳。下楚丘:下于楚丘,从楚山那边下沉。丘,山。

②这句说,猿在洞庭湖岸的树上啼叫。　　③人:作者自指。木兰舟:以木兰树制造的船。这里是泛指船。《述异记》:"木兰洲在浔阳江中,多木兰树,七里洲中有鲁班刻木兰为舟,舟至今在洲中。"古代诗人称木兰舟本此。　　④广泽:广阔的水国,指洞庭湖。泽,积水的地方。这句说明月从洞庭湖上升起,作者在洞庭湖西边。　　⑤云中君:云神。屈原《九歌》中有《云中君》一篇。见:一作"降"。这句点明"怀古"。⑥竟夕:整夜。这句是"自竟夕悲秋"的倒装,"自"紧承上句语气。

书边事

张　乔

调角断清秋①，　征人倚戍楼②。
春风对青冢③，　白日落梁州④。
大漠无兵阻，　穷边有客游⑤。
蕃情似此水，　长愿向南流⑥。

【作者简介】　张乔,池州(今安徽贵池县)人。懿宗咸通(860—873)中进士。当时东南多才子,如许棠、喻坦之、剧燕、吴罕、任涛、周繇、张螟、郑谷、李栖远,与张乔号称"咸通十哲"。张乔为诗清雅,昭宗大顺(890—891)中试《月中桂》诗("根生非下土,叶不坠秋风")压倒全场。但他仕途坎坷。唐末隐居九华山。《全唐诗》录存其诗二卷。

【说明】　这首诗写作者畅游边塞,登楼凭眺,极目千里,见边防无事而赞叹,表述了作者强烈的爱国愿望。

【注释】　①调角:即角声。角,古代的一种军用乐器。　　②征人:指出征的战士。倚:靠着。戍楼:戍守敌人、用来报警的哨楼。　　③青冢(zhǒng 肿):指王昭君墓,在今内蒙古自治区呼和浩特市。据《归州图经》载,胡地草多白色,唯王昭君墓上的草是青色,因号称"青冢"。冢,坟墓。　　④梁州:古九州之一,地当今四川大部和陕西西南部。这里似是泛指边塞地区。　　⑤大漠:大沙漠。无兵阻:指无兵阻扰游人。穷边:最边远之地。客:作者自称。这两句写边防非常安定。　　⑥蕃情:外族的民心。此水:这条水,在何处不详。最后两句实是一句,是作者表达自己的愿望:"长愿蕃情似此水向南流。"就是说希望外族的民心像这条水一样永远向着中国流。

除夜有怀

崔　涂

迢递三巴路①，　羁危万里身②。
乱山残雪夜③，　孤烛异乡人④。

渐与骨肉远⑤，　转于童仆亲⑥。
那堪正飘泊⑦，　明日岁华新⑧。

【作者简介】　崔涂，字礼山，江南人。僖宗光启四年(888)进士。工诗，写景状怀，往往动人肺腑。长期羁旅巴、蜀、秦、陇间，每多离怨之作。《全唐诗》录存其诗一卷。

【说明】　《全唐诗》题作《巴山道中除夜书怀》。除夜，即除夕，阴历十二月最后一天的晚上。

这首诗写除夕思乡的愁怀，全诗充满了异乡漂泊之感，首联气象阔大，颔联情景真切，颈联点"有怀"，末联拓开一笔，点出"除夜"。

【注释】　①迢递(tiáo dì 条帝)：遥远的样子。三巴：见前李白《长干行》注㉑。②羁(jī 机)：寄居外乡。危：艰苦。万里身：指距家路远。　③残雪：残余的雪，说明冬尽，明日即春初。这句扣题中"除夜"。　④孤烛：独烛，一支烛。并非实指，是作者的感情色彩。因作者独在异乡，除夜思家，故称"孤烛"。异乡：外乡。　⑤骨肉：谓至亲之人，如父母对于子女，子女对于父母，以及兄弟之间有血统关系的均称骨肉之亲。　⑥于：与。童仆：未成年的仆人。亲：亲近。王维《宿柳州》："孤客亲童仆。"此化用其意。　⑦那堪：哪能经得起。飘泊：与"羁危"照应。　⑧明日：扣题中"除夜"。岁华：年华、岁序之意。这句说明天便是新年了。

孤　雁

崔　涂

几行归塞尽①，　念尔独何之②？
暮雨相呼失③，　寒塘欲下迟④。
渚云低暗度⑤，　关月冷相随⑥。
未必逢矰缴，　孤飞自可疑⑦。

【说明】　《孤雁》共二首，这是第二首。

全诗用象征手法，以孤雁的凄凉遭遇寄寓作者在兵乱流离中的身世之感。末联宕开，余韵不尽。

【注释】　①行(háng 杭)：指雁群飞时成行。塞(sài 赛)：边塞。　②尔：你，指孤雁。独何之：独之何，孤独地飞向何处。之，往。　③相呼失：指孤雁因失群独飞而悲鸣。　④欲下迟：想落下来又迟疑。　⑤渚(zhǔ 主)云：渚上的云霭。渚，水中的小洲。　⑥关月：边关的月亮。这两句具体写孤雁凄凉寂寞的行踪。　⑦未必：不一定。逢：碰上。矰(zēng 增)缴(zhuó 灼)：一种用绳系箭射鸟的器具。矰，短箭。缴，用来系箭的绳子。缴，在这里因平仄关系，仍以读古音"卓"为宜。孤飞：点明题中"孤"字。这两句说，孤雁不一定是遭到矰缴的暗射而失群，但它的孤飞总归是可疑的,意思是说不会无缘无故而孤飞。

春宫怨

杜荀鹤

早被婵娟误，　欲妆临镜慵①。
承恩不在貌，　教妾若为容②？
风暖鸟声碎，　日高花影重③。
年年越溪女，　相忆采芙蓉④。

【作者简介】　杜荀鹤(846—907),字彦之,池州石埭(今安徽石埭县)人。出身寒微。昭宗大顺二年(891)进士。入后梁,授翰林学士,迁主客员外郎。

杜荀鹤早著诗名,他善于讥世刺时,正如他自己所说:"诗旨未能忘救物。"(《自叙》)他的诗深刻地揭露了唐末的黑暗政治和尖锐的阶级矛盾,对战乱时代的人民苦难表示深厚的同情。他是唐末继承杜甫现实主义传统的杰出诗人。他爱作律诗,但不为声律所束缚。他的诗风质朴自然,明快有力,给当时绮丽萎靡的诗坛别开生面。有《唐风集》。

【说明】　这首诗写春日宫女的怨恨。全诗是宫女自白,诉说她以色美入宫,不能得宠,如坐牢笼,因而对她入宫前的自由生活十分怀念。这似是作者借以寄寓自身怀才不遇之恨。

【注释】　①婵娟(chán juān 蝉捐):色态美好。误:误事。欲妆:想打扮。临镜:对着镜子。慵(yōng 庸):懒。这两句说原来因貌美所误而陷入宫中,现在再也无心梳妆了。　②承恩:得到皇帝的宠爱。不在貌:不在于容貌好。教(jiào 叫):使。妾:古时妇女的自我谦称。若:怎么。为容:修饰仪容,这两句写题中的"怨"字。　③这两句以春景写题中的"春"字,以美好春景反衬出这个失宠宫女凄凉寂寞的心境。　④越溪女:指西施在越溪浣纱的女伴。这里的越溪似指若耶溪,在今浙江绍兴县南若耶山下,北流入镜湖。也相传为西施浣纱处(参看前王维《西施咏》注③),故又称浣纱溪。采芙蓉:采荷花。李白《子夜吴歌》:"镜湖三百里,菡萏发荷花。六月西施采,人看隘若耶。"这两句说,越溪女伴年年回忆采芙蓉的乐事,言外之意是自己陷入宫中,虽然貌美,却不得宠,再也没有越溪女伴的行动自由了。

章台夜思

韦　庄

清瑟怨遥夜，　绕弦风雨哀①。
孤灯闻楚角，　残月下章台②。

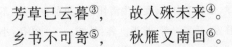

芳草已云暮③，　故人殊未来④。
乡书不可寄⑤，　秋雁又南回⑥。

【作者简介】　韦庄(836—910)，字端己，京兆杜陵(今陕西西安市)人。屡试不第，昭宗乾宁元年(894)才举进士。这以前因求官辗转江南各地，后入蜀为王建掌书记。唐亡，王建在蜀称帝，他任宰相。

韦庄诗、词并工，而词的成就更高，是《花间集》中的重要作家之一。他的诗情致深婉，多感时伤世之作；他的词质朴清新，明朗流畅，多写自身的生活实感，文学史上称为"花间派"。有《浣花集》。

【说明】　这首诗是写作者在外地思乡的愁怀。但旧注章台在今陕西长安县故城西南，恰与诗意矛盾。作者既是长安人，而章台又在故乡长安，怎么会产生"章台夜思"，即在故乡思念故乡的念头呢？同时根据诗的内容，这首诗无疑是作者在南方所作。因此这里的"章台"当指作者漂泊江南时到过的与长安的章台同名的地方，或者如有的注本所说，是"章华台"(在今湖北监利县西北)的简称。

【注释】　①清瑟：清切的瑟声。遥夜：长夜。这两句说瑟弦发出的声音像风雨那样哀怨。　②楚角：谓楚地的角声。残月下章台：残月从章台落下，指天快亮了。这两句意谓作者整夜都因思念故乡而不寐。　③芳草：香草，指春光。已云暮：已到尾声。云，语助词，无义。屈原《离骚》："恐鹈鴂之先鸣兮，百草为之不芳。"这句借春已暮喻指自己的美好年华已成过去。　④殊：犹，还。　⑤乡书：家信。不可寄：无法寄，可能是因战乱而交通阻断。　⑥这句说，秋雁又从北方回南方了。这说明作者待在这里的时间不止一年。同时也寓有不能托雁向北面传递家书之意。

寻陆鸿渐不遇

僧皎然

移家虽带郭①，　野径入桑麻②。
近种篱边菊，　秋来未著花③。
扣门无犬吠④，　欲去问西家⑤。
报道山中去，　归来每日斜⑥。

【作者简介】　皎然，字清昼，吴兴(今浙江吴兴)人。俗姓谢，南朝刘宋谢灵运十世孙，居杼山(今浙江境内)。颜真卿为湖州(今浙江吴兴县)刺史，对皎然十分器重，常与往还。有《杼山集》。

【说明】　陆鸿渐，名羽，字鸿渐，复州竟陵(今湖北天门县西北)人，隐居苕山(今浙江吴兴县)。喜欢品茶，著有《茶经》，当时卖茶人为他塑瓷像，祀为茶神。

这首诗写访友人不遇，前半写"寻"，后半写"不遇"。风格极其洒脱自然，语言明白如话。诗为五律,也和李白的《夜泊牛渚怀古》(见前)一样全不对仗。

【注释】 ①移家:迁家。带:靠近。郭:外城。 ②径:小路。 ③著(zhuó 浊)花:开花。著,生发。 ④扣门:敲门。扣,一作"到"。犬吠(fèi 肺):狗叫。 ⑤西家:指陆鸿渐西边的邻家。 ⑥报道:答复说。这两句说,西家答道:"陆鸿渐 到山中去了,他往往要到太阳落山时才回家。"

七 言 律 诗

黄鹤楼

崔 颢

昔人已乘黄鹤去①，　　此地空余黄鹤楼②。
黄鹤一去不复返，　　　白云千载空悠悠③。
晴川历历汉阳树④，　　芳草萋萋鹦鹉洲⑤。
日暮乡关何处是⑥，　　烟波江上使人愁。

【作者简介】 崔颢(约704—754)，汴州(今河南开封市)人。开元十一年(723)进士，天宝中为尚书司勋员外郎。

崔颢青年时期诗意浮艳，多陷轻薄，后经历边塞生活，忽变常体，风格凛然。《唐才子传》说他"游武昌，登黄鹤楼，感慨赋诗，及李白来，曰：'眼前有景道不得，崔颢题诗在上头。'无作而去"。《全唐诗》录存其诗一卷，共四十二首。

【说明】 黄鹤楼，故址在湖北武昌县西黄鹤山(即黄鹄山)西北的黄鹄矶上。因修武汉长江大桥拆除，移建武昌桥头。俯瞰江、汉，极目千里。《南齐书·州郡志》说山人子安乘黄鹤经过这里，因以名楼。《寰宇记》说是费文祎登仙，曾驾黄鹤在这里休息，故名。两说稍有出入。

这首诗前半写凭吊之感，后半写登楼所见景色和因凭吊而生的乡情，前半虚写，后半实写。全诗一气贯注，格调优美，为历代诗人所赞叹。

【注释】 ①昔人：指子安(或费文祎)。　②此地：指黄鹄矶。空余：只剩下。
③千载：千年，指很长的时间。悠悠：浮荡的样子。　④晴川：犹云晴郊或晴野。川，平坦的陆地。汉阳：在武昌之西，与黄鹤楼隔江相望。　⑤芳草：香草。萋萋：茂密的样子。一作"青青"。鹦鹉(yīng wǔ 英武)洲：黄鹤楼东北长江中的小洲。　⑥乡关：家乡。

行经华阴

崔 颢

岩峣太华俯咸京①，　　天外三峰削不成②。

武帝祠前云欲散③, 仙人掌上雨初晴④。

河山北枕秦关险⑤, 驿路西连汉畤平⑥。

借问路旁名利客⑦, 何如此处学长生⑧!

【说明】 诗题一作《行经华山》。华阴即今陕西华阴县,在太华山之阴(山北),故名。

这首诗的前三联写景,句句关联太华,首、颔二联写太华的高峻雄奇,颈联写太华的地形险要。末联即景生感,忽生世外之想,究属消极,但仍归结到太华。全诗气势磅礴,意境阔大,不同凡响。

【注释】 ①岧峣(tiáo yáo 条尧):高峻。太华:见前许浑《秋日赴阙题潼关驿楼》注②。俯:向下,有居高临下之意。咸京:即咸阳,在今陕西咸阳东,因秦曾在此建都,故称"咸京"。 ②天外:形容极高。三峰削不成:郭缘生《述征记》:"华山有三峰,芙蓉、玉女、明星也。其高若(像)在天外,非人所能削凿也。" ③武帝祠:即汉武帝所建的巨灵(河神)祠,在华山仙人掌下。相传华山原为一山,在黄河中,河水要从旁绕过,河神巨灵便"以手擘开其上。足踏离其下,中分为二,以通河水,手足之迹于今尚存"(薛综注《文选·西京赋》)。 ④仙人掌:华山东峰名。王涯《太华仙掌辨》:"西岳太华之首峰有五崖,自下远望,偶为掌形。" ⑤河山:指黄河、华山。枕:动词,倚靠。秦关:指函谷关,因它是秦国修建,故称。这句说函谷关北踞黄河、华山之冲,形势极为险要。 ⑥驿路:犹云马路、大路,点题中的"行经"。汉畤(zhì 至):汉代皇帝祭天的土台,位当华山之西,今陕西西安市西北。 ⑦借问:因问。路旁名利客:指为名利而在路上奔走的人。"路旁"扣"行经"。 ⑧何如:哪如。一作"无如"。此处:指太华山。学长生:学长寿,指学道求仙。

望蓟门

祖　咏

燕台一望客心惊, 笳鼓喧喧汉将营①。

万里寒光生积雪, 三边曙色动危旌②。

沙场烽火侵胡月, 海畔云山拥蓟城③。

少小虽非投笔吏, 论功还欲请长缨④。

【作者简介】 祖咏(699—约746),字和生,洛阳(今河南洛阳市)人。开元十二年(724)进士,有文名。政治上不得意,后移家汝水,以隐居终身。

祖咏与王维交谊深厚,有唱和。诗多赠友、写景之作,除《望蓟门》外都是五言。《全唐诗》录存其诗一卷,共三十六首。

【说明】 蓟(jì 记)门,即蓟丘,在今北京市德胜门外,是唐时内地通往东北的政治、军事重镇。

这首诗是写望蓟门的见闻和感想。作者登上燕台一望心惊，目光从近到远，从内地到边塞，从陆上到海畔。前三联不是泛写景物，而是处处从形胜险要着笔，这就自然地转到末联的为国从戎的主题上来。全诗豪宕奋发，气壮山河，读来令人慷慨激越，心潮澎湃。

【注释】 ①燕(yān 烟)台：即幽州台，见前陈子昂《登幽州台歌》说明。望：一作"去"。客：作者自称。笳(jiā 加)：卷芦叶以吹的乐器。喧喧：大声扰攘。汉将：借指唐将。这两句写作者登燕台北望蓟门，触目惊心。 ②万里：指辽阔的原野。寒光生积雪：寒光生于积雪。即积雪生寒光。三边：泛指边塞。曙色：黎明的天色。危旌：高悬的旌旗。危，高高的。一作"行"。上句写远望，下句写仰望。 ③沙场：战场。烽火：边塞报警的烟火，这里泛指战火。侵胡月：指烽火的炽烈，使胡月为之色夺。"侵"一作"连"。胡月，指敌人境内的月色。海畔云山：因燕台东近渤海，故称。海畔，海边。拥蓟城：拥簇着蓟城。蓟城，今河北蓟县，唐蓟州治所。上句说边塞战火炽烈，下句说蓟门地形险要。烽火承"危旌"，云山承"积雪"。 ④少小：年轻时。投笔吏：用班超投笔从戎的典故。班超家贫，年轻时为小吏给官府抄写文书，后投笔叹息说："大丈夫应当效法傅介子、张骞那样立功异域，怎么能长久地在笔砚间生活呢？"他后来在汉代平定西域、统一祖国的斗争中建立了不朽的功勋。见《后汉书·班超传》。请长缨：用终军的典故。终军曾向汉武帝上书："愿受长缨，必羁(缚)南越王而致之阙下(宫门下)。"后来终军出使南越，说服了南越王内附。见《汉书·终军传》。

九日登望仙台呈刘明府

崔 曙

汉文皇帝有高台①，　　此日登临曙色开②。
三晋云山皆北向，　　二陵风雨自东来③。
关门令尹谁能识，　　河上仙翁去不回④。
且欲近寻彭泽宰，　　陶然共醉菊花杯⑤。

【作者简介】 崔曙，宋州(今河南商丘市)人。开元二十六年(738)进士。以《奉试明堂火珠》诗得名。《全唐诗》录存其诗一卷。共十五首。

【说明】 望仙台，在今陕西鄠县西。《神仙传》说："河上公授文帝《老子》而去，失所在，帝于西山筑台望之，名曰望仙台。"刘明府，名不详。明府，汉代人对刺史的称呼，唐代人对县令也称明府。

这首诗是邀请友人刘明府来共度重阳举杯痛饮，作意与前孟浩然的《秋登万山寄张五》相同。不过孟诗是从怀友写起，直抒胸臆，这首诗是从怀古写起，多用史事，并对远求神仙者寓有讥刺。孟诗清淡自然，此诗奔放壮丽，各有特色，但结句都是盼望友人快来共饮。

【注释】 ①汉文皇帝:西汉第三个皇帝刘恒。 ②此日:指题中的"九日"。曙色:黎明的天色。 ③三晋:指战国时晋分为韩、赵、魏。地当今山西及河南大部、河北一部。二陵:指崤陵,在今河南洛宁县北。崤陵又分为南陵、北陵,南陵为夏后皋之墓,北陵为文王避风雨处。这两句写登台遥望。 ④关门令尹:指尹喜。尹喜曾做函谷关的关吏。老子西游,过函谷关,将所著《道德经》给他。他跟随老子到了流沙,后不知所终。见《列仙传》。河上仙翁:即河上公。这两句是用登台所想到的两个仙人,为下联出现刘明府过渡。 ⑤彭泽宰:指陶潜。陶潜曾做彭泽(今江西彭泽县)令八十余日,便辞官归家。陶然:快乐的样子。菊花杯:指菊花酒。参看前孟浩然《秋登万山寄张五》注②、⑦。末两句以彭泽令陶潜比刘明府(陶、刘都是县令),希望他来共饮重阳菊花酒。

送魏万之京

李 颀

朝闻游子唱离歌， 昨夜微霜初渡河①。
鸿雁不堪愁里听， 云山况是客中过②。
关城树色催寒近， 御苑砧声向晚多③。
莫见长安行乐处， 空令岁月易蹉跎④。

【说明】 魏万,后改名颢,博平(今山东博平县)人。隐居王屋山。肃宗上元初进士。是李颀的后辈,与李白交谊深厚。李白有《送王屋山人魏万》诗,《李太白全集》中有魏万写的《李翰林集序》。之京,赴京城长安。

　　这首诗通过送别写作者和魏万的深厚情谊。诗从别地叙到京城,紧扣凉秋。虽未正面叙别,但觉别意更浓。首联突兀不平,中间两联情景交融,末联勉励,别具一格。情韵缠绵,格律严谨,音节浏亮,为后代诗人所赞美。前人虽指出其中朝、曙、晚、夜有义复之疵,但无力据,首联与颈联非同一时间,颈联之曙、晚为诗人揣想之词。

【注释】 ①朝:早上。游子:离家在外或久居外乡的人,指魏万。离歌:离别的歌,一作"骊歌"。这两句说你昨天晚上在微霜中渡过黄河来到这里,今天早上便和我告别去长安。为了诗意的曲折含蓄,两句的时间作了颠倒。 ②鸿雁不堪愁里听:因鸿雁南去北来游移不定,又鸣声极哀,使满载离愁的魏万既不忍见,更不忍闻。听,读"tìng"。况:况且。过(guō锅):经过。这两句设想魏万在途中的寂寞心情。 ③关城:指潼关,故址在今陕西潼关县南,地当黄河之曲,据崤函之固,扼秦晋豫三省之冲,关城雄踞山腰,下临黄河,素称险要。树色催寒近:从树色的转变,感到逼人的寒天愈来愈近。树,一作"曙"。御苑:皇宫的庭苑。这里借指京城长安。砧(zhēn真)声:捣衣声。详见前李白《子夜吴歌》注②。向晚多:愈接近晚上愈多。向,动词。这两句预料魏万入关到京时已是深秋了。 ④莫见:不要看见。"见"一作"是"。是,因也。令(líng灵):使。蹉跎(cuō tuó):浪费时间。末两句勉励魏万要有坚强的事业心,不要沉醉在京城的欢乐生活中而虚度年华。

登金陵凤凰台

李　白

凤凰台上凤凰游，　　凤去台空江自流。
吴宫花草埋幽径，　　晋代衣冠成古丘①。
三山半落青天外②，　　二水中分白鹭洲③。
总为浮云能蔽日④，　　长安不见使人愁⑤。

【说明】　金陵，今江苏南京市。凤凰台，故址在今南京市凤凰山。相传南朝刘宋元嘉年间，有凤凰飞集此山上，故筑此台，山也因此得名。

　　这首诗是李白被权贵排挤出长安后漫游金陵时创作的一首政治讽刺诗。前人认为："此诗全摹崔颢《黄鹤楼》而终不及崔诗之超妙，唯结句用意似胜。"这种看法是片面的，李诗在形式上虽不无受崔诗影响之处，但思想内容却丰富得多了。诗人借古喻今，对当朝权贵极度蔑视："吴宫花草"、"晋代衣冠"早成丘墟，唯有"二水"、"三山"今仍流峙。前三联讽刺，末联揭示作意，情韵悠然不尽。

【注释】　①吴宫：指吴国的王宫，三国时吴国建都建业（唐金陵）。花草埋幽径：当年吴王庭苑的奇花异草湮没在荒径之中。幽径，偏僻的小路。晋代：指东晋。东晋建都建康（唐金陵）。衣冠：指当年掌握朝纲的豪门大族。成古丘：变成了古坟，指他们早已死去。这两句说当年建都金陵的吴、晋都成陈迹。这两句是互文见义，"衣冠成古丘"、"花草埋幽径"为吴、晋所共有。　②三山：山名。在今南京市西南长江边。山峰并列，南北相连，故名。半落青天外：形容三山距凤凰台很遥远，看不分明。陆游《入蜀记》："三山，自石头及凤凰台望之，杳杳有无中耳。及过其下，则距金陵才五十余里。"　③二水：指秦淮河横贯南京城内，西流入长江，被横截其间的白鹭洲分为二支，故称。一作"一水"。白鹭洲：古代长江中的沙洲名，在今南京市西南，因洲多聚白鹭而得名。　④浮云蔽日：陆贾《新语》："邪臣之蔽贤，犹浮云之障日月也。"为李白这句用语所本。但李白这里略有变化，"日"不指"贤"，而指"君"，即奸邪蒙蔽君主，谗害贤才。　⑤这句意谓自被权贵排挤出京后，再也不能返回长安接近玄宗了，所以使他发愁。

送李少府贬峡中王少府贬长沙

高　适

嗟君此别意何如①？　　驻马衔杯问谪居②。

巫峡啼猿数行泪，　衡阳归雁几封书③。
青枫江上秋帆远，　白帝城边古木疏④。
圣代即今多雨露，　暂时分手莫踟蹰⑤。

【说明】　李少府、王少府名不详。少府即县尉。峡中，古地名，在今四川巴县西。长沙，唐县名，即今湖南长沙市。

这是送别友人赴谪地的诗，主旨是表示对友人的同情和劝慰。诗中充满着离别的气氛，感染力颇为强烈。颔、颈二联情景不分，颔联用典入化。结句与首句照应。

【注释】　①君：指李、王二少府。此别：这次分别。意何如：心情怎么样。　②驻马：停马。衔杯：即饮酒。这里指为李、王二少府饯别。谪居：指谪贬的地方，故下联以"巫峡"、"衡阳"接上。　③巫峡：长江三峡之一，在今四川巫山县长江中。啼猿数行泪：《荆州记》："渔者歌曰：'巴东三峡巫峡长，猿鸣三声泪沾裳。'"衡阳归雁：衡阳，县名，即今湖南衡阳市。境内有衡山，上有回雁峰，每年秋季北雁南飞，相传到这里便折回。几封书：几封信，这里是用雁足传书的典故。参看温庭筠《苏武庙》说明。上句写李少府，以"巫峡"点"峡中"；下句写王少府，以"衡阳"点"长沙"。两句都承"谪居"而来。　④青枫江：在今湖南长沙市。白帝城：故址在今四川奉节县。古木疏：指秋天树叶脱落。这两句和上联一样分写李、王二少府。上句承"衡阳"句，写王少府；下句承"巫峡"句，写李少府。　⑤圣代：圣明时代。即今：犹如今。雨露：喻恩泽。踟蹰(chóu chú 仇除)：犹豫。末两句用宽慰语点出送别，说这次只是暂时谪贬。

和贾至舍人早朝大明宫之作

岑　参

鸡鸣紫陌曙光寒①，　莺啭皇州春色阑②。
金阙晓钟开万户③，　玉阶仙仗拥千官④。
花迎剑佩星初落，　柳拂旌旗露未干⑤。
独有凤凰池上客，　阳春一曲和皆谁⑥。

【说明】　贾至，字幼邻，洛阳人，天宝十年(751)明经擢第。舍人，官名，有中书舍人、起居舍人、通事舍人等名目，贾至当时任中书舍人。《早朝大明宫》是贾至的原作。早朝是百官早上朝见皇帝。大明宫，唐宫名，故址在今陕西西安市。贾至的诗不仅岑参、王维(见下诗)和了，杜甫也有和作。贾至的原诗是："银烛朝天紫陌长，禁城春色晓苍苍。千条弱柳垂青琐，百啭流莺绕建章。剑佩声随玉墀步，衣冠身惹御炉香。共沐恩波凤池上，明朝染翰侍君王。"岑诗便是紧扣贾诗的内容和的。首联记叙作诗的时间是暮春。中间两联描绘早朝的情景。末联点明"和"意。

【注释】　①紫陌：古代辞章家多称帝京的道路为紫陌。曙光：初升的太阳。

②啭(zhuàn 撰)：鸟婉转地叫。皇州：京城。春色阑：春色完了。阑，尽。　③金阙：指大明宫。晓钟：报晓的钟声。晓，天亮。万户：指宫殿的千门万户。　④玉阶：指皇宫的台阶。仙仗：指帝王的仪仗。拥千官：形容百官拥挤着朝见皇帝。　⑤这两句具体描绘早朝时的情景。剑佩：指禁卫军的武装。旌旗：指皇帝的旗帜。花、柳：照应次句的"春色"。星初落、露未干：照应三句中的"晓"，切题中的"早"。　⑥末两句点明和意。独有：唯独有，只有。凤凰池上客：指贾至，因他当时任中书舍人。凤凰池，指中书省，见前李颀《听董大弹胡笳兼寄语弄房给事》注⑮。阳春一曲：美称贾至的《早朝大明宫》。阳春，指高级曲调。宋玉《对楚王问》："其为《阳春》、《白雪》，国中属（跟着）而和者不过数十人。"

和贾至舍人早朝大明宫之作

王　维

绛帻鸡人报晓筹①，　尚衣方进翠云裘②。
九天阊阖开宫殿③，　万国衣冠拜冕旒④。
日色才临仙掌动⑤，　香烟欲傍衮龙浮⑥。
朝罢须裁五色诏，　佩声归到凤池头⑦。

【说明】　此诗与贾至他们的诗一样，都是对当朝皇帝肃宗李亨歌功颂德之作。结句点出和意，也与岑参他们不约而同，是对贾至的赞美。这类诗纯属朝官应酬之作，词虽华美，而内容空泛。不少诗话对其虽有好评，但多是就艺术形式言之。

【注释】　①绛帻(zé 责，按诗的格此处仍读入声)鸡人：报晓的卫士。因他头著绛帻专传鸡唱，故称。绛帻，红色的头巾。报晓筹：鸡人所持的报晓的更筹。"报"一作"送"。晓：天亮。　②尚衣：掌供天子衣帽几案的官员。方进：正在进献。翠云裘：翠绿色的皮衣。　③九天：谓宫禁。阊阖(chāng hé 昌合)：天门。这里指宫门。阖因调平仄，这里仍读入声。　④万国衣冠：指各国派来朝拜中国皇帝的使臣。冕旒(miǎn liú 免流)：古天子、诸侯及卿大夫的礼冠。冕，冠(帽)。旒，冠前所垂的珠串，天子之冠有十二旒。这里以冕旒指代天子。　⑤日色才临：日光刚刚照到。仙掌：指铜仙人。《三辅黄图》："神明台，汉武帝造。上有承露盘，有铜仙人舒掌捧铜盘玉杯，以承云表之露，和玉屑服之，以求仙道。"　⑥香烟：宫殿上焚烧香料的芬芳烟气。傍(bàng 蚌)：靠着。衮(gǔn 滚)龙：天子的龙袍。　⑦朝(cháo 潮)罢：早上朝拜天子结束。须：要。裁：剪裁。这里是撰写的意思。五色诏(zhào 召)：天子的诏书(命令、文告之类)，用五色纸书写，故称。佩声：指佩玉的响声。佩，系在带上的装饰品。屈原《九歌·湘君》："遗余佩兮醴浦。"注："琼琚之属。"凤池：见上诗注⑥。这两句说贾至朝罢要回到中书省去写诏书。中书舍人的职责便是给天子草拟诏书。

奉和圣制从蓬莱向兴庆阁道 中留春雨中春望之作应制

王　维

渭水自萦秦塞曲①，　黄山旧绕汉宫斜②。
銮舆迥出千门柳③，　阁道回看上苑花④。
云里帝城双凤阙⑤，　雨中春树万人家。
为乘阳气行时令，　不是宸游玩物华⑥。

【说明】　圣制，天子所作的诗。蓬莱、兴庆：均宫名。隆庆坊本是玄宗为诸王时的旧宅，开元二年(714)因避玄宗名隆基讳而改名兴庆。开元二十年(732)筑夹城入芙蓉园，自大明宫夹罗复道(即阁道)，经通化门到达兴庆宫，再经明春延喜门，到达曲江芙蓉园。因此，玄宗往来于东内南内两宫之间，而外人并不知道。留春，即游春。应制，应天子之命作诗。

这是王维任朝官时对玄宗《春望》的应制之作。首联用对仗，写长安周围的山川形胜。中间两联扣题写玄宗游春及帝城景色。末联以颂词结。全诗高华雄丽，气势阔大。虽为应制之作，但多少反映了兴盛时期的唐代气象。

【注释】　①渭水：即渭河，又称渭川，源出甘肃渭沅县鸟鼠山，东流入陕西境，会泾水入黄河。渭水绕唐京城长安北面东流。萦(yíng营)：环绕，围绕。秦塞：犹言秦地，这里指长安城郊。　②黄山：山名，在今陕西兴平县北。汉宫：指唐宫，即点题中的蓬莱、兴庆。　③銮(luán峦)舆：天子的车驾。迥(jiǒng炯)：远。　④阁道：即复道。回看：回头看。上苑(yuàn院)：上林苑，故址在今陕西长安县西。　⑤帝城：帝京，指长安。双凤阙：唐含元殿左右，有栖凤、翔鸾二阙。　⑥乘：趁。阳气：指春气。《汉书·律历志》："阳气动物，于时为春。"行时令：按季节颁行政令。《礼·月令》："季冬之月，天子乃与公卿大夫共饬(整治)国典，论时令，以待来岁之宜。"时令，随时的政令。宸(chén陈)游：天子出游。宸，皇帝的住所，这里指代皇帝。玩：赏览。物华：暄和妍丽的景物，指春景。末两句说玄宗是乘春时颁行政令，而不是出外游玩。这是作者对皇帝的恭维颂扬，是封建时代文人应制诗的通病。

酬郭给事

王　维

洞门高阁霭余晖①，　桃李阴阴柳絮飞②。
禁里疏钟官舍晚，　省中啼鸟吏人稀③。
晨摇玉佩趋金殿，　夕奉天书拜琐闱④。
强欲从君无那老，　将因卧病解朝衣⑤。

【说明】 酬即报、答,和诗的意思。郭给事,名承嘏,字复卿。给事,即给事中,官名,属门下省。

首联描绘宫门外的春景。中间两联称颂郭给事的政绩。末联以自己老病,不能相从结出酬意。

【注释】 ①洞门:谓重重宫殿门门相对。霭:聚集。 ②阴阴:幽暗的样子,形容桃李阴浓。 ③禁里:即宫中。《三辅黄图》:"汉宫中谓之禁中,谓宫中门有禁,非侍卫通籍之臣,不得妄入。"官舍:处理官务的房舍。省:指门下省,唐代的中央行政机构。吏人稀:官吏稀少。这两句写宫中、省内的情景。 ④晨:早上。玉佩:即佩玉。参看前王维《和贾至舍人早朝大明宫之作》注⑦。趋金殿:指赶赴宫中早朝皇帝。金殿,金銮殿。夕:晚上。奉:同"捧"。天书:皇帝的诏书。琐闱(wéi 围):青琐门,即宫门。因宫门多刻连环文而涂以青色,故名。这两句写郭给事入朝退朝的辛勤。 ⑤强(qiǎng 抢):勉力。从君:跟随您。君,指郭给事。无那老:无奈我年老了。那,一作"奈"。解朝衣:辞去朝官。末两句写自己的感慨,因既老且病不能从君,将要辞职。

积雨辋川庄作

王 维

积雨空林烟火迟①,　蒸藜炊黍饷东菑②。
漠漠水田飞白鹭③,　阴阴夏木啭黄鹂④。
山中习静观朝槿⑤,　松下清斋折露葵⑥。
野老与人争席罢,　海鸥何事更相疑⑦?

【说明】 辋川庄,即作者的辋川别墅。详见前王维《辋川闲居赠裴秀才迪》说明。这首诗描写山庄久雨后的夏景和隐居中的闲适心情。颔联写景富于画意。

【注释】 ①积雨:久雨。 ②蒸藜炊黍:即蒸菜烧饭。藜,野菜,嫩时可食。饷(xiǎng 响):饷田,送饭菜到田上去。菑(zī 兹):垦殖一年的田,这里泛指田亩。 ③漠漠:分布排列的样子。 ④阴阴:幽暗的样子。啭(zhuàn 撰)黄鹂:黄鹂婉转地叫。黄鹂,黄莺。 ⑤习静:修养清静的心性。朝槿(jǐn 紧):即木槿,锦葵科,落叶灌木,夏秋之际开花,有红、紫、白等颜色,朝开午萎,故称"朝槿"。 ⑥清斋:吃素。《旧唐书·王维传》:"维弟兄俱奉佛,居常素食,不茹(吃)荤血,晚年长斋,不衣(穿)文彩。"露葵:葵,菜名。晚上露下时葵最美观,故称。 ⑦野老:作者自称。争席:争夺席位(见《庄子·寓言篇》)。罢:结束了。海鸥:《列子·黄帝篇》:"海上有喜欢鸥鸟的人,每天到海边,跟着海鸥游玩。他的父亲说:'我听说海鸥都和你游玩,你把它捉来我玩玩。'第二天他到海上,海鸥见了却不再飞下来了。"意思是说,一个人不能有机诈的念头。末两句意谓,我早已辞官隐居,与人无争了,为什么有人还怀疑我有做官的念头呢?

蜀 相

杜 甫

丞相祠堂何处寻，　锦官城外柏森森①。
映阶碧草自春色，　隔叶黄鹂空好音②。
三顾频烦天下计，　两朝开济老臣心③。
出师未捷身先死，　长使英雄泪满襟④。

【说明】　蜀相，三国时蜀国丞相诸葛亮。他辅佐刘备开建蜀国，与吴、魏三分天下，成鼎足之势。

　　此诗是肃宗乾元三年(760)杜甫定居成都游武侯祠时所作。前半记祠堂内外的景色，诗人感物思人之意见于言外。后半赞叹诸葛亮的一生谋略和功业，同时寄寓诗人忧时伤乱、怀才不遇之感。末联是感人肺腑千古传诵的名句。南宋抗金将领宗泽临死时反复吟咏，念念不忘收复中原，真是千古英雄俱有同感。

【注释】　①丞相祠堂：诸葛亮祠堂，指成都城南的武侯庙。锦官城：成都的别称。详见前李白《蜀道难》注㉖。柏森森：祠前有大柏树两株，相传是诸葛亮手植。森森，繁密的样子。这两句用问答形式，指出祠堂所在地。　　②这两句写祠堂的景色，"自"、"空"二字深寓诗人的感叹，见出祠堂的荒凉。　　③三顾：刘备三顾茅庐。诸葛亮隐居隆中(今湖北襄阳县西)，刘备曾三次访问，请他出来辅助自己。诸葛亮《出师表》："三顾臣于草庐之中"即指此。频烦：屡次烦劳诸葛亮谋划。天下计：天下大计。两朝：指先主刘备和后主刘禅两朝。开济：开，指辅佐刘备开基创业；济，指辅佐刘禅济美守成。老臣心：竭尽老臣之心，即"鞠躬尽瘁，死而后已"的意思。这两句写诸葛亮的才德，说他一心为蜀汉竭忠尽智，不顾其他。　　④出师未捷：指诸葛亮于蜀汉建兴十二年(234)率兵北伐，与司马懿隔渭水对峙，相持百余日而病死于五丈原(今陕西郿县西南)军中。末两句为诸葛亮"出师未捷身先死"深致感慨。

客 至

杜 甫

舍南舍北皆春水①，　但见群鸥日日来②。
花径不曾缘客扫，　蓬门今始为君开③。
盘飧市远无兼味，　樽酒家贫只旧醅④。
肯与邻翁相对饮⑤，　隔篱呼取尽余杯⑥。

【说明】 此诗是成都草堂筑成不久的上元二年(761)春之作。题下有原注:"喜崔明府相过。"明府,唐人对县令的称呼。诗写诗人在江村寂寞中喜崔明府来访。前借群鸥发端,后借邻翁作陪结束,语言真切,如话家常,足见两人交谊之厚。

【注释】 ①舍:指杜甫的成都草堂。 ②但见:只见。"但"与上句"皆"字照应。鸥:水鸟。这句意谓以前只见鸥鸟天天成群而来,却不见客来。 ③花径:花圃间的小路。"花径"与"春"字照应。缘:因为。蓬门:草屋,指草堂,与"舍"字照应。始:才。君:指崔明府。这两句说,为了迎接您,今天特扫径、开门。"不曾"与"今始"互文见义。 ④飧(sūn 孙):熟食。此处泛指菜肴。市远:距街市路远。无兼味:只有一种菜味。樽:酒器。醅(pēi 胚):未过滤的酒。上句说因市远菜肴少,下句说因家贫无好酒。 ⑤邻翁:邻家的老翁。 ⑥隔篱:隔着篱笆,与"舍南舍北"照应。呼取:呼着,呼得。余杯:指剩下的酒。杯,这里代指酒。

野 望

杜 甫

西山白雪三城戍①, 南浦清江万里桥②。
海内风尘诸弟隔③, 天涯涕泪一身遥④。
惟将迟暮供多病⑤, 未有涓埃答圣朝⑥。
跨马出郊时极目⑦, 不堪人事日萧条⑧。

【说明】 这首诗当是代宗宝应元年(762)冬,杜甫从梓州回成都时所作。诗人因野望而生愁,国破家亡,天涯漂泊,近望吐蕃在川西猖獗,远望安史在河北纵横,加之迟暮多病,报国无门,蒿目时艰,感慨无限。全诗从望字着笔,结句点题并与首句呼应。语言凝练,感情深沉。

【注释】 ①西山:在今四川成都市西,松潘县南。一名雪岭,为岷山主峰。三城戍:安史之乱起,吐蕃乘虚入寇,松州(今四川松潘县)、维州(今四川理县西)、保州(今四川理县新保关)三城都驻有重兵防守,故曰"三城戍"。三城当时是蜀西北要害之地。戍,防守。 ②南浦:指成都南郊外水边地。清江:指锦江。万里桥:在成都城南。晋常璩《华阳国志》:蜀派费祎出使吴国,诸葛亮给他饯行。费祎叹道:"万里之行,始于此桥。"因以为名。 ③海内:四海之内,犹言天下(全国)。风尘:指安史之乱等变乱。诸弟隔:和几个弟弟都分离了。 ④天涯(yá 牙):天边。这里指成都,对中原而言。涕(tì 剃)泪:鼻涕眼泪。一身遥:对"诸弟"而言。遥,远。 ⑤惟将:只有将。迟暮:指晚年。 ⑥涓埃:涓为细流,埃为轻尘,以喻微末。答:报答。圣朝:封建时代臣下对朝廷的敬称。这句说自己没有一点报答朝廷。 ⑦跨马:骑着马。郊:指成都郊外的万里桥。时极目:时刻纵目远望,西望三城,东望河北。这句点题。 ⑧不堪:不忍、不禁。人事:犹言世事。这里的人事指朝政紊乱。日:一天天。萧条:寂寞冷落,毫无生气。

闻官军收河南河北

杜 甫

剑外忽传收蓟北①，　　初闻涕泪满衣裳②。
却看妻子愁何在，　　漫卷诗书喜欲狂③。
白日放歌须纵酒④，　　青春作伴好还乡⑤。
即从巴峡穿巫峡，　　便下襄阳向洛阳⑥。

【说明】　此诗是唐代宗广德元年(763)春在梓州(今四川三台县)所作。代宗宝应元年(762)十月，唐将仆固怀恩等屡破史朝义军，收复东京(洛阳)，史将薛嵩、张志忠等投降，河南(黄河以南，洛阳、相州一带)平定。次年正月，史朝义逃到河北自缢，史将田承嗣、李怀仙等投降，河北(黄河以北，今河北北部一带)平定。从此，延续近八年的安史之乱宣告终结。杜甫是宝应元年因成都发生兵变逃往梓州的，当河北平定的大好消息传到梓州时，他欣喜若狂，顿时写下了这首震烁千古的七言律诗。前半喜安史之乱平定，后半喜还乡有日。八句一气奔驰，如飞流直下，前人评为"神来之笔"，是诗人"生平第一快诗也"。"忽传"与"初闻"，"却看"与"漫卷"，"须纵酒"与"好还乡"，"即从"与"便下"，照应自然，极为传神，诗人当日的狂欢情状历历如绘。

【注释】　①剑外：剑门关以南，蜀地在剑门南，故又代称蜀地。收：收复。蓟(jì 记)北：即蓟州，指河北北部，是安史叛军的老巢。　②这句说，一听到"收蓟北"这个大快人心的消息，兴奋得流下了热泪。　③却看(kān 刊)：再看。再，是对以前未收蓟北时而言。妻子：原注"时已迎家至梓"。愁何在：一点忧愁也没有。说明高兴极了。何在，哪里还有。漫卷诗书：胡乱卷起诗书，指无心看书，准备还乡了。诗书，泛指书籍。喜欲狂：高兴得简直要发狂了。这两句承"初闻涕泪满衣裳"。"喜欲狂"与"愁何在"为互文。　④放歌：放声高歌。须：应，要。纵酒：纵情饮酒。"放歌"、"纵酒"，承"喜欲狂"。　⑤这句设想美好的春光为我作伴送我还乡。青春作伴：这是拟人化的写法。青春，春天，因当时正是春天，故云。还乡：还洛阳。"还乡"承"妻子"。⑥末两句紧承"好还乡"，预计还乡的路线，先水路，后陆路，归心似箭，归程如画。即：马上。巴峡：指四川东北部巴江之峡。当时杜甫寓居梓州，由水路转长江过巫峡，必经巴江，故称巴峡。又巴县(今重庆市)一带的江峡也总称巴峡。《华阳国志》："其郡东枳有明月峡，广屿峡，东突峡，故巴亦有三峡。"巫峡：三峡之一，在今四川巫山县东，湖北巴东县西。巴东三峡巫峡长，这里举巫峡概括三峡。襄阳：今湖北襄樊市。洛阳：杜甫的老家，今河南洛阳市。杜甫原注："余田园在东京。"

登 楼

杜 甫

花近高楼伤客心，　万方多难此登临①。
锦江春色来天地，　玉垒浮云变古今②。
北极朝廷终不改，　西山寇盗莫相侵③。
可怜后主还祠庙，　日暮聊为梁父吟④。

【说明】　这首诗是代宗广德二年(764)杜甫从阆州重返成都登城楼之作。这时安史之乱虽平，吐蕃之祸又炽；朝政日益黑暗，贤才无处容身。诗人感时抚事，忧心如焚，所以一登楼便触目伤心，发出"万方多难"的感慨。他西望西山，北望长安，经过冷静的分析，仍然深信寇盗必除，朝廷不改；但希望排除群小，起用良才。全诗婉曲地抒发了诗人深沉的爱国感情，也寄寓着诗人难言的身世之感，艺术感染力十分强烈。首联气势突兀不平，颔联景色雄丽壮阔，颈联议论壮怀激烈，末联婉而多讽，寄情深远。沈德潜评此诗"气象雄浑，笼盖宇宙"。

【注释】　①这两句说由于万方多难时来此楼登临，所以花近高楼反伤客心。上句是果，下句是因。客：杜甫自称。万方多难：指安史之乱以来，内忧外患，无有宁日(见注③)。登临：本指登山临水，这里是登楼眺望。　②这两句紧扣"登临"，具体写登楼所见的景色，并以景托情，自然地过渡到下半的写怀。锦江：即濯锦江，岷江的支流，自四川郫县流经成都城西。一称"浣花溪"。杜甫的草堂临近锦江。春色来天地：春满天地，到处充满了旺盛的生命力。这里以锦江春色，象征朝廷万古长存。玉垒：山名，在今四川理县东南，成都市西北，为蜀中通往吐蕃的要道。浮云变古今：浮云是古往今来变幻无端的。这里以玉垒浮云多变象征吐蕃反复无常，倏起倏伏。　③这两句承"多难"转到写登楼所感。上句又承"锦江春色"喜长安的再度光复，下句又承"玉垒浮云"忧吐蕃的时相侵扰。广德元年(763)十月吐蕃攻陷长安，立广武郡王承宏为帝，郭子仪很快击退吐蕃收复长安，代宗还京，所以说"北极朝廷终不改"。同年十二月吐蕃又攻陷西川的松、维、保三州及云山新筑二城，西川节度使高适不能救，于是剑南、西山诸州也被吐蕃占领(见《通鉴·唐纪三十九》)。所以说"西山寇盗莫相侵"。这两句也是因果句，因历史证明"北极朝廷终不改"，故严正警告"西山寇盗莫相侵"。北极：即北极星，一名北辰。这里喻指唐王朝。西山寇盗：指吐蕃。　④末两句因登楼所见后主祠庙而归结到自己的爱国情怀，可怜亡国之君今天尚能享受祭祀，而自己在万方多难之时无所作为，也只有登楼赋诗罢了。后主：指刘备的儿子刘禅，昏庸无能，不能继承刘备的遗志。这里隐然是借刘禅讽刺代宗宠信宦官程无振、鱼朝恩而招致仓皇出逃之祸，与后主宠信黄皓终致亡国极为相似。还祠庙：还有祠庙。先主(刘备)祠庙在成都锦官门外，东边为后主祠，西边为武侯(诸葛亮)祠。日暮：

指天色虽暮而不忍离去。聊:姑且。为:作。这里是吟咏的意思。《梁父吟》:古乐府篇名,相传诸葛亮隐居未仕时好为《梁父吟》。杜甫既登楼反复吟咏《梁父吟》,又借它以喻自己的《登楼》。

宿　府

杜　甫

清秋幕府井梧寒①，　　独宿江城蜡炬残②。
永夜角声悲自语，　　中天月色好谁看③？
风尘荏苒音书绝，　　关塞萧条行路难④。
已忍伶俜十年事⑤，　　强移栖息一枝安⑥。

【说明】　广德二年(764)秋杜甫在成都严武幕府任参谋检校工部员外郎。他在这里感到很拘束,又受到幕僚的嫉妒和攻击,再加上身体多病,因此更不安心。在一个寂静的深夜,他一个人住在府中,听角声、望月色,思前想后,很有感触,因赋此诗。前二联写独宿幕府闻见的悲凉情景,后二联抒发战乱不息无地可安的深沉感慨。从中可见诗人参加幕府实非得已,但怀才不遇之叹见于言外,所以次年春天他便辞官回草堂了。

【注释】　①清秋:明净的秋天。幕府:犹军署,古时军旅出征须施用帐幕,后来凡是将军的府署均称幕府。唐节度使为一方统帅,故称其府署为"幕府"。井梧:井边所植的梧桐。　②独宿:一个人住宿,对离开成都草堂的家而言。江城:指成都,因锦江绕城而过,故称。蜡炬:蜡烛。残:指蜡烛要烧完,说明已经夜深。　③永夜:长夜。承"独宿"。角声悲:角,一名"画角",即军中号角,因其声悲凉激厉,故称。自语:如自言自语似的。中天:犹言天半。上句写独宿所闻,下句写独宿所见。说明独宿不寐。"自语"、"谁看"都承"独宿"。两句都是上五下二句法,读时第五字应略作停顿。　④风尘:形容战乱流离。荏苒(rěn rǎn 忍染):辗转,时间不断推移。音书绝:因战乱而书信断绝。即《登岳阳楼》"亲朋无一字"的意思。关塞:边关要塞。萧条:凄凉冷落,毫无生气。这两句慨叹战乱不息,所以音书阻绝,而行路艰难。　⑤已忍:已经忍受。伶俜(líng pīng 凌乒)十年事:伶俜,流离失所。十年事,杜甫饱经丧乱奔走流离,从天宝十四年(755)安史之乱发生至今,正是十年。　⑥强移:勉强移就。栖息:停留,休息。与"独宿"照应。一枝:本于《庄子·逍遥游》:"鹪鹩巢于深林(在深林做窠),不过一枝。"一枝,指他在幕府中的参谋一职。这句意谓我勉强参加幕府,是为了求得生活的暂时安定。次年正月,杜甫便坚决辞职回到草堂。杜甫这次参加剑南幕府,完全是为了严武的友情,正如他在《遣闷奉呈严公》中所说:"束缚酬知己,蹉跎效小忠。"参看前杜甫《旅夜书怀》说明。

登 高

杜 甫

风急天高猿啸哀，　渚清沙白鸟飞回①。
无边落木萧萧下，　不尽长江滚滚来②。
万里悲秋长作客，　百年多病独登台③。
艰难苦恨繁霜鬓，　潦倒新停浊酒杯④。

【说明】　这首诗是代宗大历二年(767)九月九日杜甫在夔州登高之作。同一天他先写了《九日五首》(缺一)，本诗实是第六首。当时杜甫正卧病夔州，他的登台是很勉强的，在前五首中也说了："重阳少饮杯中酒，抱病独登江上台。"这时的政局依然动荡不安，吐蕃不断入寇，兵乱此伏彼起，他在前五首中愤慨地指出："干戈(指吐蕃入寇)衰谢(指自己年老)两相催。""佳辰对群盗，愁绝更堪论？"这便是本诗中"哀"、"悲"、"艰难"的实质。诗的前二联写登高闻见之景，一山一水，两两交叉，勾画出一幅空阔无边、悲壮苍凉的秋江秋山图。后二联名为登高悲秋，叹老嗟病，实则是诗人忧时愤世，不过因抒情深婉，含意曲折，不易明白，如果和前五首合读便了然了。《登高》不仅思想内容丰富、艺术手法高明，而且格律严谨，尤其是四联都对。这是前无古人的，以后也少见像杜甫这样驾驭诗歌格律的能力。

【注释】　①猿啸(xiào 笑)哀：巫峡多猿，鸣声极哀，猿啼当风急之时，听来更哀。渚(zhǔ 主)：水中小洲。鸟飞回：鸟因风急望沙滩而回集。回，回旋，这两句写登高时所见所闻。　②落木：秋天树木落叶称"落木"。萧萧：风吹落叶的响声。不尽：形容江波浩渺奔腾不绝。滚滚：江波流动的形状。这两句写登高时所见，从大处描绘秋景。"落木"承"猿啸"，"长江"承"渚清沙白"。　③万里：指空间之辽阔，从"无边"、"不尽"而来，意谓从东到西，从南到北，无处不秋。同时也指自己离家乡之远，即所谓"长作客"。悲秋长作客：前人曾解释因"长作客"，所以"悲秋"。这固然不错，但杜甫之所以"长作客"，是由于"万方多难"，杜甫的悲秋实是有感于此，有感于政治腐败，报国无路，壮志难酬。百年：指时间，犹言一生。多病：杜甫当时患有肺结核、风痹等多种疾病。独登台：独自登台，言无亲朋。登台，犹登高。百年从时间上说原就很短促，何况人生难满百年，而又兼之多病，而蹉跎岁月，就显得更短促了。这两句从登高所感自己的漂泊暗寓时代的动乱，含意极其曲折深刻。　④艰难：语意双关，既指自身，又指国家，当时吐蕃侵扰和州郡兵乱，都未止息。苦恨：甚恨。繁霜鬓：因艰难苦恨而不断增添如霜的白发。繁，多，这里用作动词，是增多的意思。霜：形容发色之白。鬓：指代头发，以部分代全部。潦倒：失意，不得志。新停浊酒杯：本来重九登高，例应喝酒，但因肺疾只好戒酒。新停，近来停止。浊酒，对清酒而言，指不好的酒。末两句收上，恨时局多艰，功业无成，老病相侵，感慨无限。

阁 夜

杜 甫

岁暮阴阳催短景①，　　天涯霜雪霁寒宵②。

五更鼓角声悲壮，　　　三峡星河影动摇③。

野哭千家闻战伐，　　　夷歌几处起渔樵④。

卧龙跃马终黄土，　　　人事音书漫寂寥⑤。

【说明】　大历元年(766)冬杜甫寓居夔州西阁，天涯岁暮，丧乱未已，百感交集，夜不能寐，因赋此诗。诗中可以鲜明地看出诗人无时无地不关心时局变化和民生疾苦，他的一切感慨都是为此而发。上半即景，下半抒情。四联全对，与《登高》同。全诗笔力遒劲，声调悲壮。

【注释】　①岁暮：指阴历年终。阴阳：指日月。阴，月；阳，日。催短景：冬末白天特别短，故云"短景"；因白天很快过去，故云"催短景"。景，光阴。　②天涯：指夔州，对中原的家乡洛阳而言。霁(jì 记)：雨过天晴。这里指雪停云散，所以下文才有"星河影动摇"的景象出现。寒宵：寒夜。　③五更(gēng 耕)：汉魏以来，自昏至晓，一夜分为五刻，或称一鼓、二鼓、三鼓、四鼓、五鼓，或称一更、二更、三更、四更、五更。鼓角：指军中的鼓声和角声。三峡：即瞿塘峡(在今四川奉节县东)、巫峡(在今四川巫山县东)、西陵峡(在今湖北宜昌县西北)。这里是以瞿塘峡代三峡。星河：星星和银河。这两句承"寒宵"句写阁夜的闻、见情景。上句写闻，下句写见。下句是说星星和银河倒映在三峡的长江中随波流涌动摇不定。　④野哭：在野外哭泣。战伐：战争，指蜀中爆发的崔旰之乱。永泰元年(765)十月成都尹郭英乂(yì)被兵马使崔旰袭击，全家遭难。邛州牙将柏茂琳、泸州牙将杨子琳和剑南牙将李昌夔起兵讨伐崔旰，蜀中大乱，这时尚未平息。这句说从成千成万人家的野哭中听到了战争的声音，说明崔旰之乱给蜀地人民造成的祸害之烈。夷歌：夔州少数民族人民的山歌。起渔樵：起于渔樵。渔，捕鱼，这里指捕鱼的百姓。樵，采柴，这里指采柴的百姓。这两句写天亮时所闻的伤心情景。　⑤卧龙：指诸葛亮。《三国志·诸葛亮传》："徐庶谓先主(刘备)曰：'诸葛孔明，卧龙也，将军(指刘备)宜枉驾顾之。'"跃马：指公孙述。西汉末年，公孙述据蜀称帝。左思《蜀都赋》："公孙跃马而称帝。"诗人因要与"卧龙"对仗，故以"跃马"指代公孙述。诸葛亮和公孙述唐时夔州都有祠庙。诸葛亮主张统一国家，是杜甫崇敬的英雄；公孙述擅兵割据，是杜甫鄙弃的小丑。终黄土：终究都变成一堆黄土，指他们都死去了。人事：这里指自己与朝廷的冷淡关系。音书：指亲朋消息。这时杜甫的好友郑虔、苏源明、李白、严武、高适都已死去，而北方诸弟也音信杳然。漫：听任。寂寥：沉寂无闻。末两句意谓自古贤愚同归于尽，那么自己的凄凉处境也只有任它好了。结句貌似自宽，实则是愤激已极的反语，从他后来的"落日心犹壮，秋风病欲苏"(《江汉》)，"图南未可料，变化有鹍鹏"(《泊岳阳楼》)，这一至死不减的雄心壮志都可以印证。

咏怀古迹五首

杜 甫

其 一

支离东北风尘际，　　漂泊西南天地间①。
三峡楼台淹日月，　　五溪衣服共云山②。
羯胡事主终无赖，　　词客哀时且未还③。
庾信平生最萧瑟，　　暮年诗赋动江关④。

其 二

摇落深知宋玉悲，　　风流儒雅亦吾师⑤。
怅望千秋一洒泪，　　萧条异代不同时⑥。
江山故宅空文藻，　　云雨荒台岂梦思⑦？
最是楚宫俱泯灭，　　舟人指点到今疑⑧。

其 三

群山万壑赴荆门⑨，　　生长明妃尚有村⑩。
一去紫台连朔漠⑪，　　独留青冢向黄昏⑫。
画图省识春风面？　　环珮空归月夜魂⑬。
千载琵琶作胡语，　　分明怨恨曲中论⑭。

其 四

蜀主窥吴幸三峡⑮，　　崩年亦在永安宫⑯。
翠华想象空山里⑰，　　玉殿虚无野寺中⑱。
古庙杉松巢水鹤，　　岁时伏腊走村翁⑲。
武侯祠屋常邻近⑳，　　一体君臣祭祀同㉑。

其 五

诸葛大名垂宇宙㉒，　　宗臣遗像肃清高㉓。

三分割据纡筹策，　　万古云霄一羽毛㉔。

伯仲之间见伊吕，　　指挥若定失萧曹㉕。

运移汉祚终难复，　　志决身歼军务劳㉖。

【说明】　大历三年(768)杜甫离开夔州出三峡，到江陵、归州一带。《咏怀古迹五首》便是借咏沿途古迹而自咏怀抱。第一首总叙忧乱哀时之情，兼咏庾信；第二首咏宋玉；第三首咏王昭君；第四首咏刘备；第五首咏诸葛亮。每首都程度不同地寄寓着诗人的身世之感。

【注释】　①支离：流荡分散。东北：这里指长安等地。风尘：指安史之乱。际：中间。西南：指成都、夔州等地。这两句写安史之乱后诗人在长安、华州等地的流离和入蜀后的到处漂泊。　②三峡：见前杜甫《阁夜》注③。楼台：似是喻指夔州等地居民的特殊住所。杜甫《赠李十五丈别》："峡人鸟兽居，其室附层巅。"又《雨三首》："特俗状巢居，层台俯风渚。"淹日月：谓漂泊年月之久。淹，久留。五溪衣服：指溪族喜着五彩衣服。五溪，即湖南境内五个溪族所居之地。这里指夔州一带有溪族杂居。共云山：意思是和溪族人民生活在一块。这两句是承第二句说的，"三峡楼台"和"五溪衣服"都在"西南天地间"。　③羯(jié 竭)胡：这里指叛唐的安禄山，也兼指叛梁的侯景。杜甫因安史之乱而淹留西南，庾信因侯景之乱而淹留北朝。事主：侍奉皇帝。无赖：狡诈。这里指安禄山等叛乱。词客：杜甫自称，兼指庾信。哀时：杜甫在西南写了大量哀时的诗篇，庾信在北朝写了《哀江南赋》等作品。且：尚。未还：杜甫不得从"西南"还长安，庾信不得从北朝还江陵。这两句是明咏自己而暗咏庾信，两人境遇有相似之处，所以同病相怜。　④庾信：字子山，南阳新野(今河南新野)人。初仕梁，侯景乱后奔江陵。梁元帝萧绎即位江陵，派他出使西魏，被迫淹留西魏、北周达二十七年之久。在梁时，他是宫廷文学侍臣。在北朝后因生活、思想发生深刻变化，他的作品的内容、风格也相应地发生了变化，晚年常有故国乡关之思，便作《哀江南赋》以致意。平生：一生。萧瑟：凄凉。暮年：晚年。诗赋：指《拟咏怀二十七首》和《哀江南赋》等作品。动：惊动。江关：指荆州、江陵。这两句是明咏庾信而暗咏自己。　⑤摇落：宋玉《九辩》有"悲哉秋之为气也，萧瑟兮草木摇落而变衰"之句。深知宋玉悲：杜甫表示对宋玉的遭际深表同情。宋玉，战国楚人。他是屈原的后辈，向屈原学习，是屈原之后的著名楚辞作家。政治上一生不得意。风流儒雅：指宋玉辞赋所表现的动人文采。风流，谓文学作品超逸美妙。儒雅，风度温文尔雅。兼寓富有学问之意。庾信《枯树赋》："殷仲文风流儒雅，海内知名。"亦：杨伦云："亦字承庾信来，有岭断云连之妙。"这两句写诗人对宋玉及其文学的理解和敬佩。　⑥异代：不同的朝代。不同时：恨不得同时而生。这两句说自己和宋玉身世萧条极其相似，而以生不同时为恨，所以怅望千秋不禁泪流。　⑦江山：这里指江陵、归州(今湖北秭归县)。故宅：遗下来的住宅。江陵和归州都有宋玉的故宅。空文藻：只留下文采。意谓宋玉其人虽死千秋，而他的富有文采的辞赋今天依然存留。云雨荒台：指宋玉《高唐赋序》中所叙的巫山神女故事。宋玉和楚襄王"游于云梦之台，望高唐之观"，宋玉对襄王说："先王(指楚怀王)曾游高唐，梦见一妇人,自称是巫山神女。临别时说:'妾在巫山之阳,高丘之岨,且为行云,暮为行雨,朝朝暮暮,阳台之下。'"岂梦思:意谓"云雨荒台"并非真有其事,而是宋玉设此讽喻襄王。顾宸云:"岂字妙,何曾实有是(此)梦,文人之寓言耳。"这两句具体写宋玉的"风流儒雅"。　⑧楚宫:楚国的王宫。俱:都。泯灭:消失。舟人:指驾船的人。到今疑:就是说到今天不仅楚王的宫殿无影无踪,就连宫殿遗址究竟在什么地方也弄不清楚了。这两句以"楚宫"、"俱泯灭"和上两句宋玉故宅、文藻并存作鲜明对照。以上四句与李白《江上吟》:"屈平词赋悬日月,楚王台榭空山丘"的讽刺楚王赞颂屈原的用意相同。　⑨群山万壑:即"千山万壑"。因后有"千载"句,为免犯重,故用"群"。赴:奔赴。出三峡,山势连绵而下,势如奔赴荆门。这里把"群山万壑"拟人化了。荆门:山名,在今湖北宜都县西北。　⑩明妃:即王昭君。名嫱,以貌美著称,汉元帝宫人。竟宁元年(公元前33),被遣嫁匈奴呼邪韩单于,西晋时避晋文帝司马昭讳改称明君,又称明妃。村:指昭君村,在荆门山附近的归州(今湖北秭归县),相传是王昭君生长的地方。　⑪去:离开。紫台:紫宫,指汉宫。江淹《恨赋》:"明妃去时,仰天太息,紫台稍(渐)远,关山无极。"连:紧接。朔漠:北方的沙漠。　⑫青冢:见前张乔《书边事》注③。　⑬画图省识:《西京杂记》载,元帝命画工画宫女容貌,按图之美者召幸。因而宫女都争着贿赂画工,独有王昭君以自己貌美不贿赂,画工却把她画得很丑,因此一直得不到元帝的召幸。后来匈奴要求与汉联姻,元帝按图派遣昭君。临行时元帝召见才发现昭君是宫中第一美人,但为时已晚,便把画工毛延寿杀了。省:曾经。识:察看。春风面:指美貌。环珮:佩玉,女性装饰品,这里借指昭君。空归月夜魂:徒令她的魂魄月夜归来,即王昭君不能活着归汉,故曰"空归"。这两句是写元帝的昏庸,说他只凭画图选择宫女,结果造成了昭君千载冤恨。　⑭琵琶:据说昭君出塞,常手抱琵琶弹奏着思乡之曲,即后来流传的《昭君怨》。胡语:胡音。琵琶原为西域胡人乐器。胡,泛称西北或北方民族。怨恨曲中论(lún伦):怨恨从琵琶弹奏的乐曲中诉说出来。这两句写王昭君怨恨之深,人虽早死,而怨恨千载难平。　⑮蜀主:指刘备。窥吴:指章武元年(221)七月征东吴事。幸:临幸,旧时恭维皇帝的敬辞。　⑯崩年:死的那年,指章武三年(223)。古人称帝王之死为崩。永安宫:在夔州,刘备征吴败回,病死于此。　⑰翠华:皇帝的旌旗,上面以翠羽做装饰。想象:仿佛。空山:一作"寒山"。　⑱玉殿:这句下有原注云:"殿今为卧龙寺,庙在宫东。"《清统志》:"夔州昭烈帝(刘备)庙在奉节县东。"　⑲巢:动词,做窠的意思。水鹤:鹤是水鸟,故称。岁时:每年按季节。伏腊:古代祭名,伏在夏季六月,腊在冬季十二月。上句是说立庙久远,下句是说村民祭祀之殷勤。　⑳武侯祠屋:诸葛亮封武乡侯。《清统志》:"夔州府:武侯庙在府治(今四川奉节县)八阵台下。"邻近:武侯祠屋与先主庙相距很近,武侯祠在先主庙西。　㉑一体君臣:即君臣一体。古代说君是元首,臣是股肱,故称一体。　㉒诸葛:诸葛亮。　㉓宗臣:为人所共仰的大臣。宗,根本的意思。遗像:指庙中诸葛亮的塑像。肃清高:他的清高精神令人肃然起敬。清高,指人品纯洁高尚。　㉔三分割据:指蜀汉与吴、魏三国鼎立。纡(yū迂):曲折。这里是费尽心血的意思。筹策:筹谋计划。云霄一羽毛:高空飞翔的大鸟。这两句是赞扬诸葛亮的平生事业和崇高风格。　㉕伯仲之间:兄弟之间。伊吕:伊尹和吕尚。伊尹，商代开国贤臣。吕尚，周代开国贤臣。这句说诸葛亮的杰出相才和伊尹、吕尚是兄弟之间，就是说和他们不相上下。若定：镇定，指他胸有成竹，从容不迫。失萧曹：使萧曹失色。萧，萧何；曹，曹参，他们都是辅佐刘邦的谋臣。这两句是赞扬诸葛亮的功绩和才能。　㉖运移：国运改移。运，运数，这是旧时的迷信观点。汉祚(zuò坐)：汉朝帝位。终难复：终究难以恢复。志决身歼：意志坚决，以身殉职。歼，死。军务劳：军事烦劳。诸葛亮病死于北伐军中。参看前杜甫《蜀相》注④。这两句赞扬诸葛亮为恢复汉祚而"鞠躬尽瘁，死而后已"。

江州重别薛六柳八二员外

刘长卿

生涯岂料承优诏①？　　世事空知学醉歌②。
江上月明胡雁过③，　　淮南木落楚山多④。
寄身且喜沧洲近，　　顾影无如白发何⑤！
今日龙钟人共老⑥，　　愧君犹遣慎风波⑦！

【说明】　江州，今江西九江市。薛六、柳八事迹不详。六、八是排行。员外是官名。
　　这首诗是刘长卿谪贬南巴(今广东茂名市)在江州告别薛、柳之作。诗貌似温和，实极愤激，从后二联即可明显看出。而评论者却说："本诗背境虽是遭贬，但开口即说'岂料承优诏'，是深以贬谪为幸。又云'寄身且喜沧洲近'，又并不怨贬所的蛮荒。从这里可以看出诗人忠厚之处。"这与诗的内容是不符合的。尽管诗人在颈联的上句说了"寄身且喜沧洲近"，但下句接着说"顾影无如白发何"！却是对上句的否定，诗人"怨贬所的蛮荒"难道还不明显吗？至于末联的"愧君犹遣慎风波"对再度贬谪的埋怨情绪就更加明显了。尽管他"开口即说'岂料承优诏'"，这并不证明是以贬谪为幸，而恰恰是以贬谪为苦的牢骚话，是用反语以见讽意，下句的"世事空知学醉歌"的愤激之词便是证明。从诗中根本看不出"诗人忠厚之处"，正是由于诗人不学"忠厚"，而是"性刚多忤权门"或"刚而犯上"才遭到贬谪的。至于诗人在赴贬所途中说的"寂寂江山摇落处，怜君何事到天涯？"(《长沙过贾谊宅》，即下诗)和在贬所说的"已似长沙傅，从今又几年？"(《新年作》见前五律)更可印证他从不"以贬谪为幸"，而一直是"怨贬所的蛮荒"的。

【注释】　①生涯：指生活。承优诏：承蒙皇帝给予优待的诏令。封建时代，臣下对皇帝一切处置都看做恩泽，尽管这次是诏令他贬南巴尉，但也不得不说是"承优诏"。这实际是用反语讽刺，读完全诗便明。　②这句意谓，如此世情，我要学接舆醉酒狂歌，也不能解除我心头的苦闷，何况权贵更不容许我醉酒狂歌呢。　③胡雁：指塞北南飞的雁。这里是衬托自己的行踪漂泊不定。　④淮南木落：见前许浑《早秋》注⑤。　⑤寄身：寄托身子。沧洲近：隔海边很近。南巴属广东，临近南海。沧洲，水边，这里指海边。沧同"苍"，故与下句的"白"相对。顾影：自顾形单影只。顾，看。无如白发何:无奈白发何,无奈年老何。这两句说我高兴谪贬到靠海的地方去,但是无奈年岁已经老大了。这意思实际是不高兴"寄身沧洲近"的。 ⑥龙钟:衰老的样子。人共老:指作者自己和薛六、柳八三人都年老了。 ⑦愧君:对着你们我很惭愧。君,指薛六、柳八。犹遣:年老尚被放逐。犹,尚且。遣,谪贬。慎风波:今后我对风波要小心。慎,谨慎,慎防。风波,指当时险恶的政治环境。

长沙过贾谊宅

刘长卿

三年谪宦此栖迟, 万古惟留楚客悲①。
秋草独寻人去后, 寒林空见日斜时②。
汉文有道恩犹薄, 湘水无情吊岂知③?
寂寂江山摇落处, 怜君何事到天涯④?

【说明】 长沙,县名,唐潭州治地,即今湖南长沙市。贾谊宅据《元和郡县志》:"江南道潭州长沙县:贾谊宅在县南四十步。"又《清统志》:"贾谊故宅在长沙县西北。"不知孰是。贾谊,见前刘长卿《新年作》注⑤。

此诗是刘长卿贬南巴尉时路过长沙凭吊贾谊宅,借古喻今,悲人而自悲之作。

【注释】 ①三年谪宦:贾谊曾贬官长沙三年。宦,官。此:指贾谊宅。栖迟:居住。万古:指时间之长,与"三年"对称。楚客:指贾谊,也指后来客游于楚的人。这两句说贾谊谪贬长沙虽然在这里只住了三年,而他无辜被贬的悲哀却万古长留。这实际也是说自古以来凡是客游长沙凭吊贾谊宅的人,没有一个不为贾谊的遭遇而生悲的。

②这两句写作者"过贾谊宅"所见的荒凉景象。一个人在秋草之中寻找贾谊故宅,只见寒林斜日,不见贾谊,贾谊宅的荒凉和作者心境的悲凉,不言可知。空:只。"秋草"、"寒林"均切切时令。"人去"、"日斜"用事入化。贾谊《鵩鸟赋》:"庚子日斜兮,鵩鸟集余舍。"又"野鸟入室兮,主人将去。" ③汉文:汉文帝刘恒。有道恩犹薄:汉文帝对贾谊虽然很器重,但仍然不能重用他,以致贾谊忧伤早死(年三十三)。参看前刘长卿《新年作》注⑤。湘水:《史记·屈原贾生列传》:"天子乃以贾生为长沙王太傅,贾生既辞往行,闻长沙卑湿,自以寿不得长,又以谪去意不自得,及渡湘水,为赋以吊屈原。"这两句作者发表议论。上句的含意是,汉文帝是历史上的有道的皇帝,而依然薄待贾谊,则其他不及汉文帝的皇帝就更可想而知了。这隐然是作者对唐王朝的讽刺。下句"湘水无情吊岂知"的"无情"也不过是指桑骂槐而已。 ④寂寂:落寞的意思。摇落:零落,指秋天树叶被风吹落,与上文"空林"、"秋草"照应。宋玉《九辩》:"萧瑟兮草木摇落而变衰。""摇落"本此。怜:怜惜。君:语意双关,既指贾谊,也指自己。何事:因什么事。天涯(ní 尼):天边,指长沙,对当时京城长安而言。末两句作者明知贾谊是因权臣谗害而贬长沙,却故设反诘,怜君自怜,笔酣墨饱,情见乎辞。

自夏口至鹦鹉洲夕望岳阳寄元中丞

刘长卿

汀洲无浪复无烟，　　楚客相思益渺然①。
汉口夕阳斜度鸟，　　洞庭秋水远连天②。
孤城背岭寒吹角，　　独树临江夜泊船③。
贾谊上书忧汉室，　　长沙谪去古今怜④！

【说明】　夏口,城名,故址在今湖北武汉市武昌的黄鹄山上,三国吴孙权筑。鹦鹉洲,见前崔颢《黄鹤楼》注⑤。岳阳,今湖南岳阳市,位于洞庭湖东岸。元中丞,名不详。中丞是御史中丞的简称。元一作"阮",或作"源"。

这首诗也是刘长卿贬谪南巴途中所作。诗借怀人和即景抒写自己旅途孤单寂寞之感,重点在末联:"贾谊上书忧汉室,长沙谪去古今怜!"这与上诗的末联"寂寂江山摇落处,怜君何事到天涯?"同一用意,都是借伤贾谊贬谪长沙而伤自己贬谪南巴的。

【注释】　①汀(tīng 听)洲:水中沙洲,此指鹦鹉洲。无浪复无烟:汉口有烟波湾,遇上晴天则无烟波。复:又。楚客:在楚地作客的人,这里是作者自称。相思:指思念元中丞的心绪。益:更加。渺然:遥远的样子。这两句说因汀洲无浪无烟,望得更远,这就更加引起了我远怀你的念头。　②汉口:在长江北岸,与武昌隔江相望,正当汉水流入长江处,故名。夕阳斜度鸟:指太阳落山时,鸟也斜度汉口归巢。上句切题中"至鹦鹉洲",用归鸟反衬作者在外作客不能归家的愁闷,下句切题中的"望岳阳",具体写"相思益渺然"。　③孤城:指汉阳城,东与武昌隔江相望,北与汉口隔汉水相望。背岭:指背着大别山。寒吹角:秋夜吹角,角声悲凉,使"楚客"听来更生寒意。独树:孤独的树,这与"孤城"一样都是渲染作者旅夜的孤寂之感。树一作"戍"。临江:靠着江。夜泊船:晚上停船。这两句从自伤漂泊中加深对元中丞的怀念。　④贾谊上书:贾谊向汉文帝上《治安策》指出当时有"可为痛哭者一,可为流涕者二,可为长太息者六。"长沙谪去:谪贬去长沙。指贾谊谪贬为长沙王太傅。古今怜:古人和今人都为贾谊的无辜谪贬而叹息。末两句作者以贾谊自比,并向元中丞示寄诗之意。

赠阙下裴舍人

钱 起

二月黄鹂飞上林①，　　春城紫禁晓阴阴②。
长乐钟声花外尽③，　　龙池柳色雨中深④。
阳和不散穷途恨，　　霄汉长悬捧日心⑤。
献赋十年犹未遇，　　羞将白发对华簪⑥。

【说明】 阙下即宫阙之下,指皇帝所居之地。裴舍人事迹不详。舍人,官名。

这首诗借赠裴舍人自述未遇之怀。前二联以阙下热闹的春景陪衬裴舍人。后二联转到自叙,既表捧日之心未改,又诉穷途之恨难禁,结句似寓有期望裴舍人援引之意。

【注释】 ①二月黄鹂:黄鹂二月则鸣,故云。上林:即上林苑。 ②春城:这里指春天的京城长安。紫禁:皇宫,因紫微星象征皇宫,故称。晓阴阴:因春天禁中,虽已天明,而周围树木郁郁葱葱,从外望去不甚分明,故曰"晓阴阴"。 ③长乐:汉宫名,这是指唐宫。这句意谓长乐宫周围花枝茂密,钟声不容易传到花外来。 ④龙池:见前杜甫《韦讽录事宅观曹将军画马图》注⑤。柳色雨中深:杨柳经春雨滋润而绿色更浓。这句喻裴舍人接近皇帝而得承受恩泽。 ⑤阳和:春气和暖,这里喻天子布施恩泽。不散穷途恨:没有消释穷途之恨。穷途,指不得志。这时钱起尚未举进士,就是未沐君恩。霄汉:高空,天上。这里喻朝廷。汉,银河。常悬捧日心:常常怀着一颗效忠皇帝的心。三国时魏国的程昱年轻时曾梦见登上泰山,两手捧日,后便显达。"捧日心"本此。日,喻皇帝。这两句意谓自己虽不为朝廷所知,但心仍然是向着皇帝的。 ⑥献赋十年:指多次应试进士。未遇:没有显达,与进士不第有关。白发:作者自称。喻年老尚无官职。华簪:指裴舍人的官帽。簪,见前柳宗元《溪居》注①。末两句说我长期应试不第,现在以我的白头面对你的华簪,实在感到羞愧。

寄李儋元锡

韦应物

去年花里逢君别①, 今日花开又一年。
世事茫茫难自料②, 春愁黯黯独成眠③。
身多疾病思田里④, 邑有流亡愧俸钱⑤。
闻道欲来相问讯, 西楼望月几回圆⑥。

【说明】 李儋(dān 丹),字元锡。韦应物与李儋友善,和他的唱和极多。诗题一作《答李儋》。

这首诗是兴元元年(784)诗人任滁州刺史时所作。诗写对李儋的热切怀念,并盼望他早日来西楼重聚。诗中也反映了诗人对人民疾苦出自内心的同情,曾获得后世诗人的高度评价。诗人以淡笔表深情,语语自然,从怀友起,又以怀友之意结,首尾呼应,亲切动人。

【注释】 ①君:指李儋。 ②茫茫:广大的样子。料:臆料。 ③春愁:与"花开"照应。黯黯(àn):黯淡失色的样子。陈琳《游览二首》有"黯黯天路阴"之句。 ④思田里:希望辞官归田。田里,田园乡里,即家乡。 ⑤邑:指滁州,当时作者任滁州刺史。流亡:谓流离逃亡的穷苦人民。愧俸(fèng 奉)钱:拿了官薪未尽到职责而感到惭愧。俸,俸禄,旧时官吏所得的薪金。 ⑥闻道:听说。问讯:讯问安否,即表示看望慰问之意。西楼：当是诗人在滁州的住处。望月几回圆：即过了几个月的意思。月亮每月(阴历)圆一次。回，次。这两句说听说你要来看望我，我盼望你的到来已经几个月了。

同题仙游观

韩 翃

仙台初见五城楼①，　风物凄清宿雨收②。
山色遥连秦树晚③，　砧声近报汉宫秋④。
疏松影落空坛静⑤，　细草香生小洞幽⑥。
何用别寻方外去⑦，　人间亦自有丹丘⑧。

【说明】 仙游观(guàn贯)，在今河南登封县北嵩山下。初唐潘师正居逍遥谷，高宗李治很尊重他，诏令在潘住的地方修建崇唐观，又诏令在逍遥谷修仙游门，后改为仙游观。观，是道教的庙宇，道士供奉所谓神仙、宣扬迷信的地方。

这首诗的前三联描绘仙游观内外远近的景物，末联抒发作者凭吊仙游观后的感想，对它"幽"、"静"得如同人间仙境表示了倾心的赞叹，反映作者思想的一个侧面。

【注释】 ①仙台：指仙游观前的坛子。五城楼：指仙游观。《史记·武帝纪》："方士有言，黄帝时为五城十二楼以候神人。"这里作者以仙游观比五城十二楼。　②风物：风景。凄清：凄凉。宿雨：久雨。收：结束的意思。　③山：指仙游观所在地的嵩山。秦树：秦地的树。　④砧声：捣衣声。见前李白《子夜吴歌》注②。汉宫：指唐宫。　⑤坛：祭神用的台子，多用土石等建成。　⑥幽：幽静。　⑦何用：哪里用得着。别寻：到别处去寻找。方外：世外的意思，指神仙所住的地方。　⑧丹丘：日夜常明之地，谓仙境。这里指仙游观。

春 思

皇甫冉

莺啼燕语报新年，　马邑龙堆路几千①。
家住层城邻汉苑，　心随明月到胡天②。
机中锦字论长恨③，　楼上花枝笑独眠。
为问元戎窦车骑④，　何时返旆勒燕然⑤？

【作者简介】 皇甫冉，字茂政，丹阳(今江苏丹阳)人。天宝十五年(756)进士，调无锡(今江苏无锡市)尉。大历初，王缙为河南节度使，召为掌书记。官终左拾遗、右补阙。《全唐诗》录存其诗二卷。

　　【说明】　这首诗写一长安少妇新春触景伤情,对出征塞北丈夫的怀念。诗中反映了她盼望早日消灭敌人、让丈夫归来团聚的强烈愿望。

　　【注释】　①马邑:在今山西朔县西北。龙堆:在今新疆维吾尔自治区天山南路。②层城:指长安。京城有内外两层,故称。邻:靠近。汉苑:指唐苑。胡天:指马邑、龙堆。上句指出闺中少妇所在之地,下句指出征夫所在之地。下句化用李白《闻王昌龄左迁龙标遥有此寄》:"我寄愁心与明月,随君直到夜郎西"之意。　③机中锦字:指苏蕙怀念丈夫的织锦回文诗。《晋书》:"窦滔为秦州刺史,被徙流沙。妻苏氏思之,织锦为回文旋图诗以赠滔。"论:伦列出来。　④元戎:犹言将军。窦车骑(jì记):指窦宪。汉窦宪为车骑将军,大破匈奴,于是温犊等八十一部来降。窦宪登燕然山(在今蒙古人民共和国),刻石勒功,纪汉威德,班师而还。　⑤返旆(pèi 配):撤回军队。旆,旗帜。勒:刻。

晚次鄂州

卢　纶

云开远见汉阳城①,　　犹是孤帆一日程②。
估客昼眠知浪静,　　舟人夜语觉潮生③。
三湘愁鬓逢秋色④,　　万里归心对月明。
旧业已随征战尽⑤,　　更堪江上鼓鼙声⑥!

　　【说明】　晚次,指晚上停船。鄂(è 饿)州,指今湖北鄂城县。这里即三国孙权所筑的武昌城,后移今治。

　　这首诗作者原注是"至德中(756—758)作"。当时他因避安史之乱由北南逃,途经鄂州,准备去三湘一带。诗写兵乱流离中叹老思乡的情怀。前二联即景,后二联抒情,景切情真,字里行间充满了离乱之感,颔联是名句。

　　【注释】　①汉阳城:今湖北武汉市汉阳,在汉水北岸,鄂州之西。　②一日程:指一天的水路。　③估客:商贾,商人。昼:白天。舟人:驾船的人。夜语:晚上说话。　④三湘:见前王维《汉江临眺》注①。愁鬓:一作"衰鬓"。这句自伤年老,下句思乡。　⑤旧业:旧时的田园庐舍。征战:指安史之乱。尽:光了。　⑥更堪:犹更哪堪。江上:收切题中"鄂州"。江,指长江。鼓鼙(pí):这里泛指军鼓。

登柳州城楼寄漳汀封连四州

柳宗元

城上高楼接大荒,　　海天愁思正茫茫①。

惊风乱飐芙蓉水， 密雨斜侵薜荔墙②。
岭树重遮千里目， 江流曲似九回肠③。
共来百越文身地， 犹自音书滞一乡④。

【说明】 永贞元年(805)柳宗元与韩泰、韩晔、陈谏、刘禹锡等人因参加王叔文的革新运动失败，同时被贬为远州司马。十年后又同时被召还京，但由于权臣的谗害，他们五人又被贬为远州刺史。柳宗元贬柳州(今广西壮族自治区柳州市)、韩泰贬漳州(今福建龙溪县)、韩晔贬汀州(今福建长汀县)、陈谏贬封州(今广东封开县)、刘禹锡贬连州(今广东连县)。

这首诗是元和十年（815）柳宗元初到柳州登上城楼怀念刘禹锡等四位战友之作。首联写诗人登楼远眺祖国江山，忆往昔，思未来，不禁心潮起伏，愁绪无边。因柳州近海，所以他很自然地以海天的茫茫，来形容他的愁思的茫茫。同时，刘禹锡等人的所贬州郡也都是近海地带，所以"海天愁思正茫茫"不只是写诗人一个人，而实际也是暗写他们五人共有的环境与心境，他们是为同一政治理想而奋斗，患难相依、生死与共的战友。次联字面写的是柳州的夏天气候，很像一幅南方夏日的风景画。但诗人不是为写景而写景，而是借景抒情，融情入景。所谓"惊风"、"密雨"皆凶物，是对豪强势力的影射；"芙蓉"、"薜荔"皆香草，是对革新派的赞美。以宦官俱文珍为代表的豪强势力对革新派的残酷迫害，对革新事业的疯狂摧残，正像那"惊风乱飐芙蓉水，密雨斜侵薜荔墙"一样凶狠。"永贞革新"虽遭到失败，但诗人被谪贬十年来，对革新派战友及其进步事业却从未忘怀。因此，由"芙蓉"、"薜荔"的被摧残过渡到下二联对战友们的深切怀念。第三联仍是借景抒情，那崇山峻岭，密林修树，遮住诗人的眼睛不能远望，正像恶势力把他和战友们分隔千里；那迂回曲折奔腾起伏的柳江流水，正像他思念战友的九曲回肠。"岭树重遮千里目"，可见诗人对战友相望之殷；"江流曲似九回肠"，可见诗人对战友相思之切了。末联明白地总括了五人的遭遇，不仅彼此天各一方，连书信来往也被阻隔，五人"共来百越"尚且如此，至于长安的信息阻滞难通就更不须说了。全诗从"愁思"二字着笔，中间两联全用比兴象征手法，虽未明写谪贬，而谪贬之意见于言外。

【注释】 ①这两句说，我登上连接大荒的城上高楼，愁思像海天一样茫茫无际。大荒：极远之地。这里指"海外"。海天愁思(sì 四)：愁思像海天一样深广。 ②这两句说，眼见狂风摧残着水上美丽的荷花，暴雨袭击着墙上芳香的薜荔。惊风：猛烈的风。飐(zhǎn 斩)：吹动。芙蓉：荷花的别名，非指木芙蓉。薜荔(bì lì 壁利)：见前钱起《谷口书斋寄杨补阙》注②。 ③这两句说，那岭上重重的密树遮住我的望眼，那弯弯曲曲的江流真像我的愁肠九回。重遮：一层层遮住。江流：指柳江。九回肠：肠子回环地盘在腹中。九回，言其弯曲之多。这里是以柳江的弯曲之多，象征诗人愁思的缠结，思念战友的殷切。 ④最后两句说，我们五人同贬谪来此边远地带，不但不能相见，连书信也阻滞不通。百越文身地：指南方少数民族地区。越，本是南方最大的一个民族之名，因这一地带许多民族杂居在一起，后来便用作五岭以南地区的通称。按百越，当今浙江、福建、台湾、广东、广西五省之地。百越，一作"百粤"。文身，在身上刺刻花纹，是南方少数民族从古遗留下来的一种风俗。犹自：仍然是。自，语助词。音书：书信。滞：阻隔。

西塞山怀古

刘禹锡

王浚楼船下益州①，　　金陵王气黯然收②。
千寻铁锁沉江底，　　一片降幡出石头③。
人世几回伤往事④，　　山形依旧枕寒流⑤。
从今四海为家日⑥，　　故垒萧萧芦荻秋⑦。

207

【说明】　唐代是我国大一统的朝代之一。安史之乱起，统一遭到了破坏，经过八年之久，才把安史叛军平定。但不久藩镇又拥兵割据，以致内乱频仍。唐宪宗末年，内战虽告结束，但割据势力依然存在。到穆宗统治时期(821—824)，北方的幽州、成德、魏博等镇，又相继恢复割据。藩镇割据，祸国殃民，成为唐代社会的毒瘤。穆宗长庆四年(824)，刘禹锡罢夔州(今四川奉节县)刺史，转调和州(今安徽和县)刺史，沿江东下，途经西塞山(今湖北大冶县东)，写下了有名的《西塞山怀古》。西塞山是长江中下游的要塞之一，三国时，这一带是吴国西境的重要江防前线。西晋建立之初，吴仍然割据东南。晋武帝司马炎于太康元年(280)正月从益州发兵攻吴，不久孙皓投降，中国从东汉末六十年来的分裂割据局面到此才完全统一起来。

诗的前二联歌颂西晋消灭东吴割据势力而完成了统一事业，后二联以历代割据势力终归灭亡来警告中唐破坏国家统一的藩镇。诗人借古讽今之意极为明显。东吴的"山"峻"江"险都不能阻挡统一的历史潮流，"人世几回伤往事，山形依旧枕寒流"，说明历史上割据一方的野心家凭借地形之险是不能挽救灭亡命运的。诗末以"从今四海为家日"笔酣墨饱地歌颂唐代的统一事业，从而严重警告藩镇割据是没有前途的，西塞山前的"萧萧芦荻秋"中的"故垒"便是历史的见证。诗人一直维护国家统一，他寄寓于诗中的要求消灭割据势力加强中央集权的愿望是十分强烈的。全诗气势豪迈，讽刺深刻。

【注释】　①王浚：字士治，弘农(今河南灵宝县南)人，官至益州刺史。晋武帝准备伐吴，以浚为龙骧将军，修造战船，率水师沿江东下。楼船：高大的船，指战船。益州：今四川成都市。　　②金陵：今江苏南京市，当时吴国的都城。王气黯(àn 暗)然收：王气快要黯然消失，意为东吴就要灭亡了。王气，古代迷信有所谓望气之术，有王者出，预先可望到他的气象，故称王气。黯然，失色的样子。黯，深黑，没有光彩。③这两句指王浚水师突破吴国江防，直抵金陵，吴主孙皓举行投降仪式事。寻：古时以八尺为寻。千寻，极言其长。铁锁：铁链。吴国在长江险要处以铁链横截，抵拒王浚楼船通过。降幡(fān 番)：投降的旗帜。出：出现。石头：石头城，一称石首城，即金陵城。　　④人世:即人间。往事:指东吴的灭亡。　　⑤这句是说西塞山的形势不改当年。枕:靠着。寒流:指长江的流水,因是秋天,故称寒流。　　⑥四海为家:这里是要统一全国的意思。　　⑦故垒:旧时的堡垒。这里指吴国当年防守西晋水师东下的工事的遗迹。萧萧芦荻:指芦荻在寒风中摇动的声音。萧萧,寒风声。

遣悲怀三首

元　稹

其　一

谢公最小偏怜女①，　　自嫁黔娄百事乖②。
顾我无衣搜荩箧，　　泥他沽酒拔金钗③。
野蔬充膳甘长藿，　　落叶添薪仰古槐④。
今日俸钱过十万，　　与君营奠复营斋⑤。

其　二

昔日戏言身后事⑥，　　今朝都到眼前来⑦。
衣裳已施行看尽，　　针线犹存未忍开⑧。
尚想旧情怜婢仆⑨，　　也曾因梦送钱财⑩。
诚知此恨人人有⑪，　　贫贱夫妻百事哀。

其　三

闲坐悲君亦自悲，　　百年都是几多时⑫。
邓攸无子寻知命⑬，　　潘岳悼亡犹费词⑭。
同穴窅冥何所望⑮？　　他生缘会更难期⑯。
惟将终夜长开眼⑰，　　报答平生未展眉⑱。

【作者简介】　元稹(779—831),字微之,河南(今河南洛阳市)人。贞元九年(793)明经及第,授校书郎。元和初,对策第一,授左拾遗,后任监察御史。因得罪宦官,贬江陵士曹参军。他早年政治上比较进步,后与宦官勾结,穆宗长庆三年(823)升为宰相。因论论不满,不久,出任州刺史等职。

　　元稹与白居易为莫逆交,两人唱和极多,诗歌主张也一致,共同倡导"新乐府"运动,他的乐府在当时诗坛产生了良好的影响。他与白居易齐名,但他的诗反映现实的深、广度都不及白居易。有《元氏长庆集》。

【说明】《遣悲怀》三首是元稹追悼原配韦惠丛之作。韦惠丛比元稹小四岁，死于元和四年(809)，年二十七。诗中有"今日俸钱过十万"之句，当作于长庆年间任宰相之后。诗中真切地表现出作者对妻子真挚而深厚的感情。第一首从生前到死后，第二首从死后到生前，第三首从现在到将来，自誓不再娶，以"惟将终夜长开眼"，来"报答平生未展眉"。

【注释】①谢公：指东晋谢奕。他的小女儿谢道韫有才华，谢奕最喜欢她。韦惠丛父亲韦夏卿官至太子少保，死后追赠左仆射。韦惠丛是他的小女，所以作者这里以谢道韫作比。偏怜女：特别疼爱的女儿，指韦惠丛。　②自嫁：一作"嫁与"。黔娄：春秋时齐国贫穷的高士，这里是作者自比。百事乖：事事都不顺心。乖，违反，不顺。　③顾：看见。荩(jìn 尽)箧：一种以草编制的衣箱。荩，草名。泥(nì)：软缠，以柔言索物的意思。他：指韦氏。沽酒：买酒。拔金钗：指从头上拔下金钗卖钱给丈夫买酒。这两句写韦氏贤惠，对丈夫的体贴无微不至。　④野蔬充膳：以野菜抵充食物。甘：甜，这里是动词，吃得香甜的意思。长藿(huò 霍)：藿，豆叶。豆科植物，枝蔓很长，故称。添薪仰古槐：仰仗古槐树落叶来增添柴火。这两句写韦氏能安于贫困生活。　⑤俸钱过十万：极言境况富裕。这当是穆宗长庆年间作者被提拔为宰相之后。与君：给你，为你。营奠：备办祭品。营斋：请僧道为韦氏超度灵魂。这两句叹惜韦氏早亡，未能与自己同享富贵。　⑥戏言：开玩笑的话。身后事：关于死后的事。"事"一作"意"。　⑦都：一作"皆"。　⑧施(shì 是)：施舍的意思。行看(kān 刊)尽：行将看完了。行，将。针线：指韦氏生前做的针线活。犹存：还保存着。这两句写物在人亡，触目生悲。　⑨旧情怜婢仆：指韦氏怜惜婢仆的旧情。　⑩因梦送钱财：因自己积思成梦，梦中焚烧纸钱以慰韦氏。　⑪诚知：的确知道。此恨：指夫妻间的死别。　⑫这句是作者就自己说，即上句的"亦自悲"，妻子早死，自己虽然后死，又能再活上多长时间呢？这里的"百年"是短促的一生的代称。　⑬邓攸无子：西晋末，河东太守邓攸，字伯道，在石勒兵乱中为保全侄儿而丢弃自己的儿子，后来终身没有儿子。当时人有"天道无知，使伯道无儿"之叹。寻知命：然后才知道这是命运。有的人注为"即将到知命(五十)之年"，似与诗意不符。这句是作者以邓攸自喻。元稹当时无子，后娶裴氏才生一子。　⑭潘岳悼亡：西晋诗人潘岳在妻子死后，曾作《悼亡诗》三首。犹费词：意谓潘岳悼念妻子，他自己还是不免一死。所以说"犹费词"。词，即《悼亡诗》。这里是作者以潘岳自喻。　⑮同穴：夫妻死后合葬一穴。窅(yǎo 咬)冥：幽暗的样子。何所望：有什么希望。意谓死后无知，即使同穴也是徒然。　⑯他生缘会：旧时迷信指人死后还有灵魂，可投胎再世，叫做"来世"、"来生"，也就是"他生"。他生缘会，意谓来生再做夫妻，即"再世姻缘"。更难期：再无实现的可能。期，期待，等待。　⑰惟将：只将。终夜长开眼：指整夜不寐。鳏鱼常不闭眼，所以古人称无妻为鳏。这里是作者表示誓不再娶之意。　⑱平生：谓平时，指韦氏生前。未展眉：指韦氏生前常因生活贫困而愁苦。

自河南经乱，关内阻饥，兄弟离散，各在
一处。因望月有感，聊书所怀，寄上浮梁大兄，
于潜七兄，乌江十五兄，兼示符离及下邽弟妹

白居易

时难年荒世业空^①，　弟兄羁旅各西东^②。
田园寥落干戈后^③，　骨肉流离道路中^④。
吊影分为千里雁^⑤，　辞根散作九秋蓬^⑥。
共看明月应垂泪^⑦，　一夜乡心五处同^⑧。

【说明】　河南经乱，指德宗贞元十五年(799)二月宣武节度使(治所在今河南开封市)董晋死后，部下兴兵叛乱。三月，彰义节度使(治所在今河南汝南县)吴少诚又接着叛变。这两次战乱都发生在河南道境内，故称。关内阻饥，指留在故乡的家人都因战乱交通阻塞而生活困难。关内，唐道名，在函谷关以西，即今陕西一带。聊书所怀，姑且写下我的思念之情。浮梁大兄，指贞元十五年(799)春，白居易的长兄幼文任浮梁县主簿。浮梁，故城在今江西景德镇市北。于潜七兄，白居易的堂兄，做杭州于潜县尉。于潜，今浙江于潜县。乌江十五兄，白居易的堂兄，做乌江县主簿。乌江，今安徽和县。示，告诉，使知道。符离，即今安徽宿县。下邽(guī 归)，即今陕西渭南县。白居易的"乌江十五兄"死于贞元十七年(801)七月，本诗当作于贞元十五年春至贞元十七年夏这段时间之内。这时诗人可能住在符离。

诗题已把创作背景写明，首联又为此作了概括：由于时难年荒迫使兄弟东西。中间两联则从不同侧面形象地刻画其兄弟离散的凄凉境况。诗人本来是"因望月有感"而怀念兄弟，但末联才点出其"看月垂泪"，并推想几处兄弟亦必因见月相思而正在垂泪。这样结尾便使诗的主题思想升华，使全篇精神飞动起来。此诗直抒胸臆，不假雕饰。蘅塘退士评云："一气贯注，八句如一句，与少陵《闻官军》之作同一格律。"

【注释】　①时难：指河南兵乱。年荒：指关内阻饥。世业：祖先遗留下来的产业。　②羁旅：寄居外地。　③寥落：这里形容田园荒废。干戈：古时的两种兵器，这里指代战乱。　④骨肉：见前崔涂《除夜有怀》注⑤。这里指题中的兄、弟、妹。流离：离开故乡到处流落。　⑤吊影：自吊其影，犹言孤立。分为千里雁：指兄弟分散各地。古时以雁比兄弟，说兄弟分散，如雁行拆散孤飞一样。　⑥九秋：谓秋季九十日。一解"深秋"。蓬：多年生草本植物，末大于本，秋季经大风吹刮，便连根拔起，随风飘旋，常用以喻迁徙离散。　⑦垂泪：掉泪。　⑧五处：指浮梁、于潜、乌江、符离、下邽。

锦 瑟

李商隐

锦瑟无端五十弦，　一弦一柱思华年①。
庄生晓梦迷蝴蝶，　望帝春心托杜鹃②。
沧海月明珠有泪，　蓝田日暖玉生烟③。
此情可待成追忆？　只是当时已惘然④。

七言律诗

211

【说明】 此诗主题向来有悼亡、恋爱、咏物、自伤等多种说法。按诗意是诗人自伤之词。这时诗人年近五十，追思华年虚度，功业无成，怀才不遇，壮志难伸，因此以"锦瑟无端五十弦"起兴，抒发其仕途坎坷，美人迟暮之感。

【注释】 ①锦瑟：极言瑟的精美。无端：无缘无故地。一解无意、无心的意思。五十弦：古瑟有五十弦，见《史记·封禅书》。一弦一柱：一根弦有一根柱。柱，系弦的小木柱。思(sì 四)：追忆的意思。华年：盛年。这两句是作者因见锦瑟五十弦，联想到自己也年将五十，因而一一追忆起已逝的华年。　②庄生：即战国时的庄周，著名文学家和思想家，著有《庄子》。晓梦：天亮时做梦。迷蝴蝶：迷惑于自己与蝴蝶之间的关系。《庄子·齐物论》："昔者庄周梦为蝴蝶，栩栩然(高兴的样子)蝴蝶也。……俄而觉，则蘧蘧然(惊动的样子)周也。不知周之梦为蝴蝶欤？蝴蝶之梦为周欤？"望帝：古蜀国帝王称号，名杜宇。传说他因亡国之悲痛，死后魂魄化为杜鹃鸟，鸣声悲切动人。春心：伤春的心情。托杜鹃：把怨恨寄托于杜鹃的悲鸣。这两句的含意是，平生壮志难酬，往事一一如梦，只有像望帝一样借托杜鹃来诉说自己的幽愤。　③沧海：苍绿色的大海。沧，同"苍"。珠有泪：古代有鲛人泣珠的传说。《博物记》："南海外有鲛人，水居为鱼，不废织绩，其眼泣则能出珠。"蓝田：即蓝田山，在今陕西蓝田县东南，是我国古代著名的产玉地。日暖玉生烟：在阳光照射下玉山所腾起的烟气。《困学纪闻》卷十八："司空表圣云：戴容州谓诗家之景如蓝田日暖，良玉生烟，可望而不可置于眉睫之前也。李义山玉生烟之句盖本于此。"这两句的含意是，自己的才华被弃，如明珠沉海；自己的理想破灭，如良玉生烟。　④此情：指上两联所述的情景。可待：岂待，难道等到今日。成：见也，被也。惘(wǎng 往)然：怅惘失意的样子。最后两句说，这些情景岂待今天追忆才有，其实在当时就已经令人不胜怅惘，只不过是今天追忆起来更加痛苦罢了。高步瀛云："综义山一生所遭，如上所述，皆失意之事，故不待今日追忆，惘然自失，即在当时，已如此也。"

无 题

李商隐

昨夜星辰昨夜风①，　画楼西畔桂堂东②。

身无彩凤双飞翼，　心有灵犀一点通③。
隔座送钩春酒暖，　分曹射覆蜡灯红④。
嗟余听鼓应官去，　走马兰台类转蓬⑤。

【说明】　李商隐的诗有一部分标以"无题"，主题并不一致，有的写对理想的追求，有的写政治上的失意，有的写爱情生活，但都因其寓意深曲，辞藻华丽，致使中心思想很难捉摸。这首诗似是写作者参加衙门的盛大宴会后抒发自己仕途坎坷的寂寞之感。前三联写"昨夜"宴会的热闹情景，末联写自己在兰台的凄凉况味，两相对比，心潮难平。

【注释】　①星辰：星。通常称星为星辰。　②画楼：画有彩色画的楼。一作"画堂"。西畔：西边。桂堂：极言堂的芳美。　③彩凤：有彩色羽毛的凤。灵犀（xī 西）：即犀牛角。古代把犀牛视为灵异之兽，角中心有一线白纹，从角尖直通大脑，故称灵犀。这两句意谓，由于彼此身份地位不同，我虽然没有彩凤双飞的翅膀，飞到你的身旁，但我们的心却像灵犀一样息息相通。下一句说明宴会上有作者仰慕的人物。
④送钩：古代宴会上一种藏钩的游戏，把钩在暗中互相传送，令人猜在谁的手中，猜不中便罚酒。分曹：分队。射覆：古代的一种游戏，在器皿下覆盖东西叫人猜。射，猜测。这两句描写达官贵人在宴会上狂欢极乐的得意神态，为末联写作者自己的失意神态作铺垫。　⑤嗟（jiē 阶）：叹词。余：我。鼓：晚上报更（gēng 耕）的鼓。应官：犹言上班应卯。古代各衙门卯时击鼓，百官应鼓声上班。走马：跑马。兰台：即秘书省，掌图籍秘书。当时作者在秘书省任正字之职。类转蓬：好像飞蓬随风乱转似的，喻自己官卑位低有如漂泊无依的蓬草。这两句感叹自己天天"听鼓应官"的局促无聊。

隋　宫

李商隐

紫泉宫殿锁烟霞，　欲取芜城作帝家①。
玉玺不缘归日角，　锦帆应是到天涯②。
于今腐草无萤火，　终古垂杨有暮鸦③。
地下若逢陈后主，　岂宜重问后庭花④？

【说明】　《隋宫》是李商隐政治讽刺诗中的名篇之一。隋炀帝杨广是我国历史上以荒淫奢侈著称的暴君，他远离长安南游扬州，在江都一带劳民伤财，另修豪华宫殿。诗以此为题材，形象地揭露了他穷奢极欲祸国殃民的罪行，指出了他贪婪冥顽至死不悟而自取灭亡的必然结局。全诗讽意深刻，并对现实寓有发人深省的鉴戒作用。

【注释】　①紫泉：原作"紫渊"，因避唐高祖李渊讳，改渊为泉。汉司马相如在《上林赋》中叙述长安的形胜，有"丹水更其南，紫渊径其北"之句。紫渊，水名，在长安北面,本诗用来代称长安。锁烟霞:形容长安宫殿在烟霞中闲闭着。芜城:即隋代的江都,今江苏江都县。隋初为江都郡治所,后为扬州治所,地当长江之北,运河之西,古代为江北繁华之地。江都旧名广陵,刘宋时诗人鲍照见广陵旧城荒芜,而作《芜城赋》,后人则把江都称为"芜城"。帝家:这里是帝京、帝都的意思。隋炀帝于大业十二年(616)南游扬州,大造宫殿,在此流连不回长安,十四年(618)为宇文化及所杀。这两句意谓,隋炀帝为了享乐,把长安宫殿关闭着,而一意在江都大兴土木,另建帝京。 ②玉玺(xǐ 洗):皇帝的印章,用玉制成,故称。不缘:不是因为。归日角:归为李渊所有,指唐朝兴起,取代了隋朝。人的额骨饱满得像太阳一样,称为日角。据《旧唐书·唐俭传》载,李渊未起兵前,唐俭说他日角龙庭,有帝王之相。故这里以"日角"指代李渊。锦帆:指隋炀帝所乘的龙舟,船帆都用锦缎制成。《开河记》:"(帝)自洛阳迁驾大梁(今河南开封市),诏江淮诸州造大船五百艘。龙舟既成,泛(浮)江沿淮而下,时轴轳相继,连接千里,自大梁至淮口,联绵不绝,锦帆过处,香闻百里。"这两句的含意是,如果不是唐朝很快取代隋朝,隋炀帝的龙舟将要遍布全国,那给人民造成的灾祸就更不堪设想了。 ③于今:至今,直到现在。腐草无萤火:腐草,烂草。萤火,指萤火虫。《礼记·月令》:"腐草为萤。"萤火虫产卵在水边草根,到次年春天孵化成虫,所以古人错误地认为萤火虫是从腐草中生出来的。隋炀帝曾在长安、洛阳、江都等地,发动百姓大量搜集萤火虫,晚上游山放出,光照岩谷。无萤火,是说萤火虫被隋炀帝搜捕绝种了。终古:经常,永远的意思。垂杨:隋炀帝开凿运河浮游龙舟取乐,运河两岸修堤,遍植柳树,后人称"隋堤柳"。这里的"垂杨"所指的即"隋堤柳"。有暮鸦:象征隋广后的凄凉景象。作者想象:隋炀帝在时,隋堤日夜喧哗,热闹已极,哪会有乌鸦来垂杨上栖息?隋炀帝一去不复返了,如今两岸垂杨依然郁郁青青,故云"终古垂杨有暮鸦"。这两句的含意是,隋炀帝当年在江都修建的豪华宫殿早已成为废墟。 ④地下:指隋炀帝死后,因埋在地下,故称。若逢:假如碰上。陈后主:陈朝最后一个皇帝陈叔宝,在历史上以荒淫亡国著称,隋炀帝正和他一脉相承。据《隋遗录》载:开皇九年(589)隋灭陈,陈后主投降。隋炀帝为太子时和他相熟,到炀帝游江都时,他早已死去。一次炀帝游吴公宅鸡台,梦中恍惚和他相遇。陈后主的舞女数十人,其中有他的宠妃张丽华,炀帝特请她舞《玉树后庭花》。岂宜:难道应该,揣测的语气。重问:再问。后庭花:即《玉树后庭花》的省称,陈后主所制的反映宫廷淫靡生活的舞曲,后人称为"亡国之音"。末两句用曲折反诘的语气,刺隋炀帝荒淫误国至死不悟,和陈后主毫无二致。

无题二首

李商隐

其 一

来是空言去绝踪, 月斜楼上五更钟①。
梦为远别啼难唤, 书被催成墨未浓②。

蜡照半笼金翡翠， 麝熏微度绣芙蓉③。
刘郎已恨蓬山远， 更隔蓬山一万重④。

其 二

飒飒东风细雨来， 芙蓉塘外有轻雷⑤。
金蟾啮锁烧香入， 玉虎牵丝汲井回⑥。
贾氏窥帘韩掾少， 宓妃留枕魏王才⑦。
春心莫共花争发， 一寸相思一寸灰⑧。

【说明】 这两首诗似写恋爱受阻的悲哀。前一首写相思炽烈而会合无缘,唯有寻梦,而梦醒又匆促缄书。情重人远,触景增愁,通宵沉浸在痛苦的怨恨之中。后一首追忆前情,无限怅惘。虽以物为比,以事为喻,表白自己对爱情的追求,但又流露了相思无望的伤感情绪。两诗都可能寄寓着作者仕途不利的难言之痛。

【注释】 ①这两句写梦境的虚幻和梦醒后的怅惘。 ②这两句意谓梦难成书也难成。在梦中因与对方远别而啼哭,连叫也叫不醒;梦醒后又急着给对方写信,连把墨磨浓也等不得。啼:哭。唤:呼喊。书:信札。 ③这两句写女子梦醒后房中所闻见的情景。蜡照:蜡烛光。半笼:指烛光在烛罩中所照及的范围。金翡翠:指烛罩上用金线刺绣的翡翠鸟。麝(shè 射)熏:即麝香。麝,兽名,比鹿小,雄的脐部有香腺,能分泌麝香,可制贵重香料和药材。古代豪贵人家往往用这种名贵香料放在香炉中熏被帐。微度:指香气慢慢传送开来。绣芙蓉:指芙蓉绣帐,参看前白居易《长恨歌》注⑭。 ④这两句意谓,要和情人相见比刘彻求蓬莱仙药还要困难。蓬山:即蓬莱仙山,这里借指情人所居之地。刘郎:指汉武帝刘彻。李贺《金铜仙人辞汉歌》有"茂陵刘郎秋风客"之句,汉武帝曾派方士求蓬莱不死之药,结果一无所得。 ⑤飒飒(sà萨):象声词,形容风雨的声音。东风:春风。一作"东南"。芙蓉塘:塘名。这两句以风雨中的春景衬托对方的相思无着的心境。 ⑥金蟾(chán 蝉):指蛙形的金属香炉。啮(niè 捏):咬着。锁:指香炉的鼻钮,可以开合,放进香料。玉虎:指吊水的玉饰辘轳。丝:指吊水的绳。这两句以金蟾能烧香、玉虎能汲井反衬自己苦于相思却找不着机会与情人相见。 ⑦贾氏窥帘:晋韩寿姿容美丽,侍中贾充召为僚属,贾充的女儿贾午在帘后窥见韩寿,很喜爱他,与他私通。贾充知道后便把女儿嫁给韩寿。贾氏,指贾午。窥,偷着看。韩掾(yuàn 院):指韩寿。掾,僚属。少:少俊。宓(fú 伏)妃留枕:三国魏甄后原是袁绍的媳妇。袁绍失败,曹植很想娶她,却被曹操赐给曹丕。甄后后为郭后所妒,被迫自杀。黄初中,曹植由封国入朝,曹丕便将她遗下的玉镂金带枕赐给他,曹植见了哭了起来,因这时甄后已死。曹植离京回国途中,在洛水边止宿,梦中与甄后相会,因感其事作《感甄赋》,后被曹叡改名为《洛神赋》。相传伏羲氏的女儿宓妃在洛水淹死,便成洛神,故又称甄后为"宓妃"。魏王:这里指曹植。这两句说,贾氏窥帘是爱韩寿的少俊。宓妃留枕是慕曹植的才华。前者是爱情成功之乐,后者是爱情失败之悲,而自己不属前者,反属后者,虽知相思无益,又怎能自已。　　⑧末两句是强自宽解,尽管要强使春心不要共春花争放,但终属徒然,只有至死方休。上句与"东风"照应,下句与"烧香"照应。

筹笔驿

李商隐

猿鸟犹疑畏简书,　风云长为护储胥①。
徒令上将挥神笔,　终见降王走传车②。
管乐有才终不忝,　关张无命欲何如③。
他年锦里经祠庙,　梁父吟成恨有余④。

【说明】　筹笔驿,即今朝天驿,在四川广元县与陕西阳平关之间。三国蜀汉诸葛亮出师伐魏,曾驻军筹划于此,故名。

这首诗是宣宗大中九年(855)作者随柳仲郢由梓州还长安,途中凭吊筹笔驿之作。诗中对诸葛亮统一中原的雄才大略十分崇敬,对刘禅昏庸和关张早死以致他北伐无成赍志以殁深为惋惜,大有杜甫"出师未捷身先死,长使英雄泪满襟"(《蜀相》)之慨,从中也寄托着作者的身世之感。

【注释】　①猿鸟:一作"鱼鸟"。犹疑:还是疑惑。畏:害怕。简书:这里是指军中文书命令。古人在未发明纸之前,文字多写在竹简上,故称。护:护卫。储胥:军中的藩篱。这两句意谓,由于诸葛亮军令森严,筹笔驿山中的猿鸟至今还好像有所疑惧似的;风云屯聚不散,还好像在保护当年的壁垒似的。这是写作者凭吊诸葛亮故垒时的敬畏心情。　　②徒令(líng铃):徒然使得。上将:古代对军官最尊敬的称呼。这里指诸葛亮,他是当时蜀汉军中的统帅。挥神笔:形容诸葛亮善于筹划军事指挥战争,前人说他"用兵如神"。降王:指蜀汉后主(刘备的儿子)刘禅。魏元帝景元四年(263),魏大将邓艾伐蜀,攻破成都,刘禅出降,全家东迁洛阳。走传(zhuàn撰)车:即指刘禅降魏后被传车送往洛阳事。传车,驿站专供长途使用的车辆。这两句说,刘禅庸弱无能终于降魏,辜负了诸葛亮生前的苦心筹划。　　③管乐(yuè月):管仲、乐毅。管仲,春秋时齐国著名政治家,辅佐齐桓公成就霸业。乐毅,战国时燕国著名军事家,曾为燕昭王率赵、楚、韩、魏、燕五国兵大破齐国。诸葛亮隐居南阳时常以管乐之才自比。见《三国志·诸葛亮传》。终:虽然。忝(tiǎn舔):惭愧。关张:关羽、张飞,都是蜀汉的著名大将。无命:指关羽镇守荆州,建安二十四年(219)兵败为孙权所杀;张飞在伐吴时被部将张达、范强所谋杀。欲何如:将又有什么办法? 这两句说,诸葛亮虽不愧管、乐将相之才,无奈关张死后蜀汉的残局难支。　　④他年:这里指往年,即大中五年(851)。锦里:在成都城南,武侯祠所在地。梁父吟:见前杜甫《登楼》注④。这里语意双关,即指大中五年作者凭吊武侯祠时吟咏《梁父吟》,又指作者自己吟咏(作)《武侯庙古柏》。吟,在这里是活用,连到上面的"梁父"是名词,连到下面的"成"字又是动词。成:罢,结束。这两句说,当年在锦里凭吊武侯祠写成《武侯庙古柏》后,觉得还有余恨。

无　题

李商隐

相见时难别亦难，　东风无力百花残^①。
春蚕到死丝方尽，　蜡炬成灰泪始干^②。
晓镜但愁云鬓改，　夜吟应觉月光寒^③。
蓬山此去无多路，　青鸟殷勤为探看^④。

【说明】　这首诗写作者在恋爱的重重险阻中,表示对爱情的热烈追求至死不变,也想象对方因日夜相思而形容憔悴,所以在绝望中依然寄托着微茫的希望。

【注释】　①相见时难:谓相见的时机难得。别亦难:谓不忍分离,别时心情难堪。东风:春风。百花残:指时已春暮。残,凋谢。这两句说,见难别也难,在百花凋残的暮春时节别离,就更加令人伤感。　②丝:语意双关,既指蚕丝,又谐意"相思"之"思"。蜡炬:蜡烛。泪:语意双关,既指烛油,又指相思之泪。这两句的含意是,只有死了才不相思,才无相思之泪。　③晓镜:早上对镜梳妆。但愁:只怕。云鬓改:言情人的颜色憔悴。云鬓,形容年轻女子浓黑如云的鬓发。夜吟:晚上吟相思之诗。月光寒:指情人在月下相思长夜不睡,不仅身上觉得寒冷,而且心境更感到悲凉。这两句是体贴设想情人昼夜相思之苦。但愁、应觉,均为设想的语气。　④蓬山:蓬莱山的简称,传说中的海上仙山。这里指对方的住处。青鸟:原是神话中为西王母传递消息的仙鸟,后因借称信使。为(wèi 未):替,帮。探看(kān 刊):探望。最后两句说,她住的地方离此不远,希望有人给我传递信息。这说明作者在绝望中仍然抱有一线希望。

春　雨

李商隐

怅卧新春白袷衣，　白门寥落意多违^①。
红楼隔雨相望冷，　珠箔飘灯独自归^②。
远路应悲春晼晚，　残宵犹得梦依稀^③。
玉珰缄札何由达？　万里云罗一雁飞^④。

【说明】　这首诗前半写访女方不遇独自归来的悲凉心境,后半写归来寻梦和梦后寄书表白心意。诗题虽作"春雨",但实属"无题"之类。全不加雕绘,抒情深婉。

【注释】　①怅卧：不痛快地躺着。白袷(jiā加)：夹衫。白门：原指南京，此处借指对方所在地。《古乐府·杨叛儿》：“暂出白门前，杨柳可藏乌。欢作沉香水，侬作博山炉。”内容写男女相爱。寥落：冷落。这两句写往访对方不遇归来的寂寞心境。②红楼：指女方原来的住宅。珠箔(bó勃)：珠帘。这里借指密密的细雨。上句写不遇后隔雨而望红楼，下句写晚上独自冒雨归来。这两句都是怅卧时追忆不遇后在归途的情景。③晼(wǎn挽)晚：太阳下山的时候。这里指春天日暮。残宵：夜将尽，天将亮时。依稀：恍惚迷离。上句设想远去的对方应被春暮触动离愁，下句写自己想念对方而不能相见，只能在残宵的梦中与对方相会。④玉珰(dāng当)：玉制的耳珠。缄(jiān坚)札：书信。何由达：怎么能够到达对方那里。云罗：云天，天空阴云密布，如张网罗。云罗，与前文“雨”字照应。雁：暗喻传递书信的人。这两句说，与对方相隔遥远，虽投寄书珰也不容易到达。

无题二首

李商隐

其　一

凤尾香罗薄几重，　碧文圆顶夜深缝①。
扇裁月魄羞难掩，　车走雷声语未通②。
曾是寂寥金烬暗，　断无消息石榴红③。
斑骓只系垂杨岸，　何处西南待好风④？

其　二

重帏深下莫愁堂，　卧后清宵细细长⑤。
神女生涯原是梦，　小姑居处本无郎⑥。
风波不信菱枝弱，　月露谁教桂叶香⑦？
直道相思了无益，　未妨惆怅是清狂⑧。

【说明】　前一首写一女子曾与情人见面，因无由通话而苦闷，后虽消息难通，但仍然抱会合之望。后一首写女子的爱情虽遭受打击，明知相思无益，但也愿为爱情愁苦而终生。

【注释】　①凤尾罗：即凤纹罗，上面织有凤尾花纹，是古代一种华贵的薄罗。几重：几层。因制复帐不止一层。碧文圆顶：有青碧花纹的罗帐圆顶，这两句设想女方夜深缝制凤尾香罗的复帐。②扇裁月魄：把扇裁制成月圆形。月魄，本指月轮的无光处，这里指月的形状。东汉班婕妤《怨歌行》有“裁为合欢扇，团团如明月”之句。此用其语。羞难掩：难掩羞涩的脸庞。谢芳姿《团扇郎歌》有“白团扇，憔悴非昔容，羞与郎相见"之句。此用其语。车走雷声:车走时发出雷鸣般的声音。司马相如《长门赋》:"雷殷殷而响起兮,声象君之车音。"那里说雷声像车,这里是说车声像雷。语未通:未通语言,没有交谈。这两句写某次与对方相逢,因车子匆匆而过得不到交谈的机会。 ③曾是:已是。寂寥:孤单冷静。金烬(jìn尽):指华美的蜡烛心烧剩的余烬。烬,物体燃烧后剩下的东西。暗:暗淡无光。断无:绝无。石榴红:指石榴花,石榴花红色。这两句说,为相思度过了多少不眠之夜,现在又到了石榴花开的季节,而你的音信依旧杳然。 ④斑骓(zhuī追):青白色相杂的马。《清商曲辞·神弦歌·明下童曲》有"陆郎乘斑骓"之句。此用其语。系(jì记):绑,扣住。西南待好风:待西南好风,即等待对方到来的意思。曹植《七哀》:"君若清路尘,妾若浊水泥。浮沉各异势,会合何时谐?愿为西南风,长逝入君怀。"为末句用语所本。这两句写女子仍然抱有与对方会合之望。 ⑤重帏(wéi帷):层层帷幕。莫愁:见后沈佺期《独不见》注①。这里指深闺未嫁的女子。清宵:深夜。细细:渐渐的意思。这两句设想女子独卧深闺不得成眠,倍觉夜长。 ⑥神女:即巫山神女,语本宋玉《神女赋》:"楚襄(应作"怀")王与宋玉游于云梦之浦,使玉赋高唐之事。其夜王寝,果梦与神女遇,其状甚丽。"小姑无郎:语本《清商曲辞·神弦歌·清溪小姑曲》:"小姑所居,独处无郎。"这两句意谓,女子独居寂寞,感到生活如同梦幻。 ⑦风波:比喻纠纷或乱子。这里指阻挠恋爱的险恶势力。月露:指秋天的明月与白露。谁教(jiào叫):谁肯使得。这两句的含意是,在恋爱过程中得不到人们的成全,反而遭到破坏与打击。这从"不信"和"谁教"的语意中明显地可以看出。 ⑧直道:即使说。直,即使,假定之辞。了无益:完全无益。未妨:也不妨。惆怅:感伤,愁闷。清狂:不慧或白痴的意思。这两句说,即使说相思毫无益处,也不妨抱着痴情而愁苦终生。

利州南渡

温庭筠

澹然空水对斜晖, 曲岛苍茫接翠微①。
波上马嘶看棹去, 柳边人歇待船归②。
数丛沙草群鸥散, 万顷江田一鹭飞③。
谁解乘舟寻范蠡, 五湖烟水独忘机④。

【说明】 利州,唐属山南道,治今四川广元县,在嘉陵江北岸。这首诗前三联写景,末联抒情。前三联景中富有画意。"万顷江田一鹭飞"虽化用王维的"漠漠水田飞白鹭"(《积雨辋川庄作》),但意境阔大更胜王诗。

【注释】 ①澹(dàn淡)然:水光闪动的样子。斜晖:下山的太阳。岛:水中陆地。苍茫:幽深杳渺。这里指暮色。翠微:指远山。这两句泛写夕阳西下时嘉陵江渡口的景色。 ②波上马嘶(sī司):指马在渡船上叫。因人过渡马也过渡,马叫时,在岸上待渡的人听来如在波上,故云"波上马嘶"。嘶,马叫。看(kān 刊)棹去:指待渡的人(包括作者在内)在岸上望着渡船浮过江去。棹,借指渡船。柳边人歇:指岸上的人在柳树边休息,等待渡船回头。这两句分写渡船正在渡江和岸上的人待渡船回头的情景,有静态,有动态,逼真如画。　③数丛沙草:沙滩边的几丛水草。群鸥散:指一群群的江鸥受惊飞散。顷(qǐng 请):一百亩。江田:江畔之田。这两句写作者渡江时所见远近的景色:群鸥散是江边之景,一鹭飞是江上远空之景。"万顷"句景中含有"洁身远去"之情,为末两句抒写感慨过渡。　④谁解:谁理解。范蠡(lǐ 里):字少伯,春秋楚国人,做越国的大夫,事越王勾践二十余年,助勾践攻灭吴国后,便弃官乘扁舟泛游五湖,后不知所终。一说隐居齐国。五湖:这里指太湖。独忘机:赞叹范蠡独能忘却俗念,没有机心。参阅前王维《积雨辋川庄作》注⑧。"独"与"一"照应。末两句说,世人都不了解范蠡游五湖是真正忘机的人。

苏武庙

温庭筠

苏武魂销汉使前,　古祠高树两茫然①。
云边雁断胡天月,　陇上羊归塞草烟②。
回日楼台非甲帐,　去时冠剑是丁年③。
茂陵不见封侯印,　空向秋波哭逝川④。

【说明】　苏武,字子卿,汉武帝天汉元年(公元前100)以中郎将出使匈奴,被拘留不得归汉。单于百般逼降,苏武坚强不屈,便令往北海(今俄罗斯贝加尔湖)牧羊,说要等公羊生子才得归汉。苏武在北海生活极端艰苦,往往啮雪吞毡,掘野鼠所藏过冬草实充饥。汉昭帝时,匈奴与汉和亲,汉使要匈奴交还苏武,单于诡称苏武已死。使者对单于说:"汉天子在上林打猎,得到雁足上系有苏武的信,说苏武等人在某泽中。"单于才不得不承认苏武未死。苏武于汉昭帝始元六年(公元前81)春回到京城。见《汉书·李广苏建传》。

　　这首诗是赞颂苏武高尚的民族气节。他在匈奴十九年如一日,既不怕死,又不怕苦,真正做到了富贵不能淫,贫贱不能移,威武不能屈,不愧为我国历史上杰出的民族英雄。后世不断流传着苏武牧羊和雁足传书的故事,并为他立祠祭祀,这绝不是偶然的。诗中对苏武的赞颂没有正面的议论,而是通过形象说话。中间两联对仗极工整,如"雁"、"羊"的贴切,"甲"、"丁"的巧妙。构思也有特色,首联突兀不平,颔联含蓄深婉,情寓景内,颈联用逆挽法,末联推开以感慨结,呼应篇首,更增强了诗的艺术效果。

【注释】　①魂销:即销魂,形容伤心已极。这是因为苏武见到汉使,猛然想到汉武帝早已死去,自己可以回国,可是再也无法见到十九年前派他出使匈奴的天子了,所以有此感触。汉使：指汉昭帝时，匈奴与汉和亲，汉派到匈奴的使者。古祠：指苏武庙。茫然：完全不知道的样子。这两句大意是，遥想当年苏武忽然见到汉使，情绪异常激动，而今天我来此凭吊，只能见到"古祠高树"，却见不到苏武的生前业绩，因而无限感慨。　②雁断：指苏武被留匈奴期间与汉朝的音信阻绝。胡天：这里指匈奴。陇上：丘垄之上。羊归塞草烟：指苏武赶羊从塞草的暮色中回家。烟，傍晚的雾气。这两句是作者在苏武塑像前想象他在匈奴度过的艰危岁月。　③回日：从匈奴回到汉朝的时候。楼台：这里指汉宫殿。非甲帐：指汉武帝已死。甲帐，帐以甲乙次第为名。《汉武故事》："汉武帝以琉璃珠玉，明月夜光，错杂天下珍宝为甲帐，其次为乙帐。甲以居神，乙以自居。"去时：离汉出使匈奴时。冠剑：指苏武出使赴匈奴时戴的帽和佩的剑。丁年：壮年。李陵《答苏武书》："丁年奉使，皓首而归。"又《汉书·李广苏建传》："武留匈奴十九岁，始以强壮出，及还，须发尽白。"这两句意谓，苏武回汉的时候武帝已死，苏武出使匈奴的时候正是壮年，就是说回汉的时候已是"须发尽白"的老翁了。这两句暗写苏武功大而赏小。　④茂陵：武帝死后葬茂陵，这里指代武帝。封侯印：汉宣帝时，给苏武赐爵关内侯，食邑三百户。秋波：秋水。哭逝川：痛哭时间像河水般流去，永不复返。实际是哭武帝已死，不能复生见到自己生还汉朝，封侯食邑。《论语·子罕》："子在川上曰：'逝者如斯(此)夫，不舍昼夜。'"最后两句写苏武回汉后对武帝的深情悼念。

宫　词

薛　逢

十二楼中尽晓妆，　望仙楼上望君王①。
锁衔金兽连环冷，　水滴铜龙昼漏长②。
云髻罢梳还对镜，　罗衣欲换更添香③。
遥窥正殿帘开处，　袍袴宫人扫御床④。

【作者简介】　薛逢，字陶臣，蒲州(今山西永济县)人。武宗会昌元年(841)进士。任侍御史，遭权臣谗害，出任巴、蓬、绵等州刺史。官终秘书监。《唐才子传》云："逢天资本高，学力亦赡，故不甚苦思。豪逸之态，长短皆卒然而成，未免失浅露俗。"《全唐诗》录存其诗一卷。

【说明】　宫词是专咏宫中事物的诗，但不少是诗人借题发挥。中唐王建有宫词一百首，孟蜀花蕊夫人费氏，效法王建，也写了宫词一百首。这首宫词就是宫怨，写宫女幽闭独居生活的苦闷和怨恨，只不过是诗的措词比较婉曲罢了。

【注释】　①十二楼：仙人所居。这里指宫中的许多楼。尽：都。晓妆：早上梳妆打扮。望仙楼：唐宫中的楼名，武宗会昌元年(841)修建。这两句写宫女晓妆希望皇帝到来。　②锁衔：指宫门的锁紧紧扣住门环。金兽连环：金色兽形的门环。铜龙：铜壶滴漏,即以漏水度数计算时间的铜壶。昼漏长:指白天时间觉得长。这两句以宫门深闭,昼漏偏长,写宫女闲寂无聊之感。　③云髻(jì 寄):墨黑如云的发鬓。髻,梳在头上的发结。罢梳:指发结梳完了。上句写宫女容颜的美丽,下句写宫女服饰的华贵,"还对镜"、"更添香"描写她望幸的心理,和上文"晓妆"、"望君王"照应。　④遥窥:远远窥见。袍裤宫人:穿袍裤的宫女。短袍绣裤是当时宫女的妆束。御床:皇帝睡的床。最后两句写她窥见有的宫女得近君王,反衬自己不得近的悲凉心境。

贫 女

秦韬玉

蓬门未识绮罗香,　拟托良媒益自伤①。
谁爱风流高格调,　共怜时世俭梳妆②。
敢将十指夸针巧,　不把双眉斗画长③。
苦恨年年压金线,　为他人作嫁衣裳④。

【作者简介】　秦韬玉,字仲明,京兆(今陕西西安市)人。僖宗中和二年(882)进士。从僖宗入蜀,参与宦官田令孜幕府,被荐为工部侍郎。他有些诗反映了一定的社会现实。《全唐诗》录存其诗一卷。

【说明】　这首诗对贫女的悲惨处境和难言之痛满怀同情,对她的不羡绮罗而俭梳妆、重劳动而轻姿色的高尚品格热情赞扬,反过来也就是对当时重富轻贫、重势轻才的社会风气的讽刺。诗中贫女形象的塑造也可能就是作者怀才不遇的自我写照,实际上也成了后来沉埋下僚的有才华的寒士的不平之鸣。全诗用贫女自白,语言质朴清新,读来亲切感人。末联成为一千多年来流行的成语。

【注释】　①蓬门:编蓬草为门,以喻贫陋的家。这里的蓬门指代"贫女"。绮(qǐ起)罗香:指富家女子的豪华装饰。绮罗,丝织品;香,指香粉。拟:打算。托:请托。良媒:好的媒人。封建时代的婚姻必须通过媒人的介绍。益:更加。一作"亦"。这两句意谓,贫家女子被社会瞧不起,不容易嫁出去。这里写出了贫女内心的矛盾和苦闷,"拟托良媒"而又"益自伤"。　②风流:谓贫女举止优美。高格调:高尚的品格作风。共怜:深深地爱惜。时世:当前流行的意思,犹如今天人们说的时髦。张相《诗词曲汇释》云:"共怜时世俭梳妆者,深惜时妆之靡费,故俭梳妆也。"俭:简单朴素的意思。这两句说,有谁会爱贫女的品格作风,深惜时妆靡费而俭梳妆呢?　③针巧:针线活好。不:一作"懒"。斗:比。画眉:唐代妇女有画眉的风俗。如杜甫《北征》的"狼藉画眉阔",张籍《倡女词》的"轻鬓丛梳阔画眉",白居易《上阳人》的"青黛点眉眉细长",朱庆馀《近试上张水部》的"画眉深浅入时无"等。这两句意谓,我敢于在针织上逞强,绝不在梳妆上争胜。这就是说贫女重的是劳动,而不是打扮,而当时社会上却是轻劳动而重姿色。　④苦恨:最恨。压金线:指刺绣。刺绣华贵的衣裳,须用指头按压着金线。金线,金色的丝线。他人:别人。这里指富家女子。

乐　府

独不见

沈佺期

卢家少妇郁金堂，　　海燕双栖玳瑁梁①。
九月寒砧催木叶，　　十年征戍忆辽阳②。
白狼河北音书断，　　丹凤城南秋夜长③。
谁为含愁独不见，　　更教明月照流黄④。

【说明】　诗题一作《古意》，一作《古意呈乔补阙知之》。《独不见》属古乐府《杂曲歌辞》。《乐府解题》说："独不见，伤思而不得见也。"此题历来多写闺中伤离恨别之情。

本诗写长安一少妇对丈夫久戍辽阳不归的怀念。首联以"海燕双栖"起兴，反衬少妇孤独生活之苦，使她触春景而伤情。中间两联则从秋景触动她的相思作具体的刻画，不明说离愁，而离愁自在其中。末联明说离愁，而以"独不见"点题照应首联的"双栖"，更以"明月照流黄"这一美丽动人而又令少妇更加感伤的景色使离愁升华而结束。此诗从古乐府脱化，既是古题乐府诗，又是完整的七言律诗。以近体作乐府，是唐人的特产。

【注释】　①卢家少妇：萧衍《河中之水歌》："河中之水向东流，洛阳女儿名莫愁。十五嫁为卢家妇，十六生儿字阿侯。卢家兰室桂为梁，中有郁金苏合香。"这里的卢家少妇借指长安少妇。少，一作"小"。郁金：香草名。这里指以郁金浸酒和泥涂壁，以使室内芳香。堂：一作"香"。海燕：即胸部紫色躯体轻小的越燕。因越地近海，故又称海燕。玳瑁(dài mào 代冒)：海龟的一种，甲壳可做装饰品，上有斑纹，黄黑相间，光泽美观。这里的"玳瑁梁"是指屋梁涂漆得像玳瑁一样美观。这两句写少妇小时居处的华美和嫁后独居的苦闷。　②寒砧(zhēn 真)：寒风中的捣衣声。详见前李白《子夜吴歌》注②。"九月寒砧催木叶"是"九月木叶催寒砧"的倒文，因见深秋树叶在寒风中摇落，使人预感到寒冬即将来临，催促着家家户户捣衣御寒，特别是为家人远戍者赶制寒衣。十年：指征夫戍守时间之长。忆：怀念。辽阳：指今辽宁辽河以东地区，为当时的东北边防重地。"十年征戍忆辽阳"是"忆辽阳十年征戍"的倒文。这两句写少妇在深秋听落叶闻寒砧之声，更加触动她想念久戍辽阳丈夫的离愁。　③白狼河北：《水经注》称白狼河为白狼水，又名大凌河，在今辽宁境，东流经锦州入海。白狼河北就是指少妇的丈夫的戍地辽阳而言。音书断：音信断绝，生死难明。丹凤城南：丹凤城指京城长安。相传春秋时，秦穆公的女儿弄玉吹箫，凤凰闻声飞聚咸阳城，咸阳是秦国的京城,后人称京城为凤城本此。又唐代长安宫阙有丹凤门,所以这里的丹凤城南指长安城南,即少妇的住地。秋夜长:夏季之后由日长夜短逐渐转为日短夜长;再是少妇因相思不眠更感夜长,古人早有"愁人苦夜长"之叹。这两句写少妇因丈夫音信断绝而不能成眠。上句承"忆辽阳",下句承"九月寒砧"。　④谁为(wèi 未):即为谁。一作"谁谓"。独不见:指不能和远戍的丈夫相见。更教(jiào 叫):更使。流黄:黄紫间色的绢。这里指流黄制的帷帐。一解指少妇所捣的衣裳。末两句意谓,少妇本已含愁,痛苦难堪,偏又叫明月照射到房中的流黄帷帐上来,因月照"丹凤城南"和"白狼河北"两地,所以见此情景,就更使她痛苦难堪了。

五 言 绝 句

鹿 柴

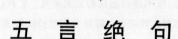

王 维

空山不见人， 　但闻人语响①。
返景入深林②， 　复照青苔上③。

【说明】　鹿柴(zhài 寨)，地名，同"鹿砦"。原义是鹿栖息的地方。柴，篱落。鹿柴是王维辋川别墅的二十胜景之一。本诗是其《辋川集》二十首中的第五首。

前二句写静，静中有动。虽空山寂寂，近处不见人形，但能闻远处人声。以"人语响"衬出空山之幽静无比，静中之动，愈见其静。这似是从王籍"蝉噪林逾静，鸟鸣山更幽"(《入若耶溪》)语中化出，但比王籍诗意更含蓄深婉。后二句写动，动中有静。把深林返影写得十分幽美生动，富有特色。俞陛云指出："深碧浅红，相映成采，此景无人道及，惟妙心得之，诗笔复能写出。"

【注释】　①但闻：只听见。人语响：人说话的声音。　②返景(yǐng 影)：同"返影"，落日的返照。《四时纂要》："日西落，光返照于东，谓之返影。"　③复：又。苔：一作"莓"。

竹里馆

王 维

独坐幽篁里①， 　弹琴复长啸②。
深林人不知③， 　明月来相照④。

【说明】　竹里馆，辋川别墅的胜景之一。本诗是《辋川集》二十首中的第十七首。

此诗从首句"独坐"二字生发，在独坐中以弹琴长啸来抒其"深林人不知"、唯有"明月来相照"的闲适之情。诗人独坐在深林中鸣琴，韵生幽篁，悠然自得，把明月视为知音。诗写静境，静中有动，以动衬静，使全诗充满了画意。"独坐"与"相照"对照，"深林"与"幽篁"回应。

【注释】 ①幽篁:幽深的竹丛。 ②啸(xiào 笑):撮口发出长而清脆的声音,很像打口哨。 ③深林:指"幽篁"。 ④相照:与"独坐"对照,意谓独坐幽篁,无人相伴,但明月似解人意,偏来相照,这是极写作者所欣赏的幽静之境。

送 别

王 维

山中相送罢①, 日暮掩柴扉②。
春草明年绿, 王孙归不归③?

【说明】 诗题一作《山中送别》。

此诗未正面抒写离情。但前半写送罢归来闭门,后半见春草而问对方明春能否归来,却把深刻的离情别绪婉曲地透露出来。起句点题,结句回应,具有弦外留音之妙。

【注释】 ①山中:指王维晚年隐居辋川别墅所在地蓝田山。相送:送别友人。罢:结束。 ②日暮:天黑了。掩:关闭。柴扉:柴门,用散碎木柴做成的门,旧时用来称贫苦人家。这里指作者的辋川别墅。 ③这两句是希望友人明年春天再来辋川。春草:是指现在送别的季节为春天。明年:一作"年年"。王孙:原指贵族子弟,这里指作者送别的友人。《楚辞·招隐士》:"王孙游兮不归,春草生兮萋萋。"谢朓《酬王晋安》:"春草秋更绿,公子未西归。"此用其语。

相 思

王 维

红豆生南国①, 春来发几枝②?
愿君多采撷, 此物最相思③。

【说明】 诗题一作《相思子》。

折芳赠远,自古而然;见物思人,人之常情。此诗借咏红豆以寄相思,何况"此物最相思"呢!以发问起,以点题结,蕴藉自然,曲折有致。据前人记载,此诗曾为乐工配谱,到处传唱。"禄山之乱,李龟年奔于江潭,曾于湘中采访使筵上唱'红豆生南国'云云。又'秋风明月苦相思'云云。此皆王维所制而梨园唱焉。"(《全唐诗话》卷一)于此可见其影响之大了。

【注释】 ①红豆:又名相思子,生于岭南,树高丈余,白色,叶似槐树,花似皂荚,荚似扁豆,子大如豆,全身红色,可以做装饰品。《古今诗话》:"相思子圆而红,昔有人殁于边,其妻思之,哭于树下而卒,因以名之。"南国:指我国南部。 ②春来:一作

225

"秋来"。发几枝：又发几枝，指在原有的树枝上发出新枝。　③愿：希望。一作"劝"，一作"赠"。君：指友人。撷(xié)：摘取。因调平仄，撷在这里仍读入声。此物：指"红豆"。这两句的含意是，希望友人不要忘了自己。

杂　诗

王　维

君自故乡来，　应知故乡事。
来日绮窗前，　寒梅著花未①？

【说明】　杂诗，见前沈佺期《杂诗》说明。王维《杂诗》共三首，此为第二首。

诗全用询问口气，读来分外亲切。明是怀念故乡亲友之作，而不问故乡亲友，独问窗前寒梅，风趣益然；结句暗点时令，更是耐人寻味。语言质朴，构思巧妙。四句一气贯注，前、后二句，实各为一句，唯粗读之不觉也。

【注释】　①来日：往日，指从故乡起程之日。绮(qǐ 起)窗：以绸帛装饰的窗户。著花：开花。著，生、发。未：否。这两句说，往日绮窗前面的寒梅如今开花没有？

送崔九

裴　迪

归山深浅去，　须尽丘壑美①。
莫学武陵人②，　暂游桃源里。

【作者简介】　裴迪，关中(今陕西境内)人，是王维的好友，和他酬唱最多，起初两人同住终南山，后又同在辋川，"浮舟往来，弹琴赋诗，啸咏终日"(《旧唐书·王维传》)。天宝后他随王缙(时赴任刺史)入蜀。与杜甫、李颀友善，有唱和。他的诗多写山林景色。《全唐诗》录存其诗三十九首。

【说明】　崔九名兴宗。曾与王维、裴迪同居终南山，时相唱和。王维集中有《秋夜独坐怀内弟崔兴宗》、《同崔兴宗送瑗公》、《送崔九兴宗游蜀》、《送崔兴宗》、《崔九弟欲往南山马上口号与别》、《崔兴宗写真咏》、《与卢员外象过崔处士兴宗林亭》等诗。据赵殿成《王右丞集笺注》，裴迪《送崔九》一诗与王维《崔九弟欲往南山马上口号与别》为"同咏"之作，《全唐诗》题作《崔九欲往南山马上口号与别》。王维诗为："城隅一分手，几日还相见？山中有桂花，莫待花如霰。"崔给王、裴留别诗为："驻马欲分襟，清寒御沟上。前山景气佳，独往还惆怅。"

此诗明为送别，而毫无惜别之意，主旨是希望崔兴宗此去要饱赏丘壑之美，永远以山林为家。通篇语气虽属说理，但形象生动。语言浅近，但含意深刻，在形象思维中寓有凡事应深人事物本质的哲理。这当然不是诗人的用意,他只是勉励崔兴宗全心退隐而已。

【注释】 ①须:应。尽:极尽,动词,含有饱赏之意。丘:丘陵。壑:山谷。 ②武陵人:即陶潜《桃花源记》中的渔人。详见《桃花源记》。

终南望余雪

祖　咏

终南阴岭秀①,　　积雪浮云端②。
林表明霁色③,　　城中增暮寒。

【说明】《终南望余雪》是祖咏在长安应进士试的诗题。按唐制规定应试诗为五言六韵十二句,但他作了四句便交卷,问他为何不写完,他说:“意尽。”考官看了很赞赏,因此祖咏便被取录了。见《唐诗纪事》。

诗描绘终南山残雪,不从正面着笔,构思别致,比喻确切,含意深婉。前三句写“望终南山余雪”,结束诗题。结句抒发感慨,关心民瘼,露出作意,具有画龙点睛之妙。

【注释】 ①终南:见前李白《下终南山过斛斯山人宿置酒》说明。阴岭:指山的北面,因背着太阳,故称。终南山在长安之南,从城中南望,只见山阴。秀:秀丽。 ②积雪:即题中的“余雪”。浮云端:在浮云顶上,指山的极高处。 ③林表:树林的上面。明:动词,现出的意思。霁(jì 记)色:雨、雪后出现的晴光。

宿建德江

孟浩然

移舟泊烟渚①,　　日暮客愁新②。
野旷天低树,　　江清月近人③。

【说明】 建德江,即新安江流经浙江衢县至建德县一段之称。

前半写异乡泊舟,倍添乡愁;后半写景,而乡愁自见。后半,上句为远望,下句为近观;下句暗用“月近人”回应前半“客愁”而结束,情韵悠然,含蓄不露。其中着以“旷”、“清”、“低”、“近”四字,十分精确生动。后半摹景入微,可以入画。

【注释】 ①这句说把船移靠弥漫着雾气的洲渚。烟:雾气,指暮色。 ②客愁新:客中增加新的愁绪。新,动词。 ③野旷:四野空阔。天低树:天低于树,即远望好像天比树还低。因“野旷”才有“天低树”的感觉。月近人:因月倒映在清澈的江中,故有此感。

春　晓

孟浩然

春眠不觉晓①，　处处闻啼鸟②。
夜来风雨声，　花落知多少③？

【说明】　这首诗写春晓"闻啼鸟"时的情景。后半是诗人追忆"夜来"的所闻所感。所谓"花落知多少"并非诗人春晓所见，而是在"夜来风雨声"中的揣想，对落花表示惋惜之情。全诗从"春晓"二字着笔，语近情远，结句含意委婉。

【注释】　①这句说，因夜来风声雨声不易睡着，待睡着后不觉便天亮了。晓：天刚亮时。　②这句说明雨停天开，到处的鸟儿不约而同高兴得叫了起来。　③这两句是推想之词，说作者春眠刚醒而未起床前回忆昨夜风雨声中，不知美好的花儿被打落了多少。知：不知也。

夜　思

李　白

床前明月光①，　疑是地上霜。
举头望明月②，　低头思故乡③。

【说明】　诗题一作《静夜思》。《乐府诗集》列入《新乐府辞·乐府杂题》。

这首诗写月夜思念家乡的情怀。诗人开始看见床前的明月光而怀疑是地上打的霜，再抬头一望，明月在天，才知自己身在外乡，因而触发起思念故乡的情怀。明月照天下，外乡的明月也就是故乡的明月，举头一望，低头一思，真是情不自禁。诗的语言明白如话，但构思不落常套，富于联想，具有民歌风味。

【注释】　①明月光：一作"看月光"。　②望明月：一作"望山月"。　③低头：形容沉思的神情。

怨　情

李　白

美人卷珠帘①，　深坐颦蛾眉②。
但见泪痕湿③，　不知心恨谁。

【说明】 李白集中，以"怨情"为题的诗有两篇，另一篇为七古。两篇"怨情"都是写女子的闺怨。妇女问题是封建时代的重大社会问题之一，李白诗中以妇女生活为题材的篇什不少，从中可见诗人对广大妇女悲惨境遇的同情。

【注释】 ①美人：美貌的女子。　②深坐：久坐。颦(pín 频)：皱眉头。蛾眉：形容美人的眉毛细长而弯。　③但见：只见。

八阵图

杜　甫

功盖三分国①，　　名成八阵图。
江流石不转②，　　遗恨失吞吴③。

【说明】 这首诗是大历元年(766)杜甫初到夔州时所作。东汉时窦宪曾以八阵击匈奴，可见诸葛亮之前已有八阵之法。八阵为天、地、风、云、龙、虎、鸟、蛇八种阵势。诸葛亮所布的八阵共有四处：一在沔阳县(属陕西)之高平旧垒，一在新都县(属四川)之八阵乡，一在鱼腹县(即夔州)永安宫江滩水上，一在广都(属四川)。其中以夔州的八阵图最著名，本诗所咏即此。

前半赞颂诸葛亮的政治业绩和军事才能。后半慨叹因刘备失计吞吴，致使北伐无成；八阵图遗石千载不动，诸葛亮遗恨千载难平。起笔气势雄厚，对仗工整而劲捷有力；结句全神贯注，感情深沉，令人一唱三叹。

【注释】 ①这句说诸葛亮有盖世的功业。三分国：指魏、蜀、吴三国。　②这句说排列八阵的石头，虽经几百年的江水冲击，但原来的位子依然不变。刘禹锡《嘉话录》："夔州西市，俯临江沙，下有诸葛亮八阵图，聚石分布，宛然犹存，峡水大时，三蜀雪消之际，澒涌漲瀁，大木十围，枯槎百丈，随波而下，及乎水落川平，万物皆失故态，诸葛小石之堆，标聚行列依然。如是(此)者近六百年，迨(及)今不动。"　③这句说蜀国伐吴失计成为千秋遗恨。诸葛亮主张联吴伐魏，但刘备为报关羽之仇，却贸然征吴，结果在猇亭(今湖北宜都县北)大败，不久在永安宫病故。蜀从此一蹶不振。后来诸葛亮伐魏不利又病死军中，蜀二世而亡，故云"遗恨失吞吴"。

登鹳雀楼

王之涣

白日依山尽①，　　黄河入海流。
欲穷千里目②，　　更上一层楼③。

【作者简介】 王之涣(688—742)，字季凌，绛州(今山西新绛县)人。其郡望为晋阳(今山西太原市)。少时有侠气，好纵酒击剑。后折节读书，与王昌龄、高适、崔国辅相唱和,诗名大振。

王之涣是盛唐的著名诗人之一。他写西北风光的诗篇颇具特色,大气磅礴,韵调优美。可惜他的作品多已散失,《全唐诗》录存其诗六首。

【说明】 鹳(guàn贯)雀楼在蒲州(今山西永济县)西南城上,楼有三层,前瞻中条山,下临黄河,为登览胜地。

这首诗前半写登楼所见景色,后半写登楼的感受。意境宽广,想象丰富,气势奔放,反映了诗人壮阔的胸怀,不愧为传诵千古的好诗。后二句富有哲理,成为鼓励人们不断进取的名言。

【注释】 ①尽:动词,尽了,完毕。 ②欲:要。穷:动词,极尽的意思。 ③更:再。

送灵澈

刘长卿

苍苍竹林寺①,　杳杳钟声晚②。
荷笠带斜阳③,　青山独归远④。

【说明】 灵澈,本姓汤,会稽(今浙江绍兴县)人,后为云门寺僧,从严维学诗,与僧皎然游。《全唐诗》录存其诗一卷。诗题《全唐诗》作《送灵澈上人》。

刘长卿送灵澈的地点是竹林寺,时间为薄暮。灵澈往何处不详。此诗未正面抒情,而情全从灵澈离开竹林寺时如画的暮色及其潇洒神态中透露出来。

【注释】 ①苍苍:深青色。竹林寺:在江苏镇江市南黄鹤山上,一称鹤林寺。②杳杳(yǎo咬):犹窈窈,深暗的样子,指暮色。 ③荷笠:背着斗笠。带斜阳:映带在夕阳之下。④这句是"独归青山远"的倒装。

弹 琴

刘长卿

泠泠七弦上①,　静听松风寒②。
古调虽自爱,　今人多不弹③。

【说明】 《全唐诗》题作《听弹琴》。
此诗借咏弹琴寄寓诗人自负才高、调古恨无知音之慨。

【注释】 ①泠泠(líng零):本指水声,这里指琴声。七弦:古琴有七根弦。 ②松风:即《风入松》,琴调名。 ③这两句写自己与世人好尚不同,深有怀才不遇之慨。

送上人

刘长卿

孤云将野鹤①，　　岂向人间住②？
莫买沃洲山，　　时人已知处③。

【说明】　《全唐诗》题作《送方外上人》。上人,对僧的敬称。这个上人可能是指灵澈。权德舆有《送上人庐山回归沃洲序》。刘禹锡《送僧仲剬东游兼寄呈灵澈上人》云："一旦扬眉望沃洲,自言王谢许同游。凭将杂拟三十首,寄与江南汤惠休。"《唐才子传》称灵澈"性巧逸,居沃洲寺,尝取桐叶剪刻制器,为莲花漏"云云。

【注释】　①孤云、野鹤:均喻上人。将:与。　　②这句说上人难道会向"人间"找立足之地吗?　　③这两句是希望上人到特别清静的地方去隐居修行。沃洲山:在浙江新昌县东,上有支遁岭、放鹤峰、养马坡,相传为晋代名僧支遁放鹤、养马之地。白居易《沃洲山禅院记》(见《白香山集》卷五十九)指出:"朱放诗云:'月在沃洲山上,人归剡县江边。'刘长卿诗云:'何人住沃洲?'此皆爱而不到者也。"时人:指时俗之人。已知处:大家已知道沃洲山那个地方,意思是说那里还不是清静之地。按刘长卿《秋夜肃公山房喜普门上人自阳羡山至》的"早晚来香积,何人住沃洲?"与此诗"莫买沃洲山,时人已知处",其对沃洲山的看法,前后似有变化。

秋夜寄丘员外

韦应物

怀君属秋夜①，　　散步咏凉天②。
空山松子落③，　　幽人应未眠④。

【说明】　丘员外,指丘为之弟丘丹,苏州嘉兴(今浙江嘉兴县)人,曾为仓部、祠部员外郎,故称。韦应物与丘丹交谊深,有唱和。

此诗作于德宗贞元间苏州刺史任内。韦应物另有《赠丘员外》二首、《复理西斋寄丘员外》、《送丘员外还山》、《重送丘员外还临平山居》、《送丘员外归山居》。丘丹也有《和韦使君秋夜见寄》、《奉酬韦苏州使君》、《和韦使君听江笛送陈侍卿》、《奉酬韦使君送归山之作》、《奉酬重送归山》等诗。《唐诗纪事》载有韦应物与丘丹唱和之作。本诗在那里题作《秋夜寄丹》。《全唐诗》题作《秋夜寄丘二十二员外》。丘丹和诗为:"露滴梧桉(前人已怀疑是'莱'(叶)字之误)鸣,秋风桂花发。中有学仙侣,吹箫弄明月。"当时丘丹正隐居临平山中学道,故韦诗称其为"幽绝"。

前半写诗人秋夜因怀念丘丹而不寐,后半却设想丘丹也正因秋兴动而未成眠。此诗字虽寥寥,而韵味独厚。诗境清幽如画,沈德潜赞为"幽人"。

231

【注释】　①属:当着。　②凉天:秋天。　③空山:秋天树叶脱落,故称。一作"山空"。　④幽人:幽居之人,谓隐者。这里指丘丹。应未眠:该未睡吧。这是诗人推想之词。

听　筝

李　端

鸣筝金粟柱①，　　素手玉房前②。
欲得周郎顾③，　　时时误拂弦④。

【作者简介】　李端,字正己,赵州(今河北赵县附近)人。大历五年(770)进士,授秘书省校书郎,官终杭州司马。曾先后在终南山、衡山隐居。

李端是"大历十才子"之一。他初到长安,诗名大振,以才思敏捷使钱起等人惊服。《全唐诗》录存其诗三卷。

【说明】　此诗写一女子邀宠取怜的曲折心事。但也可能是诗人寓其身世之感,对现实有所讽刺。

【注释】　①筝:形状像瑟,有十三弦。金粟柱:柱是筝上系弦的圆木,可以拧动。金粟是柱上的装饰。　②素手:指弹筝女子洁白的手。玉房:筝上之枕叫房。枕为玉制,故称。　③欲得:要想得到。周郎顾:周郎即三国吴周瑜,字公瑾,二十四岁为建威中郎将,吴中呼为"周郎"。他精通音乐,别人奏乐有错误,他一定要回过头去过问。当时的人说:"曲有误,周郎顾。"　④拂:这里是拨的意思。

新嫁娘

王　建

三日入厨下①，　　洗手作羹汤②。
未谙姑食性③，　　先遣小姑尝④。

【作者简介】　王建,字仲初,颍川(今河南许昌市)人。大历十年(775)进士。历任县尉、县丞、侍御史和州司马等官。曾从军塞上,过了几年戎马生活。后卜居咸阳原上,境况不佳,死时八十余岁。

王建与张籍交谊深厚,酬唱很多,两人的诗风也相近,时称"张王乐府"。他的乐府诗生活气息较浓,多方面反映了当时的社会现实,对新乐府运动有一定影响。他因与枢密使王守澄攀扯同宗,得知许多宫廷生活琐事,曾作《宫词》一百首,虽然广为传诵,但缺乏深刻的社会意义。有《王司马集》。

【说明】　诗题一作《新嫁娘词》,共三首,这是第一首。这首诗刻画封建社会新嫁娘的心理状态十分生动。但作者也可能借咏新嫁娘寓有自己政治上不得意的感慨。

【注释】 ①三日入厨:按照封建社会习俗,女子嫁出的第三天进厨房煮饭烧菜。②羹(gēng 耕):用肉、菜等加芡粉烧成的汤。这里泛指菜类。 ③谙(ān 安):熟悉。姑:丈夫的母亲,即婆婆。食性:喜欢什么口味。 ④遣:叫,打发。小姑:丈夫的妹妹。尝:辨别滋味。

玉台体

权德舆

昨夜裙带解①,　　今朝蟢子飞②。
铅华不可弃③,　　莫是藁砧归④?

【作者简介】 权德舆,字载之,秦州(今甘肃天水)人。少有文名。曾做韩洄、李兼等府中幕僚。德宗闻其才,召为太常博士。宪宗时,官至兵部、吏部侍郎,元和五年(810)任礼部尚书同中书门下平章事。《唐才子传》称他"能赋诗,工古调,乐府极多"。有《权文公集》。

【说明】 南朝陈徐陵选梁以前的诗共十卷,名曰《玉台新咏》,内容多写艳情。权德舆的"玉台体"本此。这首诗写 少妇急盼丈夫还家的心情。

【注释】 ①裙带解:古时女子以裙带自解是象征丈夫还家的喜兆。 ②蟢(xǐ 喜)子飞:古人见蟢子飞,便认为是喜兆。蟢子,又名"喜蛛",是一种长脚小蜘蛛。一作"喜子"。 ③铅华:女子搽脸的白粉。不可弃:就是说应该搽白粉,修饰仪容,迎接丈夫的到来。 ④藁砧:六朝人称丈夫为"藁砧"。藁砧是斩草用的石垫,因斩草要用铁(斫刀),而铁与夫同音,故称。

江 雪

柳宗元

千山鸟飞绝,　　万径人踪灭①。
孤舟蓑笠翁②,　　独钓寒江雪③。

【说明】 前人说这首诗仅是"咏江乡雪景",是值得商榷的。前两句咏雪是为后两句咏"独钓寒江雪"的"孤舟蓑笠翁"作铺垫,而诗人咏此"蓑笠翁"的目的正是借以自咏怀抱。参看前柳宗元《渔翁》说明。短诗四句,句首着以"千"、"万"与"孤"、"独"四字,足见诗人提炼意境之匠心,诗人不向权贵低头的反抗性格自在言外。全诗充满着画意,是历来传诵的名篇。

【注释】 ①径:小路。人踪:人的脚印。 ②蓑笠翁:穿着蓑衣戴着斗笠的渔翁。 ③独钓寒江雪:独个儿在寒江的雪中钓鱼。

行 宫

元 稹

寥落古行宫①， 宫花寂寞红②。
白头宫女在， 闲坐说玄宗③。

【说明】 行宫是皇帝外出巡行所住之处。这所行宫当是指洛阳的上阳宫,作者
另有《上阳白发人》一诗。诗题一作《故行宫》。《全唐诗》另见王建诗。《唐诗别裁》作
王建诗。

沈德潜云:"说玄宗,不说玄宗长短,佳绝。只四语已抵一篇《长恨歌》矣。"说此诗
"已抵一篇《长恨歌》",未免夸张过分,但它的高度概括,又婉曲蕴藉,富有余韵,确实
不愧为唐人五绝中的上乘之作。

【注释】 ①寥落:空虚、冷落。 ②寂寞:冷清。与"寥落"照应。 ③说玄
宗:指谈论玄宗开元、天宝时代的旧事。

问刘十九

白居易

绿蚁新醅酒①， 红泥小火炉。
晚来天欲雪， 能饮一杯无②?

【说明】 刘十九,可能是指刘轲,河南登封县人,隐居庐山,是白居易谪贬江州
期间结识的友人。十九是他的排行。《白香山集》尚有《刘十九同宿》等诗。

二十字中有景有情,有色有声。起用对仗,不露痕迹。结句妙作问语,更使全诗神
情飞动。

【注释】 ①绿蚁:米酒。新酿的酒未经过滤,面上浮有米渣,略呈绿色,有如绿
蚁,故称。醅(pēi 胚):没有过滤的酒。 ②无:疑问语气词,相当于现代的"么"、
"吗"。

何满子

张 祜

故国三千里， 深宫二十年①。

唐
诗
三
百
首
详
注

234

一声何满子， 双泪落君前②。

【作者简介】 张祜，字承吉，南阳(今河南南阳县)人，一说清河(今河北清河县)人。早年寓居姑苏(今江苏苏州市)，称处士。元和、长庆间，深为令狐楚赏识，自草表荐，但为元稹压制未成。从此寂寞，终生未仕。张祜颇负诗名，与白居易、杜牧均有交往。晚年隐居丹阳(今江苏丹阳)，放浪于山水之间。有《张处士诗集》。

【说明】 白居易《听歌六绝句》之《何满子》云："世传满子是人名，临就刑时曲始成。一曲四词歌八叠，从头便是断肠声。"白原注云："开元中，沧州有歌者何满子，临刑进此曲以赎死，上竟不免。"元稹《何满子》对其事歌咏特详。据苏鹗《杜阳杂编》："文宗时，宫人沈翠翘为帝舞《何满子》，词调风态，率皆婉转，然则亦舞曲也。"又据《全唐诗话》卷四："张祜所作宫词(原诗二首，《何满子》为其中第一首。)传入宫禁。武宗病笃，目孟才人曰：'吾即不讳，妃何为哉？'才人指笙囊泣曰：'请以此缢。'上恻然。复曰：'妾尝艺歌，请对歌一曲，以泄其愤。'上许。乃歌：'一声《何满子》'，气亟立殒。祜曾为此作《孟才人叹》诗云：'偶因歌态咏娇嚬，传唱宫中十二春。却为一声《何满子》，下泉须吊旧才人。'"杜牧《酬张祜处士见寄长句四韵》："七子论诗谁似公，曹刘须在指挥中。……可怜'故国三千里'，虚唱歌词满六宫。"郑谷亦有诗云："张生'故国三千里'，知者唯应杜紫微(即杜牧)。"可见张祜此诗影响之深远，并获得同代诗人之高度赞赏。

此诗言浅意深，凄楚劲人，深刻地揭示了历代宫女的悲惨境遇，具有强烈的艺术感染力。

【注释】 ①故国：故乡。上句说宫女离开家乡路途之远，下句说她幽闭深宫时间之长。 ②君：指皇帝。这两句的含意是，因入宫二十年尚未得到皇帝的宠爱，当她在皇帝面前唱《何满子》时伤心得不禁流泪。

登乐游原

李商隐

向晚意不适①， 驱车登古原②。
夕阳无限好， 只是近黄昏③。

【说明】 乐游原，在长安(今陕西西安市)东南，地处京城最高处，是当时著名的游览胜地，每当三月三日和九月九日，长安士女来此游览。又名乐游苑、乐游阙、鸿固原。

诗一开头即扣题叙"登乐游原"的缘由和时间。后半触景生情，既是赞美，又是感叹：美人迟暮，功业无成。"夕阳"二句为千古名句，常为后人所引用。

【注释】 ①向晚：近晚，傍晚。意不适：心里不痛快。 ②驱车：鞭马拉车快速前进。古原：指乐游原。从汉宣帝神爵三年(公元前59)春建乐游苑到这时已有九百年

五言绝句

235

左右的历史了,故称古原。　③这两句是作者对美好晚景的恋惜和对时光易逝的感慨。

寻隐者不遇

贾 岛

松下问童子①，　言师采药去②。
只在此山中，　云深不知处③。

【作者简介】　贾岛(779—843),字浪(一作"阆")仙,范阳(今北京市附近)人。早年出家为僧,因受韩愈影响而还俗。屡试不第。晚年任过县主簿、州司马等职。

贾岛诗名很高,以苦吟著称。诗多写景和酬赠之作,没有反映什么社会矛盾。有《长江集》。

【说明】　诗的大意题已标出。通篇对话,作者未正面表情。但诗中借童子口所述隐者的生活行迹,实际也就是作者自己所欣赏的情趣。语浅意远,"只在"、"不知"使诗情曲折有致,正见出隐者的行踪变化无定。

【注释】　①童子:指隐者的弟子。　②师:指隐者,童子的师,故称。　③不知处:不知师在山中的什么地方。

渡汉江

李 频

岭外音书绝①，　经冬复历春②。
近乡情更怯，　不敢问来人③。

【作者简介】　李频(818—876),字德新,寿昌(今浙江寿昌县)人。宣宗大中八年(854)进士。调校书郎,为南陵主簿,迁武功令。在武功抑制豪强,兴修水利,赈济饥民,深得百姓爱戴。后为建州(今福建建瓯县)刺史,病卒。

李频和同时诗人许浑、薛能等均有交往,并受到前辈诗人姚合的奖掖。他的诗反映的社会面较窄,诗风近于刘长卿。有《建州刺史集》。

【说明】　本诗一作宋之问诗。汉江,见前王维《汉江临眺》说明。

此诗所叙事情平凡,但一经彩笔写出,却成绝妙好词,令人百读不厌。

【注释】　①岭外:即岭南、岭表,谓五岭以外,即五岭以南之地,包括今广东、广西一带。音书:音信。　②历:经过。一作"立"。　③近乡:接近家乡。情更怯:心情更紧张。怯,害怕。来人:从家乡来的人。这两句和杜甫《述怀》中的"反畏消息来,寸心亦何有"的意思相似。

春　怨

金昌绪

打起黄莺儿①，　　莫教枝上啼②。
啼时惊妾梦③，　　不得到辽西④。

【作者简介】　金昌绪，临安(今浙江临安县)人。《全唐诗》录存其诗一首。

【说明】　本诗一作盖嘉运诗，题作《伊州歌》。

诗写女子怀念远戍辽西的丈夫。构思新颖，描摹入微，醒时不能与丈夫相见，但设想梦中到辽西去和丈夫团聚。全诗倒叙，用女子口吻。

【注释】　①黄莺儿(ní 倪)：一名黄鹂，又名仓庚。儿，语助词。　②莫教(jiào 叫)：不要使。啼：叫。　③妾：女子自称。　④不得：不能。辽西：指辽河以西，即今辽宁西部。

哥舒歌

西鄙人

北斗七星高①，　　哥舒夜带刀②。
至今窥牧马，　　不敢过临洮③。

【说明】　《全唐诗》注云："天宝中哥舒翰为安西节度使，控地数千里，甚著威名，故西鄙人(西部边民)歌此。"

【注释】　①北斗七星：即大熊星座七颗明亮的星，分布成勺形。又称北极星。古人常用来喻指人君或威望很高的人物，这里喻指哥舒翰在安西人民中威望的崇高。

②夜带刀：指哥舒翰严守边防，枕戈待旦。　③这两句说，直到今天胡人的骑兵还不敢越过临洮进行侵扰。至今：直到现在。窥(kuī 亏)：偷看。牧马：指胡人牧马。此处借喻胡骑的活动。贾谊《过秦论》："乃使蒙恬北筑长城而守藩篱，却匈奴七百余里，胡人不敢南下而牧马。"为本诗"牧马"所本。临洮：今甘肃岷县，秦筑长城西起临洮。

乐　府

长干曲二首

崔　颢

其　一

君家何处住①？　妾住在横塘②。
停船暂借问，　或恐是同乡。

其　二

家临九江水③，　来去九江侧④。
同是长干人⑤，　生小不相识⑥。

【说明】　《长干曲》属乐府《杂曲歌辞》，多写儿女之情。原诗四首，这里选的是其中第一、二首。诗记长期以水为家的两个"同是长干人，生小不相识"的青年男女的对话。第一首是女子的问话，第二首是男子的答话，描摹男女相欢的口吻、情态，惟妙惟肖。

【注释】　①君：指男的。　②妾：女子自称。横塘：在今江苏南京市西南，与长干相近。　③临：靠近。九江：这里指江西九江以东的长江下游一带。　④侧：旁边。　⑤长干：见前李白《长干行》说明。　⑥生小：自小。

玉阶怨

李　白

玉阶生白露①，　夜久侵罗袜②。
却下水精帘，　玲珑望秋月③。

【说明】　《玉阶怨》属乐府《相和歌·楚调曲》，内容多写宫女的哀怨。这首诗写幽居宫女的苦闷心情。它的艺术特色在于不正面写"怨"，而把怨从望幸的动作神情中体现出来。

【注释】 ①玉阶：以玉石(一说"白石")砌的台阶。生白露：说明宫女在玉阶伫立望幸时间之久。 ②侵：侵入、渗入。这里是湿了的意思。罗袜：以丝绸缝制的袜子。 ③却：还。下：放下。水精帘：萧士赟云："水精帘以水精为之。如今之琉璃帘也。"水精，同"水晶"。玲珑：形容月色。这两句意谓，宫女从玉阶回到室内，仍痴"望秋月"，深夜不寐。

塞下曲四首

卢 纶

其 一

鹫翎金仆姑①，　燕尾绣蝥弧②。
独立扬新令③，　千营共一呼。

其 二

林暗草惊风④，　将军夜引弓⑤。
平明寻白羽⑥，　没在石棱中⑦。

其 三

月黑雁飞高⑧，　单于夜遁逃⑨。
欲将轻骑逐⑩，　大雪满弓刀。

其 四

野幕敞琼筵⑪，　羌戎贺劳旋⑫。
醉和金甲舞⑬，　雷鼓动山川⑭。

【说明】 《塞下曲》见前王昌龄《塞上曲》说明。《全唐诗》题作《和张仆射塞下曲》。原诗六首，这里选了前四首。第一首写将军动员出征的浩大声势，第二首借李广射虎事写将军的威武勇健，第三首写将军雪夜破敌的情景，第四首写各族庆捷的热烈场面。

【注释】 ①鹫(jiù 就)：大雕。翎(líng 零)：鸟尾上的长毛，可制箭羽。金仆姑：箭名。 ②燕尾：旗上的飘带末尾制成燕尾的形状。蝥(máo 毛)弧：旗名。 ③

扬:宣扬,传达。　④这句写猛虎即将出林的征状,虎来风先到。　⑤引弓:拉弓发箭。　⑥平明:天刚亮。白羽:指箭,因箭身装有鸟的羽毛。　⑦没:指箭镞射入。石棱(léng):指两条石棱的夹缝之中。《汉书·李广传》:"广居右北平,出猎,见草石以为虎而射之,中石没羽,视之石也。"　⑧月黑:指没有月亮的黑夜。　⑨单于(chán yú 蝉余):匈奴对最高统治者的称呼。遁:与"逃"同义。　⑩将:把。轻骑(jì 季):轻捷的骑兵。逐:追逐。　⑪野幕:野外的营帐。敞:开。琼筵:珍贵的酒宴。　⑫羌、戎:指边地的少数民族。劳:慰问。旋:凯旋。　⑬金甲:金属制的防护衣。　⑭雷鼓:击鼓。岑参《凯歌》:"鸣笳雷鼓拥回军。"此用其语。山川:与"野幕"照应。

江南曲

李　益

嫁得瞿塘贾①,　　朝朝误妾期②。
早知潮有信③,　　嫁与弄潮儿④。

【说明】　江南曲,属乐府《相和歌辞·相和曲》。

诗写一女子对商夫久别不归的怨恨。潮水能按期而至,而商夫却一去不返。"商人重利轻别离","早知潮有信,嫁与弄潮儿"。可见她为此愤慨之深。诗全用商妇口吻。取喻新颖而曲折,此前无人道及。

【注释】　①瞿塘:长江三峡之一,在今四川奉节县东。贾(gǔ 古):旧指在固定店铺售货的商人。这里泛指商人。　②妾:古代女子对自己的谦称。期:约定的归期。　③潮有信:潮水涨落有定期,故称。嫁与:嫁给。　④弄潮儿:《元和志》:"浙江潮每日昼夜再至,常以月十日、二十五日最小,月三日、十八日极大。小则水渐涨,不过数尺,大则涛涌高至数丈。每年八月十八日,数百里士女共观舟人、渔子泝(逆)涛触浪,谓之弄潮。"儿,读"ní 倪"。

七 言 绝 句

回 乡 偶 书

贺知章

少小离家老大回①，　乡音无改鬓毛衰②。
儿童相见不相识，　笑问客从何处来③?

241

【作者简介】　贺知章(659—744)，字季真，会稽永兴(今浙江萧山)人。武则天证圣元年(695)进士。玄宗开元十三年(725)任礼部侍郎兼集贤院学士。后又任太子宾客，秘书监。天宝三年(744)请求还乡，为道士。

贺知章性情旷达，晚年更加放诞，自号"四明狂客"。好援引后进，与李白、张旭等友善。他的诗不多，除应制之作外，都写得洒脱自然，清新可喜。《全唐诗》录存其诗一卷，共十九首。

【说明】　《回乡偶书》是天宝三年(744)作者八十六岁辞官归永兴时所作。原作二首，这是第一首。第二首是："离别家乡岁月多，近来人事半销磨。唯有门前镜湖水，春风不改旧时波。"两诗都反映了诗人"少小离家老大回"的曲折复杂心情。第一首亲切自然，颇饶风趣。第二首感叹今昔，即景生情。两诗都构思新颖，警策之处在结句。

【注释】　①离家：一作"离乡"。　②无改：一作"难改"。鬓毛衰：指人老大，鬓发稀疏脱落。鬓毛，脸旁边靠近耳朵的头发。鬓，一作"面"。衰，一作"催"。沈德潜《唐诗别裁》又改衰为"摧"。　③笑：一作"借"，一作"却"。

桃花溪

张　旭

隐隐飞桥隔野烟①，　石矶西畔问渔船②。
桃花尽日随流水③，　洞在清溪何处边?

【作者简介】　张旭，字伯高，吴(今江苏苏州)人。曾任常熟尉、金吾长史，世称"张长史"。嗜酒，工草书，醉后下笔，更为神妙，有"张颠"之称。文宗时下诏，以李白歌诗、裴旻剑舞和张旭草书为"三绝"。他的诗以写景见长。《全唐诗》录存其诗六首。

【说明】 《一统志》:桃花溪"在湖南常德府桃源县西南二十五里,源出桃花山,北流入沅江"。

这首诗写作者对桃花源存在的怀疑。前半布景如画,首句为远景,次句为近景,远近映衬成趣。三、四句是"问渔船"的内容,点题并透露作意。

【注释】 ①隐隐:隐约不分明的样子。飞桥:形容很高的桥。 ②石矶(jī 基):水边突出的岩石或石滩。畔:旁边。 ③尽日:整天。

九月九日忆山东兄弟

王　维

独在异乡为异客①，　每逢佳节倍思亲②。
遥知兄弟登高处③，　遍插茱萸少一人④。

【说明】 九月九日,见前孟浩然《秋登万山寄张五》注②。山东是王维家乡的方位,指的是华山以东,与今天的山东省毫无关联。王维祖籍太原(今山西祁县),父亲时迁居蒲州(今山西永济县),正当华山之东,故称他在家的兄弟为"山东兄弟"。题一作《九日忆山东兄弟》。原注:"时年十七"。王维少年时曾游历洛阳、长安等地。诗当作于此次游历期间。

前半扣题正说,写异乡作客重九思亲的心情。后半诗意从对面来,写联想故乡兄弟登高的情景。"遥知"二字是诗中承上启下的桥梁。"遥知"与"倍思亲"勾连,"少一人"与"独在异乡"呼应。构思奇妙,抒情曲折。语言不事雕饰,非常亲切自然。本诗是诗人千古传诵的名篇之一。"每逢佳节倍思亲",是人同此心、心同此理的佳句,成为历来人们广泛引用的成语。

【注释】 ①独在异乡:指作者一人离家在外乡。异乡,外乡,对故乡而言。为异客:做外乡客人。"乡"字承前省去。古人离家在外地,均称作客。 ②佳节:旧时泛指除夕、清明、端阳、中秋、重阳之类的节日。倍:加倍,更加。思亲:思念亲人。 ③遥知:远远推想。登高:见前"九月九日"注。 ④茱萸(zhū yú 朱余):植物名,落叶乔木,有浓烈的香味。宋人罗愿《尔雅翼》:"《风土记》曰:'俗尚九月九日,谓为上九,茱萸至此日,气烈熟色赤,可折其房以插头,云辟恶气御冬。'"参阅前孟浩然《秋登万山寄张五》注②。唐以前九月九日已有佩茱萸囊辟邪恶之俗,唐时九日更盛行佩插茱萸之风。如杜甫《九日蓝田崔氏庄》:"明年此会知谁健,醉把茱萸仔细看。"朱放《九日与杨凝崔淑期登江上山有故不往》:"那得更将头发上,学他年少插茱萸。"

芙蓉楼送辛渐

王昌龄

寒雨连江夜入吴，　　平明送客楚山孤①。
洛阳亲友如相问，　　一片冰心在玉壶②。

【说明】 原作二首，这是第一首。第二首是："丹阳城南秋海阴，丹阳城北楚云深。高楼送别不能醉，寂寂寒江明月心。"王集中另有《别辛渐》一诗。辛渐，事迹不详。芙蓉楼，据《元和郡县志》："江南道润州：晋王恭为刺史，改创西南楼为万岁楼，西北楼为芙蓉楼。"芙蓉楼故址在今江苏镇江市。

王昌龄原于开元二十七年(739)谪贬岭南。次年召回，任江宁(今江苏南京市)丞。大约在天宝二、三年又谪贬龙标(今湖南黔阳县)。《芙蓉楼送辛渐》当作于其任江宁丞期间。从《送韦十二兵曹》和《万岁楼》等诗中，都可看出王昌龄对任江宁丞是快快不快的，这在本诗中也含蓄地反映出来。本诗当与第二首合读，否则题中芙蓉楼钱别之意便无着落。第二首"高楼送别不能醉"才关合全题。但历来的选本多是取第一首。第一首着重抒发其身世落拓之感，虽然处境孤寂，但行径光明，胸怀磊落，誓不同流合污。不过诗人这种思想感情不是直接表露出来的。诗的首句渲染一种逼人的冷落气氛，明为给次句"平明送客楚山孤"作衬托，但实际也从侧面反映了他仕途坎坷、抑郁难平的悲苦心境。三、四句却从这句"送客"宕开，以贴切而生动的比喻表白自己不同流俗的抗争精神。用"送"与"入"紧相勾连，用"冰心"与"寒雨"作巧妙照应。

【注释】 ①这两句说，辛渐在寒雨连江的夜晚来到镇江，明天一天亮便要离此赴洛阳了。吴：芙蓉楼所在的镇江春秋时属于吴国范围，战国时并入楚国。平明：天亮时。客：指辛渐。楚山：指辛渐从镇江赴洛阳途中之山。吴、楚互文见义。孤：是作者设想辛渐在旅途的孤单寂寞。　②这句比喻自己的胸怀光明磊落，决不会同流合污。鲍照《白头吟》："直如朱丝绳，清如玉壶冰。"此用其语。洛阳亲友：指刘晏、李颀、綦毋潜等人。王昌龄由长安赴任江宁，途经洛阳，刘晏等人曾为王昌龄送行，王有《东京府县诸公与綦毋潜李颀相送至白马寺宿》、《洛阳尉刘晏与府掾诸公茶集天宫寺岸道上人房》等诗。李颀也有《送王昌龄》之作。

闺　怨

王昌龄

闺中少妇不知愁，　　春日凝妆上翠楼①。
忽见陌头杨柳色②，　　悔教夫婿觅封侯③。

【说明】 诗写少妇闺怨,但全篇无一字说怨,起句反说她"不知愁",更盛妆登楼观赏春景。第三句豁然开朗,以"忽见"二字转出正意,袅袅春柳,触动情怀。结句不说丈夫忘情久别不返,却反责自己,"悔教夫婿觅封侯",怨愤之意见于言外。这种写法是欲抑先扬,欲擒先纵,耐人寻思。第二句为承上启下的过脉,"忽见"、"悔教"二词见出诗情跌宕之妙。

【注释】 ①凝妆:盛妆。大加修饰。翠楼:翠色的楼台。 ②陌头:路边。陌,田间东西方向的小路。 ③悔:后悔。教(jiào 叫):使,令。夫婿:丈夫。觅封侯:指从军以求取边功。觅,寻,求。李频《春闺怨》"自怨愁容长照镜,悔教征戍觅封侯"化用此诗结句。

春宫怨

王昌龄

昨夜风开露井桃①, 未央前殿月轮高②。
平阳歌舞新承宠③, 帘外春寒赐锦袍。

【说明】 诗题一作《春宫曲》,一作《殿前曲》。

此诗写失宠宫女的春日怨恨。前半扣题,上句切春,下句切宫,以春光之热闹反衬自己的冷落,深夜望月,愁思不寐。后半以新承恩宠者的歌舞为欢的得意,暗暗对照自己的失意。正如沈德潜所评:"只说他人之承宠,而己之失宠悠然可会,此国风之体也。"

【注释】 ①露井桃:种植在无盖井边的桃树。《鸡鸣古调》:"桃生露井上,李树生桃旁。" ②未央:汉宫名。此借指唐宫。月轮高:指夜已深。 ③这句意谓,最近有宫女得到皇帝宠爱。《汉书·外戚传》:"孝武卫皇后,字子夫,生微(贱)也,为平阳公主讴(歌)者。武帝过平阳,既饮,讴者进,帝悦(喜欢)子夫,赐平阳公主金千斤。"

凉州词

王　翰

葡萄美酒夜光杯①, 欲饮琵琶马上催②。
醉卧沙场君莫笑③, 古来征战几人回?

【作者简介】 王翰,字子羽,并州(今山西太原市)人。睿宗景云元年(710)进士。举直言极谏,又举超拔群类科。少豪荡,恃才不羁。张说当政,召为正字。张说罢相,王翰被贬为仙州别驾。因"穷乐畋饮",又贬为道州司马,后病卒。王翰工诗,多壮丽之词。《全唐诗》录存其诗十三首。

【说明】 《凉州词》,《乐府解题》:"《凉州》宫调曲,开元中西凉府都督郭知运所进也。"唐陇右道凉州治姑臧县(今甘肃武威县)。

此诗主题是反对皇帝开边。但因诗人用笔极其婉曲,并以反衬手法表达其复杂曲折的悲痛情怀,貌似旷达,实则凄凉。起句描绘筵席之盛美,饮器之华贵,正是为表达其反对开边这一主题,从反面渲染气氛。全诗是对不义战争的诅咒,而非对正义战争的歌颂。诗情变幻无端,极尽抑扬顿挫之妙。

【注释】 ①葡萄美酒:以葡萄酿的好酒。夜光杯:华贵的酒杯。《十洲记》:"周穆王时,西域献夜光常满杯。杯受三升,是白玉之精,光明夜照。"这句写筵席之盛。②琵琶催:奏琵琶催饮,古人有奏乐劝酒之俗。　③沙场:战场。

黄鹤楼送孟浩然之广陵

李 白

故人西辞黄鹤楼①，　烟花三月下扬州②。
孤帆远影碧空尽，　惟见长江天际流③。

【说明】 黄鹤楼,见前崔颢《黄鹤楼》说明。孟浩然,见前孟浩然《秋登万山寄张五》作者简介。之,往。广陵,即扬州,广陵是扬州的旧名,参看前孟浩然《宿桐庐江寄广陵旧游》说明。

这是李白第一次漫游途中在黄鹤楼送别孟浩然之作。首句点出送别之地和送往方向,次句点出送往之地和送别时令。其中"西辞"和"下扬州"已暗示"孟浩然之广陵"的路线是顺长江东下的水程。三、四句转入抒写离情,但它不是正面表露,而是通过送别之地景色的动态和静态的侧面反映出来的。诗人濒江送别,怅望故人的"孤帆远影"渐渐消逝,而浩荡长江远接天际依旧奔流。写江流不尽,正是暗示别意无穷。诗首句居高临下,统摄全篇;结句言近旨远,弦外留音。

【注释】 ①故人:老朋友。西辞:从西面辞别。　②烟花:喻指千红万紫的春景。下:指沿江东下,与"西辞"照应。扬州:点题中"广陵"。　③碧空:一作"碧山"。这两句陆游《入蜀记》有解释:"八月二十八日访黄鹤楼故址,太白登此楼送孟浩然诗云:'孤帆远影碧空尽,惟见长江天际流。'盖帆樯远映,山尤可观,非江行久不能知也。"

下江陵

李 白

朝辞白帝彩云间①，　千里江陵一日还②。
两岸猿声啼不住③，　轻舟已过万重山④。

【说明】 诗题一作《早发白帝城》。

唐肃宗乾元二年(759)春,李白因永王李璘事件被流放夜郎(今贵州境内),到夔州白帝城因遇"大赦"被释放。这首诗是他还江陵途中所作。

诗首句突出"彩云"二字,既形象地扣紧了诗题的"早"字,又形象地指明了白帝城地势高入云霄,来暗示行船有顺流而下一泻千里之势,使次句"千里江陵一日还"的出现不会感到突然。"千里"说明路程之远,"一日还"指出船行之速。前两句本来已把船行之速的意思表达清楚,但诗人为了要使"千里江陵一日还"的情景有声有色地反映出来,第三句却转到行船过程中诗人印象最深的"两岸猿声啼不住"这一镜头了,同时也就很自然很巧妙地过渡到"轻舟已过万重山"这一淋漓酣畅的结句。"两岸猿声"和"万重山"互相映带,"啼不住"和"已过"互相衬托。又结句着一"轻"字,既写出船行之速,又衬托出水势之急,极尽传神之妙。诗人以白帝至江陵的千里长江为背景,句句扣住这一江段风物。结句又以"万重山"与首句"彩云间"作巧妙照应。

诗出色地描绘了船行三峡,瞬息千里的壮观,从而体现了诗人"遇赦放回"归心似箭的轻松愉快的感情;同时也生动有力地显示了祖国河山的无比雄伟壮丽。诗人的豪放性格和诗的飘逸风格与祖国的浩荡江山在诗中是水乳交融在一起的。

值得特别指出的是,李白写这首诗时已经是五十九岁了,但他在诗中流露出来的豪情壮志不减当年。李白因爱国而"犯罪",统治集团不断给他下狱、流放的折磨,但并未使他忘怀国家的统一事业。诗人在诗中表现其欢欣激昂的心境,正如江水一样奔腾澎湃。

【注释】 ①白帝:城名,故址在今四川奉节县白帝山上。因地势高峻,常被云霞笼罩,所以说"朝辞白帝彩云间"。 ②江陵:地名,即今湖北江陵县,古代相传距白帝一千二百里,这里的"千里"是举其整数。李白流放夜郎时,从江陵溯江而上,所以说"还"。 ③啼不住:一作"啼不尽",是说一路猿声此落彼起,络绎不绝。 ④轻舟:原指小船,这里用一"轻"字是形容船行速度之快,船在三峡顺流而下,显得非常轻便似的。万重(chóng 虫)山:即万座山,言山之多。重,层、叠的意思。

逢入京使

岑 参

故园东望路漫漫①,　双袖龙钟泪不干②。
马上相逢无纸笔③,　凭君传语报平安④。

【说明】 天宝八年(749)岑参在安西节度使高仙芝幕中掌书记。此诗当是他赴安西途中逢入京使者时怀乡之作。前二句写怀念故园的深情。后二句才正面点题,请使者向家人"传语报平安"。语言明白如话,所叙事情平常,而所表达的感情却深刻动人,真是人人心中所有,而笔下所无,一经诗人妙笔写出,便成千古绝唱。

【注释】 ①故园:故乡。漫漫(mán 瞒):辽远的样子。屈原《离骚》:"路漫漫其修

远兮。"此用其语。　　②龙钟:眼泪很多的样子。　　③马上:骑在马上。　　④
凭君:全靠您。君,指入京使者。传语:传话。

江南逢李龟年

杜　甫

岐王宅里寻常见,　　崔九堂前几度闻①。
正是江南好风景②,　　落花时节又逢君③。

【说明】　这首诗是大历五年(770)杜甫逃难到潭州(今湖南长沙市)时所作。李
龟年是唐代著名音乐家。开元、天宝间,特承恩遇,曾在东都洛阳大起宅第,后流落江
南,每遇良辰美景,常为人歌几曲,听者莫不流泪。杜甫少年时曾在洛阳听过他的歌
声,想不到几十年后又在潭州和他相遇,感时抚事,无限叹惋,伤人自伤,因赋此诗。
蘅塘退士评此诗云:"世运之治乱,年华之盛衰,彼此之凄凉流落,俱在其中。少陵七
绝,此为压卷。"所谓"少陵七绝,此为压卷"是指此诗具有一般盛唐七绝言微旨远、语
浅情深、风神蕴藉的特色而言。但杜甫其他七绝多是另辟蹊径、别开生面的佳作,不
得都以王昌龄、李白写七绝的旧标准来衡量它。

【注释】　①岐王:李范,是睿宗李旦的儿子,玄宗的弟弟,封岐王。开元十四年
(726)卒。天宝三年曾以李珍为嗣。宅里:家里。寻常:时常。崔九:这句下有原注:"崔
九即殿中监崔涤,中书令湜之弟。"崔涤是玄宗的宠臣,出入禁中,后赐名澄。黄叔似
云:"开元十四年,公(杜甫)止十五岁,其时未有梨园弟子,公见李龟年必在天宝十载
以后。诗云岐王当指嗣岐王。"仇兆鳌云:"据黄说则所云崔九堂前者,亦当指崔氏旧
堂耳。不然,岐王、崔九并卒于开元十四年,安得与龟年同游耶?宋人胡仔疑此诗非杜
甫作。　　②江南:这里指潭州。　　③落花时节:指当时是暮春三月。

滁州西涧

韦应物

独怜幽草涧边行①,　　尚有黄鹂深树鸣②。
春潮带雨晚来急③,　　野渡无人舟自横④。

【说明】　滁州,今安徽滁县。西涧,在滁州城西,俗名上马河。
　　此诗作于德宗贞元元年(785)诗人任滁州刺史之后,写的是滁州西涧暮春的雨
中景物。上半泛写,下半特写。下半景物中的色、声、动、静均与诗人游览时的"独怜"
心境谐和统一,是唐人写景小诗的杰作。但历代选本中,首句第七字与次句第一字有
出入,经明人何良俊论证才水落石出。何云:"大清楼帖中有韦公手书。'涧边行',非

'生'也；'尚有'非'上'也。其为传刻之讹无疑。"

【注释】　①独怜：特别喜爱。幽草：清幽的草。一作"芳草"。涧边行：在西涧旁边散步。　②黄鹂：黄莺。深树鸣：在枝叶繁茂的树上啼叫。　③春潮：春水泛溢称为春潮。带雨晚来急：雨中的潮水晚上涨得更快。　④野渡无人：野外的渡口，过渡的人特别稀少。

枫桥夜泊

张　继

月落乌啼霜满天①，　江枫渔火对愁眠②。
姑苏城外寒山寺③，　夜半钟声到客船④。

【作者简介】　张继，字懿孙，襄州（今湖北襄阳县）人，天宝十二年（753）进士。曾任检校祠部员外郎及洪州（今江西南昌市）盐铁判官，有政声。卒于洪州。张继诗名早著，与刘长卿、顾况有交往。前人评他"诗情爽激，多金石音"，"丰姿清迥，有道者风"。《全唐诗》录存其诗一卷。

【说明】　枫桥，在今江苏苏州市阊门外，距寒山寺很近。

此诗写夜半泊船枫桥不寐的情景。不寐的原因诗人未明说，但按诗中"愁眠"、"客船"等词之设，当是因漂泊他乡，触景生情。月落、乌啼、霜满天、江枫、渔火、钟声等等，虽然景色如画，但"信美而非吾土"，故对此反增乡愁，不禁有类似韦应物"独夜忆秦关，听钟未眠客"之感。全诗着重写景，寓情于景，有色有声，所有声、色之设均与诗人此时心境相配衬，十分和谐而亲切动人。末句"夜半钟声"与首句"月落乌啼"照应，"客船"点题并上贯全诗，使秋江夜景都染上了诗人的乡愁而结束。

欧阳修《六一诗话》云："诗人贪求好句，而理有未通，亦语病也。唐人有云：'姑苏城外寒山寺，夜半钟声到客船。'说者亦云：句则佳矣，其如三更不是打钟时？"自此论一出，不少诗话纷纷指出欧阳修的批评是无稽之谈。夜半打钟，唐以前史书便有记载。唐代也不仅吴地寒山寺有此习惯，其他地方也不乏其例。如：皇甫冉《秋夜宿严维宅》："秋深临水月，夜半隔山钟。"陈羽《梓州与温商夜别》："迎风骚屑千家竹，隔水悠扬半夜钟。"王建《宫词》："灯前飞入玉阶虫，未卧常闻半夜钟。"许浑《寄题华严寺秀才院》："今来故国遥相忆，月照千山半夜钟。"寒山寺夜半打钟，不仅唐代如此，宋以后也是如此。宋代孙觌《过枫桥寺》云："白首重来一梦中，青山不改旧时容。乌啼月落桥边寺，倚枕犹闻半夜钟。"陆游《宿枫桥》云："七年不到枫桥寺，客枕依然半夜钟。风月未须轻感慨，巴山此去尚千重。"清代王士禛《夜雨题寒山寺寄西樵礼吉》（其二）云："枫叶萧萧水驿空，离居千里怅难同。十年旧约江南梦，独听寒山半夜钟。"

【注释】　①这句写泊船的时间。　②这句写自己旅夜的孤寂情怀。江枫：江边的枫树，点"枫桥"。渔火：渔船上的灯火。对愁眠：指江枫和渔火相映射入舱中，正与自己愁眠相对。意思是说原来睡不着，对着江枫渔火更加睡不着了。　③姑苏：

即今江苏苏州市,因苏州西南有姑苏山而得名。寒山寺:在枫桥下,现为苏州古迹之一。《清统志》:"苏州府:寒山寺在吴县西四十里枫桥,相传寒山、拾得(唐代的两个高僧名)尝止此,故名,内有寒山,拾得二像。"　　④夜半钟声:当时的寺院有半夜打钟的习惯。

寒　食

韩　翃

春城无处不飞花①，　　寒食东风御柳斜②。
日暮汉宫传蜡烛，　　轻烟散入五侯家③。

【说明】　寒食,节名。详见前王维《送綦毋潜落第还乡》注④。

这是韩翃一首借汉喻唐寓意深刻的讽刺诗。蘅塘退士云:"唐代宦官之盛,不减于桓灵,此诗托讽深远。"唐代宦官和汉代一样,享有种种特权,生活享受更不用说。寒食节全国禁止烟火,而他们受到皇帝的恩赐可以例外。上半刻画帝都长安寒食的明媚春光,下半描绘皇帝给宦官的恩宠和势焰。下半以"汉宫"与上半的"御柳"照应,以"传蜡烛"与"寒食"勾连。诗首"春城"二字总领全篇。讽意深刻委婉,艺术构思匠心独运。

【注释】　①春城:春天的城市。城,此指京城长安。花:此处指柳花,柳絮。即下句的御柳之花。　　②东风:春风。御柳:皇帝宫苑中的杨柳。这句是说,寒食节御苑的杨柳在春风中摇荡。当时寒食有折柳插门的习俗,故称。　　③这两句说,汉时寒食节禁止烟火,而朝廷却给五侯家传送蜡烛。这是借汉喻唐,借古讽今,讽刺代宗时的宦官享有特权。汉宫传蜡烛:《西京杂志》:"寒食禁火日赐侯家蜡烛。"又《唐辇下岁时记》:"清明日取榆柳之火以赐近臣。"韦庄《长安清明》:"内官初赐清明火,上相闲分白打钱。"五侯:指宦官。《后汉书·宦者传》:"桓帝封单超新丰侯,徐璜武原侯,贝瑗东武阳侯,左悺上蔡侯,唐衡汝阳侯。自是(此)权归宦官,朝政日乱矣。"

月　夜

刘方平

更深月色半人家①，　　北斗阑干南斗斜②。
今夜偏知春气暖③，　　虫声新透绿窗纱④。

【作者简介】　刘方平,河南(今河南洛阳市)人。与元鲁山友善。隐居不仕,与皇甫冉、李颀有唱和。诗思悠远。擅长绝句。《全唐诗》录存其诗一卷,共二十六首。

【说明】　此诗记作者对初春月夜气候转暖的特别感受。上半写景,记所见星月的西斜,说明夜已深更。下半抒情,记所闻,因"虫声新透绿窗纱",才感到时已春暖。下半是诗的着重点,即诗人在这个"月夜"感受最深之处。夜深人静,唯有虫声唧唧,新报春临,静中有动,愈见其静之可喜。诗中描绘了一种幽美静谧而生机活泼的境界,笔意自然流转,音调谐和优美,读来新鲜有味,有如身历其境。

【注释】 ①月色半人家:月色照亮了半个人家,指月色特别明亮。 ②北斗:大熊星座七颗明亮的星,分布成勺形,又称北极星。阑干:横斜的样子。南斗:二十八宿中的斗宿,共六星。斜:这里与"阑干"同义。这句是具体描绘上句"更深"的景象。 ③偏:出于意外。知:觉得、感到。 ④新:初,刚。这句说虫声今晚开始从绿窗纱外传进室内来。

春　怨

刘方平

纱窗日落渐黄昏,　金屋无人见泪痕①。
寂寞空庭春欲晚,　梨花满地不开门②。

【说明】 此诗写宫女被弃的春日幽怨。从首句的气氛凄凉,见出她的精神空虚。从次句的"金屋无人",见出她曾见宠,后遭遗弃,虽仍居"金屋"(深宫),实为幽禁,不见宠爱,只"见泪痕"。金屋在此实是起反衬作用。三、四句"春欲晚"、"梨花满地"都是双关语,既点时令春暮,又象征她的青春已暮,色衰遭弃。全诗遣词造句含蓄蕴藉,颇有特色,从"日落渐黄昏"到"春欲晚"、"梨花满地";从"金屋无人"到"不开门",都可见出诗人为婉转曲折地表达其"春怨"主题的用心。本诗和上诗一样,艺术手法都别具一格。

【注释】 ①金屋:指极其华美的宫室。参见前白居易《长恨歌》注㉑。无人见:指无人过问。泪痕:意谓经常流泪,从无笑容。 ②春欲晚:春天即将过去。不开门:与"无人见"照应。写宫女怨恨之深,但含蓄不露。

征人怨

柳中庸

岁岁金河复玉关①,　朝朝马策与刀环②。
三春白雪归青冢③,　万里黄河绕黑山④。

【作者简介】 柳中庸,名淡,一作"谈",以字行,河东(今山西永济县)人。大历年间进士,与卢纶、李端为诗友。曾任洪州(今江西南昌市)户曹参军。《全唐诗》录存其诗十三首。

【说明】 此诗写征人久戍不返的怨思。所谓"金河"、"玉关"、"青冢"、"黄河"、"黑山"都是戍守之地,可见戍边范围之广和时间之久。"岁岁"、"朝朝"和征人打交道的无非是"马策与刀环"。上半写情点题,下半借景含情。

本书入选的绝句,四句全对的只有两篇,五绝中有王之涣的《登鹳雀楼》,七绝中仅此一篇。而此篇又有句中自对。这种对法,早已有之,本书七律中杜甫的《阁夜》就是它的典范。

【注释】 ①金河:一名黑河,源出内蒙古自治区呼和浩特市南,流入黄河。玉关:玉门关的简称,在今甘肃敦煌县。见前李白《关山月》注④。 ②马策:马鞭。刀环:刀柄上的环。"马策与刀环"都指军戍生活。 ③青冢:见前张乔《书边事》注③。④黑山:即杀虎山,在今呼和浩特市内。

宫 词

顾 况

玉楼天半起笙歌①,　风送宫嫔笑语和②。
月殿影开闻夜漏③,　水精帘卷近秋河④。

【作者简介】 顾况(生卒年不详),字逋翁。苏州人。至德二年(757)进士。李泌为相,召为著作郎,因作《海鸥咏》嘲讽权贵,被贬饶州(今江西都阳县)司户参军。他对此极为不满。后全家隐居茅山,自号"华阳山人"。顾况善为歌诗,重视社会内容,反映人民疾苦,不惧豪强,揭露时弊,语言质朴。有《华阳集》。

【说明】 原作五首,此为第二首。

诗写一宫女的哀怨。前半以得宠宫女的欢乐反形其未见宠的愁苦。后半以工丽的对句暗写其寂寞哀怨而通宵不寐。章燮云:"此诗不言怨,而怨情显露言外。若无心人安得于夜深时犹在此间一一闻之悉而见之明耶?"此评颇有见地。

【注释】 ①玉楼天半:指宫殿高入云霄。笙:乐器名,普通用十二根长短不同的竹管制成,用口吹奏。 ②嫔(píng贫):宫女。 ③夜漏:晚上计时间的铜壶滴漏。 ④水精帘:见前李白《玉阶怨》注③。秋河:指秋夜的银河。秋,一作"银"。

夜上受降城闻笛

李 益

回乐峰前沙似雪①,　受降城外月如霜。
不知何处吹芦管②,　一夜征人尽望乡③。

【说明】 受降城,唐时有中西东三处,这里是指西受降城,在宁夏回族自治区灵武县。

此诗写久戍征人思乡之情。前半记景,以绝妙景色写悲凉的战地,为后半作铺垫。后半抒情,写征人在"沙似雪"、"月如霜"的边塞闻笛思乡,展示全题。起用对仗,笔力雄健。结句露出作意,画龙点睛。

【注释】 ①回乐峰:在今灵武县西南。峰,一作"烽"。 ②芦管:指以芦秆制成的笛管,题已明言"闻笛"。 ③征人:指从军守卫边塞的人。尽:全。

乌衣巷

刘禹锡

朱雀桥边野草花①, 乌衣巷口夕阳斜。
旧时王谢堂前燕, 飞入寻常百姓家②。

【说明】 乌衣巷,故址在今江苏南京市东南,和朱雀桥相近。三国时,是吴国卫戍石头城军营所在地,因兵士皆着乌衣而得名。东晋王导、谢安等贵族均寓居于此。

刘禹锡是唐代写政治讽刺诗的杰出诗人之一。《乌衣巷》是其宝历二年(826)在金陵(今南京市)凭吊古迹的《金陵五题》之一。

诗借古喻今,以王谢昔盛今衰对当时贵族进行讥刺,蕴藉不露,感染力强。上联用对仗,如双峰突起,引人注目。"朱雀桥"、"乌衣巷"不仅两个地名相对,而"朱"与"乌"又两种颜色相对,极为巧妙。"野草花"、"夕阳斜"即景生情,凄凉满目。诗人的"万户千门成野草,只缘一曲《后庭花》"(《台城》)可为这一联的注脚。这一联与李白的"吴宫花草埋幽径,晋代衣冠成古丘"(《登金陵凤凰台》)有异曲同工之妙。上半写景,景中含情;下半写情,情中有景。飞燕不知当年王谢的乌衣巷已换主人,而依旧在此营巢栖息。这两句似从刘长卿 "飞鸟不知陵谷变,朝来暮去弋阳溪"(《登余干古城》)化出,但较其诗意更含蓄深婉。

【注释】 ①朱雀桥:秦淮河上的浮桥名。一名"朱雀航"。野草花:野草开花。花,用作动词,与下句"斜"对举成文。 ②这两句意谓,当年王导、谢安等贵族,已成陈迹,现在这里看见的不是他们的华堂,而是寻常的百姓人家了。

春 词

刘禹锡

新妆宜面下朱楼, 深锁春光一院愁①。
行到中庭数花朵, 蜻蜓飞上玉搔头②。

【说明】 诗写春日宫女的愁怨。她为了邀宠,经过精心的梳妆,从朱楼下到庭院,竟无人见赏。虽是满院明媚春光,在失意人眼中,却是一院深锁不解的愁怨,深锁冷宫,乐趣何来! 正当她心绪无聊至极,正在以数花朵来作暂时的排遣,而无心蜻蜓却款款飞上她的玉搔头了。这看似怜而见赏,其实却又似恶意的嘲弄。"深锁春光一院愁"是全诗的中心,也是诗中的警句。

　　【注释】 ①新妆宜面:指新近的打扮,脂粉和脸色很相宜。朱楼:红楼。深锁:宫门本已封锁,此处语意双关。春光:点题中"春"字。一院愁:即一院春愁。上句写妆成然后下楼,希望得到宠幸,但下句写无人赏识,独自愁苦,所以说:"深锁春光一院愁。" ②数(shǔ暑):计算。玉搔头:妇女首饰,即玉簪。这两句写宫女极端寂寞无聊的心绪。

宫　词

白居易

泪尽罗巾梦不成,　夜深前殿按歌声①。
红颜未老恩先断,　斜倚熏笼坐到明②。

　　【说明】 诗题一作《后宫词》。

　　此诗写宫女色衰被弃的怨情。俞陛云评其艺术特色云:"作宫词者,多借物以寓悲,此诗独直书其事,四句皆倾怀而诉,而无穷幽怨,皆在'坐到明'三字之中。""坐到明"与"梦不成"照应。

　　【注释】 ①这句指前殿宫女得宠,歌舞为欢,与上句成鲜明对照。按:按节拍。
②这两句正面写怨。先:一作"前"。斜倚:身子斜靠着。熏笼:罩在香炉外面的竹笼。明:天明。

赠内人

张祜

禁门宫树月痕过①,　媚眼惟看宿鹭窠②。
斜拔玉钗灯影畔,　剔开红焰救飞蛾③。

　　【说明】 内人即宫人,此处指宫女而言。

　　诗写宫人夜静更深不得承欢的苦闷心境。"看宿鹭"、"救飞蛾"并不是出自无心,而是自伤其深锁宫禁毫无自由的有意之举。"飞蛾"是正陪,"宿鹭"是反衬。

　　【注释】 ①禁门:宫门。 ②媚眼:美丽的眼睛。媚字含有艳羡之意。惟看(kān刊):只注视着。宿鹭窠:指睡有双鹭的窠。这句暗写宫人触景伤情。 ③玉钗:一头嵌有玉石的钗。钗,旧时妇女头上插的一种装饰品。畔:旁边。剔:挑。红焰:指灯芯头上的火焰。这两句写宫人的无聊心情,但寓意深刻。全诗委婉含蓄。

集灵台二首

张祜

其 一

日光斜照集灵台， 红树花迎晓露开①。
昨夜上皇新授箓②， 太真含笑入帘来③。

其 二

虢国夫人承主恩④， 平明骑马入宫门⑤。
却嫌脂粉污颜色， 淡扫蛾眉朝至尊⑥。

254

【说明】 集灵台，故址在今陕西临潼县骊山上。《元和志》："天宝六载(747)改温泉宫为华清宫，又造长生殿，名为集灵台，以祀神。"

这两首诗讽刺玄宗宠爱杨妃姐妹，但诗意极为含蓄。

【注释】 ①这两句描绘集灵台早上的清静景色，说明是祭神之地，为下二句"授箓"作铺垫。 ②上皇：指唐玄宗。肃宗即位灵武后尊玄宗为"上皇天帝"。新：刚刚。授箓(lù 录)：这里是指玄宗册封杨太真为贵妃。 ③太真：杨玉环从玄宗第十八个儿子寿王的妃子度为女道士后，玄宗给她赐道名太真，是为后日册封为自己的妃子过渡。 ④虢国夫人：见前白居易《长恨歌》注㉓。承主恩：蒙受皇帝的恩泽。主：指玄宗。 ⑤平明：天刚亮时。 ⑥却：倒，反而。污：弄脏。朝：朝拜。至尊：皇帝。这两句说虢国夫人认为自己生得很美，往往不施脂粉而朝皇帝。《杨妃外传》："虢国不施妆粉，自有美艳，常素面朝天。"

题金陵渡

张祜

金陵津渡小山楼①， 一宿行人自可愁②。
潮落夜江斜月里， 两三星火是瓜洲③。

【说明】 金陵，此处指今江苏镇江市。王楙《露客丛书》云："《张氏行役记》言甘露寺在金陵山上；赵璘《因话录》言李勉至金陵，屡赞招隐寺标致，盖时人称京口亦曰金陵。"京口即今镇江市。《通典·州郡典》："润州因京岘山在城东，故称京口。"润州即今镇江市。甘露寺、招隐寺同为镇江名胜，金陵渡当是镇江之西津渡，隔江与瓜洲相对。

此诗名为"题金陵渡"，其实是借此写诗人的旅夜愁怀。上二句点题，叙其独宿山楼，寂寞无欢，和杜牧的"旅馆无良伴，凝情自悄然"的情境相类似。下二句宕开转写江洲夜景。潮落江平为近景，两三星火为远景，远近之景交相辉映在"斜月"之下，把夜色点缀得美妙如画。但这在作客他乡的诗人眼中不是欢乐，而正是为映照其"自可愁"的情怀作反衬的。

【注释】　①津渡：渡口的复义词。小山楼：指诗人住宿之地。　　②可：犹谓"合"或"应"。　　③星火：谓小火，这里形容远处的火光。瓜洲：在镇江北岸。《舆地纪胜》："淮南东路扬州：瓜洲在江都县南四十里江滨，昔为瓜洲村，盖扬子江中之沙碛也。沙潮涨出，其状如瓜，接连扬子渡口，居民其上，唐立为镇，今有石城三面。"

宫中词

朱庆馀

寂寂花时闭院门①，　　美人相并立琼轩②。

含情欲说宫中事，　　鹦鹉前头不敢言③。

【作者简介】　朱庆馀，名可久，以字行，越州(今浙江绍兴县)人。敬宗宝历二年(826)进士，授秘书省校书郎。前人称他"得张水部诗旨"，是张籍所器重的晚辈诗人之一。《全唐诗》录存其诗二卷。

【说明】　诗题一作《宫词》。

此诗为幽禁宫女诉怨情而作。首句点时，次句写人。"花时"反而"寂寂""闭院门"，其宫之冷落可知。尽管"美人相并立琼轩"，满院花光烂漫，春色媚人，但她们有恨难伸，无心赏花，彼此相并不能互通情愫，只有无可奈何地心照不宣。其原因何在？三、四句便是答案。失意宫女的苦水不敢倾吐，不仅怕人，连能言之鸟也得提防，其处境之险恶自在言外。本诗艺术构思富有特色，写宫女心事曲尽其妙。

【注释】　①寂寂：寂寞冷落。花时：指春花盛开之时。　　②美人：这里指被幽禁的宫女。琼轩：华美的长廊。　　③这两句写宫女敢怒而不敢言，连鹦鹉也得谨防。因鹦鹉是一种会学人说话的鸟，怕说了"宫中事"，被它学了传开，自己要受到惩罚。

近试上张水部

朱庆馀

洞房昨夜停红烛①，　　待晓堂前拜舅姑②。

妆罢低声问夫婿③，　　画眉深浅入时无④？

【说明】 诗题一作《闺意献张水部》。近试,临近考试。张水部即张籍。他当时任水部员外郎,故称。据范摅《云溪友议》载:"朱庆馀遇水部郎中张籍知音,索庆馀新旧篇什二十六篇,置之怀袖而推赞之。时人以籍重名,皆缮录讽咏,遂登科第。庆馀作《闺意》一篇以献。籍酬之曰:'越女新妆出镜心,自知明艳更沉吟。齐纨未足时人贵,一曲菱歌敌万金。'由是朱之诗名流于海内。"诗纯以新娘自喻,而以夫婿喻张籍,以舅姑喻主考官。

【注释】 ①洞房:原义是很深的房屋。后人常用来称新婚之室。红烛:古人新婚之夜,必点红烛。解放前我国无论城市还是农村尚保留这一习俗。 ②待晓:等到天亮。堂:堂屋。舅姑:公婆,丈夫的父母。 ③妆罢:梳妆完毕。夫婿:丈夫。④画眉:见前秦韬玉《贫女》注③。深浅:浓淡的程度。入时:谓合时宜。入,切中的意思。无:疑问语气词,相当于现代的"吗"、"么"。

将赴吴兴登乐游原

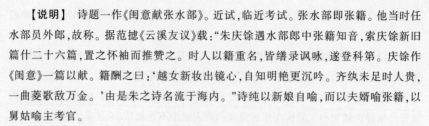

杜 牧

清时有味是无能,　　闲爱孤云静爱僧①。
欲把一麾江海去②,　　乐游原上望昭陵③。

【说明】 这首诗是宣宗大中四年(850)杜牧由尚书司勋员外郎出任湖州刺史将离长安登乐游原时所作。吴兴,唐郡名,即湖州,今浙江吴兴县。乐游原,见前李商隐《登乐游原》说明。

【注释】 ①清时:清平的时代。这两句说,在这清平之时,我特别喜爱孤云之闲和孤僧之静,这正是我无能的表现。所谓"清时"全是反语,读到末句便明,是讽刺朝廷不重视人才。 ②把:拿着。麾(huī 挥):古代指挥用的旗子。这里指出任刺史的符信。江海:这里义同"江湖",对京城长安而言。 ③昭陵:唐太宗李世民的陵墓,在陕西醴泉县九嵕山。唐太宗重用贤才,致获历史上有名的"贞观之治"。这句意谓作者对唐太宗朝政的向往,也就是对唐宣宗朝政的讽刺。

赤 壁

杜 牧

折戟沉沙铁未销①,　　自将磨洗认前朝②。
东风不与周郎便,　　铜雀春深锁二乔③。

【说明】 诗题一作《赤壁怀古》。赤壁,山名,在今湖北嘉鱼县东北长江南岸,是吴周瑜破曹操水军处。

这首诗是作者借咏古迹而写怀抱。杜牧对周瑜赤壁之战的侥幸成功给以讽刺，实是为自己的怀才不遇作不平之鸣。

【注释】　①戟：古代的一种兵器。沉沙：沉埋在沙中。铁未销：指折戟未烂。②将：拿起。前朝：过去的朝代。这里指三国时的吴国。　　③这两句说，如果不是东风给周瑜的方便，那大乔、小乔也将被曹操俘去。意思是说周瑜这次破曹军是一种侥幸。东风：《三国志·周瑜传》注："至战日，黄盖先取轻利舰十舫，载燥荻枯柴，灌以鱼膏。时东南风急，因以十舰举帆去北二里余，同时发火，火烈风猛，烧尽北船。"与：给。周郎：即周瑜，见前李端《听筝》注③。铜雀：台名，在今河北临漳县，建安十五年(210)曹操所建，因楼顶铸有大铜雀而得名。曹操的姬妾歌女都住在这里。二乔：乔家的两姐妹，是吴国的美女，大乔嫁孙策，小乔嫁周瑜。

泊秦淮

杜　牧

烟笼寒水月笼沙①，　夜泊秦淮近酒家②。
商女不知亡国恨③，　隔江犹唱后庭花④。

【说明】　秦淮，河名，发源于江苏溧水县东北，西流经金陵入长江。相传秦始皇开凿钟山，以疏淮水，故名。

题名"泊秦淮"，实是诗人借其夜泊秦淮的见闻抒发感慨，是一首借陈警唐的讽刺诗。酒家商女敢唱亡国之音《后庭花》，可见当国者麻木不仁及朝政腐败之一斑了。

【注释】　①笼：笼罩。这句为互文，即"烟"亦笼"沙"，"月"亦笼"寒水"。　　②酒家：酒店。　③商女：指卖唱的乐伎。　④后庭花：即《玉树后庭花》，详见前李商隐《隋宫》(七律)注④。

寄扬州韩绰判官

杜　牧

青山隐隐水迢迢①，　秋尽江南草未凋②。
二十四桥明月夜③，　玉人何处教吹箫④？

【说明】　韩绰，生平不详。判官，节度使的僚属。作者曾在扬州淮南节度使府任过推官，转掌书记。韩绰当时是他的同事。诗题一作《寄人》。前二句写景，借景兴怀友之思。后二句不是"调侃"，而是正面抒发其思韩之情。扬州是韩杜同游之地，教玉人吹箫的风流韵事，韩杜当为同道。"玉人何处教吹箫"是诗人对韩的深切怀念，当然也是对其风流往事的深情回忆。

【注释】　①隐隐:隐约不分明的样子。迢迢:遥远的样子。　②草未凋:谓地气暖。未,一作"木",与诗意不合。凋,枯萎。　③二十四桥:即吴家砖桥,一名红药桥。相传古时有二十四美人在这里吹箫,故名。一说扬州有二十四座桥。　④玉人:美人。这里指扬州的歌女。章燮云:"玉人,谓韩绰也。"可备一说。

遣　怀

杜　牧

落魄江湖载酒行①，　楚腰纤细掌中轻②。
十年一觉扬州梦，　赢得青楼薄幸名③。

【说明】　遣怀即抒发怀抱之意。

　　此诗写作者流连美色,扬州梦醒的忏悔心情。《全唐诗话》说杜牧不拘细行,吴武陵见此诗,即以其《阿房宫赋》向崔郾推荐,杜牧因而登第。在《唐诗纪事》、《唐才子传》中也有类似记载。

【注释】　①落魄(tuò 拓):流落。一作"落托"。江湖:旧时泛指四方各地。载(zài 再):装运。　②楚腰纤细:《韩非子》:"楚灵王好细腰,而国中多饿人。"掌中轻:《飞燕外传》:"赵飞燕体轻,能为掌上舞。"这句是写扬州歌女体态苗条。　③青楼:妓女所居之处,即妓院。薄幸:负心,薄情。这两句写作者对以前在扬州流连美色的悔恨心情。

秋　夕

杜　牧

银烛秋光冷画屏①，　轻罗小扇扑流萤②。
天阶夜色凉如水③，　卧看牵牛织女星④。

【说明】　诗题一作《七夕》。

　　这首诗似写宫女秋夜的怨思。《唐诗评注读本》云:"自初夜写至深夜,层层绘出,宛然为宫人作一幅幽怨图。"

【注释】　①银烛:指烛光皎洁如银。一作"红烛"。画屏:绘了图的屏风。这句说秋夜的烛光照在画屏上也给宫女带来寒意。　②轻罗小扇:轻薄的丝绸缝制的小团扇。罗扇:即纨扇。扑:拍盖的意思。流萤:飞动的萤火虫。　③天阶:皇宫里的台阶。一作"天街",一作"瑶阶"。凉如水:凉得和冷水一般,与"冷"字照应。　④卧看:躺着看。"卧"一作"坐"。牵牛、织女:天文学上的两个星座名,古代神话说牵牛织女是一对夫妻。《荆楚岁时记》:"天河之东有织女,年年织杼劳役,织成云锦天衣。天帝怜其独处,许嫁河西牵牛郎。嫁后遂废织纴,天帝怒,责令归河东,但使其(他们)一年一度相会。"

赠别二首

杜 牧

其 一

娉娉袅袅十三余①, 豆蔻梢头二月初②。
春风十里扬州路, 卷上珠帘总不如③。

其 二

多情却似总无情, 唯觉尊前笑不成④。
蜡烛有心还惜别, 替人垂泪到天明⑤。

【说明】 诗题一作《题赠》。前人指出这两首诗是赠扬州妓女的,也有的说就是赠别南昌歌女张好好的。第一首是赞叹她的年轻貌美。第二首是抒写和她难分难舍的离情。后二句用拟人化手法。

【注释】 ①娉娉(pīng 乒):美好的容貌。袅袅(niǎo):形容体态轻盈。 ②豆蔻(kòu 扣):多年生草本植物,外形似芭蕉,开淡黄色花,果实扁平形,种子像石榴子,有香味,可入药。豆蔻未开者叫做含胎花,前人常用以形容年少而美的女子。梢头:末端,指豆蔻枝头。二月初:指豆蔻开花的时节。 ③这两句是说在扬州女子中没有比她再美丽的。春风:与"二月"照应。 ④唯觉:只觉得。尊:同"樽",酒杯。笑不成:因离别而愁苦。 ⑤垂泪:流泪。泪,语意双关,既指烛油,又指眼泪。

金谷园

杜 牧

繁华事散逐香尘①, 流水无情草自春②。
日暮东风怨啼鸟③, 落花犹似坠楼人④。

【说明】 金谷园:晋代石崇的别墅名,故址在今河南洛阳市的金谷涧中。石崇《金谷诗序》云:"余有别庐在河南(洛阳)界金谷涧中,清泉茂树,众果竹柏药物备具。"

诗写凭吊金谷园的感慨。前二句言金谷园物是人非。三句借鸟兴悲,用拟人化手法。四句以花喻人，花落人亡，确切生动。以"香尘"扣题起，又以"坠楼人"扣题结，起结呼应自如，使全诗构成一种苍凉凄迷之境。

【注释】　①这句说金谷园当年的繁盛已伴随着香尘一去不复返了。逐：伴随着。香尘：指沉香木做成的碎末。沉香又名沉水，又名沉水香，是贵重熏香木材。晋王嘉《拾遗记》："石季伦(石崇字)屑(弄碎)沉水之香如尘末，布象床上，使所爱者践之，无迹者赐以真珠。"　②这句的含意是说金谷园已物是人非。　③东风怨啼鸟：即"啼鸟怨东风"的倒置，意谓不仅凭吊的人伤心，即使啼鸟也好像在怨恨东风。　④坠楼人：指石崇的爱妓绿珠。《晋书·石崇传》："崇有妓曰绿珠，美而艳，善吹笛，孙秀使人求之……崇勃然曰：'绿珠吾所爱，不可得也。'秀怒……矫诏收崇……崇正宴于楼上，介士到门。崇谓绿珠曰：'我今为尔得罪。'绿珠泣曰：'当效死于官前。'因自投于楼下而死。"

夜雨寄北

李商隐

君问归期未有期①，　巴山夜雨涨秋池②。
何当共剪西窗烛，　却话巴山夜雨时③。

【说明】　诗题一作《夜雨寄内》。此时李商隐妻子早已亡故。这是他在梓州(今四川三台县)柳仲郢幕中寄赠长安友人之作。首句点人，次句点地和时。次句以惨淡秋景映衬离怀，为三、四句转入正面抒情，急盼与友人重聚，畅叙离愁别恨作张本，故四句以虚拟的回忆中的"巴山夜雨"与次句当前实有的"巴山夜雨"相重叠，用以构成回环往复的章法，反映其缠绵悱恻的情思。俞陛云说："此与'客舍并州已十霜'皆首尾相应，同一机轴。"倒不如说，此诗从手法到内容受杜甫《月夜》的影响更为明显，只不过杜诗是五律罢了。

"客舍并州已十霜"见刘皂《渡桑干》，特附全诗如下，以资参考：

客舍并州已十霜，归心日夜忆咸阳。

无端更渡桑干水，却望并州是故乡。

【注释】　①君：指长安的友人。归期：北归的时间。未有期：指还未确定归期。②巴山：泛指巴蜀境内的山。夜雨涨秋池：秋夜的雨水涨满了池塘。　③何当：犹何日能够。剪烛：烛烧久了，就要把烛心结成的花形剪去，否则烛光不亮。却：回头。这两句是作者身在巴山设想北归长安后晚上与友人剪烛谈心的情景。

寄令狐郎中

李商隐

嵩云秦树久离居①，　双鲤迢迢一纸书②。

休问梁园旧宾客，　　茂陵秋雨病相如③。

【说明】　令狐郎中,即令狐绚,令狐楚之子。此时绚任考功郎中,故称。

此诗是以诗代书,抒情委婉,态度不亢不卑,颇饶情致。如针线细密,句句勾连。首句"嵩云秦树"状两地相距之远,次句以"迢迢"承之。三句以"休问"转出答意,而又是紧扣次句"一纸书"的。结句的"病相如"与三句的"梁园"一脉相承,而又与首句的"嵩云"回应。

【注释】　①嵩云秦树:嵩山的云,作者自喻,他当时在洛阳;秦地的树,喻令狐绚,他当时在长安。久离居:分离很久。　②双鲤:喻书信。《古诗》:"客从远方来,遗我双鲤鱼。呼童烹鲤鱼,中有尺素书。"因此后人便以"双鲤"代称书信。迢迢:遥远的样子。这句是说令狐绚远从长安来信。　③休问:别问。梁园:故址在今河南商丘县,西汉梁孝王在这里修建宫室园囿,招待宾客。司马相如当时便在梁王门下待过,并著了《子虚赋》。这里以梁园喻令狐绚招客之地,以司马相如自喻。旧宾客:司马相如是梁王的旧宾客,作者是令狐楚的旧宾客。茂陵病相如:司马相如因患病,家居茂陵。作者这时也正卧病洛阳。茂陵,汉武帝陵墓所在地,在今陕西兴平县。这两句是对令狐绚问候的答复。

为　有

李商隐

为有云屏无限娇①，　　凤城寒尽怕春宵②。
无端嫁得金龟婿③，　　辜负香衾事早朝④。

【说明】　诗截开头二字为题,前人早有此例。参看前韩愈《山石》说明最后部分。诗的内容是写长安少妇春日的闺怨。

【注释】　①云屏:即云母屏风的简称,是室内的高贵的陈设品。云母是板状晶体透明的矿物质,色彩鲜艳美观。无限娇:指少妇。娇,美丽。　②凤城:指长安。详见前沈佺期《独不见》注③。春宵:春夜。　③无端:无缘无故。金龟婿:做朝官的丈夫。唐朝中官员原佩金鱼,武则天即位改佩金龟。婿,丈夫。　④香衾(qīn 亲):熏了香气的被子。事早朝:从事早朝。早朝,起早上朝廷拜见皇帝。

隋　宫

李商隐

乘兴南游不戒严①，　　九重谁省谏书函②。
春风举国裁宫锦③，　　半作障泥半作帆④。

【说明】　此诗揭露隋炀帝荒淫奢侈,不问国事残杀谏臣的罪恶。参看前李商隐《隋宫》(七律)说明。

【注释】　①不戒严:不加戒备,毫不警惕。封建礼制规定,皇帝巡游必须严加警戒。　②九重:九重深宫。省:明察。谏书函:函封的谏书。谏,向皇帝提出意见。这句说隋炀帝一意孤行,不理睬臣下的规劝。大业十二年(616),隋炀帝三游江都,奉信郎崔民象、王爱仁等上表谏阻,炀帝大怒,不仅不听,而且把他们都杀了。　③春风:这里指春季农忙时。举国:全国。宫锦:按朝廷规格织成的锦缎。　④障泥:马鞯垫在马鞍下两边垂下用来障蔽泥土的部分,故名。帆:船帆。

瑶　池

李商隐

瑶池阿母绮窗开①，　黄竹歌声动地哀②。
八骏日行三万里③，　穆王何事不重来④?

【说明】　这首诗借周穆王和西王母会于瑶池的神话讽刺唐天子求仙的愚妄。

【注释】　①瑶池:我国古代神话中的西方地名。阿母:西王母又称"玄都阿母"。绮窗开:打开华美的门窗,意谓西王母等待穆王再来。　②黄竹歌:周穆王在往黄竹的路上,因风雪大作,百姓挨冻,曾作《黄竹歌》三章以哀民。动地哀:哀声震地。③八骏:《穆天子传》和《拾遗记》均载周穆王有八匹千里马,但两书的骏马名称不相同。　④穆王不重来:穆王离别瑶池时,西王母希望他重来。他自己也坚决表示三年后重来。但他不久便死了,不能重来,这说明求仙不死是绝对没有的事。

嫦　娥

李商隐

云母屏风烛影深，　长河渐落晓星沉①。
嫦娥应悔偷灵药，　碧海青天夜夜心②。

【说明】　嫦娥即姮娥。古代神话中说她是后羿的妻子,因偷吃了后羿从西王母那里求得的不死之药而奔入月宫,成了月中仙女。这首诗借想象嫦娥在月宫中的孤单寂寞,反映人间爱情的重重阻挠的现实。诗中嫦娥的形象也可能是作者政治理想不能实现的写照。

【注释】　①云母屏风:见前李商隐《为有》注①。烛影深:指烛光越来越小,烛影越来越浓。长河:指银河。渐落:逐渐向西沉下。这两句是设想嫦娥在月宫的内室中通夜独坐不得成眠。上句写她所见的室内情景色,下句写她所见的室外景色。上句的时间指的是深夜,下句的时间指的是拂晓。　②应悔:该会懊悔吧。灵药:指不死之药。夜夜心:夜夜的心情都是痛苦的。这两句意谓,嫦娥偷吃灵药,本望成仙逍遥快乐,未料到成仙后反而夜夜过着孤零苦闷、极不自由的生活,但已后悔莫及了。

贾　生

李商隐

宣室求贤访逐臣①，　贾生才调更无伦②。

可怜夜半虚前席，　不问苍生问鬼神③。

【说明】　贾生,即贾谊,见前刘长卿《新年作》注⑤。这首诗是讽刺汉文帝徒有求贤之名,而无求贤之实。这虽与史实不全相符,作者并非不知,但他是有意借此针砭时弊,讽喻现实,从而寄寓自己怀才不遇之感。

【注释】　①宣室:汉未央宫前殿正室,这里指代汉文帝朝廷。求贤:寻找贤才。访:征询。逐臣:被放逐、谪贬的臣子,指贾谊。　②才调:才气。更:再。无伦:无与伦比。这句说论才气当时没有人可以和贾谊相比。　③可怜:可怪。虚前席:贾谊曾被贬为长沙王太傅,后来文帝又把他召回京城。当时文帝刚祭祀完毕,便在宣室向贾谊问鬼神之事,直到夜半。文帝喜不自觉地向前移动坐处(古人是坐在地上的席子上)靠近贾谊。故云"虚前席"。虚,空有。前,动词,向前移动。苍生:百姓。这两句说,可怪得很,贾谊被文帝倾心询问的不是有关苍生的大事,而是荒诞的鬼神之事。

瑶瑟怨

温庭筠

冰簟银床梦不成①，　碧天如水夜云轻②。

雁声远过潇湘去③，　十二楼中月自明④。

【说明】　瑶瑟怨,出处不详。按诗意是写秋闺怨思。蘅塘退士云:"通首布景,只'梦不成'三字露怨意。"

【注释】　①冰簟:凉席。银床:华丽的床。梦不成:本来希望在梦中与对方相会,而偏偏不能成梦。　②这句写思妇梦不成后所见夜空的凄清景象。　③这句写闺中思妇闻雁声而神飞,雁声愈远,而相思愈热切。潇湘:在今湖南境内,湘水在零陵县西合潇水,世称潇湘,为三湘之一。　④这句与首句照应,仍归到秋闺。雁声远去,音书莫寄,只有一轮凉月独伴高楼。十二楼:这里指思妇所居之处。

马嵬坡

郑畋

玄宗回马杨妃死①，　云雨难忘日月新②。
终是圣明天子事，　景阳宫井又何人③！

【作者简介】　郑畋，字台文，会昌年间(841—846)进士，官至同平章事。《全唐诗》录存其诗十六首。

【说明】　马嵬坡，见前白居易《长恨歌》注㊱㊲。《全唐诗话》云："马嵬，太真缢所，题诗多凄感。畋为凤翔从事日，题一绝，观者以为有宰辅之器。"以"圣明天子"称唐玄宗，他是不够格的，他已昏庸，但毕竟比陈后主要好些。

【注释】　①回马：指玄宗从成都返回长安。　②云雨：宋玉《高唐赋序》叙述楚怀王游高唐，梦见巫山神女与他幽会。她临别致辞说："妾在巫山之阳，高丘之岨。且为行云，暮为行雨，朝朝暮暮，阳台之下。"后世因称男女欢合为"云雨"。难忘：指玄宗回长安念念不忘杨妃。参看前白居易《长恨歌》。日月新：时代更新。这里指长安收复，形势好转。　③圣明天子：指玄宗，因他被迫同意把杨妃处死，故称。景阳宫井：故址在今江苏南京市城外玄武湖边。陈后主听说隋兵进城，便与宠妃张丽华、孔贵嫔一同投入井中，当晚便被隋兵捕获。又何人：是对陈后主的斥责，说他又是何等人，极含鄙夷之意。这两句的含意是，假如玄宗不同意处死杨妃，那么他的结局将和陈后主一样，正因为他果断，终不愧为圣明天子，而陈后主终究是最庸弱无用、执迷不悟的亡国之君。

已　凉

韩偓

碧阑干外绣帘垂①，　猩色屏风画折枝②。
八尺龙须方锦褥③，　已凉天气未寒时。

【作者简介】　韩偓，字致尧，小名冬郎，京兆万年(今陕西西安市附近)人。昭宗龙纪元年(889)进士，王溥荐为翰林学士、中书舍人。从昭宗幸凤翔，任兵部尚书、翰林承旨。昭宗屡次要他任宰相，辞谢不受。后为朱全忠陷害，贬濮州司马。天祐年间全家避难闽中。韩偓为人正直，敢于和恶势力作斗争。他的诗有一部分反映了一定的现实。但不少是侧艳轻巧之作。有《翰林集》、《香奁集》。

【说明】　此诗取第四句头二字为题，作者的《深院》是取第三句头二字为题，《闻雨》是取第二句头二字为题，但都与内容关系不大。这种取题的办法前人早已有之。

此诗似隐隐写诗人倾心爱慕的一位美人。前二句叙其室内帘、屏,三句叙其床上褥、席,四句叙时令点题。蘅塘退士云:"此诗通首布景,不露情思,而情愈深远。"

【注释】 ①阑干:同"栏杆"。 ②猩色:红色。画折枝:画如折下的花枝。折枝,花卉画之一,谓画花卉不带根,断如折枝的样子。 ③龙须:草席名。龙须草可以织席,故名。锦褥:锦缎制的床褥。

金陵图

韦 庄

江雨霏霏江草齐①,　六朝如梦鸟空啼②。
无情最是台城柳,　依旧烟笼十里堤③。

【说明】 金陵,今江苏南京市。

在《全唐诗》中,韦庄的《金陵图》为"谁谓伤心画不成"云云,《台城》为"江雨霏霏江草齐"云云。蘅塘退士《唐诗三百首》中《金陵图》内容和沈德潜《唐诗别裁》同。孰是孰非?但据韦《才调集》卷三选有韦庄《台城》一诗,其内容亦为"江雨霏霏江草齐"云云。由此可证《全唐诗》中的《金陵图》和《台城》的内容当是符合韦庄原作的。因为,《全唐诗》、《唐诗别裁》、《唐诗三百首》均为清人所编,与唐末五代之间的作者韦庄相距七百余年,而《才调集》的编者韦縠却与韦庄同时,并同为前蜀王建僚属,其所选《台城》内容当是比较可靠的。同时,再根据"谁谓伤心画不成?画人心逐世人情"之句,题作《金陵图》,"无情最是台城柳,依旧烟笼十里堤"之句,题作《台城》,似乎也更符合诗的内容。因此,我推断本诗题《金陵图》当是《台城》之误。

【注释】 ①霏霏:这里形容雨下得很密的样子。 ②六朝:指东吴、东晋、宋、齐、梁、陈,这六个朝代都在金陵建都,故称。如梦:指六朝已成陈迹。鸟空啼:鸟徒然啼叫。 ③台城:故址在今玄武湖旁,东吴、东晋、宋、齐、梁、陈宫殿所在地。笼:覆罩着。这两句叙风景依旧,人事已非。作者在深深的感慨中借古讽今。

陇西行

陈 陶

誓扫匈奴不顾身,　五千貂锦丧胡尘①。
可怜无定河边骨,　犹是春闺梦里人②。

【作者简介】 陈陶,字嵩伯,岭南(今两广地带)人。宣宗大中时游学长安,善天文历数。于时不合。南唐升元(939—943)中隐居洪州西山(在今江西南昌市新建县内),卖柑自给,自号"三教布衣",后不知所终。《全唐诗》录存其诗二卷。

【说明】 《陇西行》,乐府《相和歌·瑟调曲》旧题。原作四首,这是第二首。

上半言将士英勇卫国,视死如归。下半以"可怜"二字宕开,揭示作意,明显是对统治者长期征战不惜民命的控诉,对死亡将士妻子的同情。曹松《己亥岁》云:"泽国江山入战图,生民何计乐樵苏?凭君莫话封侯事,一将功成万骨枯。"陈、曹二诗异曲同工,而陈诗结句尤为沉痛。

【注释】 ①貂锦:汉时羽林军着貂裘锦衣,这里借指唐的出征将士。丧(sàng)胡尘:丧失于胡尘之中,在与胡人作战中丧失了生命。胡,这里指匈奴。 ②无定河:源出内蒙古自治区鄂尔多斯境,东南流,经陕西榆林米脂诸县,至清涧入黄河。因急流挟沙深浅不定,故名。这两句说可怜征人早已成为无定河边的枯骨,但他们还是妻子梦中的活人,她们不知道丈夫早已战死。

寄 人

张 泌

别梦依依到谢家①, 小廊回合曲阑斜②。
多情只有春庭月, 犹为离人照落花③。

【作者简介】 张泌,字子澄,淮南人。初仕南唐为句容(今江苏境)尉,上书论治国之道,后主征为监察御史,官至内史舍人。《全唐诗》录存其诗一卷,共十九首。

【说明】 原作共二首,此为第一首。

李良年《词坛纪事》云:"张泌事南唐为内史舍人。初与邻女浣衣相善,作《江神子》词。……后经年不复相见,张夜梦之,写绝句云云。""绝句"即《寄人》。此诗首句写入梦之因,次句写梦中之景。三、四句写梦后触景伤情。这两句诗意似是从岑参的"庭树不知人去尽,春来还发旧时花"(《山房即事》)和刘禹锡的"淮水东边旧时月,夜深还过女墙来"(《石头城》)化出,但有新意,其情韵较之岑、刘更见深婉。

【注释】 ①依依:恋恋不舍的样子。谢家:指妓家。此处借指浣衣家。白居易《奉和裴令公新成午桥庄绿野堂即事》:"花妒谢家妓,兰偷荀令香。"按:"谢家"似本此。 ②这句写梦中所见景色。回合:四面环抱。 ③这两句写梦醒后的孤寂心情和凄清景色。离人:作者自称。与"别梦"照应。

杂 诗

无名氏

近寒食雨草萋萋①, 著麦苗风柳映堤②。
等是有家归未得③? 杜鹃休向耳边啼④。

【说明】 此诗写久客难归的愁思。寒食将近,风雨交加,景色凄迷,在异乡见此,不禁顿生怀乡之念。加之到处杜鹃啼血,声声凄苦,更是耳不忍闻。上半景中融情,下半情景难分。全诗贯串"每逢佳节倍思亲"之意,但以含蓄出之。

【注释】 ①近寒食雨:接近寒食节的雨,即"雨近寒食"的倒装。寒食,见前王维《送綦毋潜落第还乡》注④。萋萋:形容草生长得茂盛。 ②著麦苗风:附着麦苗的风,即"风著麦苗"的倒装。著,有吹拂的意思。 ③等是:到底是,犹言为何。这句是说,为什么我有家不能回去呢? ④杜鹃:即子规,鸣声如说"不如归去",能动旅客归思。参看前白居易《琵琶行》注⑦⑧。休向:别向着。韩愈《晚次宣溪辱韶州张端公使君惠书叙别酬以绝句二章》(其一):"客泪数行先自落,鹧鸪休傍耳边啼。"末句用韩诗而换三字。

乐　府

渭城曲

王　维

渭城朝雨浥轻尘,　　客舍青青柳色新①。
劝君更尽一杯酒②,　　西出阳关无故人③。

【说明】 诗题一作《送元二使安西》。一作《赠别》。《乐府诗集》作《渭城曲》列入《近代曲辞》。这是唐代一首极为著名的送别诗,唐人把它谱曲,除第一句外,其余三句都唱两次,称为"阳关三叠"。从刘禹锡《与歌者何戡》:"旧人唯有何戡在,更与殷勤唱渭城",与白居易《对酒》:"相逢且莫推辞醉,听唱阳关第四声"中,可知这首送别诗在唐代广泛传唱的盛况。

此诗前二句写景,点出送行地点及时令;后二句言情,向行者劝酒,并点明行者赴地在阳关以西。诗以景衬情,景切情真,道出了千万离人的共同心声。其感染力之强,前人已推为绝唱。

【注释】 ①渭城:即秦的都城咸阳,汉改称渭城。在今陕西西安市西北,渭水的北岸。朝雨:清晨的雨。浥(yì义):沾湿。客舍:即旅馆。青青柳色新:一作"依依杨柳春"。这两句说,渭城的清晨下过一阵微雨,恰好沾湿了路面的灰尘,更加便于行路;旅馆前面的柳色经过雨水的滋润更加显得青翠可爱,有助行色。 ②更尽一杯:再干一杯的意思。"尽"一作"进"。 ③阳关:今甘肃敦煌县西南,自古与玉门关同为赴西北边塞必经之地。因位于玉门关之南,故称"阳关"。

秋夜曲

王　维

桂魄初生秋露微①，　轻罗已薄未更衣②。
银筝夜久殷勤弄③，　心怯空房不忍归④。

【说明】《秋夜曲》：属乐府《杂曲歌辞》。原作二首，这是第二首。《万首唐人绝句》作王涯诗。诗写初秋月夜少妇的怨思。

【注释】①桂魄：月晕。古代神话说月中有桂树，高五百丈。有个名叫吴刚的人因学仙有过，被罚在月中砍桂树，随砍随合，故后世以"桂魄"代月。　②轻罗：细软而有疏孔的丝织品，多用制夏衣。更：换。　③银筝：指精美的筝。筝，见前李端《听筝》注①。殷勤弄：认真地弹。　④怯：畏惧。

长信怨

王昌龄

奉帚平明金殿开①，　且将团扇暂徘徊②。
玉颜不及寒鸦色，　犹带昭阳日影来③。

【说明】诗题一作《长信秋词》，原作五首，这是第三首。属乐府《相和歌辞·楚调曲》。"长信怨"就是"长信宫怨"。长信宫是汉朝太后所居之地。汉成帝原先最宠爱班婕妤，后来又宠爱赵飞燕姐妹，班婕妤感到处境危险，便请求到长信宫去侍奉太后。本诗便是借这个历史故事咏叹失宠宫妃的悲凉遭遇，也从侧面批判了帝王爱情的虚伪。

【注释】①奉帚：供奉箕帚洒扫的劳役。一解作"捧帚"，"奉"同"捧"。平明：天刚亮时。金殿：指长信宫。　②且将：姑且拿起。"且"一作"暂"。团扇：即齐纨扇。这是暗用班婕妤《怨歌行》诗意："新制齐纨素，鲜洁如霜雪。裁成合欢扇，团团似明月。出入君怀袖，动摇微风发。常恐秋节至，凉风夺炎热。弃捐箧笥中，恩情中断绝。"暂：一作"共"。这句说，姑且拿起团扇作暂时的徘徊吧。这是以团扇的秋凉不用，比喻班婕妤的被捐弃在长信宫。　③玉颜：洁美如玉的容颜。犹带：还能带着。昭阳：汉宫殿名，即成帝和赵飞燕所居之处。这两句说，班婕妤自叹处于冷宫，玉容还不如寒鸦的色彩，因为寒鸦还能把昭阳殿日光的温暖带来。

出　塞

王昌龄

秦时明月汉时关，　　万里长征人未还①。
但使龙城飞将在②，　　不教胡马度阴山③。

【说明】《出塞》是古代军乐的一种，属乐府《横吹曲》。唐人乐府中的《前出塞》、《后出塞》、《塞上曲》、《塞下曲》都从这一乐曲演变而来。原作二首，这是第一首。诗的大意是讽刺边将无能，边备松弛，致使外敌时相侵扰，造成战士大量牺牲，表现了诗人强烈的爱国思想。

【注释】①这两句意谓，秦汉以来边塞战争不断进行，修关备胡历史久远。但这里诗人是借秦汉以喻唐，读到后两句便明。秦和汉，明月和关，都是互文见义，"秦时明月汉时关"也就是"汉时明月秦时关"。　　②但：只要。龙城飞将：指英勇善战的西汉名将李广。龙城，宋刻本《王荆公百家诗选》作"卢城"，即卢龙城，是汉右北平郡守所在地。右北平郡到唐时改为平州，州治所在卢龙城（今河北卢龙县）。飞将，《史记·李将军传》："广居右北平，匈奴闻之，号曰汉之飞将，避之。"　　③不教（jiào 叫）：不使，不让。胡马：这里指外敌入侵的骑兵。度：越过。阴山：起自河套西北，横亘在今内蒙古自治区南部，东北接内兴安岭的阴山山脉，是我国古代防备匈奴的天然屏障。

清平调三首

李　白

其　一

云想衣裳花想容①，　　春风拂槛露华浓②。
若非群玉山头见③，　　会向瑶台月下逢④。

其　二

一枝秾艳露凝香⑤，　　云雨巫山枉断肠⑥。
借问汉宫谁得似？　　可怜飞燕倚新妆⑦。

其　三

名花倾国两相欢⑧，　　长得君王带笑看。
解释春风无限恨⑨，　　沉香亭北倚阑干⑩。

【说明】《清平调》是乐曲宫调中的一种。大概是天宝二年(743)的春天,唐玄宗与杨贵妃在兴庆池东沉香亭前赏览牡丹,特命李白(当时在长安供奉翰林)制作新曲,李白奉命写了《清平调》三首,属于歌咏宫廷帝妃生活的艳体诗,没有什么社会意义。但艺术手法是极为高明的,诗在华艳的辞藻下似也暗含着讽意。

【注释】 ①这句说看到云彩便想到杨妃的衣裳,看到花朵便想到杨妃的容貌。②拂:吹拂。槛:栏杆。露华:露水的光华。 ③若非:假如不是。群玉:山名,神话中仙女西王母所居之地。 ④会:应。瑶台:西王母的宫殿。 ⑤这句写牡丹,以牡丹比杨妃之美貌。秾(nóng 农):花木茂盛。艳:美丽。 ⑥云雨巫山:见前郑畋《马嵬坡》注②。枉:徒然,枉然。这句是以楚王衬托玄宗,含有古人不及今人之意。 ⑦这两句说,汉宫以美貌著称的赵飞燕,还要靠着新妆才能和杨妃相比。可怜:可爱。飞燕:即赵飞燕,西汉成帝的皇后,以美貌著称。倚:依靠。新妆:指鲜艳华美的服妆。洪昇《长生殿》:"新妆谁似?可怜飞燕娇懒。"本此。 ⑧这两句意谓,只有名花才能配倾国,只有倾国才能配玄宗,所以名花和倾国都得到玄宗的欢爱。玄宗既喜欢观赏杨妃,又喜欢观赏牡丹。名花:指牡丹。唐朝贵族特别看重牡丹。白居易《买花》:"一丛深色花,十户中人赋。"倾国:这里指杨妃。参看前白居易《长恨歌》注①。 ⑨这句说,即使有无限的春日愁恨,只要见着"名花倾国"也就消散净尽了。解释:解散消释。 ⑩沉香亭:以沉香木修建的亭子,故名。倚阑干:指靠着栏杆观赏牡丹,牡丹在沉香亭栏杆外。阑干:同"栏杆"。

出　塞

王之涣

黄河远上白云间①，　一片孤城万仞山②。
羌笛何须怨杨柳，　春风不度玉门关③。

【说明】 原作二首,此为第一首。出塞,见前王昌龄《出塞》说明。诗题一作《凉州词》。

此诗为同情戍边战士疾苦而作。前半写景,河远城高,地荒气寒,为后半抒发感慨开路。后半写情,对朝廷漠视戍边战士给以讽刺,含蓄辛辣。"杨柳"、"春风"均语意双关,以气候之苦寒喻皇恩之刻薄。杨慎云:"此诗言恩泽不及于边塞,所谓君门远于万里也。"俞陛云云:"首二句笔势浩瀚,次句尤佳,再接再厉,有隼立华峰之概。……后二句言莽莽山河,本皇恩之不被,犹春风之不度。"

【注释】 ①黄河远上:一作"黄沙直上"。 ②孤城:指玉门关。仞(rèn 任):古时长度单位,以八尺或七尺为一仞。 ③羌笛:见前李颀《古意》注⑨。怨杨柳:谓《折杨柳》曲调哀怨。乐府《横吹曲·折杨柳》的歌辞云:"上马不捉鞭,反折杨柳枝。蹀坐长吹笛,愁杀行客儿。"此用其意。玉门关:见前李白《关山月》注④。这两句是说西北边地的荒寒。

金缕衣

无名氏

劝君莫惜金缕衣①，　　劝君惜取少年时②。
花开堪折直须折，　　　莫待无花空折枝③。

【说明】　《金缕衣》属乐府《近代曲辞》，《全唐诗》列入无名氏之作，题为"杂诗"。
诗的主旨是劝人爱惜光阴。

【注释】　①金缕衣：金线织成的华贵衣服。　　②惜取：珍惜着。一作"须惜"。
少年时：少年时代的宝贵时光。　　③花开：一作"有花"。堪：可。须：应。待：等到。
这两句以折花为喻，含有"少壮不努力，老大徒伤悲"之意。

附录：

近体诗格律简介

陶今雁

一、诗体

古典诗对于新诗而言,也称为旧体诗。它可以分为古诗和近体诗(又叫"今体诗")两大类。古诗是六朝以前的诗体,近体诗是唐代的产物。但唐代以后的诗人除了写近体诗,也还写古诗。

古诗又称古风。一般是四、五、七言,句数不限。要押韵,多是隔句用韵;也有句句用韵或三句用一韵的;也有不是一韵到底而是换了韵的。古诗没有平仄格律的要求:如本书前半部分的五言古诗和七言古诗。我们这里要介绍的是具有平仄格律的近体诗。如本书后半部分的五言律诗、七言律诗、五言绝句、七言绝句。

近体诗又分律诗和绝句两类。一般是五、七言。律诗限定八句;排律不受此限,有多至百句以上的。绝句限定四句。律诗、绝句一般是隔句用韵,首句可用可不用,五言首句不用韵的较多。律诗、绝句的平仄都有严格的规定。律诗中间四句一般要两两相对;排律除首、尾各二句外,都要两两相对。本书中的近体诗未选排律。

近体诗比起古体诗来,声调铿锵,更富音乐美。

二、用韵

所谓押韵("压韵"),也叫"叶韵",是在用韵的地方用同一韵部的字。一般是上句不用韵,下句用韵。用韵的地方在句末,也叫韵脚。

隋唐的韵书有二〇六部,以后并为一〇六部,就是后来通行的诗韵(清代人常用的有《佩文韵府》、《诗韵合璧》、《诗韵集成》、《诗韵全璧》)。其中平声三十部,上声二十九部,去声三十部,入声十七部。各部的韵有宽有窄,如平声韵宽的有四百多字(支韵),窄的只有四十来个字(咸韵)。

古人分别诗韵的韵部不包括介音。只要韵母主要元音相同,或者主要元音带收音相同, 就算是同韵。如 "虎"(hǔ)、"雨"(yǔ) 同韵,"阳"(yáng)、"光"(guāng)同韵,"关"(guān)、"山"(shān)同韵。

三、平仄

所谓平仄是古代汉语中的四声(平、上、去、入)规定的。平指平声,仄指上、去、入三声。平声比较长,没有升降;仄声比较短,有升有降。所谓仄就是不平的意思。诗人利用声调的平仄交错,构成回环起伏的节奏。

七律诗的句式有四个类型。

① ㊅平㊅仄平平仄——平起仄收
② ㊅仄平平仄仄平——仄起平收
③ ㊅仄㊅平平仄仄——仄起仄收
④ ㊅平㊅仄仄平平——平起平收

近体诗多押平声韵,这里所谓"平起仄收"或"仄起仄收",指的是首句不押韵。在平仄上加圆圈是说此处可平可仄(下同)。所谓平起仄起,主要看第二字,因为第二字是节奏点。第一字不是节奏点,在一般情况下平仄不拘。由这四种句型可以构成七律的四种平仄式:

1.首句平起仄收,如杜甫的《野望》:

㊅平㊅仄平平仄	西山白雪三城戍
㊅仄平平仄仄平	南浦清江万里桥
㊅仄㊅平平仄仄	海内风尘诸弟隔
㊅平㊅仄仄平平	天涯涕泪一身遥
㊅平㊅仄平平仄	惟将迟暮供多病
㊅仄平平仄仄平	未有涓埃答圣朝
㊅仄㊅平平仄仄	跨马出郊时极目
㊅平㊅仄仄平平	不堪人事日萧条

2.首句仄起平收,如柳宗元的《登柳州城楼寄漳汀封连四州》:

㊅仄平平仄仄平	城上高楼接大荒
㊅平㊅仄仄平平	海天愁思正茫茫
㊅平㊅仄平平仄	惊风乱飐芙蓉水
㊅仄平平仄仄平	密雨斜侵薜荔墙
㊅仄㊅平平仄仄	岭树重遮千里目
㊅平㊅仄仄平平	江流曲似九回肠
㊅平㊅仄平平仄	共来百越文身地
㊅仄平平仄仄平	犹自音书滞一乡

3.首句仄起仄收,如杜甫的《闻官军收河南河北》:

仄仄平平平仄仄　　剑外忽传收蓟北

平平仄仄仄平平　　初闻涕泪满衣裳

平平仄仄平平仄　　却看妻子愁何在

仄仄平平仄仄平　　漫卷诗书喜欲狂

仄仄平平平仄仄　　白日放歌须纵酒

平平仄仄仄平平　　青春作伴好还乡

平平仄仄平平仄　　即从巴峡穿巫峡

仄仄平平仄仄平　　便下襄阳向洛阳

4.首句平起平收,如王维的《酬郭给事》:

平平仄仄仄平平　　洞门高阁霭余晖

仄仄平平仄仄平　　桃李阴阴柳絮飞

仄仄平平平仄仄　　禁里疏钟官舍晚

平平仄仄仄平平　　省中啼鸟吏人稀

平平仄仄平平仄　　晨摇玉佩趋金殿

仄仄平平仄仄平　　夕奉天书拜琐闱

仄仄平平平仄仄　　强欲从君无那老

平平仄仄仄平平　　将因卧病解朝衣

一首律诗八句,每上下两句称为一联。每联上下句平仄相对:上句平起,下句就仄起;反之,上句仄起,下句就平起。否则为失对。上下联平仄相粘:上联第二句平起,下联第一句也平起;反之,上联第二句仄起,下联第一句也仄起。否则为失粘。

七律八句,每句减去开头两字,就是五律格律。五律句式的四种类型是:

① 仄仄平平仄——仄起仄收

② 平平仄仄平——平起平收

③ 平平平仄仄——平起仄收

④ 仄仄仄平平——仄起平收

1.首句仄起仄收,如杜甫的《春望》:

仄仄平平仄　　国破山河在

平平仄仄平　　城春草木深

平平平仄仄　　感时花溅泪

仄仄仄平平　　恨别鸟惊心

⟨仄⟩仄平平仄　　烽火连三月

平平仄仄平　　家书抵万金

平平平仄仄　　白头搔更短

⟨仄⟩仄仄平平　　浑欲不胜簪

2.首句平起平收,如李商隐的《风雨》:

平平仄仄平　　凄凉宝剑篇

⟨仄⟩仄仄平平　　羁泊欲穷年

⟨仄⟩仄平平仄　　黄叶仍风雨

平平仄仄平　　青楼自管弦

⟨平⟩平平仄仄　　新知遭薄俗

⟨仄⟩仄仄平平　　旧好隔良缘

⟨仄⟩仄平平仄　　心断新丰酒

平平仄仄平　　消愁斗几千

3.首句平起仄收,如白居易的《赋得古原草送别》:

⟨平⟩平平仄仄　　离离原上草

⟨仄⟩仄仄平平　　一岁一枯荣

⟨仄⟩仄平平仄　　野火烧不尽

平平仄仄平　　春风吹又生

⟨平⟩平平仄仄　　远芳侵古道

⟨仄⟩仄仄平平　　晴翠接荒城

⟨仄⟩仄平平仄　　又送王孙去

平平仄仄平　　萋萋满别情

4.首句仄起平收,如杜甫的《月夜忆舍弟》:

⟨仄⟩仄仄平平　　戍鼓断人行

平平仄仄平　　边秋一雁声

⟨平⟩平平仄仄　　露从今夜白

⟨仄⟩仄仄平平　　月是故乡明

⟨仄⟩仄平平仄　　有弟皆分散

平平仄仄平　　无家问死生

⟨平⟩平平仄仄　　寄书长不达

⟨仄⟩仄仄平平　　况乃未休兵

七绝的句式和七律一样有四个类型:

1.首句平起仄收,如朱庆馀的《近试上张水部》:

㊞平㊞仄平平仄　　洞房昨夜停红烛

㊞仄平平仄仄平　　待晓堂前拜舅姑

㊞仄㊞平平仄仄　　妆罢低声问夫婿

㊞平㊞仄仄平平　　画眉深浅入时无

2.首句仄起平收,如杜牧的《赤壁》:

㊞仄平平仄仄平　　折戟沉沙铁未销

㊞平㊞仄平平仄　　自将磨洗认前朝

㊞平㊞仄平平仄　　东风不与周郎便

㊞仄平平仄仄平　　铜雀春深锁二乔

3.首句仄起仄收,如杜甫的《绝句》:

㊞仄㊞平平仄仄　　两个黄鹂鸣翠柳

㊞平㊞仄仄平平　　一行白鹭上青天

㊞平㊞仄平平仄　　窗含西岭千秋雪

㊞仄平平仄仄平　　门泊东吴万里船

4.首句平起平收,如李白的《下江陵》:

㊞平㊞仄仄平平　　朝辞白帝彩云间

㊞仄平平仄仄平　　千里江陵一日还

㊞仄㊞平平仄仄　　两岸猿声啼不住

㊞平㊞仄仄平平　　轻舟已过万重山

五绝的句式与五律一样,有四个类型:

1.首句仄起仄收,如王之涣《登鹳雀楼》:

㊞仄平平仄　　白日依山尽

平平仄仄平　　黄河入海流

㊞平平仄仄　　欲穷千里目

㊞仄仄平平　　更上一层楼

2.首句平起平收,如卢纶的《塞下曲四首》其一:

平平仄仄平　　鹫翎金仆姑

㊞仄仄平平　　燕尾绣蝥弧

㊞仄平平仄　　独立扬新令

平平仄仄平　　千营共一呼

3.首句平起仄收,如孟浩然的《宿建德江》:

⊕平平仄仄　　移舟泊烟渚

⊗仄仄平平　　日暮客愁新

⊗仄平平仄　　野旷天低树

平平仄仄平　　江清月近人

4.首句仄起平收,如西鄙人的《哥舒歌》:

⊗仄仄平平　　北斗七星高

平平仄仄平　　哥舒夜带刀

⊕平平仄仄　　至今窥牧马

⊗仄仄平平　　不敢过临洮

近体诗的平仄还有所谓拗救。拗就是平仄不依常格,该平的却用了仄,该仄的又用了平。前人的拗救是多种多样的,我们这里只就常见的当句拗救和对句拗救举数例以见一斑。当句中前一字用了拗,后一字必用救,对句中前一句用了拗,后一句必用救。

甲:当句拗救

当句拗救的地方一般在:平起七律的第三、七句的第五、六字和七绝的第三句的第五、六字;仄起五律的第三、七句的第三、四字和五绝的第三句的第三、四字。按照近体平仄常格,上述七言句的第六字、五言句的第四字都只能用仄声,但往往为了顾及内容而需要用平声,于是便和上一字对换平仄。这样就把句式变成:

仄仄平平仄平仄——七言

平平仄平仄——五言

七律的例子如:

杜甫的《咏怀古迹》其一、其二:

庾信平生最萧瑟　　(第七句),暮年诗赋动江关。

⊗仄平平仄平仄　　　　⊕平⊗仄仄平平

千载琵琶作胡语　　(第七句),分明怨恨曲中论。

⊗仄平平仄平仄　　　　⊕平⊗仄仄平平

高适的《送李少府贬峡中王少府贬长沙》:

巫峡啼猿数行泪　　(第三句),衡阳归雁几封书。

⊗仄平平仄平仄　　　　⊕平⊗仄仄平平

七绝的例子如:

杜甫的《江南逢李龟年》:

正是江南好风景　（第三句），落花时节又逢君。
（仄）仄平平仄平仄　　　　（平）平（仄）仄仄平平

　　刘禹锡的《春词》：
行到中庭数花朵　（第三句），蜻蜓飞上玉搔头。
（仄）仄平平仄平仄　　　　（平）平（仄）仄仄平平

五律的例子如：

　　李白《夜泊牛渚怀古》：
登舟望秋月　（第三句），　空忆谢将军。
平平仄平仄　　　　　　（仄）仄仄平平
明朝挂帆席　（第七句），　枫叶落纷纷。
平平仄平仄　　　　　　（仄）仄仄平平

　　杜甫的《月夜》：
遥怜小儿女　（第三句），　未解忆长安。
平平仄平仄　　　　　　（仄）仄仄平平
何时倚虚幌　（第七句），　双照泪痕干？
平平仄平仄　　　　　　（仄）仄仄平平

五绝的例子如：

　　柳宗元的《长沙驿》：
今来数行泪　（第三句），　独上驿南楼。
平平仄平仄　　　　　　（仄）仄仄平平

　　刘禹锡的《秋风引》：
朝来入庭树　（第三句），　孤客最先闻。
平平仄平仄　　　　　　（仄）仄仄平平

乙：对句拗救

　　一般说来，五言第三字、七言第五字，本可不拘平仄；但诗人尽可能不改变平仄，如要改变也尽可能在一联中配合进行。如果五言第三字、七言第五字改变了平仄，那么它的对称句的对称字也应相应地改变平仄。这样，往往把五、七言一联的句式变成：

　　……仄平仄，……平仄平或
　　……仄仄仄，……平平平

五言的例子如：

　　李白的《赠钱征君》：

白玉一杯酒，　　绿杨三月时。

　仄平仄　　　　平仄平

　　李白的《秋登宣城谢朓北楼》：

谁念北楼上，　　临风怀谢公。

　仄平仄　　　　平仄平

七言的例子如：

　　杜甫的《蜀相》：

映阶碧草自春色，　　隔叶黄鹂空好音。

　　仄平仄　　　　　　平仄平

　　许浑的《咸阳城东楼》：

溪云初起日沉阁，　　山雨欲来风满楼。

　　仄平仄　　　　　　平仄平

许浑诗集中此类拗救特多。

　　王维的《酌酒与裴迪》：

草色全经细雨湿，　　花枝欲动春风寒。

　　仄仄仄　　　　　　平平平

近体诗有了拗救，既可使平仄格律多一些变化，又可使变化之中仍然音节和谐，增强诗的音乐美。

在辨别平仄时，还要注意同字异调。许多字音随义转，读平声和读仄声是有一定的。如李白《夜思》的"低头思故乡"之"思"字读平声，而柳宗元《登柳州城楼寄漳汀封连四州》的"海天愁思正茫茫"之"思"字却读仄声（去声）；王之涣《登鹳雀楼》的"更上一层楼"之"更"字读仄声（去声），刘方平《月夜》的"更深月色半人家"之"更"字读平声；李白《送友人》的"此地一为别"之"为"字读平声，李商隐《为有》的"为有云屏无限娇"之"为"字读仄声（去声）。但也有些字在近体诗中可以平仄两用而意义相同。

四、对仗

对仗就是对偶，是一种修辞手段。律诗中间两联要求对仗。排律除首尾两联外，都要两两成对。对仗，主要可分工对和宽对两类：

1.工对　工对就是工整的对偶，要求较严。它要求同类词相对，名词对名词，形容词对形容词，动词对动词，副词对副词……而且在同一词类中又要求小类相对。如柳宗元的《登柳州城楼寄漳汀封连四州》中的"惊风乱飐芙蓉水,密雨斜侵薜荔墙",“雨”对“风”、“薜荔”对“芙蓉”、“墙”对“水”都是名词相对;“密”对“惊”、“斜”对“乱”都是形容词相对; “侵”对“飐”是动词相对。而名词相对中的“雨”和“风”又是气候相对, “薜荔”和“芙蓉”又是植物名和连绵词相对。

2.宽对 宽对就是范围较宽的对偶,只要求字面大致相对。如:张九龄《望月怀远》中的“情人怨遥夜,竟夕起相思”,孟浩然《留别王维》中的“欲寻芳草去,惜与故人违”,李白《送友人》中的“此地一为别,孤蓬万里征”等。

除工对、宽对外,还有所谓流水对、当句对等等。流水对是两句一气连贯或有因果关系。如杜甫《闻官军收河南河北》中的“即从巴峡穿巫峡,便下襄阳向洛阳”,《月夜忆舍弟》中的“有弟皆分散,无家问死生”等。当句对是指本句内部自对而又和同联另一句相对,如杜甫《登高》中的“风急天高猿啸哀,渚清沙白鸟飞回”,《阁夜》中的“卧龙跃马终黄土,人事音书漫寂寥”等。

律诗要求中间两联对仗,但有些律诗只有一联对仗,而不对仗的那联又多是在第二联,如杜甫《月夜》中的“遥怜小儿女,未解忆长安”,刘长卿《饯别王十一南游》的“飞鸟没何处,青山空向人”等。有的律诗第二联不对,而第一联对了,这叫“偷春体”,如王勃的《送杜少府之任蜀川》、王维的《辋川闲居赠裴秀才迪》等。另有些律诗前三联或后三联都对仗的,前三联对仗的如杜甫的《春望》,后三联对仗的如杜甫的《闻官军收河南河北》。还有四联全对仗的或全不对仗的,前者如杜甫的《登高》和《阁夜》,后者如李白的《夜泊牛渚怀古》和僧皎然的《寻陆鸿渐不遇》。

绝句,不要求对仗,但有些绝句也用对仗。有的在前联对仗,如杜甫的《八阵图》;有的后一联对仗,如孟浩然的《宿建德江》;有的两联全对仗,如王之焕的《登鹳雀楼》、柳中庸的《征人怨》。

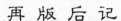

再 版 后 记

1979 年 1 月应江西人民出版社之约,评注《唐诗三百首》。由于时间紧迫,其中一部分便利用了我历年写的讲稿;而此书旨在普及,所以把重点放在注释上,以致有八十多篇诗的内容未加说明。这次承出版社给予再版,才有机会把未加说明的诗篇再行补充。同时,在极少数诗中,增加了一些注释,改正了一些谬误;在个别的"作者简介"中,也根据一些专家的最新考证作了改订。

本书的编目次序全按四藤吟社主人刊本。而四藤吟社主人是根据原《唐诗三百首》编选人蘅塘退士孙洙的定本。蘅塘退士原按诗体分为五言古诗、七言古诗、五言律诗、七言律诗、五言绝句、七言绝句等六类,这对初读唐诗者吟咏、欣赏是很有益处的。不难看出,蘅塘退士对每类诗中作者的时代也大致有个先后次序,但很不严格,在好些地方甚至前后自相矛盾,造成混乱。关于这个问题,初版时未曾指出。现在重版,虽然仍不便将这个传统选集按诗作者的时代先后重新排列,但为了使初读者能注意到原排列次序有不妥之处,现仅就其中五言古诗、七言古诗、五言律诗的次序略举几例,以见一斑。

五言古诗中把张九龄列在最前是正确的,接下去本来应该是孟浩然、王昌龄、常建、王维等,而编选人却把李白、杜甫提前了。孟浩然比王维大十二岁,按理王维应该列在孟浩然之后,而在五言古诗和五言律诗中又都恰恰相反,孟浩然列在王维之后。又,王维虽与李白同年出生,但他在盛唐诗坛成名比李白要早,如在七言古诗的"乐府"中那样,李白列在王维之后就比较合理,而在五言古诗和五言律诗中,王维不但列在李白之后,而且列在杜甫之后了。岑参比李白小十四岁,比杜甫小三岁,在五言古诗中列在李白、杜甫之后是对的,而在七言古诗和五言律诗中却又反过来列在李白、杜甫之前了。在五言律诗中,初唐诗人王勃、骆宾王、杜审言、沈佺期、宋之问等应该列在前头,接着可列盛唐诗人王湾、张九龄、李隆基、刘眘(慎)虚、常建、王维、李白、杜甫、岑参等,而蘅塘退士却把李隆基列为第一,张九龄列为第二,其原因无非李是皇帝,张曾经任过宰相。僧皎然本是盛唐诗人,在五言律诗中却被列在最后,这无疑是依照旧时惯例,对"释、道、妇女"的轻视,唐人编选的《又玄集》、《才调集》是如此,清人编选的《全唐诗》、《唐诗别裁》也是如此。而更不能理解的是,盛唐前期著名诗人刘眘虚,他是孟浩然的好友,与王昌龄也有唱和,却被列在中唐诗人韩翃之后,这就把时代推后几十年了。如此等等。

本书每类的编目次序虽然仍旧未变,但一些诗人的"简介"有明确的生卒年限可查;尽管还有不少诗人目前无法确定他们的生卒年限,但从"简介"中一般仍然可以看出其在诗坛活动的大略时间。

初版发行后,曾得到不少读者的热情鼓励与支持,特在此表示感谢!

这次再版虽比初版的内容有不少补充和改进,但为水平所限,难免尚有错误之处,希望能在广大读者指正下继续修订。

陶今雁

1981 年 11 月

三 版 后 记

　　拙作问世以来,不少读者建议增加一些格律诗知识。现借此次增订之机,结合本书诗例,特撰《近体诗格律简介》附后。此外,在原书基础上充实了一些内容。如对某些诗的"说明"作了大量补充,不少诗的部分注释有所增详,有的"作者简介"也改写了。又如骆宾王的《在狱咏蝉》题后原有长序,初版、再版均被略去,现已恢复,并加详注。如此等等。

　　此书三版,和初版、再版一样,得到江西人民出版社责任编辑李春林同志的大力协助和广大读者的热情鼓励与支持,在此一并致以谢忱。

　　此书虽两次再版,仍难免有谬误和不当之处,恳请读者批评教正。

陶今雁

1988 年 1 月 15 日于青山湖畔

四 版 后 记

　　古人云:"熟读唐诗三百首,不会吟诗也会吟。"此语信不虚也。自《唐诗三百首》问世以来,千百诗人莫不深受其影响。予于抗战中期之喜吟旧体诗词,正发轫于诵读、玩味《唐诗三百首》之后,数十年来,未尝间断。但惜前三十余年旧稿,于"文革"浩劫中悉被抄毁。1949 年春夏之交选存诗可三百首,经多年追忆,仅得五之一。此后二十余年所作,能忆及者尤为寥寥。"文革"结束,社会环境渐趋安定,吟兴益浓。就予前此所咏,虽无可观,然敝帚自珍,未肯弃置,几经删存,得诗数百首,聊以志其鸿爪耳。近数年来,有不少读者建议作者,将其因读唐诗三百首后而作之诗词附于本书之后。兹不揣冒昧,藉本书第四版付梓之机,将部分诗稿作为附录,以就正于读者,并愿与喜读唐诗三百首而有志于吟咏之青年朋友共勉焉。(编者按:原四版附录的《今雁诗草》,因本社已出单行本,新版从略。)

陶今雁

1993 年春于江西师范大学

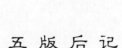

五 版 后 记

　　此版对个别诗的"说明"作了详细补充,对部分诗篇某些注释作了一些增删。近年有些读者问到格律诗的和韵是何时开始的?这个问题我在本书第四版杜审言《和晋陵陆丞早春游望》一诗的"说明"中已有介绍,并指出了初、盛唐和诗都按诗意相和,中唐才有和韵之举(已举例),直到北宋才流行和韵之作,请参看。也有些读者问到什么是孤平?作格律诗如何避免犯孤平?这个问题我在本书《近体诗格律简介》中为了节省篇幅,虽专用文字说明,但对其中五言句中第一个平声、七言句中第三个平声未加圆圈者(加圆圈是可平可仄处),是规定此处不得按"一、三、五不论"之例改用仄声,其目的就是为了避免孤平。凡仄起而押韵的七言句中间只有两个平声相连,其第三个平声字决不可换仄声;凡平起而押韵的五言句中间也只有两个平声字相连,其第一个平声字也决不可换仄声,否则便成了孤平。因平平二字相连,使它成单,便是孤平。但为了诗意,此处只有用仄声为好,则必须在五言平起有韵句的第三字、七言仄起有韵句的第五字改用平声来补救。七言如贺知章《回乡偶书》:"笑问客从何处来",元稹《遣悲怀三首》其三:"潘岳悼亡犹费词";五言如孟浩然《早寒有怀》:"北风江上寒",司空曙《喜外弟卢纶见过》:"愧君相见频",等等。以上四例均见本书。现借拙作印行之机,对上面两个问题谈了一些个人的看法,不知妥否,请读者批评指正。拙作问世十六年来,不断得到责任编辑李春林编审的热情支持和广大读者的厚爱与鼓励,使之得以一版再版,修订漏误,特在此表示衷心的感谢!

陶今雁

1995 年 10 月

编 者 后 记

《唐诗三百首详注》初版于 1979 年，三十年来，连续五次再版，每版多次重印，累计印数已逾百万册，1990 年荣获第四届全国图书金钥匙奖，1994 年被评为全国优秀畅销书，广受读者欢迎。

本书作者陶今雁先生于 2003 年病故，近三十年来，他为本书的出版付出了不少心血。每一次再版、重印，他都不断地根据读者意见对本书进行修改、订正，哪怕一个标点的错误也不放过，使本书与时俱进，精益求精。

斯人已去，大书永存。他的这部优秀巨著，便是留给我们最好的永远的纪念。十余年前，本书印数近百万册时，本书责编李春林曾发表《赠陶今雁先生》诗一首："唐诗详注传寰海，雅俗争观十六年。纸贵洪城书百万，雁凌紫塞路三千。风清两袖峥嵘骨，笔下双锋锦绣篇。局促人生原苦短，揉诗裁梦自陶然。"谨录此诗向陶先生表示深切怀念。

这次再出新版，以最近的 2000 年 4 月第五版内容为准。按本书著作权继承人意见，不作内容上的修改；前言和各版后记，因为与全书内容有关，一律保留。只在版面上创新。

本书经受历史考验，且在众多《唐诗三百首》同类书中获最高金钥匙奖，盖因其在一个"详"字上下了功夫。每首诗的"简介"、"说明"、"注释"，既通俗地解释诗中的词句，又深层次讲解内涵真义，还有唐诗的研究成果和近体格律诗的写作常识。可谓雅俗共赏，可望传世。

2009 年 2 月 26 日

图书在版编目（CIP）数据

唐诗三百首详注/陶今雁编著．—6 版.
—南昌：百花洲文艺出版社，2009. 4
　（国学基础读本）
ISBN 978-7-80579-055-8

Ⅰ.唐…　Ⅱ.陶…　Ⅲ.唐诗—注释　Ⅳ.I222.742

中国版本图书馆 CIP 数据核字（2009）第 053049 号

出 版 社　百花洲文艺出版社
地　　址　南昌市阳明路 310 号　　　邮编　330008
电　　话　0791—6894736(发行热线)　0791—6894790(编辑热线)
网　　址　http://www.bhzwy.com
E－mail　bhz@bhzwy.com

书　　名　唐诗三百首详注
作　　者　陶今雁 编著
出 版 人　姜钦云
责任编辑　李春林　毛军英
经　　销　全国新华书店
网上购书　www.dangdang.com(当当网)
印　　刷　江西教育印务实业有限公司
开　　本　710mm×1000mm　1/16
印　　张　18.625
字　　数　40 万
版　　次　1979 年 12 月第 1 版
　　　　　2009 年 4 月第 6 版
　　　　　2009 年 12 月第 11 次印刷
印　　数　1120001—1130000 册
定　　价　28.80 元
　　　　　ISBN 978-7-80579-055-8